50¢

GUATEMALA

Denis Faubert
Carlos Soldevila

ÉDITIONS
ULYSSE

Le plaisir... de mieux voyager

Auteurs
Denis Faubert
Carlos Soldevila

Éditeurs
Daniel Desjardins
Stéphane G. Marceau

Directeur de production
André Duchesne

Chargée de projet
Caroline Béliveau

Correcteurs
Pierre Daveluy
Pierre Corbeil

Metteurs en pages
Caroline Béliveau
Mélanie Deshaies
Alexandra Gilbert
Alain Legault
Élyse Marcoux

Cartographes
Patrick Thivierge
Yanik Landreville

Infographe
Stéphanie Routhier

Directeur artistique
Patrick Farei (Atoll)

Illustratrices
Lorette Pierson
Marie-Annick Viatour
Myriam Gagné
Jenny Jasper

Photographes
Page couverture
Mahaux Photo
Pages intérieures
Carlos Pineda
Claude Hervé-Bazin
Inguat- David M. Barron

Remerciements : Maria et Thierry Roquet, Edith Anavisca, Mónica Garrido, André Cloutier et Jean-Luc Braconnier

DISTRIBUTION

Canada : Distribution Ulysse, 4176, St-Denis, Montréal (Québec) H2W 2M5, ☎ (514) 843-9882, poste 2232, ☎ 800-748-9171, fax : (514) 843-9448, www.ulysse.ca, info@ulysse.ca

États-Unis : Distribooks, 8120 N. Ridgeway, Skokie, IL 60076-2911, ☎ (847) 676-1596, fax : (847) 676-1195

Belgique-Luxembourg : Vander, 321, avenue des Volontaires, B-1150 Bruxelles, ☎ (02) 762 98 04, fax : (02) 762 06 62

France : Inter Forum, 3, allée de la Seine, 94854, Ivry-sur-Seine, Cedex, ☎ 01 49 59 11 89, fax : 01 49 59 11 96

Espagne : Altaïr, Balmes 69, E-08007 Barcelona, ☎ (3) 323-3062, fax : (3) 451-2559

Italie : Centro cartografico Del Riccio, Via di Soffiano 164/A, 50143 Firenze, ☎ (055) 71 33 33, fax : (055) 71 63 50

Suisse : Diffusion Payot SA, p.a. OLF S.A., case postale 1061, CH-1701 Fribourg, ☎ (26) 467 51 11, fax : (26) 467 54 66

Pour tout autre pays, contactez Distribution Ulysse (Montréal), fax : (514) 843-9448, info@ulysse.ca.

Données de catalogage avant publication (Canada) voir p.8

Bibliothèque nationale du Québec
Dépôt légal - Premier trimestre 2000
ISBN 2-89464-173-7

«On monte, on descend par des routes qui se lovent comme des serpents. Ces méandres inévitables entre collines et montagnes, vallées et gorges, ont-ils aidé à faire du serpent un symbole sacré?»

Miguel Ángel Asturias

SOMMAIRE

SYMBOLES DES CARTES

✈	Aéroport	🚌	Gare d'autocars	✉	Poste
$	Banque	💼	Gare ferroviaire	∴	Sites archéologiques
⌂	Camping	❶	Information touristique	P	Stationnement
✪	Capitale de département	▲	Montagne	ℂ	Téléphone
★	Capitale nationale	🏛	Musée	🚗	Traversier
⛪	Cathédrale	♀	Parc	▲	Volcan
✝	Église				

LISTE DES CARTES

TABLEAU DES SYMBOLES

=	Air conditionné
⊛	Baignoire à remous
☺	Centre de conditionnement physique
C	Cuisinette
F	Réfrigérateur
pdj	Petit déjeuner inclus dans le prix de la chambre
≈	Piscine
ℝ	Réfrigérateur
ℜ	Restaurant
bp	Salle de bain privée (installations sanitaires complètes dans la chambre)
△	Sauna
S	Stationnement
◄	Télécopieur
☎	Téléphone
tv	Téléviseur
tvc	Téléviseur avec câble
tlj	Tous les jours
⊘	Ventilateur
bc	bain commun

CLASSIFICATION DES ATTRAITS

★	Intéressant
★★	Vaut le détour
★★★	À ne pas manquer

CLASSIFICATION DE L'HÉBERGEMENT

$	moins de 90 quetzals
$$	de 90 à 145 quetzals
$$$	de plus de 145 quetzals

Les tarifs mentionnés dans ce guide s'appliquent, sauf indication contraire, à une chambre standard pour deux personnes, en haute saison.

CLASSIFICATION DES RESTAURANTS

Les tarifs mentionnés dans ce guide s'appliquent, sauf indication contraire, à un dîner pour une personne, excluant le service et les boissons.

$	moins de 65 quetzals
$$	de 65 à 145 quetzals
$$$	plus de 145 quetzals

ÉCRIVEZ-NOUS

Tous les moyens possibles ont été pris pour que les renseignements contenus dans ce guide soient exacts au moment de mettre sous presse. Toutefois, des erreurs peuvent toujours se glisser, des omissions sont toujours possibles, des adresses peuvent disparaître, etc.; la responsabilité de l'éditeur ou des auteurs ne pourrait s'engager en cas de perte ou de dommage qui serait causé par une erreur ou une omission.

Nous apprécions au plus haut point vos commentaires, précisions et suggestions, qui permettent l'amélioration constante de nos publications. Il nous fera plaisir d'offrir un de nos guides aux auteurs des meilleures contributions. Écrivez-nous à l'adresse qui suit, et indiquez le titre qu'il vous plairait de recevoir (voir la liste à la fin du présent ouvrage).

Éditions Ulysse
4176, rue Saint-Denis
Montréal (Québec)
Canada H2W 2M5
www.ulysse.ca
info@ulysse.ca

CATALOGAGE

Faubert Denis, 1942
Soldevila, Carlos, 1969
        Guatemala
        1re éd.
        (Guide de voyage Ulysse)
        Comprend un index.

        ISBN 2-89464-173-7
1. Guatemala - Guides.   II. Titre   III. Collection
F1463.6.F38   1999   917.28104'53   C98-940801-9

«Les éditions Ulysse reconnaissent l'aide financière du gouvernement du Canada par l'entremise du Programme d'Aide au Développement de l'Industrie de l'Édition (PADIÉ) pour ses activités d'édition.»

Les éditions Ulysse tiennent également à remercier la SODEC pour son soutien financier.

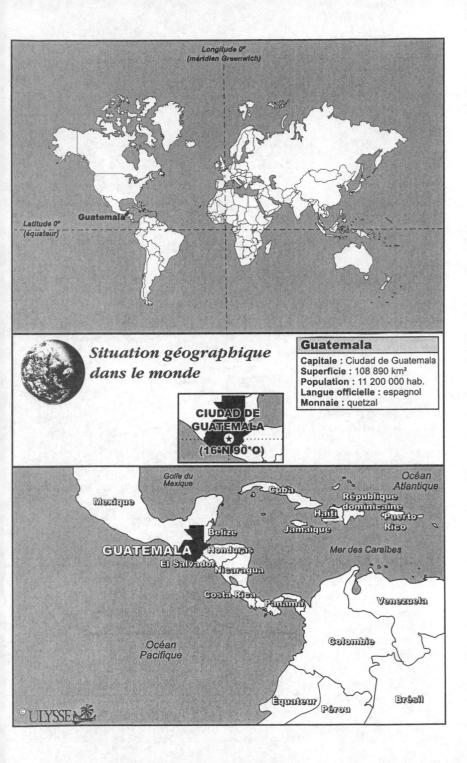

Longitude 0°
(méridien Greenwich)

Latitude 0°
(équateur)

Guatemala

Situation géographique dans le monde

CIUDAD DE GUATEMALA
★
(16°N 90°O)

Guatemala

Capitale : Ciudad de Guatemala
Superficie : 108 890 km²
Population : 11 200 000 hab.
Langue officielle : espagnol
Monnaie : quetzal

Golfe du Mexique

Océan Atlantique

Cuba

Mexique

République dominicaine

Haïti

Puerto-Rico

Belize

Jamaïque

GUATEMALA

Honduras

Mer des Caraïbes

El Salvador

Nicaragua

Costa Rica

Panamá

Venezuela

Colombie

Océan Pacifique

Équateur

Pérou

Brésil

© ULYSSE

Les sites archéologiques

0   50   100km

El Mirador · ·   Nachtún · · · · Río Azul
La Muralla   · Kinal
Nakbé ·

El Tintal · ·   Xultún · ·   · Xmakbatún
Uaxactún · ·   La Honradez
Yaloch

El Perú ·   Hulmul · ·   Manantial · Belmopán
Paso   · Naranjo
· · Piedras   Mactún   Caballos   Tikal · · Nakum
Negras   La Reina   · ·   Lago de   Yaxha ·   · Xunantunich
Motul de   Petén Itzá
· La Pasadita   San José ·
Itzimté · ·   · Yaltutud

Polol · ·   Tavasal   · Ucanal Uno   BELIZE
· Copojá

Ixpone · ·
La Amelia · ·   El Caribe
Altar de Sacrificios · ·   El Ceibal   Ixkún · ·   · Sacul
Dos Pilas ·   Tamarandito
· Aguateca
Machaquilá · ·   Naj Tunich · ·

MEXIQUE   · Tres Islas   Mer des
Caraïbes

· Cancuén   Golfe du
Honduras

· · Quen Santo
· Chaculá   · Nito

Chiantla   · Chamá
Vieja   · Sakajut
Los Cerritos   · Chichén   Lago de
· · Zaculeu   Chijoj   Xucaneb ·   Izabal
Chivacabé · ·   Sajcabajá · ·   · Los Encuentros   · Las Tinajas   · Quiriguá
La Lagunita   · Chuitinamit   (Chacujal)
Cahyup ·
Utatlán ·   · Chiché   · Zacualpa   Guaytán
· Izapa   Piedra del   · · Mixco   Carretera al Atlántico
Coyote   · Los Topales   Viejo   Conacaste
Lago de   · Iximché
La Victoria   Atitlán   Chuitinamit   Kaminaljuyú · Ciudad de
Abaj   Guatemala
Salinas   Takalik
La Blanca   · La Tortuga   · El Baúl   San Juan   HONDURAS
Las Minas ·   Visto Hermosa
Sin Cabesas · ·   Monte   Cerro de   · · La Laguna
Alto   Lajo
Balberta   Carretera Panamericana

Océan   EL SALVADOR
© ULYSSE   Pacifique   · San Salvador

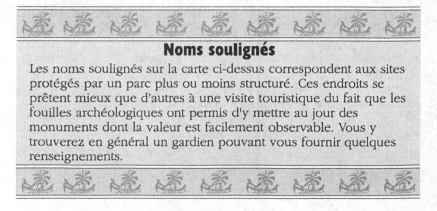

Noms soulignés

Les noms soulignés sur la carte ci-dessus correspondent aux sites protégés par un parc plus ou moins structuré. Ces endroits se prêtent mieux que d'autres à une visite touristique du fait que les fouilles archéologiques ont permis d'y mettre au jour des monuments dont la valeur est facilement observable. Vous y trouverez en général un gardien pouvant vous fournir quelques renseignements.

Le nom de Guatemala

provient du mot *Cuauhtemala,* qui signifie «la terre des arbres».

Tout comme le *ceiba,* l'arbre mythique des Mayas, le Guatemala a de profondes racines humaines remontant au début des temps, des millénaires avant l'arrivée des Espagnols. La métaphore de l'arbre a encore davantage à nous offrir pour comprendre ce pays hôte des Mayas. Son tronc symbolise ainsi la résistance des Mayas, qui ont su, jusqu'à aujourd'hui, conserver leur culture malgré la conquête et la répression qui durent depuis près de cinq siècles. Les feuilles, qui s'élancent au bout de hauts ramages, symbolisent l'espoir inébranlable de tout peuple pour la reconnaissance de leurs droits et de leur culture.

Le Guatemala demeure un des rares pays du continent américain où la culture indigène soit si présente et si vivante. For-

mant plus de 60% de la population totale du pays, les Mayas, qui parlent plus de 23 langues et dialectes différents, se présentent à nous comme les témoins d'une culture et d'une civilisation toujours vivante.

Le Guatemala, qui porte les riches couleurs de ses habitants et qui cache de majestueuses ruines s'érigeant en pleine jungle et plus de 300 volcans, se révèle à bien des égards être une des régions du monde les

plus propices au voyage et à la découverte. Comme nul autre, le Guatemala promet un dépaysement total.

Comme l'a si bien écrit Miguel Ángel Asturias, Prix Nobel de littérature d'origine guatémaltèque, *«le Guatemala est un vieux pays où la nature et l'histoire ont laissé des indices majestueux de leur pouvoir créateur. Il est sans nul doute un des pays les plus riches en mystères et en secrets inexprimables, au-delà même de l'Amérique centrale, fabuleuse Médi-*

terranée caribéenne, nombril et sanctuaire des anciennes cultures indo-américaines».

Dans les replis de ses montagnes, le Guatemala a subi une histoire tumultueuse et souvent tragique depuis que le conquistador espagnol Pedro de Alvarado s'est établi dans ce territoire en 1524. Aujourd'hui, ce pays sort à peine d'une guerre civile qui dura près de 30 ans et dont les principales victimes furent les Mayas et la population civile en général.

Cinq cents ans après le début de la conquête, le pays semble condamné à vivre avec l'équilibre précaire des forces de ses différentes populations. La paix signée en 1996 demeure un signe encourageant pour une région qui a un besoin criant de panser ses plaies.

Cette nouvelle ère, pleine de promesses mais aussi d'écueils, permet aux Guatémaltèques d'envisager leur avenir avec un peu plus d'optimisme. Pour le voyageur étranger, il n'y a sans doute pas de meilleur moment que celui-ci pour visiter le pays.

Géographie

Le Guatemala possède la caractéristique particulière de se trouver exactement au centre géographique du continent américain. Le pays partage ses frontières avec le Mexique au nord et à l'ouest, avec le Honduras et le El Salvador au sud, et finalement avec le Belize au nord-est.

D'une superficie de 108 899 km^2, le territoire du Guatemala offre un paysage essentiellement montagneux. Les volcans qui se dressent à l'horizon représentent derechef les éléments les plus spectaculaires du pays (voir encadré p 14). Le volcan Tajamulco, qui se trouve dans le département de San Marcos, est le plus élevé du pays, atteignant 4 211 m d'altitude.

Le Guatemala recèle aussi des plaines couvertes de forêts tropicales ainsi que de nombreux lacs et rivières. Sur le rivage de l'océan Pacifique, on découvre des plages de sable volcanique et, en bordure de la mer des Caraïbes, des plages encore vierges.

Le Guatemala peut ainsi être divisé en trois grandes régions géologiques. Les **Basses Ter-** res, au nord-est du pays dans la région du Petén, se présentent comme de bas plateaux, généralement horizintaux et abritant des forêts tropicales denses. On y trouve en abondance des bois précieux, des arbres producteurs de caoutchouc et du pétrole.

Les **Hautes Terres,** quant à elles, couvrent le centre et l'ouest du pays. Comme le nom l'indique, ce territoire est parsemé de montagnes. Le système orographique «antillais» est formé de hautes montagnes qui sont la continuation de la Sierra de San Cristóbal (Mexique). Cette cordillère traverse le nord du Guatemala d'ouest en est et achève son parcours sur la côte de la mer des Caraïbes.

La dorsale volcanique du Pacifique, connue aussi sous le nom de Sierra Madre, constitue aussi une bonne partie de cette région géologique. On y trouve des sommets volcaniques s'élevant sur des plateaux formés par les cendres des volcans. Cette ceinture s'érige au sud du Guatemala et s'étend d'ouest en est, puis traverse le Honduras, le El Salvador, le Nicaragua et le Costa Rica.

Finalement, la **plaine de la côte du Pacifique** descend des pentes des Hautes Terres jusqu'à l'océan Pacifique.

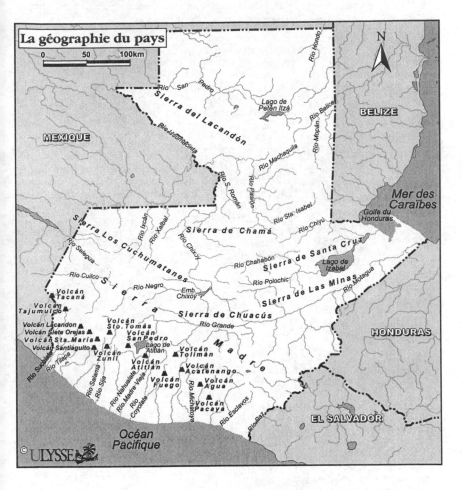

La géographie du pays

0   50   100km

N

Rio Hondo

Rio San Pedro

Sierra del Lacandón

Lago de Petén Itzá

Rio Belice

Rio Mopán

BELIZE

MEXIQUE

Rio Usumacinta

Rio Machaquila

Rio S. Román

Rio Pasión

Mer des Caraïbes

Rio Sta. Isabel

Golfe du Honduras

Sierra Los Cuchumatanes

Rio Ixcán

Rio Xalbal

Rio Chixoy

Sierra de Chamá

Rio Chiyú

Rio Selegua

Rio Cuilco

Rio Chahabón

Sierra de Santa Cruz

Lago de Izabal

Rio Polochic

Sierra de Las Minas

Rio Motagua

Volcán Tacaná

Sierra

Rio Negro

Emb. Chixoy

Volcán Tajumulco

Volcán Lacandon

Volcán Siete Orejas

Volcán Sta. María

Volcán Santiaguito

Volcán Sto. Tomás

Volcán San Pedro

Sierra de Chuacús

Rio Grande

Rio Subiate

Rio Tilapa

Volcán Zunil

Lago de Atitlán

Madre

HONDURAS

Volcán Toliman

Volcán Atitlán

Rio Salamá

Rio Sija

Rio Náhualate

Rio Madre Vieja

Rio Coyolate

Volcán Fuego

Volcán Acatenango

Volcán Agua

Rio Michatoya

Volcán Pacaya

Rio Esclavos

EL SALVADOR

Rio Paz

Océan Pacifique

© ULYSSE

Les volcans du Guatemala

Avant même l'arrivée des hommes en Amérique centrale, les grands volcans s'élevaient à l'horizon et touchaient de leurs cimes la voûte du ciel. Pour nous parler des montagnes de feu du Guatemala, Carlos E. Prahl Redondo, auteur de nombreux livres, montagnard de cœur et d'esprit – il a grimpé jusqu'aux sommets des plus importants volcans du Guatemala –, a accepté de nous écrire un texte sur les volcans de son pays. Né au Guatemala en 1939, écrivain et chercheur, Carlos E. Prahl Redondo a publié entre autres *Guatemaltecos en el Aconcagua*, *Guatemaltecos en el Kilimanjaro et Guía de los volcanes de Guatemala*.

Le Guatemala est une terre d'épilepsies sismiques et politiques, mais aussi une terre de verts paysages, de tranquilles couchers de soleil et de merveilleux volcans.

L'activité tellurique est provoquée par la confluence sur son territoire de trois grandes plaques tectoniques : la plaque nord-américaine, celle des Caraïbes et celle de Los Cocos, provoquant les tremblements de terre qui secouent fréquemment sa géographie, alors que les coups d'État et les longues dictatures, au cours des dernières années, secouent la société guatémaltèque, rendant impossible l'existence d'une démocratie authentique.

En ce qui concerne ses nombreux volcans, une longue chaîne en traverse le territoire. D'une frontière à l'autre, très près de l'océan Pacifique et sur une étendue de près de 380 km, plus de 300 volcans élèvent leur cônes comme de grandes fourmilières.

Parmi ces volcans, quelques-uns sont actifs (*Pacaya, Fuego, Santiaguito*), lançant de la lave par leurs bouches et leurs flancs lors d'impressionnantes éruptions, une évidence qu'il y a bel et bien de la vie dans les entrailles de notre planète. D'autres volcans manifestent une certaine activité et ne sont pas encore complètement éteints; avec leurs champs de lave, leurs gaz toxiques et leurs nuages ardents, ils nous rappellent les âges primitifs de la terre.

Les autres volcans, apparemment éteints, peuvent s'éveiller à n'importe quel moment de leurs nombreux siècles de léthargie, activés par des forces géologiques invisibles.

Durant des milliers d'années, les volcans ont propulsé avec violence des matériaux dans l'espace ou ont laissé couler pacifiquement des matériaux sur la surface de la terre, emportant des couches alluviales vers la mer et formant ainsi une large côte de sol fertile, une terre riche et humide où poussent les prés dont s'alimente le bétail, où pousse la canne à sucre, source de richesse, de prospérité et de travail pour le peuple guatémaltèque.

Les volcans forment ainsi une partie essentielle du paysage du Guatemala; ils ont créé la côte sud du pays et permis une richesse agricole sur une grande partie du territoire guatémaltèque. Ils ne sont pas, comme on pourrait le croire, à l'origine de dommages où de plus grands maux, ni la cause de grands tremblements de terre; bien au contraire, ils lancent des matériaux qui s'avèrent bénéfiques pour les sols de la République.

Les volcans guatémaltèques, présence évidente

et immédiate dans les paysages urbain et rural du pays, apparaissent ainsi dans de nombreux tableaux des peintres primitifs, sur huile ou sur aquarelle. Ils figurent aussi, depuis 1532, sur les anciennes armoiries de la capitale du royaume du Guatemala, aujourd'hui l'ancienne Santiago de Guatemala, fondée initialement à Iximché en 1524 par le conquistador espagnol Pedro de Alvarado. Les volcans apparaissent de plus sur les armoiries de la Nueva Santiago de Guatemala de la Asunción, fondée en 1776 dans le Valle de la Ermita, la ville ayant été déplacée à cet endroit justement à cause de la destruction, en 1773, de l'Antigua Santiago sous l'effet de tremblements de terres.

De même, cinq volcans apparaissent sur les armoiries de la République fédérale centraméricaine (1824-1836), symbolisant les cinq États qui s'unirent pour peu de temps en une seule république.

Il est évident qu'à l'arrivée des conquistadors espagnols sur ces terres du Nouveau Monde, en 1524, un des spectacles qui a dû les impressionner le plus fut celui des volcans en éruption, tout comme la grande quantité de volcans, de montagnes formant le relief des Indes occidentales. Alvarado a même pu voir l'activité éruptive du volcan Fuego en avril 1524, puisqu'il s'agit de l'un des volcans qui a la plus grande activité dans tout l'isthme centre-américain jusqu'à ce jour.

Encore aujourd'hui, les éruptions volcaniques offrent un superbe spectacle, tant pour les voisins de ce beau pays que pour les voyageurs. De plus, les volcans ont donné lieu à la pratique d'un sport sain, celui de l'"andinisme", soit l'ascension des volcans andins, tout comme l'alpinisme dans les Alpes européennes. Puisqu'il existe plus de 300 volcans (324 selon une recherche récente) et de nombreuses montagnes, la pratique de ce sport est d'autant plus intéressante que de nombreux sentiers s'offrent au marcheur.

L'"andinisme" au Guatemala n'offre pas qu'une grande variété de montagnes et de volcans, mais permet aussi la pratique de nombreuses activités telles que la géologie, l'ethnographie, la biologie, la volcano-logie, la peinture, la photographie et le vol libre.

J'ai choisi de vous faire part d'une liste de 19 volcans, les plus importants et les plus connus du pays; mais, comme nous l'avons indiqué auparavant, il y en a bien davantage. Nous ne mentionnerons que les grands volcans de la Sierra Madre, qui traverse tout le territoire national parallèlement à l'océan Pacifique, sur la côte sud du Guatemala.

Liste des principaux volcans du Guatemala par ordre de grandeur :

1) Tajamulco, 4 220 m
2) Tacaná (partiellement actif), 4 093 m
3) Acatenango, 3 976 m
4) Santa María, 3 772 m
5) Agua, 3 766 m
6) Fuego (actif), 3 763 m
7) Zunil, 3 542 m
8) Atitlán (partiellement actif), 3 537 m
9) Santo Tomás, 3 505 m
10) Siete Orejas, 3 370 m
11) Cerro Quemado (partiellement actif), 3 197 m
12) Tolimán, 3 158 m
13) San Pedro, 3 020 m
14) Cuxliquel, 3 004 m
15) Chicabal, 2 900 m
16) Lacandón, 2 270 m
17) Pacaya (actif), 2 550 m
18) San Antonio, 2 414 m
19) Santiaguito (actif), 2 500 m

Faune et flore

La faune et la flore du Guatemala sont tout aussi diverses que sa géographie. Sur la côte du

Tortue marine

Pacifique, vous pourrez observer de nombreuses espèces de tortues, particulièrement au Biotopo Monterrico-Hawaii. Ici les tortues viennent déposer leurs œufs à des époques précises de l'année.

Tout près, les mangroves s'étendent sur les berges des rivières prenant leur source des hautes montagnes. Puis il suffit de monter un peu en altitude vers l'intérieur du pays pour pouvoir observer de nombreuses espèces d'orchidées et de champignons.

Puma

Le quetzal, l'oiseau mythique des Mayas, vit dans les montagnes des Hautes Terres. Cet oiseau rare, au long plumage flamboyant, peut être observé, avec beaucoup de patience ou de chance dans le Biotopo del Quetzal. Les grandes forêts de cette région sont prisées de l'industrie forestière qui s'y est

établie depuis le début du siècle.

Ce sont pourtant les jungles du Petén, très fréquentées par les voyageurs grâce à la présence des ruines de Tikal, qui façonneront davantage l'imaginaire des aventuriers contemporains. À perte de vue, elles occupent presque le tiers de tout le territoire guatémaltèque. Ici les toucans, les perroquets et les colibris nichent dans des forêts d'acajous, d'avocatiers et de *ceibas*, l'arbre légendaire et mythique des Mayas.

Perroquet

Il n'y a pas que les oiseaux qui peuplent cette énorme jungle tropicale. De multiples mammifères, tels les singes crieurs, les ocelots, les pumas, les tapirs, les renards roux et bien d'autres, ont choisi de vivre à l'ombre de ces grands arbres.

La côte caraïbe du Guatemala n'est pas en reste en ce qui concerne les richesses naturelles qu'on y trouve. Les récifs de corail de ces mers paisibles sont

le refuge de nombre d'espèces de poissons, mais aussi de requins, de tortues et de crocodiles d'eau salée. On pourra aussi y observer le lamantin.

Population

La population du Guatemala est divisée en deux groupes principaux, les Mayas et les Ladinos.

Les estimations officielles de la population maya se révèle généralement moins élevées qu'elle ne l'est en réalité. Les chiffres officieux indiquent que les Mayas constituent près de 60% de la population. Ils seraient donc près de six millions à habiter le Guatemala. Bien qu'ils soient majoritaires, les différents peuples mayas ne détiennent pas de pouvoirs politiques ou économiques. Agriculteurs pour la plupart, ils occupent généralement les Hautes Terres du Guatemala. Ils cultivent principalement le maïs, les fèves et les piments sur des lopins de terre ou *minifundios*. Cette production, insuffisante pour leur subsistance, les oblige à accomplir des travaux saisonniers loin de leurs terres dans les grandes plantations de café, de coton et de canne à sucre.

Lamantin

La naissance de «l'homme de maïs»

Selon le *Popol Vuh*, le livre sacré des Mayas écrit en k'iche', il y eut trois créations. Lors de la première création, les hommes furent créés à l'aide de boue. Mais «*l'homme se défaisait, devenait mou, n'avait pas de mouvement, pas de force, il tombait, il était aqueux, ne bougeait pas la tête, le visage s'écrasait sur un côté, il ne pouvait voir. Au début, il parlait, mais il n'avait pas de conscience. Rapidement, il devint humide et il ne put se tenir.*» Mécontents, les dieux détruisirent leur œuvre.

Lors de la deuxième création, un ancien couple de dieux choisit de créer les hommes à l'aide de bois et les femmes à l'aide de roseaux. Ces gens voyaient, parlaient et se multipliaient comme des personnes, mais ils ne possédaient pas d'âme, leurs traits physiques étaient sans expression et leur peau était jaune. Puisqu'ils ne se souvenaient pas de leurs créateurs, ils furent à leur tour détruits, noyés dans un déluge ou dévorés par des démons. Ceux qui survécurent sont aujourd'hui devenus les singes.

Lors de la troisième création, quatre hommes et quatre femmes furent créés à partir de maïs blanc et jaune. Les dieux furent contents car les hommes remercièrent leurs créateurs, mais ils jugèrent qu'ils étaient trop sages, et craignirent qu'ils deviennent les égaux des dieux en sagesse. Le Cœur du Ciel souffla de la vapeur dans leurs yeux, et leur sagesse diminua. C'est ainsi que «l'homme de maïs» devint l'ancêtre des Mayas.

Les Ladinos composent environ 40% de la population guatémaltèque. La définition du Ladino est plutôt vague (voir aussi encadré p 20). Généralement métissé, le Ladino représente aussi les descendants espagnols. Les Ladinos parlent l'espagnol comme première langue, ils pratiquent la religion catholique et portent des vêtements à l'occidentale. Ils occupent les principales fonctions gouvernementales, possèdent les plus grandes richesses du pays et dirigent l'économie.

Outre ces deux principaux groupes du Guatemala, le pays est l'hôte des Garífuna, sans doute la population la plus originale du pays. Nés du métissage entre des esclaves noirs en fuite et des Caraïbes, ces Amérindiens d'Amérique du Sud qui se rebellèrent contre le pouvoir britannique, les Garífuna ont formé au cours des siècles une culture tout à fait particulière. Ils habitent principalement la région de Livingston, sur la côte caraïbe.

Les Noirs, que l'on retrouve aussi sur la côte caraïbe, parlent généralement l'anglais. Descendants d'esclaves africains détenus dans des colonies anglaises, ils furent amenés sur ces côtes pour construire le chemin de fer et pour travailler dans les plantations de bananiers au cours du XIXe siècle.

Langues

L'espagnol est la langue officielle du Guatemala. Cependant, plus d'une vingtaine de langues mayas sont aujourd'hui parlées dans le sud du Mexique, au Guatemala et au Belize. Nous pouvons les subdiviser en quatre familles, soit le huastèque, le yucatèque, le maya de l'Ouest et le maya de l'Est.

Les plus importantes langues de la famille maya de l'Est sont le k'iche' (quiché) et le kaqchikel (cakchiquel). On y retrouve aussi le mam, le teco, l'aguacatèque, l'ixil, l'uspantèque, le sacapultèque, le sipacapa, le poqomam, le poqomchi et le kekchi.

La plus importante langue de la famille maya de l'Ouest est le tzeltal, parlé surtout dans la région mexicaine du Chiapas. On trouve aussi dans cette famille les langues chontal, chole, chorti, tzotzil, tojolabal, chuj, kanjobal, acatèque, jacaltèque et motozintlèque.

Les langues de la famille yucatèque regroupent le yucatèque, le lacandon, l'itza' (itza) et le mopan. La langue yucatèque est la plus commune dans la région mexicaine du Yucatán, dans le nord du Guatemala et au Belize.

Finalement, la famille linguistique huastèque inclut le huastèque et le chicomulceltèque, une langue du Mexique aujourd'hui éteinte.

Consultez la carte de la page suivante pour repérer la répartition géographique de ces langues au Guatemala.

Les premiers peuples

Nous serions tentés de dire que le Guatemala est le pays des Mayas. Mais cela constituerait un contresens à bien des égards. D'abord les Mayas n'ont pas de pays, n'ont pas de frontière; comme l'a écrit iQi Balam, un poète, les Mayas sont comme l'arbre qui, *«ignorant avoir des racines, ne s'accroche à rien»*. Ainsi, pour les six millions de Mayas qui vivent au Guatemala, leur histoire ne concorde pas avec les frontières géographiques imposées par les conquérants espagnols du XVIe siècle.

L'histoire des premiers peuples en est une de découvertes, de connaissances approfondies de l'ordre des choses (astronomie, architecture, écriture, etc.) et d'une relation avec la nature et d'un ordre du temps particuliers. L'histoire et la culture des «hommes de maïs» leur appartiennent. Les Mayas préservant obstinément leurs croyances malgré la conquête, leur histoire et leur culture agissent comme un aimant pour nous tous, piquant inlassablement notre curiosité. Plus que jamais vivante, la culture Maya s'offre à nous pour se faire, cette fois, véritablement découvrir.

Nous ne disposons que de bien peu de certitudes sur l'histoire des Mayas. Se basant sur les ruines et les découvertes archéologiques, plusieurs écoles de pensée ont vu le jour, dictant des théories parfois contradictoires. La confusion semble augmenter au fil des ans et à chaque nouvelle découverte archéologique. De même, des repères chronologiques ont été mis de l'avant par les archéologues pour rendre compte de l'évolution de la civilisation maya. Basés d'une part sur des résultats d'études au carbone 14 et d'autre part sur les calendriers mayas, ces repères font toutefois aussi l'objet de révisions constantes et même de litiges parmi les chercheurs. Pour mieux décrire l'histoire de l'Amérique centrale et du Mexique, les archéologues ont désigné par «aire méso-américaine» le territoire qui va du plateau central mexicain (Toltèques, Aztèques) jusqu'aux

Population 19

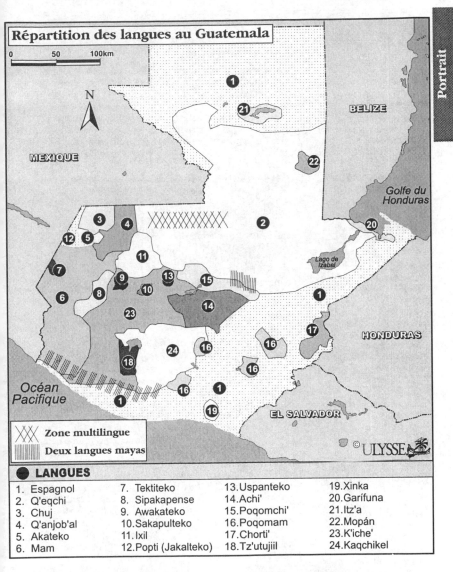

Répartition des langues au Guatemala

0   50   100km

N

MEXIQUE

BELIZE

Golfe du Honduras

Lago de Izabal

HONDURAS

Océan Pacifique

EL SALVADOR

©ULYSSE

XXX Zone multilingue

|||||| Deux langues mayas

● **LANGUES**

1. Espagnol
2. Q'eqchi
3. Chuj
4. Q'anjob'al
5. Akateko
6. Mam
7. Tektiteko
8. Sipakapense
9. Awakateko
10. Sakapulteko
11. Ixil
12. Popti (Jakalteko)
13. Uspanteko
14. Achi'
15. Poqomchi'
16. Poqomam
17. Chorti'
18. Tz'utujiil
19. Xinka
20. Garífuna
21. Itz'a
22. Mopán
23. K'iche'
24. Kaqchikel

Portrait

Les Ladinos

Il est très difficile de définir le terme *ladino*. La charge émotive du terme enrobe sa signification d'un nuage qui ne pourra jamais se dissiper sans un changement radical des rapports qu'entretiennent les Mayas avec les Guatémaltèques non mayas.

En Espagne, l'adjectif *ladino* est l'attribut d'une personne astucieuse dans le commerce. Au Moyen Âge, on nommait *ladino* un juif qui parlait le latin ou l'espagnol. Plus tard, on l'a utilisé pour décrire le Maure qui parlait l'espagnol. Comme on peut le voir, le terme porte déjà des connotations de rapports sociaux soulignant la différence, comme les rapports entre dominants et dominés, ou bien soulignant des oppositions de type «nous/eux».

Au Guatemala, le mot *ladino*, comme le terme *indio*, tient son origine de l'Europe et, dans un premier temps, signifie «l'indien qui a appris la langue du conquérant». C'est une première façon de le différencier du Métis né de l'union du Blanc et de l'Indien, le plus souvent de l'homme blanc et d'une femme indienne. Si l'Indien est parfaitement bilingue, on dit de lui qu'il est *indio ladino* ou *indio*

aladinado. À la fin de l'époque coloniale, 300 ans plus tard, la langue populaire généralise l'attribut à toute personne dont la langue maternelle est l'espagnol, mais on garde la distinction entre un Ladino Hispanoamericano et le Ladino né du métissage. On parle donc de population ou de villages *ladinos* pour qualifier ceux qui, en général, ont des caractéristiques culturelles occidentales comprenant une gamme complète de formes, de traits et d'objets : du vêtement à la nourriture, du mobilier au moyen de transport.

Mais durant la période républicaine voire contemporaine, il semble que l'attribution de ce terme ait été confrontée à une conscience locale de ce qui est *ladino* par opposition à ce qui est *indígena* et qu'on n'arrive pas à le traduire par des qualificatifs précis. Le gouvernement du Guatemala, lors du recensement de 1950, reconnaît explicitement, et pour la première fois, la volatilité et la subjectivité de ces attributs.

Somme toute, à cette époque, on considère que tout ce qui ne se dit pas ou ne s'identifie pas comme *indígena* est donc, par la force des

choses, *ladino*. Pour les besoins du recensement, les Noirs et les Chinois sont considérés comme des Ladinos. Plusieurs verront dans les recommandations gouvernementales une volonté de minimiser la présence indienne en termes de nombre ou de pourcentage de la population.

Aujourd'hui, le terme garde toujours une certaine ambiguïté, mais on emploie de plus en plus le terme *guatemalteco* au lieu de *ladino* pour désigner les personnes «qui vivent à l'occidentale». Dans certains milieux, ce nouveau terme semble reprendre à son compte le nuage d'exclusion ou d'inclusion des Guatémaltèques de souches différentes. De part et d'autre, la volonté d'affronter l'histoire d'une conquête qui refuse de se terminer cache une lutte pour le pouvoir que nul n'est prêt à partager. La rétrospective historique de la formation de l'État et de la recherche de l'identité nationale au Guatemala, au Canada, comme en France d'ailleurs, nécessite une acceptation du caractère multi-ethnique de la société, une ouverture d'esprit que tout un chacun s'attribue tout en le refusant à l'autre.

Synthèse du développement culturel au Guatemala avant la conquête

Plus de la moitié des Guatémaltèques d'aujourd'hui sont les fiers descendants des habitants du territoire conquis par les Espagnols en 1523. La présence humaine sur le continent américain remonte à un temps lointain, et son histoire, qui se reconstruit par bribes, se raconte difficilement.

Par exemple, les archéologues du début du siècle, captivés par la splendeur des hautes pyramides, croyaient que les grandes villes perdues dans la jungle du Petén logeaient des prêtres qui consacraient leur vie à l'étude du temps qui passe. On laissait miroiter l'existence d'une civilisation mystérieuse qui ne connaissait ni la guerre ni l'oppression. Erreur. La civilisation maya a connu des périodes de développement, de splendeur et de décadence comme tous les peuples de la terre.

Pour mieux comprendre le développement culturel des habitants du Nouveau Monde, les historiens d'art ont divisé l'époque préhispanique en périodes qui soulignent la complexité de l'organisation des groupes humains ayant habité le territoire. Les premiers chercheurs ont forgé des termes comme préclassique, classique et postclassique, malheureusement toujours employés. Même si ces termes ne correspondent plus aux attributs des époques qu'ils qualifient, les chercheurs, les publicistes et les gouvernements actuels s'en accommodent.

Comme le développement culturel varie d'un lieu à l'autre, les divisions temporelles font toujours référence à une aire précise ou à une culture spécifique. Il va sans dire que les frontières internationales actuelles, inconnues des habitants de l'époque, biaisent les connaissances que nous avons des premiers occupants. Compte tenu de ces limites, plusieurs archéologues guatémaltèques acceptent une périodification de l'histoire culturelle de leur pays qui s'appuie sur les paramètres suivants :

Le paléoindien (10000-7000 av. J.-C.)
Cette première période correspond à la présence des chasseurs de grands animaux comme le mastodonte et le cheval préhistorique. Quelque cinq sites seulement témoignent de cette présence au Guatemala, tous situés dans les Hautes Terres, et ils datent de 10 000 à 7000 ans avant J.-C.

La période archaïque (7000-2000 av. J.-C.)
La chasse, la pêche et la cueillette de plantes comestibles définissent cette période et les traces qu'ont laissées des groupes semi-nomades difficiles à identifier. Néanmoins, les vestiges trouvés sur le littoral du Chiapas, qui définissent la phase qu'on appelle Chantuto (4000-1800 av. J.-C.), datent de cette période et annoncent une sédentarisation des chasseurs-cueilleurs.

La période préclassique (2000 av. J.-C. à 250 ap. J.-C.)
Le préclassique, plus adéquatement nommé période formative et d'une durée de plus de 2000 ans, se divise en sous-périodes afin de rendre compte de la complexité graduelle de l'organisation sociale qui réunira par la suite les conditions d'épanouissement de la civilisation maya

classique. Il va sans dire que, pendant ces 22 siècles, chaque région du Guatemala a connu un développement culturel qui lui est propre. Si l'aire maya du Petén a été le point de mire des archéologues du début du siècle, les Hautes Terres et la côte du Pacifique ont fait l'objet de recherches intensives qui ont révolutionné la séquence d'occupation du Guatemala ainsi que l'origine (non maya) de la vie urbaine.

Préclassique ancien (2000-800 av. J.-C.)

Durant la période du préclassique ancien, l'agriculture prend la première place devant les activités de chasse, pêche et cueillette. La sédentarisation de la population devient le principal attribut des groupes humains, et le village devient le lieu d'origine des premières poteries et figurines. La phase archéologique Barra (1550-1400 av. J.-C.) se caractérise par une poterie en céramique d'une étonnante variété quant aux techniques décoratives employées. Les sculptures qu'on retrouve sur la côte du Pacifique du Chiapas, du Guatemala et du El Salvador témoignent de l'influence de la civilisation olmèque, dont les centres principaux sont situés dans les États du Veracruz et du Tabasco, au Mexique.

Au Guatemala, la phase d'occupation la plus ancienne, dénommée Locona, date de 1400 à 1250 av. J.-C. et se trouve dans les sites El Mesak (Retalhuleu) et Medina (Escuintla). Ces pêcheurs estuariens supplémentent leur diète par la pratique de l'agriculture. Si l'organisation sociale de cette époque demeure fondamentalement égalitaire, certaines différences relatives à la qualité et à la quantité des offrandes funéraires, ainsi qu'en témoignent la phase Arévalo (1200-1000 av. J.-C.) dans la vallée de la Ciudad de Guatemala et la phase Xox (1200-800 av. J.-C.) dans la vallée de Salamá, laissent entrevoir le début de la transition vers une différenciation sociale héréditaire.

Préclassique moyen (800-300 av. J.-C.)

Le préclassique ou formatif moyen (800-300 av. J.-C.) se caractérise par une augmentation démographique soutenue, une hiérarchisation des populations et la construction de plateformes cérémoniales sur presque tout le territoire. C'est aussi l'apparition des premières grandes villes de la côte du Pacifique et des Hautes Terres ainsi que des gros villages tels Seibal, Nakbé et Mirador dans les Basses Terres du Petén. L'architecture et la sculpture monumentale présentes dans un nombre grandissant de sites de cette époque annoncent les grandes villes et les liens économiques à venir.

Préclassique récent (300 av. J.-C. à 250 ap. J.-C.)

Le préclassique récent voit apparaître les traits culturels qui définiront les grandes cultures de la période classique : les balbutiements de l'écriture et du calendrier ainsi que des complexes architecturaux d'orientation astrologique. Si l'origine des témoins non périssables des échanges commerciaux sont facilement identifiables, celle des religions et des idéologies demeure trop floue pour la certifier. Depuis l'ensemble des Barrigones qui jalonne la côte du Pacifique jusqu'aux grandes pyramides d'El Mirador dans le Petén, les traces d'activité humaine à cette époque se retrouvent dans toutes les régions du Guatemala et témoignent d'une explosion démographique sans précédent.

La période classique (250-900 ap. J.-C.)

La période classique a été la plus louangée de l'histoire des civilisations précolombiennes. Pour la maya, l'attribution du terme «classique» désigne l'utilisation simultanée de la voûte en pierre, de la stèle, de l'écriture hiéroglyphique, des calendriers et de l'arithmétique qui permettait le comput du temps en "compte long" à partir d'une date initiale qui correspond, dans notre calendrier, à 3114 av. J.-C. Cependant, les grandes villes comme Kaminal Juyú dans les Hautes Terres et Cotzumalguapa sur la côte du pacifique connaissent un développement culturel soumis à l'influence de civilisations du nord.

Le classique ancien (250-600 ap. J.-C.)

Le classique ancien voit le développement, dans les grandes villes du Petén, du complexe stèle-autel qui montre l'image du souverain accompagnée d'un texte hiéroglyphique racontant son histoire. La société maya est divisée en classes et soumise à l'autorité centralisée qui règne sur un territoire aux limites définies.

Le classique récent (600-900 ap. J.-C.)

Le classique récent marque l'apogée des grandes villes mayas comme Tikal, Quiriguá, Palenque et Copán. Période de densité démographique maximale dans les Basses Terres, le classique récent voit le déclin de Teotihuacán, la grande métropole du Nord. C'est aussi l'apogée des villes de culture différente situées dans les Hautes Terres et sur la côte.

Le postclassique (900-1523 ap. J.-C.)

Le postclassique marque la fin de l'activité architecturale classique et la désorganisation du pouvoir politique et religieux traditionnel dans les Basses Terres du Petén. Cet effondrement s'étale sur plus d'un siècle et, à partir du déclin des grandes villes et sous l'action conjuguée de groupes étrangers, se développe un ensemble de traits culturels et urbanistiques inédits. Sous l'égide des nouvelles capitales où prédomine l'influence mexicaine se développent des routes commerciales maritimes qui transforment la configuration économique du territoire. Les Hautes Terres voient le développement de petits centres urbains en puissantes capitales régionales. À la conquête espagnole, les K'iche' du K'urmacaaj, les Kaqchikel d'Iximché et les autres plus petits royaumes occupaient le territoire qu'on appelle le Guatemala.

territoires des Mayas en Amérique centrale. Cette division permet surtout de séparer ces civilisations de celles d'Amérique du Nord, ces dernières étant, au moment de la conquête espagnole, principalement des populations nomades. Les archéologues ont aussi déterminé une division dans le temps. Vous trouverez une brève description de ces grandes périodes dans l'encadré ci-haut.

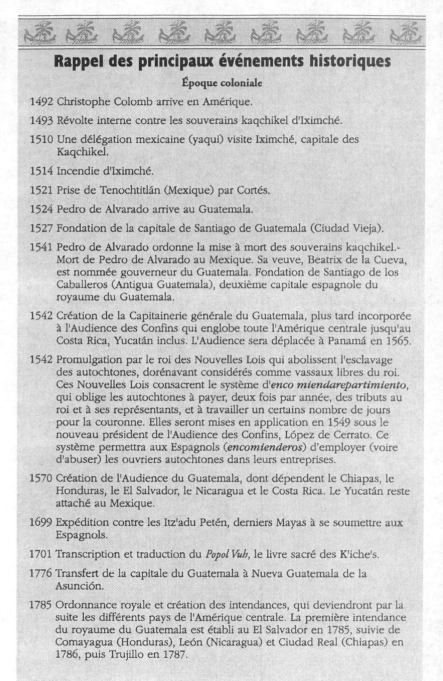

Rappel des principaux événements historiques

Époque coloniale

1492 Christophe Colomb arrive en Amérique.

1493 Révolte interne contre les souverains kaqchikel d'Iximché.

1510 Une délégation mexicaine (yaqui) visite Iximché, capitale des Kaqchikel.

1514 Incendie d'Iximché.

1521 Prise de Tenochtitlán (Mexique) par Cortés.

1524 Pedro de Alvarado arrive au Guatemala.

1527 Fondation de la capitale de Santiago de Guatemala (Ciudad Vieja).

1541 Pedro de Alvarado ordonne la mise à mort des souverains kaqchikel.- Mort de Pedro de Alvarado au Mexique. Sa veuve, Beatrix de la Cueva, est nommée gouverneur du Guatemala. Fondation de Santiago de los Caballeros (Antigua Guatemala), deuxième capitale espagnole du royaume du Guatemala.

1542 Création de la Capitainerie générale du Guatemala, plus tard incorporée à l'Audience des Confins qui englobe toute l'Amérique centrale jusqu'au Costa Rica, Yucatán inclus. L'Audience sera déplacée à Panamá en 1565.

1542 Promulgation par le roi des Nouvelles Lois qui abolissent l'esclavage des autochtones, dorénavant considérés comme vassaux libres du roi. Ces Nouvelles Lois consacrent le système d'*enco miendarepartimiento*, qui oblige les autochtones à payer, deux fois par année, des tributs au roi et à ses représentants, et à travailler un certains nombre de jours pour la couronne. Elles seront mises en application en 1549 sous le nouveau président de l'Audience des Confins, López de Cerrato. Ce système permettra aux Espagnols (*encomienderos*) d'employer (voire d'abuser) les ouvriers autochtones dans leurs entreprises.

1570 Création de l'Audience du Guatemala, dont dépendent le Chiapas, le Honduras, le El Salvador, le Nicaragua et le Costa Rica. Le Yucatán reste attaché au Mexique.

1699 Expédition contre les Itz'adu Petén, derniers Mayas à se soumettre aux Espagnols.

1701 Transcription et traduction du *Popol Vuh*, le livre sacré des K'iche's.

1776 Transfert de la capitale du Guatemala à Nueva Guatemala de la Asunción.

1785 Ordonnance royale et création des intendances, qui deviendront par la suite les différents pays de l'Amérique centrale. La première intendance du royaume du Guatemala est établi au El Salvador en 1785, suivie de Comayagua (Honduras), León (Nicaragua) et Ciudad Real (Chiapas) en 1786, puis Trujillo en 1787.

1821 Le royaume du Guatemala proclame son indépendance le 15 septembre. Le nouvel empire mexicain annexe le royaume, annexion qui ne durera toutefois que jusqu'en 1823.

1823 Assemblée nationale constituante de la Fédération des provinces unies de l'Amérique centrale (1823-1839) et déclaration de son indépendance absolue du Mexique et de l'Espagne.

1825 L'Assemblée constituante du Guatemala décrète la première constitution politique de l'État guatémaltèque.

1839 Création de l'État de Los Altos dans les Hautes Terres de l'Ouest.

1839 Fin de la Fédération des provinces unies de l'Amérique. Déclaration de chacun des pays qui forment dorénavant l'Amérique centrale. Chacun forme son propre parlement.

Époque républicaine

1839 Mariano Rivera Paz est élu premier président de l'État du Guatemala (jusqu'en 1844).

1847 Fondation de la république du Guatemala, dont la première présidence est assumée par Rafael Carrera, qui démissionne en 1848.

1873 Présidence de Justo Rufino Barrios, dont les réformes modifieront radicalement l'économie du pays. Suivront sept décennies au cours desquelles se succéderont divers présidents auto-proclamés (les «héritiers du libéralisme») qui poursuivront l'œuvre de Barrios. La richesse du pays se concentre de plus en plus dans les mains des grandes corporations, entre autres l'United Fruit Company. Plusieurs grands secteurs de l'économie du pays tombent sous le contrôle des États-Unis, qui achète 90% des exportations du Guatemala.

1944 Jorge Ubico, président depuis 1930, démissionne à la suite de manifestations paysannes, étudiantes et militaires. La révolution d'octobre donne le pouvoir à une junte révolutionnaire (composée de civils et de militaires) qui, sous une nouvelle constitution, planifie des élections au suffrage universel (exclusion faite des femmes analphabètes).

Époque contemporaine

1945 L'Assemblée constituante promulgue la nouvelle constitution qui limite la durée de la présidence à un seul mandat. Juan José Arévalo est confirmé président du Guatemala.

1945 Gouvernement de Juan José Arévalo Bermejo (jusqu'en 1951). Tous les secteurs de la société guatémaltèque subissent de profondes transformations. La période 1944-1954 passe à l'histoire comme la décennie du socialisme spirituel. Les peuples autochtones en sont les plus grands bénéficiaires.

1952 Promulgation de la Loi sur la réforme agraire, qui distribue les terres non utilisées aux paysans sans terre. Les propriétaires sont compensés à même les taxes foncières, qui ne représentent toutefois qu'une infime part de la valeur réelle des terres. Entre 1953 et 1954, 880 000 ha sont ainsi distribués à 100 000 familles paysannes. L'United Fruit Company, qui ne cultive que 15% de ses terres, perd dès lors la moitié de ses possessions.

1954 Invasion de l'Armée de libération du colonel Carlos Castillo Armas aidée par les services secrets américains (CIA). Début du démantèlement des réformes mises en place par les gouvernements Arévalo et Arbenz. Dissolution des syndicats et des partis politiques.

1956 Promulgation d'une nouvelle constitution qui désaffranchit les illettrés. La grande majorité des Amérindiens perdent leur droit de vote, et les expropriations sont annulées.

1965 Promulgation d'une nouvelle constitution républicaine qui consacre le droit absolu à l'entreprise privée et limite le droit d'intervention de l'État.

1966 Élections générales. Le parti révolutionnaire gagne et le Congrès de la République élit Julio César Méndez Montenegro président, et Clemente Marroquín Rojas vice-président.

1966 L'écrivain Miguel Ángel Asturias reçoit le prix Lénine de la paix puis, en 1967, le prix Nobel de la littérature.

1968 La guerre interne s'intensifie.

1975 Les escouades de la mort (soutenues par une partie de l'armée) font leur apparition. On assiste à une recrudescence de la violence – 500 cas de torture et d'assassinat en six mois. L'armée consolide son pouvoir malgré l'ouverture créée par les réformes du président.

1976 Tremblement de terre dévastateur : plus de 25 000 morts, 75 000 blessés et 1,1 million de sans-abri.

1978 Une patrouille de l'armée massacre des paysans de Panzós qui manifestaient pour l'octroi des terres qu'un militaire avait achetées. Jusqu'en 1982, sous le gouvernement de Romeo Lucas García, le Guatemala vit une période de corruption et de violence – 25 000 Guatémaltèques sont tués en quatre ans.

1980 Les policiers incendient l'ambassade d'Espagne, occupée par des étudiants et un groupe de paysans k'iche'.

1982 Rébellion militaire et élections frauduleuses. Junte militaire dirigée par José Efraín Ríos Montt, qui instaure une politique de la terre brûlée.

1983 Coup d'État contre Ríos Montt. L'armée le remplace par le général Mejía Victores (1983-1986), qui promet une nouvelle constitution. La répression militaire continue.

1985 L'Assemblée constituante promulgue une constitution qui crée de nouvelles institutions. Début d'une ouverture démocratique.

1985 Déclaration d'Esquipulas, qui crée le Parlamento Centroamericano et prépare la voie vers la paix dans les pays de l'Amérique centrale, laquelle prendra forme en 1987 grâce au plan d'Arias, le président du Costa Rica.

1986 Gouvernement de Marco Vinicio Cerezo Arévalo (jusqu'en 1990), qui se veut ouvert à des négociations de paix avec la guérilla. Cerezo réussit le premier passage présidentiel démocratique à un civil en 30 ans.

1990 Élections controversées gagnées au deuxième tour par Jorge Serrano, un proche du général Ríos Montt, dont la candidature fut déclarée illégale.

Portrait

1991 Malgré les efforts de réconciliation entre le gouvernement et la guérilla, seuls quelques accords sectoriels sont signés.

1992 Rigoberta Menchú Tum reçoit le prix Nobel de la paix.

1993 Le président Serrano décrète une suspension de la constitution et des institutions légitimes de la République. Cet «auto-coup d'État» qui rompt l'ordre constitutionnel et lui attribue tous les pouvoirs est condamné, non seulement par tous ses opposants, mais surtout par les pays étrangers, les États-Unis en tête. Dans la confusion, l'armée appuie la Cour constitutionnelle et destitue le président Serrano, qui doit alors s'exiler.

1994 Sous les auspices de l'ONU, le gouvernement et l'U.R.N.G. (Union Nationale Révolutionnaire Guatémaltèque) s'entendent sur un accord global de respect des droits de l'homme et de reprise des négociations. L'ONU envoie ses premiers Casques bleus au pays.

1996 Un accord de paix ferme et durable entre le gouvernement et l'U.R.N.G. est signé le 29 décembre.

1998 Assassinat de l'évêque Juan Gerardi, défenseur des droits humains, quelques jours après le dépôt de son rapport sur les atrocités de la guerre interne.

1999 Publication d'un rapport sur la guerre civile. Au mois de mai, rejet par référendum populaire des réformes constitutionnelles qui auraient institutionnalisé l'accord de paix. Le 7 novembre, premier tour des élections donnant l'avance au FRG, présidé par Portillo. Le second tour est prévu le 26 décembre.

Histoire

Dans cet âge lointain, les chasseurs et les cueilleurs d'origine sibérienne traversent le détroit de Béring et atteignirent l'Amérique centrale entre 15 000 et 20 000 ans avant le début de notre ère.

Clovis, ainsi nommée par les archéologues qui découvrirent une ancienne pointe de lance dans le village du même nom, fut sans doute la première culture ayant existé en territoire méso-américain vers l'an 9000 av. J.-C. Certains objets datant de cette époque ont été découverts dans les Hautes Terres du Guatemala.

Au cours de ce que certains archéologues appellent aujourd'hui la période archaïque (des années 8000 à 2000 av. J.-C.), quelques bandes autochtones passèrent du nomadisme à une vie plus sédentaire grâce à l'agriculture. La plupart des plantes comestibles se trouvant dans la région furent tour à tour domestiquées, principalement le maïs. C'est aussi à cette époque que les premiers villages permanents voient le jour, ainsi que certains arts liés au mode de vie sédentaire, tels la poterie et le tissage.

Les premiers Mayas

Pour les archéologues, c'est lors de la période préclassique, cruciale pour l'évolution des populations méso-américaines, que l'on voit les premières racines des civilisations olmèque, zapotèque et maya. Cet âge témoigne de la fabrication de vases et de céramiques plus élaborés, peints ou gravés, les motifs représentant des têtes plutôt réalistes.

La découverte de nombreux vestiges architecturaux datant de l'an 1000 av. J.-C. dans les territoires habités par les Mayas indique une augmentation notable de la population à cette époque.

L'âge d'or de la civilisation maya

La période classique, de 250 à 900 de notre ère, pour les cultures méso-américaines se caractérise par la domination de la grande cité de Teotihuacán, dans le plateau central mexicain, et par les cités mayas au sud-est. Cette période nous a légué les plus importants témoignages de la civilisation maya, alors à son apogée.

Pour comprendre cette période, il faut revenir au début de notre ère, alors que les Mayas introduisent le calendrier et l'écriture. Ainsi, les hiéroglyphes présents sur les temples portent des dates et racontent l'histoire des chefs, des batailles et de la succession des dynasties mayas.

Au fur et à mesure que la population augmentait, les Mayas choisirent de vivre en grand nombre dans les centres urbains et rituels. Les grandes cités mayas, à la fois centres urbains et religieux, dont les ruines peuvent encore être appréciées aujourd'hui, étaient devenues les centres névralgiques des activités des Mayas. Tikal, dans le nord du Petén, fut la plus grande d'entre elles. Avec près de 3 000 structures, dont de grandes pyramides, Tikal avait une population estimée à environ 10 000 personnes; près de 75 000 autres auraient habité les alentours.

Parmi les 3 000 sites archéologiques mayas mis au jour par les archéologues en Méso-Amérique, une cinquantaine sont considérés comme de grands centres. Dans le nord du Petén, on retrouve ainsi les grandes cités de Tikal, d'Uaxactún, d'El Mirador, d'El Naranjo, de Nakum et de Holmul; au sud, Quiriguá et Copán, au Honduras, deux importants sites; aux abords de la rivière Usumacinta, qui se jette dans le golfe du Mexique, nous retrouvons les centres cérémoniels de Piedras Negras, Yaxchilán, Bonampak et Palenque; dans la péninsule du Yucatán s'élèvent Uxmal et Kabah, d'inspiration puuc; ainsi que Chichén Itzá et Tulum.

L'influence de la grande cité de Teotihuacán, près de México, est déterminante dans l'évolution rapide de ces centres religieux mayas. D'ailleurs, la stèle 31 à Tikal illustre un seigneur maya richement vêtu d'ornements de jade, avec, à ses côtés, deux guerriers de Teotihuacán. Ceux-ci portent des boucliers à l'effigie de Tlaloc, le dieu de la pluie de Teotihuacán. Il est même plausible que ce seigneur maya fut une «marionnette» de l'empire de Teotihuacán, qui commença son déclin vers la fin du VIe siècle.

Temple I de Tikal

Agriculture et commerce

Les Mayas s'urbanisent donc de plus en plus, et les progrès de l'agriculture deviennent ainsi essentiels à la survie de leur civilisation. Cultivant principalement le maïs, les fèves et la courge, les Mayas possédaient une connaissance suffisamment avancée de l'agriculture. Ils dégageaient les terrains des arbustes et des broussailles qu'ils brûlaient par la suite. Les semences étaient plantées une à une au début de la saison des pluies. Récemment, des terrasses formées par des murs de pierres ont été découvertes dans la région du Yucatán, démontrant des techniques encore plus avancées de drainage.

Bien que les principales préoccupations des Mayas consistaient à subvenir à leurs besoins alimentaires, les Mayas maintenaient des liens avec le reste de l'aire méso-américaine grâce au commerce. Ainsi, de l'obsidienne provenant du Cerro de las Navajas, situé sur le plateau central mexicain, a été trouvée à Tikal et à Uaxactún dans la région du Petén, à Altun Há au Belize et dans d'autres hameaux mayas. Un autre produit des Hautes Terres, la cendre volcanique provenant de la région de l'actuel El Salvador, était aussi utilisé dans la fabrication de la poterie par les Mayas. Finalement, les régions des Hautes Terres fournissaient aussi le jade, une des pierres les plus prisées de l'époque pour la confection de bijoux. Les élites étaient d'ailleurs souvent enterrées avec une perle de jade dans la bouche.

Parmi les produits voyageant des Basses Terres vers les Hautes Terres, le cacao figure en tête de liste. Le cacao était une denrée fortement demandée dans les Hautes Terres, tant pour la pratique des rituels que pour son utilité à titre de monnaie. Le cacao serait venu du El Salvador et cultivé ensuite par les Mayas dans la région de l'actuel Belize. Le sel était aussi une denrée utile et en demande dans les Hautes Terres. Finalement, le coton faisait aussi sans doute partie de ces produits.

À partir des forêts tropicales, où se trouve entre autres Tikal, des pièces exotiques comme les peaux de jaguar et les plumes de toucan, de perroquet et d'oiseau-mouche étaient sans doute expédiées vers les Hautes Terres. Cependant, les superbes plumes du quetzal effectuaient le chemin inverse, puisque cet oiseau mythique niche dans les Hautes Terres.

Plus qu'un moyen de subsistance et d'enrichissement, le commerce entre les différentes cités et cultures méso-américaines aura sans doute permis à ces peuples de partager leurs connaissances sur l'astronomie, les mathématiques, l'écriture, les arts et l'architecture, ainsi que sur les formes d'organisations sociales et religieuses.

Le calendrier maya

Les quatre codex, et les nombreuses inscriptions hiéroglyphiques sur les temples, démontrent la fascination des Mayas pour le passage du temps. Cet intérêt des Mayas pour le temps suscite deux interprétations générales : l'une veut que les Mayas se dédiaient à l'avancement des connaissances astronomiques, et l'autre, plus généralement acceptée, suppose que ces textes démontrent plutôt un intérêt marqué pour l'astrologie et la prédiction des événements à venir. Selon l'archéologue Muriel Porter Weaver, «*c'est seulement*

en étant capables de prévoir avec exactitude les éclipses, les changements saisonniers, les mouvements du soleil et des autres planètes, la fin des périodes et les événements cycliques, que ces hommes pouvaient se préparer pour négocier avec les dieux et les forces du bien et du mal, leur donnant les offrandes et les sacrifices nécessaires pour s'assurer leur soutien».

Bien que leur calendrier soit basé sur des calendriers existant chez d'autres peuples méso-américains, les Mayas l'ont perfectionné pour qu'il soit un outil capable d'enregistrer des informations astronomiques importantes. La chronologie maya est constituée de trois parties :

1) L'année sacrée comporte 260 jours (*tzolkin*), et elle est divisée en 13 mois ou chiffres (de 1 à 13) et d'une séquence rigide de 20 noms de jours par mois.

2) Une année solaire (*haab*) est divisée en 18 mois (*uinal*) de 20 jours, numérotés de zéro à 19, suivie d'une période de cinq jours de malchance (*uayeb*), pour un total de 365 jours.

3) À cette base de calcul, s'ajoutent une série de cycles temporels : le *uinal* (20 jours ou *kins*); le *tun* (360 jours); le *katun* (7 200 jours); le *baktun* (144 000

jours); finalement, le plus grand cycle est le *alautun* (23 040 000 000 jours), soit 63 millions d'années!

Chacun des 20 jours compose un mois (*uinal*), et chacun des mois porte un nom auquel correspond un glyphe. Aussi, chaque cycle temporel est désigné par un glyphe.

Tout comme le calendrier romain, le calendrier maya débute à une année zéro, soit l'an 3113 av. J.-C. Cette date mythique, qui marque le commencement de l'ère maya, est sans doute antérieure à la véritable apparition des Mayas. Les inscriptions mayas énumèrent les cycles qui ont passé depuis l'an zéro.

Aujourd'hui comme au temps de l'âge d'or de la civilisation maya,

Céramique maya - époque classique

l'année sacrée de 260 jours (*tzolkin*) représentent l'outil ultime pour la divination. Les prêtres connaissaient les significations ésotériques de chacun des jours et des chiffres, et pouvaient ainsi prévoir les influences bénéfiques ou maléfiques sur chacune de ces périodes. Les villes et villages mayas d'Amérique centrale respectent d'ailleurs toujours ces calendriers.

Les mathématiques

Le calendrier repose sur un système arithmétique élaboré. Il se base sur une numération vicésimale, les unités croissant de 20 en 20, contrairement au nôtre, basé sur une numération décimale. La plus grande prouesse des Mayas dans ce champ de la connaissance est sans aucun doute la découverte du zéro, une découverte réservée aux civilisations les plus brillantes.

Pour calculer, les Mayas utilisent des signes très simples. La coquille vaut zéro, le point vaut un et le tiret cinq. Les chiffres de un à quatre s'écrivent avec le nombre correspondant de points; cinq avec un tiret; de six à neuf, par un tiret sur lequel repose le nombre correspondant de points; 10, avec deux tirets; de 11 à 14, avec deux tirets sur lesquels reposent de un à quatre points, et ainsi de suite jusqu'à 19. La vingtaine constitue une seconde catégorie de chiffres. Chaque vingtaine est représentée par un point situé au-dessus des autres points et traits.

L'écriture chez les Mayas

Selon les témoignages des Espagnols du XIVe siècle, seulement une petite partie de la population maya pouvait lire et écrire, et seuls les nobles pouvaient véritablement comprendre les fondements scientifiques de ces inscriptions. Il dut pourtant exister des centaines, voire des milliers de livres, mais le climat tropical et, surtout, l'Inquisition espagnole, qui détruisit des centaines de ces ouvrages, firent en sorte qu'ils ne résistèrent pas au passage du temps et de la conquête.

Les témoignages écrits de la période précolombienne sont donc très rares. Seulement trois codex précolombiens et les fragments d'un autre ont survécu à la conquête espagnole et aux intempéries. Des documents existants, le codex de Dresden est le plus intéressant et le plus utile auprès des archéologues. En bon état de conservation, il se trouve dans la ville allemande qui porte son nom. Il s'agit d'un almanach contenant des tables pour la consultation.

Le codex Peresiano, gardé à Paris, traite de prédictions, de prophéties et du cycle des 52 années. Malheureusement, la valeur archéologique de ce document est réduite puisque deux passages sont manquants, et il est en très mauvais état de conservation. Le codex Tro-Cortesiano, logé à Madrid, est quant à lui très incomplet. Finalement, l'authenticité des fragments du codex Grolier, qui se trouve à New York, est toujours mise en doute.

Les codex se présentent comme des albums de dessins composés de plusieurs feuilles de papier collées ensemble sur une longueur d'environ 10 m ou même davantage. Les feuilles sont créées à partir de la couche intérieure de l'écorce des arbres. Une fois l'écorce broyée, les filaments étaient pilonnés pour créer une surface plane. La feuille ainsi constituée était alors trempée, séchée et finalement enduite d'une mince couche de carbonate de calcium.

D'importants documents mayas furent également écrits après la conquête espagnole, dont le *Popol Vuh* et les livres de *Chilam Balam*. Ces derniers furent écrits par les Mayas avec l'alphabet espagnol. Chilam vient de «Cilan», un célèbre prophète maya, et Balam signifie «jaguar». En plus des calendriers, on y trouve des chansons, des formules magiques et des connaissances médicales.

Le *Popol Vuh*, le livre sacré des Mayas, propose une interprétation mythique de l'histoire. Le récit divise en quatre grands cycles la saga des Mayas. Les trois premiers font partie, comme il est dit dans le *Popol Vuh*, de la «préhistoire». Le dernier cycle représente l'histoire et la civilisation. Ces âges sont à la fois unis et séparés dans un seul tout, et le lecteur peut ainsi établir des liens entre les différentes époques décrites.

Art et architecture

Baroque et expressif, l'art des Mayas au moment de leur apogée se distingue ainsi des styles plus austères des autres peuples mésoaméricains. Malheureusement, un bon nombre d'œuvres mayas ont disparu avec le passage du temps. Les Mayas peignaient sur du bois et de l'écorce, utilisant aussi des plumes d'oiseaux comme emblèmes décoratifs, tous des éléments qui ne peuvent se conserver très longtemps dans un climat tropical. Certains objets en bois ont malgré tout survécu, particulièrement à Tikal. On y a découvert des scènes représentant des seigneurs avec leurs gardiens ainsi que de longs textes hiéroglyphiques qui sont aujourd'hui exposés dans des musées. En plus de la poterie vouée aux rituels de l'enterrement, on a trouvé des pièces de jade travaillées avec soin présentant de superbes reliefs.

L'architecture maya demeure un des arts qui a légué les plus vibrants témoignages de cette civilisation. La construction cérémonielle typique des Mayas est constituée d'un petit temple fermé et couvert d'une voûte reposant sur une grande structure pyramidale. La voûte est soutenue grâce à la jonction de deux murs parallèles qui vont en épaississant vers le bas et qui sont fermés hermétiquement par une dalle plate. Au-dessus de cette voûte repose une crête en pierre de la même largeur que le temple et posée généralement sur le mur postérieur. Les pièces, plutôt exiguës à cause de la forme des murs créant la voûte, sont recouvertes de stuc.

Les palais des Mayas s'avèrent plus petits, mais surtout ils sont moins élevés que les temples. Aussi, contrairement aux temples, ils comptent de nombreuses chambres. L'usage qui était fait de ces pièces reste mystérieux, puisqu'il semble qu'elles soient trop humides pour servir de chambres, et d'ailleurs

Masque mural - Uaxactún

aucune trace d'occupation n'y a été mise au jour. Les temples et les palais trônent sur des places et des cours où s'élèvent de magnifiques stèles et des autels religieux pesant plusieurs tonnes.

Interprétation du monde

Les Mayas croyaient que 13 ciels se superposaient au-dessus de la Terre, qui elle-même reposait sur un reptile géant flottant dans l'eau. Un dieu présidait chacun de ces ciels, les dieux Oaxlahunticu. Sous la terre existaient neuf sous-mondes superposés où vivaient les neuf dieux Bolontiku.

Sacrifices

Les sacrifices réalisés pour l'obtention de la faveur des dieux prirent de nombreuses formes, allant de la donation de jade ou de fleurs aux sacrifices d'animaux, en passant par les sacrifices humains. La forme d'«autosacrifice» la plus répandue consistait à faire de petites incisions dans la peau à l'aide de pointes en silex ou en obsidienne. Vous pourrez voir de nombreux exemplaires de ces pointes dans les différents musées archéologiques.

Organisation sociale

Pendant de nombreuses années, la théorie voulant que les Mayas de l'époque classique formaient un peuple religieux et pacifique dominait parmi les chercheurs. La croyance voulait que les Mayas fussent pacifiques et modérés. Cependant, sans enlever d'importance au facteur religieux de la civilisation maya, certaines découvertes tendent à démontrer que les Mayas étaient aussi compétitifs et belliqueux, s'engageant dans de nombreux conflits locaux. Les scènes de batailles, les portraits de guerriers, de torture et de prisonniers, tout semble confirmer cette nouvelle interprétation. L'idée que les Mayas formaient une société composée de prêtres et de paysans dévots a donc quelque peu changé. Pendant la période classique, les Mayas auraient ainsi été dirigés par des leaders «mi-divins» dont l'historique a été gravée par leurs sculpteurs.

Quoi qu'il en soit, les Mayas, à leur apogée, formaient sans doute une société complexe composée d'une élite puissante et «mi-divine». Les membres de cette élite portaient des vêtements élégants, et ils étaient enterrés dans de somptueuses tombes avec leurs bijoux. À cette élite, s'ajoutaient une classe de scribes,

de comptables et de sculpteurs, puis une classe composée de potiers et de fabricants d'outils et finalement de paysans sur qui reposait l'ensemble du système. Bien entendu, ce ne sont malheureusement que des théories interprétatives, nous rappelant à quel point nos connaissances sur cette grande civilisation d'Amérique demeurent incomplètes.

L'effondrement de la civilisation classique maya

Vers l'an 900, les villes des Basses Terres cessent d'ériger des temples et des stèles. Voici, pour les principales villes mayas, les dernières dates, selon notre calendrier, qui y sont gravées : Copán, 820; Naranjo, 849; Caracol, 859; Tikal, 879; Uaxactún, 889; Chichén Itzá, 898; Usmal 907; Toniná, 909.

L'archéologue étasunienne Muriel Porter Weaver résume ainsi quelques données historiques décrivant la chute de la civilisation classique maya :

• On assiste à un déclin rapide de la population et à l'abandon des sites.
• L'arrivée d'étrangers, qui a sans doute précipité l'effondrement, ne l'a toutefois pas provoqué.

• Une nouvelle route commerciale contourne la péninsule du Yucatán au lieu de passer par les centres mayas.
• La qualité des céramiques se détériore.
• Finalement, l'effondrement de la civilisation maya est réel et sans équivoque.

Qu'est-ce qui s'est produit pour que la civilisation maya des Basses Terres, qui atteint son apogée au classique récent (600-900 ap. J.-C.), voit ses centres cérémoniels perdre leur pouvoir l'un après l'autre? Les spéculations sur le sujet sont nombreuses, mais malheureusement, les faits expliquant ces événements sont très rares. Malgré la multitude d'hypothèses avancées, la chute de la civilisation maya relève encore aujourd'hui du domaine du mystère.

Parmi les nombreuses hypothèses évoquées, qui vont de possibles cataclysmes naturels aux plus farfelues, les deux théories suivantes sont les plus acceptées. L'une veut que des révolutions paysannes aient sévi dans les centres mayas, renversant le pouvoir des élites. La seconde spécule que l'augmentation de la population urbaine créa une demande trop forte sur la production de ressources alimentaires, appauvrissant par le fait même les terres fertiles et provoquant la chute des élites et des classes non productives. Une combinaison de ces deux explications est aussi fort possible.

Une époque militaire suivra la chute de la civilisation classique maya. Les Toltèques dominèrent dès lors le territoire méso-américain jusqu'en l'an 1200, suivis des Aztèques, qui contrôlaient pratiquement l'ensemble du territoire qui n'était pas occupé par les Mayas. Jusqu'à la conquête espagnole, le territoire actuel du Guatemala était peuplé d'une myriade de peuples autochtones, la plupart se disant de descendance toltèque, ce qui démontre l'importance de ces derniers lorsqu'ils occupèrent ces territoires.

Les K'iche' (Quiché), qui dominèrent l'aire occupée anciennement par la civilisation maya jusqu'à l'arrivée des Espagnols, formaient un peuple de guerriers. Ils pénétrèrent dans les Hautes Terres du Guatemala vers 1250, soit au moment de l'abandon de Chichén Itzá. Peu à peu, ils s'établirent, s'accaparèrent des terres fertiles et complétèrent la conquête des Hautes Terres du Guatemala vers 1400. Ils fondèrent leur capitale à Utatlán, qui présente quatre temples, quatre surfaces pour le jeu de balle et de nombreuses plateformes pour des maisons.

Peu à peu cependant, le règne des K'iche' (Quiché) se trouva contesté par les Kaqchikel dont la capitale fortifiée, Iximché, sera construite vers 1486. Les K'iche' et les Kaqchikel formaient à l'aube de la conquête

espagnole les deux principaux peuples de l'actuel Guatemala. On y trouvait aussi les Poqomam; les Mam dans la région de l'actuelle ville de Huehuetenango; les Tz'utujiil près du volcan San Pedro; les Chuj, Kanjabal, Aguatèque et Ixil se trouvaient dans la région des montagnes Cuchumatanes; finalement, les Achi et les Q'eqchi peuplaient la région où se trouve aujourd'hui la ville de Cobán.

La conquête espagnole

L'an 1524 marque le début de la conquête espagnole de l'actuel territoire du Guatemala. Mandaté par Hernán Cortés pour vérifier «l'existence de riches et magnifiques terres habitées par des races nouvelles et différentes», le conquistador Pedro de Alvarado quitte Méxicó le 6 décembre 1523. Il dirige l'expédition composée d'une armée de 120 chevaliers, 300 soldats et plusieurs centaines de Mexicains.

Contrairement à Hernán Cortés au Mexique, qui n'eut à faire face qu'au pouvoir centralisé des Aztèques, Alvarado se buta à la résistance acharnée de nombreuses nations autochtones bien implantées sur l'ensemble du territoire. De 1524 jusqu'à sa mort en 1541, il entreprit d'établir un régime militaire, poursuivant la destruction de villages, le massacre et l'asservissement des indigènes. Alvarado a d'ailleurs la triste réputation d'avoir favorisé outrageusement le système de l'*encomienda* (voir p 38), qui concède aux Espagnols des terres et des Amérindiens réduits à l'esclavage. Avide de combats et de richesses, Alvarado, nommé capitaine général des territoires qu'il con-

Fray Bartolomé de Las Casas (1474-1566)

Bartolomé de Las Casas est né à Séville, en 1474, d'une famille de marchands maritimes. Son père prit part au deuxième voyage de Christophe Colomb en 1493, et en ramena entre autres un esclave amérindien. Las Casas fit ses études de prêtrise à l'université de Salamanca et, en 1502, partit au Nouveau Monde rejoindre son père et son oncle.

Il fut ordonné prêtre à Rome en 1507. Il participa à la conquête de Cuba et reçut en récompense terres et Amérindiens; il mena la vie d'un *encomendero,* soit celle d'un propriétaire d'*encomienda,* une exploitation octroyée à un colon par la couronne et assortie de tous les pouvoirs requis – y compris le droit de vie et de mort – pour faire travailler les Amérindiens et faire fructifier la terre.

En 1514, il traverse une grave crise de conscience provoquée par les contradictions opposant son sacerdoce à sa vie d'*encomendero*. La brutalité et le mépris de la vie des Amérindiens pratiqués par les conquérants lors des massacres survenus à Cuba l'épouvantent. Il voit s'opérer sous ses yeux un génocide qu'il appellera «la destruction des Indes». Pour lui, la conquête est la négation de l'enseignement évangélique, et contraire à l'esprit des bulles papales, qui subordonnent la colonisation à l'évangélisation en accordant aux rois d'Espagne leur domaine au-delà des mers. Cette année-là, il renonce à la propriété de ses Amérindiens, s'attaque à la réforme de la colonisation et essaie de convaincre le vieux roi d'Espagne, Ferdinand, de la nécessité de celle-ci.

De 1516 à 1518, Las Casas élabore des plans de réforme, à commencer par celle de l'*encomienda.* Il préconise le regroupement des Amérindiens dans des villages autonomes, afin qu'ils y travaillent pour les colonisateurs mais non sous leur domination directe, ce qui est à peu de chose près la condition paysanne de l'Espagne, voire de l'Europe, à cette époque. Mais il envisage aussi la participation des colons paysans espagnols à ces villages autonomes. Il demande à être renvoyé aux Indes occidentales comme protecteur général des Amérindiens, mais son séjour à Saint-Domingue est neutralisé par les colonisateurs. Il retourne en Espagne, où Charles Quint vient de succéder à Ferdinand. On ne parle que de coloniser la terre ferme; Cortés et Pizzaro partiront bientôt à la conquête du Mexique et du Pérou.

En 1520, Las Casas obtient une concession à Cumaná, sur la côte vénézuélienne. Il s'embarque avec 70 colons paysans espagnols pour y mettre en pratique ses idées de colonie agricole associant les paysans espagnols aux Amérindiens. Sa tentative se solde par un échec, le pays étant déjà à feu et à sang quand il arrive. Cet échec marque le tournant définitif : il renonce à toute participation directe à la colonisation, se consacre à l'étude et à la recherche, et se met à écrire. Il se fait dominicain, devenant Dom Fray (frère) Bartolomé, parce que les moines missionnaires de cet ordre ont pris les premiers la défense des Amérindiens. En 1531, après huit ans de noviciat, il rédige sa lettre au Conseil des Indes, suivie de son premier traité, en latin, *De l'unique manière d'attirer tous les peuples à la vraie religion*. Il voyage au Nicaragua, au Guatemala ainsi qu'au Mexique, où il est signalé comme perturbateur.

Vers 1537, il remporte un succès qui aura un grand retentissement : il obtient du gouverneur du Guatemala (par contrat qu'un décret confirmera en 1547), avec d'autres missionnaires, la transformation de toute une région de Terre de guerre en Terre de la vraie paix, toutes les incursions armées étant désormais interdites sur le territoire concédé aux dominicains pour leur évangélisation.

Las Casas se sent soutenu et, fort des recommandation de l'évêque de México et du gouverneur du Guatemala, il se rend à la cour de l'empereur Charles Quint pour plaider devant le Conseil des Indes la cause des Amérindiens. Les méthodes qu'il préconise tentent de mettre les conquérants sous une autorité spirituelle, celle des missionnaires. Charles Quint promulguera des lois nouvelles très mal reçues par les colons. La plus impopulaire concerne l'abolition de l'*encomienda*, donc la fin de l'esclavage.

En 1544, Las Casas est nommé évêque du Chiapas à proximité de la «Terre de la vraie paix». Il n'y restera que deux ans, car les colons n'acceptent pas ses interventions; il exige la libération des esclaves, et refuse les sacrements à ceux qui participent aux violences et aux spoliations imposées aux Amérindiens. Les juges le désavouent et il est honni dans son diocèse comme partout ailleurs. Les nouvelles lois ne sont pas respectées par les Espagnols, pas plus que l'*Évangile* d'ailleurs.

Las Casas regagne définitivement l'Espagne en 1546 et consacre le reste de ses jours à rédiger le plus gros de son œuvre. Il devra sans cesse continuer de répondre à de violentes attaques, et soutenir ses principes auprès de l'empereur Charles Quint et de son fils, le futur Philippe II. Son œuvre comprend l'*Histoire des Indes* et aussi l'*Histoire apologétique*, qui ne fut publiée qu'au XXᵉ siècle. Jusqu'à sa mort, en 1566, Las Casas apparaît comme le médiateur privilégié de tous ceux qui cherchent à modifier le statut de l'Amérindien et à arrêter l'extermination.

querra, marquera à tout jamais l'histoire du Guatemala.

Pourtant, les premières semaines de l'expédition espagnole ne laissèrent pas présager les 17 années de combats qui suivraient l'arrivée d'Alvarado. L'expédition entra dans un calme relatif, franchissant le Chiapas au début de l'année 1524, puis les plaines moins habitées de la côte du Pacifique. Mais après la montée difficile du passage montagneux près de Santa María de Jesús, Alvarado découvrit dans ces Hautes Terres une région populeuse et les premiers signes de résistance de la part des K'iche'.

Alvarado obtiendra sa première victoire sur les guerriers K'iche' à Tonalá, sur la rivière Tilapa. Un second combat sera mené avec moins de succès aux abords de la rivière Samalá. Pendant ce temps, avec l'espoir de former un front uni contre l'invasion espagnole, le peuple k'iche' tentera vainement d'établir une alliance avec les peuples tz'utujiil et kaqchikel, ennemis des K'iche'. Saisissant l'opportunité de défaire les guerriers k'iche', les Kaqchikel décidèrent de se joindre aux Espagnols.

Isolés face aux troupes d'Alvarado, qui étaient moins nombreuses mais armées de fusils et dotées de chevaux, les

guerriers k'iche' tomberont lors d'un décisif et désormais célèbre affrontement au mois d'avril de l'an 1524. Les hautes plaines, où se dresse aujourd'hui la ville de Quezaltenango, furent le théâtre de cette bataille au cours de laquelle le chef des K'iche', Tecun Uman, aurait péri dans un duel contre nul autre qu'Alvarado. La légende veut qu'un quetzal, symbole de la liberté, se soit posé sur la poitrine ensanglantée du chef des K'iche'.

À la suite de cette victoire des Espagnols, quelques K'iche' acceptèrent d'être baptisés et une quarantaine joignirent l'expédition espagnole en tant que guides et interprètes. L'histoire raconte qu'après avoir déposé les armes le prince k'iche' Oxib Queh invita les Espagnols dans leur capitale, Gumarcaah (ou Utatlán en nahuatl, la langue aztèque), située près de l'actuelle ville de Santa Cruz del Quiché. Il semble que les K'iche' y avaient préparé une embuscade. Mis au courant du complot, Alvarado refusa de s'établir dans l'enceinte de la capitale k'iche', qu'il pilla et mit à feu. Le prince Oxib Queh fut brûlé vif le 13 avril 1524, ce qui mit fin à la suprématie royale des K'iche' dans la région.

Mais plusieurs peuples autochtones refusaient toujours de se sou-

mettre à l'autorité espagnole. Alvaro s'attaqua d'abord aux Tz'utujiil du lac Atitlán; appuyé par les Kaqchikel, Alvarado les défit sans trop de peine. Puis il dut faire face à la résistance acharnée des Pipil et, lors d'un combat à Acajutlá, Alvarado fut blessé. Il se rendit dès lors à Iximché, capitale des Kaqchikel et, trouvant l'endroit propice, décida d'y fonder la première ville espagnole le 24 juillet 1524.

Mais quelques mois plus tard, les Kaqchikel se rebellèrent à leur tour contre leur allié, excédés par les forts tributs qui leur étaient exigés. Cette guerre durera près de cinq ans. Alvarado choisit dès lors de déplacer la capitale qui se trouvait à Iximché, ancienne capitale des Kaqchikel (voir p 207). Trois ans plus tard, il fonda au pied des volcans Fuego et Agua, Santiago de los Caballeros, qui devint totalement indépendant du vice-royaume de la Nouvelle-Espagne (Mexique) dirigé par Hernán Cortés.

Obstinés à prendre les armes au lieu de mener une conquête plus pacifique, les Espagnols firent face à la résistance des Achi et des Q'eqchi dans les Hautes Terres du Verapaz. Alvarado ne réussit d'ailleurs pas à les soumettre malgré les nombreuses batailles qu'il y engagea. Ce fut finalement Bartolomé de Las

Casas (voir p 35) qui, en 1537, voyagea dans cette région pour convertir les Indiens en usant du pouvoir de la persuasion. Trois ans plus tard, les prêtres réussirent là où Alvarado avait échoué. Après dirigé pendant plusieurs années le territoire du Guatemala en véritable tyran, Alvarado mourut au Mexique en 1541, écrasé sous son cheval, alors qu'il tentait de mettre fin à un soulèvement autochtone.

La résistance des Mayas au cours du XVIᵉ siècle indique que les populations indigènes étaient nombreuses et bien organisées. Près de 2 millions de Mayas habitaient ce qui est aujourd'hui le Guatemala à l'aube de la conquête. Mais les maladies apportées par les conquérants, les guerres et les mauvais traitements allaient décimer les populations autochtones : en 1550, ils n'étaient plus qu'environ 428 000; en 1575, 236 500; en 1595, 133 500; et finalement, 128 000 en 1625.

Le système de l'*encomienda*

Le régime colonial au Guatemala fut sensiblement le même que celui que les Espagnols implantèrent dans les Antilles. Les tristes conséquences de ce système ne tardèrent pas à se faire sentir

après la conquête ou ce que les conquistadors appelèrent la période dite de «pacification» du territoire et qui consistait en fait à soumettre les peuples assiégés à l'autorité espagnole. Une fois les villages pris de force, ils étaient répartis parmi les conquistadors. Ces derniers invoquaient le prétexte de la conversion des autochtones au christianisme. La fin des guerres n'offrit guère de répit aux autochtones.

La prise de possession de villages et de ses habitants mena directement à l'implantation du système de l'*encomienda*, véritable clef de voûte de l'édifice colonial espagnol. L'*encomienda* permettait à l'*encomendero* (maître de l'*encomienda*) d'exploiter le travail de ses habitants pour les travaux qu'il jugerait nécessaires au développement de son territoire. Les Indiens furent ainsi soumis aux travaux forcés dans les mines et dans les champs. Réduits à l'esclavage, autant les hommes que les femmes indigènes étaient souvent traités cruellement par les nouveaux maîtres. Non seulement devaient-ils payer un tribut à l'*encomendero*, mais de plus nombreux furent ceux qu'on marqua au fer, comme du bétail, pour identifier leur appartenance.

Les écrits de Bartolomé de Las Casas au sujet des *encomiendas* du Guatemala s'avèrent particulièrement évocateurs. Las Casas signale d'ailleurs que plusieurs *encomenderos* exigeaient aux indigènes un tribut en esclaves, les obligeant à donner leurs enfants. Agissants «comme de petits rois», les *encomenderos* séparaient même des familles, louant les services de leurs esclaves à d'autres *encomiendas*. Les hommes étaient fouettés régulièrement et les femmes et leurs filles étaient systématiquement violées. Celui qui était devenu le premier évêque du Chiapas, Bartolomé de Las Casas, a donc choisi la voix de la défense des Indiens du Guatemala. Il fit d'ailleurs de même pour les autres territoires espagnols d'Amérique qu'il visita. Voici un texte de Bartolomé de Las Casas sur l'*encomienda* qui s'inscrit dans le sombre tableau qu'il peignit de la colonisation espagnole au Guatemala :

«*Pour détruire tout ce monde des Indes, pour massacrer et tuer tous ses habitants, pour dévaster de grands royaumes très peuplés, le diable n'aurait pu inventer quelque chose d'aussi nuisible que l'idée qu'on a eue de partager les Indiens entre les Espagnols et de les leur confier. C'est comme si l'on avait confié les Indiens à tous les diables ou comme si l'on avait livré de petits troupeaux à des loups affamés. À cause de ce système et de ce partage, les Indiens ont subi et subissent des tortures continuelles...»*

L'Audience de Guatemala

Ces tristes témoignages seront entendus à la cour d'Espagne et le roi Carlos V décidera d'agir promptement pour contrôler cette situation. Il créa en 1542 la Capitainerie générale du Guatemala, qui fut plus tard incorporée à l'Audience des Confins, un tribunal chargé de faire appliquer les règles de la cour de Castille au Guatemala. Secouée par des crises intestines, l'Audience sera suspendue pendant plusieurs années. L'*encomienda* suscitera les plus passionnés débats et deviendra la principale source de litige parmi les membres de l'Audience.

Pour mettre fin au litige, la cour espagnole créa l'Audience de Guatemala en 1570. Malheureusement, malgré les pouvoirs accrus de la justice, et le fait que le Capitaine général était dorénavant aussi président de l'Audience, le système de l'*encomienda* demeurera tout aussi brutal, surtout dans l'actuel territoire du Guatemala.

L'Audience de Guatemala couvrait un énorme territoire, soit tout le sud-est du Mexique et toute l'Amérique centrale jusqu'au Panamá. Les frontières nationales actuelles de l'Amérique centrale virent le jour en 1787 avec la création des Intendances. Jusqu'en 1821, année de l'indépendance du Guatemala, 45 capitaines généraux se succédèrent. Antigua, la capitale, s'enrichit et devint une des plus belles villes d'Amérique jusqu'à ce qu'elle soit détruite par un tremblement de terre en 1773. C'est en 1776 que la capitale guatémaltèque fut déplacée sur son site actuel.

L'économie coloniale était alors basée principalement sur la production de biens pour l'exportation, soit le cacao, l'indigo et le cuir. Des mines d'or et d'argent étaient exploitées. La priorité de l'économie coloniale consistait à répondre aux besoins des classes favorisées d'Espagne. Il en résulta une étroite dépendance du Guatemala, aux prises avec un monopole commercial espagnol qui protégeait farouchement ses colonies des autres marchés internationaux. De plus, l'Espagne maintint un étroit contrôle monétaire, percevait nombre de taxes aux colons et des tributs aux Indiens. La couronne d'Espagne ne fit rien pour qu'une prospère colonie se développe, ne voyant dans le Guatemala qu'un territoire duquel il pouvait soutirer des richesses pour son compte. Toutes ces caractéristiques de l'économie coloniale espagnole au Guatemala s'inscrivent parmi les principales sources du sous-développement économique contemporain du Guatemala.

Vers la fin du XVIIIe siècle, la population espagnole, avec ses descendants, ne représentait qu'une petite minorité. L'ensemble de la population guatémaltèque était composé surtout d'Amérindiens et de quelques Métis. Bien que les Amérindiens menèrent plusieurs révoltes, aucune ne suffit à renverser le pouvoir de la couronne d'Espagne. Mais le mécontentement gagna nombre de *criollos*, les descendants des Espagnols nés en Amérique.

L'indépendance

Il y eut bel et bien quelques soulèvements contre le pouvoir de la couronne Espagnole ici et là à partir de 1811, mais ils furent rapidement contrôlés. Au Guatemala, l'influence de l'indépendance mexicaine, en 1821, sera déterminante. Quelques mois plus tard, le 15 septembre 1821, une junte militaire déclare tout simplement l'indépendance de l'Amérique centrale. Le tout se déroula sans effusion de sang, mais, consciente de la faiblesse militaire du Guatemala, la junte opte pour se joindre au nouvel Empire mexicain dirigé par Agustín Iturbide. En 1823, Iturbide est détrôné et les délégués d'Amérique centrale se réunissent la Ciudad de Guatemala pour écrire la constitution des provinces unies d'Amérique centrale. Un long chemin de croix commença pour cette confédération qui fut déchirée dès les premiers balbutiements par les intérêts régionaux de ses membres, soit le Guatemala, le Honduras, le El Salvador, le Nicaragua et le Costa Rica.

La lutte intestine pour le pouvoir divisa les conservateurs et les libéraux, les deux groupes politiques qui façonneront la vie politique guatémaltèque pendant plus d'un siècle. Les conservateurs étaient liés au pouvoir des propriétaires terriens et de l'Église, tandis que les libéraux soutenaient des idées de réforme influencées par l'époque des Lumières en Europe.

En 1826, le premier président de la Confédération, Manuel José Arce, un libéral, choisit de se joindre aux conservateurs et déclencha par le fait même une guerre civile qui mettra fin aux rêves d'une Amérique centrale unifiée. Le chef des libéraux, Francisco Morazán, natif du Honduras, prit possession de la Ciudad de Guatemala en 1829. Il se mit dès lors à la tâche et entreprit de nombreuses réformes politiques et économiques en Amérique centrale. Il limita les pouvoirs du clergé, abolit la dîme, légalisa le divorce et reconnut la liberté de culte. Mais incapable de mettre un terme aux factions nationalistes de la Confédération, Francisco Morazán sera témoin d'un vote qui dissout la Confédération en 1838. Morazán, défait, est nommé président au El Salvador, d'où il sera expulsé un an plus tard. En 1842, il devient président du Costa Rica, mais il sera fusillé à San José à peine quelques mois après avoir détenu les rennes du pouvoir.

Le règne des conservateurs

L'indépendance n'apporta pas de changements significatifs à l'ordre établi par la couronne d'Espagne. Les structures sociales reléguant l'indigène à une sous-classe prévalurent, et l'économie d'exportation aussi. Cependant, le Guatemala diversifia ses partenaires commerciaux, délaissant graduellement l'Espagne au profit de la Grande-Bretagne. Malgré les promesses de prospérité, la réalité fut que l'ancien royaume du Guatemala fut aux prises avec des crises économiques successives.

Rafael Carrera, un soldat d'origine indigène, illettré mais combatif, se hissera au pouvoir grâce à l'appui populaire des paysans. Il mènera d'une main de fer et sous un régime impétueux les destinées du Guatemala de 1841 à 1865, année de son décès. Durant son règne, il rétablira le pouvoir de l'Église et des institutions coloniales, mettant un terme aux réformes du libéral Morazán. Ce dernier sera par ailleurs un des principaux adversaires de Carrera, puisqu'il était un ardent défenseur de la fédération. Ces luttes menèrent, en 1847, à l'établissement d'une république indépendante. Finalement, Carrera dut contenir un mouvement d'indépendance dans la province de Los Altos, dans l'ouest du Guatemala. Pour les Indiens, la politique «pro-indienne» de Carrera protégea quelque peu leurs intérêts, mais, après les années 1850, Carrera maintint des liens plus étroits avec les élites du pays.

Le conservateur Vicente Cerna fut le successeur de Carrera pendant six ans, mais déjà les libéraux commençaient à perdre patience et le leader libéral Serpio Cruz mena une première révolte libérale, sans succès toutefois.

Rigoberta Menchú, Prix Nobel de la paix

À 33 ans, Rigoberta Menchú est devenue la plus jeune lauréate du prix Nobel de la paix. On lui attribua ce prix en 1992, année marquant les 500 ans de la découverte, ou de la conquête, de l'Amérique par Christophe Colomb.

Née en 1959 sur l'Altiplano, les hauts plateaux du Guatemala, dans le village de Chimel, près de San Miguel Uspantan, Rigoberta Menchú est une Maya quiché qui n'a pas reçu d'éducation formelle et qui n'a appris l'espagnol qu'à l'âge de 20 ans. Mais elle ne tarda pas à se faire une porte-parole des Indiens opprimés de son pays. Dès 1981, elle doit s'exiler au Mexique, après que ses parents et un de ses frères eurent été tués pendant la répression menée par le gouvernement et des groupes paramilitaires.

Deux ans plus tard, elle connaîtra un succès international avec la publication de son premier livre, intitulé *Yo Rigoberta Menchú*, publié alors en 11 langues, qui raconte son enfance difficile dans la pauvreté d'un village rural, puis comme servante dans la capitale guatémaltèque. Elle y dépeint toute l'horreur des tortures et les meurtres des membres de sa famille. Un récit enlevant et toujours d'actualité, qui sert de métaphore pour ce que doivent subir une grande majorité d'indigènes en Amérique centrale, et plus particulièrement au Guatemala.

Pendant les années quatre-vingt, elle milita activement dans un groupe de défense des droits humains au Mexique, et s'employa à exercer des pressions sur son gouvernement en donnant de nombreuses conférences aux États-Unis et en Europe. Mais elle demeura somme toute marginalisée, tout comme le conflit au Guatemala, qui n'attirait pas l'attention des pays occidentaux, et ce, malgré l'horreur évidente de ce tragique conflit dont les Mayas furent les principales victimes.

La révolution libérale

En 1871, un groupe armé d'à peine 45 personnes et dirigé par Marcia García Granados et Rufino Barrios, pénètre au Guatemala à partir du Mexique. Le 30 juin 1871, appuyé en chemin par une foule grandissante, le petit groupe s'empare de la Ciudad de Guatemala, et Marcia García Granados est nommé président du pays. Mais son règne durera peu de temps, puisque Rufino Barrios, qui occupe avec son armée une partie de la capitale, exige des élections, qu'il remportera sans difficulté. Charismatique et imbu de lui-même, Barrios entreprendra de nombreuses réformes, dont celle du pouvoir ecclésiastique.

Mais ce sera surtout du côté de l'agriculture

que Barrios entreprendra les plus grands changements, transformant le pays en un grand producteur de café pour l'exportation. Le café devint rapidement la plus importante exportation du pays. Le boom du café amena la construction de ports et de chemins de fer ainsi que la réorganisation du travail et de la terre.

Les Mayas firent encore les frais de cette politique. Barrios mit à profit un système de travaux forcés pour amener les Indiens des *fincas* jusqu'aux grandes plantations. De plus, nombre de leurs terres, qui assuraient leur subsistance, furent confisquées et données aux plantations de café. Ces réformes ne se firent pas sans heurt, puisque de nombreuses révoltes éclatèrent dans les villages. La répression militaire des indigènes devint dès lors monnaie courante. Barrios fut assassiné en 1885, alors qu'il tentait de recréer la fédération centraméricaine.

L'arrivée au XXᵉ siècle

De 1898 à 1920, le Guatemala vécut sous le règne de Manuel Estrada Cabrera, le président qui ouvrit les portes aux investissements étasuniens. En 1901, il accorde le premier d'une série de contrats à l'United Fruit Company (UFC) pour

cultiver les bananes. Cette multinationale allait acquérir au fil des ans une importance démesurée dans la vie politique et économique du pays, et de l'Amérique centrale en général. Dès 1904, l'UFC obtient le contrat pour la construction d'un chemin de fer reliant la Ciudad de Guatemala et Puerto Barrios, alors un village portuaire sur la côte du Pacifique. Cabrera concède 100 pieds (30 m) de terrain sur toute la longueur de la voie ferrée et une exemption de taxes pour 99 ans. Les tentacules d'«El Pulpo» (la pieuvre), le surnom donné à l'United Fruit Company, commencent peu à peu à s'accrocher aux points névralgiques de l'économie guatémaltèque. Contrôlant les chemins de fer et le port de Puerto Barrios, l'UFC contrôle ainsi tout le transport de marchandises au Guatemala et impose des tarifs élevés pour le transport du café.

Le gouvernement de Manuel Estrada Cabrera fut renversé en 1919. Carlos Herrera le remplaça, mais fut aussi évincé l'année suivante par le général José María Orellano en 1921. Avant de mourir terrassé par une crise cardiaque en 1926, Orellano mit en place un régime de répression, assassinant nombre de ses opposants. Son successeur, Lazaro Chacón resta

quatre ans au pouvoir, jusqu'à sa mort, à la suite d'une crise cardiaque.

L'United Fruit Company et les capitalistes étasuniens trouvèrent en Jorge Ubico le nouveau président guatémaltèque en 1930, un allié sûr pour le développement tentaculaire de leurs intérêts au Guatemala. En 1940, 90% des exportations du Guatemala étaient dirigées vers les États-Unis. La dépendance économique à l'Oncle Sam était quasi complète. De plus, les entreprises étasuniennes avaient investi plus de 120 millions de dollars dans l'industrie agricole.

Ubico entreprit quelques réformes libérales, mais son association avec les propriétaires terriens accoucha de nombreuses mesures répressives. Entre autres, les propriétaires terriens reçurent, grâce à une loi adoptée en 1943, une autorité plénipotentiaire sur leurs paysans, ayant même acquis le «privilège» de pouvoir tuer les vandales ou voleurs qui s'aventureraient sur leurs terres. Les nombreux abus et un règne autoritaire provoquèrent une vague de contestation sans précédant au pays. Ubico fut évincé en 1944 et choisit, avec quelques-uns de ses proches collaborateurs, le chemin de l'exil.

La révolution de 1944

L'histoire moderne du Guatemala commence en 1944, avec la destitution de Jorge Ubico par une alliance réformiste composée de politiciens, d'officiers militaires, de professionnels et d'étudiants. Des élections l'année suivante portèrent au pouvoir un professeur, Juan José Arévalo. Durant son mandat de six ans, de 1945 à 1951, il déclencha une réflexion nationale sur la réforme du pays. L'éducation, la réforme agraire et la consolidation de la fragile démocratie guatémaltèque furent ses principales préoccupations. Arévalo fit accepter une nouvelle constitution qui, entre autres, éliminait toute forme de travail forcé. De plus, il adopta des réformes électorales donnant le droit de vote à tous les citoyens adultes du pays.

Les dépenses budgétaires du nouveau gouvernement démontrent l'étendue du changement dans le paysage politique guatémaltèque : près d'un tiers des dépenses s'effectuèrent dans différents programmes d'assurance sociale, notamment la santé et l'éducation.

Arévalo fit adopter un nouveau Code du travail, ce qui constituait en soit une véritable révolution. On y retrouvait des articles sur les droits fondamentaux des travailleurs, le salaire minimum, une paie égale à travail égal, la sécurité sociale, le droit de grève et le droit de former des syndicats. Les travailleurs des chemins de fer, de la culture des bananes et d'autres encore s'organisèrent rapidement dans le but d'améliorer leurs conditions de travail.

Ces mesures ne firent pas que des heureux, et Arévalo échappa, parfois de justesse, à plusieurs attentats contre sa vie. À la campagne, Arévalo demeura prudent, n'effectuant pas la si nécessaire réforme agraire. Somme toute modérées, les réformes d'Arévalo ouvrirent la voie à son successeur. Surtout, Arévalo réussit le coup de force d'instituer la démocratie au pays et de tenir des élections libres.

Arbenz : la révolution (suite et fin)

Lancée dès 1949, la campagne électorale battit son plein jusqu'au mois de mars de 1951. L'aile droite du parti d'Arévalo appuyait Francisco Arana, alors à la tête des forces armées. En juillet de la même année, il fut assassiné dans des circonstances mystérieuses. Cet événement déclencha un soulèvement armé des partisans d'Arana qui tentèrent de défaire le gouvernement d'Arévalo avant le terme de la campagne électorale. Le ministre de la Défense, Jacobo Arbenz, veilla toutefois au maintien de l'ordre et réussit même à éviter une seconde tentative de coup d'État, cette fois menée par le colonel Carlos Castillo Armas, qui, quatre ans plus tard, ne ratera pas sa deuxième tentative de coup d'État. Arbenz se présenta comme le successeur idéologique d'Arévalo et gagna les élections de 1951 avec une majorité de 63% des voix lors d'une élection sans tache.

Les années Arbenz commençaient. Jamais un mandat politique au Guatemala aura fait couler autant d'encre depuis. Pour reprendre les termes de George Lovell dans *A beauty that hurts*, «L'histoire de Jacobo Arbenz et de l'United Fruit Company pourrait facilement être confondue avec une ingénieuse invention de Graham Greene ou de John Le Carré. Le sabotage politique est le nom de la partie qui met aux prises un gouvernement élu qui ne plaît pas aux États-Unis, qui le déstabilise et le retire du pouvoir grâce à une opération secrète portant le nom de code Operation Success».

Les quatre années qu'il demeurera au pouvoir avant d'être destitué par un coup d'État fomenté par la Central Intelligence Agency (CIA) en 1954, Arbenz les occupera à approfondir les réformes que son prédécesseur avaient amorcées. Cette fois cependant, il s'attaquera au nerf du sous-développement économique du Guatemala. Ses objectifs sont de mettre fin à la relation de dépendance que son pays entretient avec les États-Unis et de mettre en œuvre une réforme agraire pour permettre, entre autres, aux petits producteurs de cultiver des terres inutilisées par les grands propriétaires terriens. Dans les deux cas, Arbenz touche à la corde sensible du pouvoir des États-Unis sur le Guatemala, l'United Fruit Company.

La réforme agraire d'Arbenz aura pour but de redresser la situation précaire des petits agriculteurs qui, en 1950, gagnaient plus ou moins 87$ par année. De plus, 2,2% de l'ensemble des propriétaires terriens détenaient plus de 70% des terres fertiles du pays. Aussi, environ un tiers de ces terres appartenant aux grands propriétaires n'étaient pas cultivées. Une première loi fut adoptée en 1952. Elle permettait au gouvernement d'exproprier des terres non cultivées pour les remettre aux paysans sans terre. Le

prix payé par le gouvernement pour ces terres était basé sur l'évaluation inscrite dans les rapports de taxes de ses propriétaires. Il en résulta que 720 000 ha de terres fertiles furent achetées au coût de 8,3 millions de dollars.

Quelque 160 000 ha de terre appartenant à l'United Fruit furent par le fait même expropriées au coût de 1,25 million de dollars. Mais, l'United Fruit Company, qui avait délibérément sous-évalué ses terres pour échapper aux taxes, s'en trouva fort mécontente. «El Pulpo» allait alors manipuler Washington, convainquant les politiciens et le Congrès que les intérêts des États-Unis étaient menacés par les «communistes». La presse étasunienne ne tarda pas à faire ses choux gras de cette histoire, ralliant l'opinion publique étasunienne à la cause de la lutte contre le «communisme guatémaltèque».

De nombreux secteurs de la société guatémaltèque, notamment les grands propriétaires terriens et quelques officiers, étaient aussi en profond désaccord avec les réformes d'Arbenz. Prévoyant le coup, et convaincu que l'armée ne l'appuierait pas dans la défense de son gouvernement, Arbenz décida d'acheter un cargo

d'armes tchèques pour armer la population. Le navire fut cependant intercepté par la marine étasunienne, apportant de l'eau au moulin des récriminations étasuniennes. La CIA entra dans le coup, planifiant un coup d'État qui serait mené par le colonel Castillo Armas. Celui-ci organisa au Honduras l'armée d'invasion. Le 18 juin 1954, il entra au Guatemala avec son armée et fut soutenu par l'aviation étasunienne qui entreprit de bombarder les positions stratégiques guatémaltèques. Arbenz demeura sur la défensive et ne s'engagea pas dans le combat. Tel que George Lovell l'a rapporté, Arbenz déclara à la radio le second jour de l'invasion :

«Notre seul crime, c'est d'avoir décrété nos propres lois et de les avoir appliquées à tous sans exception. Notre crime, c'est d'avoir promulgué une réforme agraire qui a touché les intérêts de l'United Fruit Company... Notre crime, c'est notre vœu patriotique d'avancer, de progresser, de remporter l'indépendance économique pour égaler notre indépendance politique. Nous sommes condamnés parce que nous avons donné à nos paysans de la terre et des droits.»

Les militaires au pouvoir

Le tragique feuilleton guatémaltèque n'en était pas pour autant à son dernier chapitre. Arbenz sera contraint à l'exil et le nouveau président, Castillo Armas, liquidera les acquis de la révolution en un tour de main. Les droits constitutionnels furent abolis, les terres furent retournées à leurs propriétaires et son gouvernement entreprit une chasse aux «communistes». Près d'une dizaine de milliers de personnes furent emprisonnées, des centaines d'employés du gouvernement furent mis à la porte, 533 syndicats durent fermer boutique et, surtout, Armas entreprit de liquider les mouvements paysans et ses membres. Environ 8 000 paysans furent assassinés dans la première année du mandat de Castillo Armas.

En 1957, au milieu d'une instabilité politique croissante, le règne de Castillo Armas prit fin abruptement lorsqu'il fut assassiné par son propre garde du corps. La situation n'allait guère s'améliorer, plongeant le pays dans une suite successive de crises politiques et économiques ainsi que dans une violence sans précédent.

Le général Ydigoras Fuentes devint le nouveau président du Guatemala, avec l'appui des États-Unis, et appliqua une politique conservatrice pendant près de six ans. En 1963, il fut renversé à son tour par un coup d'État au moment même où le pays se trouvait en pleines élections présidentielles. L'auteur du coup, le colonel Enrique Peralta Azurdia, soutenu par l'oligarchie guatémaltèque, s'empara du pouvoir pour sauver le pays de « la menace communiste». C'est que José Arévalo, ancien président du pays en 1945, menait les élections et les secteurs les plus conservateurs du pays craignirent que de nouvelles transformation des structures sociales n'eurent lieu.

En 1966, un nouveau président sera élu, Julio Cesar Méndez Montenegro, un universitaire libéral qui, malgré quelques vaines tentatives de réformes, se verra contraint à l'immobilisme politique et économique.

La montée de la violence

Les années soixante marquent le début de l'insurrection et de la répression. Dès 1960, des officiers libéraux se soulevèrent sans succès contre le gouvernement d'Ydigoras Fuentes et durent se retrancher dans les forêts et ainsi créer les premiers groupes de guérilla.

De 1962 à 1968, trois factions révolutionnaires affrontent le gouvernement sans trop de succès, alors que l'armée accentue la répression et permet la formation de groupes armés privés d'extrême droite pour faire opposition à la guérilla. Les attentats sont nombreux et les morts se comptent par centaines, alors que le pays vit dans une atmosphère de guerre civile. En 1968, l'ambassadeur des États-Unis et des conseillers militaires étasuniens sont assassinés en plein centre-ville de la Ciudad de Guatemala.

Un calme relatif suit cette période et de nouvelles élections sont remportées par le colonel Carlo Osorio Arana en 1970. Ce dernier poursuivra une répression systématique des opposants à son régime, mais les mouvements de gauche demeureront actifs dans la clandestinité. En 1974, le général d'extrême droite Kjell Laugerud García est porté au pouvoir à la suite de d'élections frauduleuses, poursuivant ainsi la valse des militaires au pouvoir. Ce sont surtout des organisations paramilitaires d'extrême droite, tels l'Escadron de la mort et l'E.S.A (Armée secrète anticommuniste), à qui l'on doit attribuer des mil-

Portrait

liers d'exécutions sommaires au cours de ces années noires. La répression sera si intense et généralisée que le gouvernement étasunien de Jimmy Carter suspendra l'aide militaire au pays.

La guérilla est aussi organisée en de nombreux groupes : O.R.P.A. (Organisation révolutionnaire du peuple en armes), E.G.P. (Armée de guérilla des pauvres), F.A.R. (Forces armées rebelles).

En 1978, le général Romeo Lucas García accède au pouvoir lors d'élections très contestées et la répression se poursuit de plus belle et touche même des opposants plus modérés du spectre politique guatémaltèque.

La violence atteindra son paroxysme en 1980, alors que la police incendie l'ambassade d'Espagne, qui était occupée pacifiquement par des étudiants et un groupe de paysans k'iche' réclamant la tenue d'une commission d'enquête sur la violence dans leur région; l'incendie causa la mort de 39 personnes.

En 1982, les différents groupes de guérilla s'unissent pour former un seul front appelé U.R.N.G., l'Union nationale révolutionnaire guatémaltèque.

Des élections, encore frauduleuses, sont remportés en 1982 par le général Anibal Guevara, mais il sera destitué à peine quelques jours plus tard à la suite d'un coup d'État mené par une junte militaire, dirigée par le général Rios Montt. En quelques mois, plus de 9 000 personnes mourront à cause de la répression massive menée par la junte. Principaux participants aux groupes rebelles, les Mayas sont les premières victimes de cette répression. L'armée choisit d'encercler les villages mayas et les oblige à participer à des groupes d'Autodéfense, sinon c'est la torture ou la mort certaine qui attendent ces paysans indigènes bloqués au milieu d'une armée n'hésitant pas à commettre les pires atrocités.

En 1983, Rios Montt est à son tour renversé, cette fois par le général Oscar Humberto Mejia Victores, qui rétablira les liens économiques avec les États-Unis, liens rompus en 1978 à cause des graves problèmes de violations de droits humains. Mais Mejia Victores ne cessa pas la répression, bien qu'il permit une transition vers un gouvernement éluainsi qu'une réforme de la Constitution. Une Assemblée fut élue en 1984 et un civil, Vinicio Cerezo, fut élu président en 1985.

Accords de paix

Le passage à une démocratie ne marqua pas la fin de la répression, le pouvoir de l'armée étant toujours aussi prépondérant, mais ouvrit des perspectives de paix. Les accords de paix régionale Esquipulas II, signés dans la Ciudad de Guatemala par les différents pays d'Amérique centrale, permettent à Cerezo d'entamer les premières négociations avec la guérilla à Madrid en 1987.

En 1991, des accords furent signés entre le gouvernement et l'U.R.N.G., mais ils furent relégués au second plan à la suite d'une crise institutionnelle.

C'est finalement en 1994, cette fois sous les auspices de l'ONU, que les deux groupes s'entendent sur un accord global de respect des droits de l'homme et de reprise des négociations. L'ONU envoie dès lors ses premiers Casques bleus au pays dans le cadre de la Mission des Nations Unies pour le Guatemala (MINUGUA).

En 1996, Alvaro Arzú est élu président et négocie secrètement avec l'U.R.N.G. à México pour que la paix soit finalement signée. C'est un pari qu'il réussira avec succès, puisque l'«Accord de paix ferme et durable» est enfin signé le 29 décembre 1996.

Mais le bilan de cette guerre civile, qui aura duré 36 ans, est lourd à porter pour ce pays meurtri d'Amérique centrale : environ 100 000 morts, de 500 000 à 1 million de réfugiés, des milliers de disparus.

Vers la paix?

Héritier des problèmes du passé, le gouvernement d'Alvaro Arzú dirige et administre dans le contexte d'une société toujours déchirée où la tolérance exige une acceptation des principes démocratiques que la guerre interne des 30 dernières années n'a certainement pas développés.

Si la signature de l'«Accord de paix ferme et durable» fut un départ prometteur, les solutions aux problèmes sociaux immédiats exigent la collaboration de tous les secteurs et plus particulièrement une dévolution des pouvoirs politiques, économiques et militaires de l'élite traditionnelle.

Il est encore difficile aujourd'hui de dire si le processus de réconciliation initié par la signature de l'«Accord de paix ferme et durable» fut le prélude à un meilleur destin pour les Guatémaltèques. En octobre 1998, le Congrès de la République a approuvé des réformes constitutionnelles sur la restructuration de l'État qui constituaient, en quelque sorte, le prolongement des accords de paix de 1996. Soumises à la consultation populaire le 17 mai 1999, ces réformes furent rejetées par une mince majorité dans un scrutin ou moins de 800 000 personnes ont voté.

Toujours en 1999, la Comission d'éclaircissement historique publiait un rapport sur les années de guerre civile. Cette guerre civile a fait autour de 200 000 morts et, selon les conclusions de la commission parrainée par l'ONU, l'État guatémaltèque, soutenu par les États-Unis, peut être responsable d'une grande partie de ces pertes.

Le 7 novembre 1999, les Guatémaltèques ont été appelés aux urnes. Seulement 58% d'entre eux se sont présentés pour donner l'avance au premier tour au FRG devant le PAN, le parti d'Alvaro Arzú. Le FRG est présidé par Portillo, un personnage ayant avoué publiquement avoir tué deux personnes, et compte parmi ses têtes fortes le général Rios Montt, ancien dictateur du début des années quatre-vingt, cette période meurtrière de la guerre civile. Un second tour est prévu le 26 décembre de la même année, mais ce parti semble d'ores et déjà assuré de sa victoire.

Désormais, la toile de fond de la résolution des conflits exige une plus grande tolérance qui s'inscrit dans un contexte non seulement démocratique mais surtout légal et légitime.

Économie

L'économie du Guatemala repose principalement sur l'agriculture, 65% de ses habitants en âge de travailler oeuvrant dans ce secteur d'activité. Le café, les bananes, le sucre et le pétrole et la cardamome constituent les principales exportations du pays. Le maïs, le tabac, le blé et le cacao sont aussi cultivés.

Malheureusement, la richesse du sol n'a pas été un gage de la répartition équitable des revenus de l'agriculture. Le Guatemala présente des écarts de revenus très plus élevés entre les plus riches et les plus pauvres.

Avec plus d'un demi-million de visiteurs par année, le tourisme se tient au second rang des activités génératrices de revenus.

Autrement, l'élevage constitue une activité économique importante dans l'Altiplano. La région de Cobán est aussi le lieu d'activités minières, fondamentalement d'extraction de plomb et de zinc. On trouve aussi au pays de l'argent, du fer, du sel et du pétrole.

Divisions administratives

Le Guatemala est divisé en 22 grandes collectivités qu'on appelle des départements. Ceux-ci sont divisés en municipalités régionales (*municipios*), base territoriale de l'administration locale qui porte généralement le nom de sa capitale (*cabecera*). Depuis 1944, les *municipios* élisent leurs propres dirigeants. Le Guatemala compte quelque 350 *municipios*. La superficie du *municipio* varie selon la démographie et comprend plusieurs divisions : *ciudad* (ville), *villa* (grand village), *pueblo* (village), *aldea* (petit village), *cantón* (division rurale) et *parcialidad* (parcelle de terre).

Culture

Toutes les régions du Guatemala sont riches en productions culturelles à caractère traditionnel et tout particulièrement celles où se regroupe un fort contingent de souche maya. Ces héritiers de la grande civilisation précolombienne ont su s'adapter et développer une nouvelle gamme de produits culturels durant la domination espagnole et élaborer des manières de faire qui rendent compte des influences contemporaines. Le Guatemala offre des manifestations traditionnelles populaires originales, rivalisant avec celles du Mexique et du Pérou.

La culture populaire traditionnelle du Guatemala puise à trois grandes sources distinctes : la culture maya préhispanique; la culture coloniale, où prédomine l'influence espagnole mais qui comprend aussi l'africaine et l'européenne; et la culture contemporaine, celle des XIXe et XXe siècles. La synthèse de ces influences se retrouve partout au pays, mais particulièrement dans les Hautes Terres de l'Ouest.

Les éléments concrets de cette culture sont, entre autres, les *trajes* (les vêtements) : du chapeau à la jupe; la céramique (cuite

Portrait

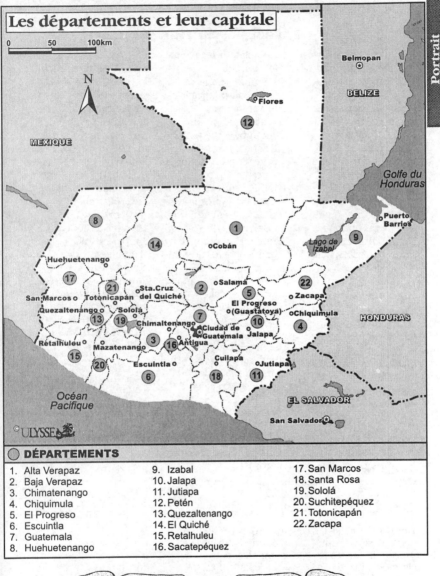

Les départements et leur capitale

0   50   100km

N

MEXIQUE

Belmopan

BELIZE

Flores

12

Golfe du Honduras

8

14

1

Cobán

Huehuetenango

Puerto Barrios

Lago de Izabal

9

17

21   Sta.Cruz
Totonicapán   del Quiché   2   Salamá   5   22   Zacapa
San Marcos   Sololá   El Progreso   Chiquimula
Quezaltenango   13   19   Chimaltenango   (Guastatoya)   10   4   HONDURAS
7   Jalapa
Retalhuleu   Ciudad de   Guatemala
3   16   Antigua
15   Mazatenango
20   Escuintla   Cuilapa
6   18   11   Jutiapa

Océan
Pacifique

EL SALVADOR

San Salvador

©ULYSSE

DÉPARTEMENTS

1. Alta Verapaz
2. Baja Verapaz
3. Chimatenango
4. Chiquimula
5. El Progreso
6. Escuintla
7. Guatemala
8. Huehuetenango

9. Izabal
10. Jalapa
11. Jutiapa
12. Petén
13. Quezaltenango
14. El Quiché
15. Retalhuleu
16. Sacatepéquez

17. San Marcos
18. Santa Rosa
19. Sololá
20. Suchitepéquez
21. Totonicapán
22. Zacapa

Miguel Ángel Asturias

Miguel Ángel Asturias naît dans la Ciudad de Guatemala en 1899, où il vit toute son enfance ainsi que son adolescence. Il a étudié le droit à l'université de San Carlos, pour ensuite entreprendre des études supérieures en économie et politique à la Sorbonne en 1923, où il sera influencé par le surréaliste français André Breton.

Il publie, en 1930, *Leyendas de Guatemala* (Légendes du Guatemala), qui lui vaudra le prix Silla Monsegur (pour le meilleur livre latino-américain publié en France). Asturias écrit ensuite son roman *El señor Presidente* (Monsieur le Président), qui traite de la corruption sociale instaurée par un dictateur malicieux. Son implication politique sera la cause de la non-publication de son livre au Guatemala, qui est alors gouverné par le dictateur Jorge Ubico. La version originale de ce roman ne sera publiée que 13 ans plus tard. Après la chute du régime d'Ubico en 1944, l'éminent professeur Juan José Arévalo est élu président et s'empresse de nommer Asturias attaché culturel à l'ambassade du Guatemala au Mexique. Asturias deviendra successivement ambassadeur en Argentine et au El Salvador. En 1954, il s'exile en Argentine, pour ne revenir dans son pays natal que huit ans plus tard. Ensuite, il est promu ambassadeur en France. La même année, Asturias reçoit le prix Lénine de la paix et le prix Nobel de littérature l'année suivante. Ses œuvres principales, *El señor Presidente*, *Hombres de maíz* (Les hommes de maïs), *Viento fuerte* (L'ouragan) et *Leyendas de Guatemala*, ne cessent de condamner l'impérialisme. Lors de la remise du prix Nobel, Asturias est loué pour ses *«écrits hauts en couleur enracinés dans une identité nationale et dans les traditions des Amérindiens»*.

Miguel Ángel Asturias s'éteint le 9 juin 1974. À sa demande, ses cendres sont portées au cimetière du Père-Lachaise à Paris.

au four ou non, vitrifiée ou pas); la musique (de la flûte à la guitare électrique); la littérature (orale ou écrite); l'artisanat.

Certains éléments culturels traditionnels dépassent les attributs strictement ergonomiques et, malgré la présence d'éléments matériels palpables, ce sont surtout les attributs sociaux qui définissent leur importance. La cohésion sociale est l'essence même des fêtes, des danses, des jours du marché, des *ferias* et des cérémonies de toutes sortes. Certaines manifestations sont privées et peu d'étrangers n'y ont accès, tandis que les fêtes patronales, c'est-à-dire du saint patron des villes et villages, sont l'occasion pour la communauté de célébrer son appartenance au même regroupement humain.

Les danses et les masques

Selon l'historien Luis Luján Múñoz, ancien directeur de l'Institut d'anthropologie et d'histoire du Guatemala, les Mayas ont adopté à l'époque coloniale des danses pour lesquelles ils utilisaient des masques de bois polychrome représentant des visages humains avec de grandes barbes et des moustaches, deux traits propres aux Européens.

La technique consiste à réaliser la taille directe du bois, pour ensuite l'enduire d'une légère couche de stuc sur laquelle on peint en détrempe avant d'apposer un vernis protecteur. Ce mode de travail est fondamentalement le même que celui appliqué aux images religieuses par les sculpteurs coloniaux, et sa qualité d'exécution a permis au Guatemala de se tailler une réputation enviable à ce chapitre. De nombreux masques possèdent en outre le fini et la physionomie caractéristiques des images de saints. Quant aux masques créés par des artistes indépendants, s'ils ne possèdent pas la finesse des images pieuses, ils n'en affichent pas moins une grande force expressive.

Comme vous pourrez le constater, les costumes des danseurs diffèrent au gré des danses, mais les plus spectaculaires sont ceux de la danse des Maures et des chrétiens ainsi que de la conquête. Quant aux masques, ils varient selon les régions. Les villages producteurs les plus importants sont San Cristóbal Verapaz et San Miguel Tucurú, dans le département de l'Alta Verapaz, et Santa Cruz El Quiché, où existent des établissements à vocation commerciale, ou *morerías*. C'est au XIXe siècle que sont apparus ces commerces où l'on peut se procurer costumes et masques, et où des maîtres de danse enseignent aux exécutants le texte qu'ils doivent réciter et les pas de danse qu'ils doivent effectuer, individuellement ou collectivement.

Il existe cependant des artistes qui reçoivent des commandes privées. Autrement dit, il y a deux modes de production artisanale : celui des *morerías* et celui des artistes indépendants qui représentent l'expression pure de l'art populaire. Parmi les villages se livrant à une fabrication autonome, les plus notoires sont Rabinal dans la Baja Verapaz, San Pedro Carchá dans l'Alta Verapaz, San Antonio Aguas Calientes dans le Sacatepéquez, et Nahualá dans le département de Sololá.

À l'époque préhispanique, les danses constituaient un moyen d'expression rigoureusement codifié, quoique la conquête ait amené un tout autre type de danse. Aujourd'hui, les villages indigènes et les municipalités *ladinas* conservent des expressions traditionnelles très riches en couleurs et en genres. Les *bailes* (danses) du Guatemala trouvent dès lors leurs origines et significations dans l'histoire ancienne et dans le vécu du peuple depuis la conquête.

On peut distinguer trois catégories de danses :

Les danses de tradition préhispanique ont gardé un aspect rituel et religieux. Le *palo volador,* originaire du Mexique, était pratiqué au Guatemala avant la Conquête. Deux singes et deux anges grimpent au sommet d'un mât planté en terre. Solidement attachés à une corde, ils se laissent tomber dans le vide. La corde se déroule au rythme de la rotation de la structure en forme de croix qui chevauche la pointe du mât, et ce, jusqu'à l'atterrissage. Cette danse a surtout cours à Chichicastenango et à Joyabaj, dans le Quiché, mais aussi dans le Baja Verapaz.

La cérémonie d'*El Tun* (souvent associée au *Rabinal Achí*) mime le sacrifice humain tel qu'on le pratiquait avant la Conquête, et elle fut longtemps interdite par les autorités coloniales. La *culebra* (la couleuvre) est une danse de fertilité où la couleuvre représente la terre devant être fécondée. *Los gigantes* (les géants) se veut un drame cosmique

illustrant la lutte et la victoire du soleil contre les forces de la nuit. *Los micos* ou *monos* rappelle les hommes changés en singes du *Popol Vuh. El venado* ou *Los venados* (cerfs) est un rite de chasse. *El Convite* ou *Los enmascarados* recrée une scène de mœurs communautaires. *Los Huastecos* est la danse du maïs. Le *Rabinal Achí,* que nous avons déjà mentionné, est un drame dansé rédigé en k'iche' ancien, et s'impose comme le seul texte préhispanique a avoir survécu jusqu'à nos jours; il met en scène le procès d'un guerrier K'iche' accusé d'ingérence sur les terres de Rabinal, et restitue tout le rituel judiciaire menant à son sacrifice.

Dans une deuxième catégorie entrent les danses d'époque coloniale comme les *gracejos, feos* et *gracefeos. Les damas* et *gracefos* sont issus de thèmes coloniaux auxquels les Mayas inséraient des éléments du passé, comme par exemple les rites de fertilité. Les danses *diablos* et *diablos y judios* portent sur des sujets moralisants qui rappellent les représentations du Moyen Âge.

La dernière catégorie comprend les danses à thème historique, notamment la *cortés* et *la conquista,* qui relatent l'arrivée des Espagnols. Y figure aussi *la malintzin,* dont le thème mexicain raconte l'histoire de la Malinche et de sa trahison au moment de devenir la compagne de Cortés. *Los moros* représente les Maures en Espagne. Les «douze-pairs-de-France» et «Saint-Louis-Roi-de-France» sont bien évidemment tirées de l'histoire française. *Toros y toritos* est pour sa part une imitation indigène des corridas où les taureaux portent de superbes masques de bois sculpté et coloré.

Toutes les fêtes s'accompagnent de musique : tambours et flûtes indigènes. Les *chirimias* (flûtes au son de bombarde) rythment la danse; chez les Ladinos, c'est le *marimba,* instrument national, sorte de xylophone : quatre ou cinq musiciens frappent les touches avec des baguettes de bois à bouts de caoutchouc, les caisses de résonance, ou *tecomates,* étant faites de courges allongées.

Les *cofradias*, introduites au Nouveau Monde par les Espagnols, jouent un rôle fondamental dans la cohésion de la communauté. Leur fonction principale est l'organisation de la célébration de la fête du saint patron, mais, sous le couvert de la dimension strictement religieuse, se cachent les tentacules du pouvoir politique et administratif. Dans certains cas, les *cofradias* sont propriétaires de ressources importantes en matières premières et exercent un rôle déterminant sur l'économie locale.

Les fêtes patronales

Les célébrations de la fête patronale ne sont pas homogènes, mais, si chaque communauté maintient des traditions qui lui sont propres, les éléments matériels ainsi que les formes d'expression se ressemblent. Presque partout, on utilise les feux d'artifice, on fait des processions et l'on organise des danses. Les fêtes les plus appréciées des touristes sont les célébrations où l'on exécute les danses masquées. Les exécutants portent des masques et leurs danses racontent des récits mythiques et historiques où se mêlent l'universel et la dernière chicane de famille; on boit à ne plus tenir debout, on chante, on hurle de la poésie que seuls les initiés comprennent et l'on rit des farces mille fois redites dans le dialecte local...

Ces fêtes patronales sont habituellement ouvertes au grand public et, même si vous ne voulez pas participer aux cérémonies ou aux danses, il vous est possible d'assister au spectacle. Les fêtes sepoursuivent durant plusieurs jours, mais le jour de fête du saint patron est habituellement la journée principale. Dans la section «Sorties» de chacun des chapitres de ce guide, nous avons indiqué les principales célébrations de la région. Si vous avez la chance d'être dans une communauté au moment où elle célèbre son saint patron, n'hésitez pas!

Les éléments de tradition préhispanique des danses masquées prédominent dans les Hautes Terres de l'Ouest et les Verapaces, alors que la tradition occidentale avec des accents hispano-arabes prédominent dans les fêtes de la grande région des capitales anciennes et nouvelles.

Coticas

Renseignements généraux

L'information contenue dans ce chapitre a pour but de vous aider à préparer et organiser votre voyage au Guatemala.

Vous y trouverez des renseignements généraux, des conseils pratiques et des mises en garde comme celle reliée à la difficulté de changer des devises autres que le dollar américain.

Si le Guatemala est un petit pays, sa topographie exceptionnelle rend l'accès à certaines régions plutôt laborieux et, pour profiter au maximum de votre séjour, il est important de bien se préparer, surtout si vous voulez visiter les régions éloignées.

Formalités d'entrée

Avant de partir, veillez à apporter tous les documents nécessaires pour entrer et sortir du pays. Quoique ces formalités soient peu exigeantes, sans les documents requis, on ne peut voyager au Guatemala. Gardez donc avec soin ces documents officiels.

Le passeport

Pour entrer au Guatemala, si vous êtes un citoyen belge, canadien, français ou suisse il vous suffit d'avoir un passeport valide au moins six mois après la date d'arrivée. Ce document atteste officiellement votre identité. Les citoyens du Canada, des États-Unis et de presque tous les pays d'Europe occidentale n'ont pas besoin de visa pour entrer au Guatemala. Il en va de même pour les citoyens australiens, néo-zélandais et japonais.

Il est recommandé de toujours prendre soin de conserver une photocopie des pages principales ainsi que le numéro et la date d'expiration de votre passeport. Dans l'éventualité où ce document serait perdu ou volé, il sera alors plus facile de le remplacer. Lorsqu'un tel incident survient, il faut contacter l'ambassade ou le consulat de votre pays pour faire émettre de nouveau un document équivalent.

Aucun vaccin n'est obligatoire, mais un traitement antipaludéen est fortement conseillé pour un séjour en forêt tropicale.

La taxe de départ

Une taxe de départ de 135Q (on accepte 20$US) doit être acquittée par tous les voyageurs au moment de quitter le Guatemala. Il faut prévoir cette somme en espèces, car les cartes de crédit ne sont pas acceptées.

Les douanes

Les normes guatémaltèques concernant le droit d'importation de marchandises en provenance de l'extérieur pour ses citoyens ou ses visiteurs restreignent l'entrée de certaines marchandises. Par exemple, on peut entrer au pays avec un maximum de 3 litres de vin ou d'alcool et de 500 grammes de tabac, ainsi que les articles personnels déjà utilisés qui peuvent être considérés nécessaires pour le voyageur.

Les ambassades et consulats

Au Guatemala

Les ambassades et les consulats peuvent fournir une aide précieuse aux visiteurs qui se trouvent en difficulté (par exemple en cas d'accident ou de décès, fournir le nom de médecins ou d'avocats, fournir les plus récentes informations sur la situation au Guatemala ou dans les pays voisins, etc.) Toutefois, seuls les cas urgents sont traités. Nous vous recommandons de vous enregistrer à l'ambassade de votre pays dès votre arrivée.

Les ambassades sont toutes situées dans la capitale.

BELGIQUE
14 Calle A 13-39, Z.10 Oakland
☎ *337-0321*
≈ *368-1817*

CANADA
13 Calle 8-44, Z.10, Edificio Edyma Plaza Nivel 8
☎ *333-6102*
≈ *333-6153*

ESPAGNE
6a. Calle 6-48, Z.9
☎ *334-3757*
≈ *332-2456*

ÉTATS-UNIS
Avenida de la Reforma 7-01, Z.10
☎ *331-1541*
≈ *331-6660*

FRANCE
16 Calle 4-53, Z.10, Edificio Marbella, Nivel 11
☎ *337-3639 ou 337-4080*
≈ *337-3180*

ITALIE
5a. Avenida 8-59, Z.10
☎ *337-4578 ou 337-4588*
≈ *337-0795*

SUISSE
4a. Calle 7-73, Z.9, Edificio Seguros Universales, Nivel 5
☎ *334-0743/4 ou 331-3725/6*
≈ *331-8524*

UNION EUROPÉENNE
14 Calle 3-51, Z.10, Edificio Murano Center, Nivel 14, Oficina 1401
☎ *366-5812/4*
≈ *366-5816*

À l'étranger

Les ambassades et les consulats du Guatemala à l'étranger délivrent les visas nécessaires, entre autres dans le cas de voyages d'affaires, et disposent généralement d'un office de tourisme afin d'aider les voyageurs à préparer leur voyage au Guatemala. Les responsables de ces bureaux peuvent répondre aux question des visiteurs et offrent des brochures.

BELGIQUE
Ambassade du Guatemala
Avenue Winston Churchill 1851180 Bruxelles
☎ *32.23.45.90.47*
≈ *32.23.44.64.99*

CANADA
Ambassade du Guatemala
130, rue Albert, bureau 1010,
Ottawa, Ontario K1P 5G4
☎ *(613)233-7188*
⊨ *(613)233-0135*

ESPAGNE
Ambassade du Guatemala
Calle Rafael Salgado 3, 4 Iz-
querda, 280336 Madrid
☎ *(34-1) 344-1417*
⊨ *(34-1) 458-7894*

FRANCE
Ambassade du Guatemala
73, rue de Courcelles, Paris
75008
☎ *01.42.27.78.63*
⊨ *01.47.54.02.06.*
*L'office de tourisme est à
la même adresse.*

ITALIE
Ambassade du Guatemala
Via dei Colii della Famesina,
128, 1-00194 Rome
☎ *(39-6) 36307392*
⊨ *(39-6) 3291639*

SUISSE
Consulat du Guatemala
Toedeinstrasse 17, CH-8002
Zurich
☎ *(41-1) 202-5815*
⊨ *(41-1) 202-3919*

Renseignements touristiques

Cartes et plans de ville

**Instituto Geográfico
Nacional**
Avenida Las Américas 5-76, Z.13
☎ *332-2611*
☎ *332-0982*
⊨ *331-3548*
ign@quetzal.net
L'Instituto Geográfico
Nacional est le seul
détenteur de cartes

géographiques officiel-
les du Guatemala. Vous
y trouverez des cartes
pour tout usage, de la
carte topographique à
la carte des sites ar-
chéologiques en pas-
sant par la carte
d'utilisation du sol,
ainsi que des photogra-
phies aériennes
(échelle 1:2 000) et des
plans de ville. Un seul
problème : certaines
cartes (surtout les plans
de ville) datent un peu
et ne rendent pas
compte des change-
ments démographiques
des 10 dernières an-
nées. Néanmoins, les
randonneurs trouveront
la carte topographique
(échelle 1:50 000) né-
cessaire à leur activité.
L'institut mettra bientôt
sur cédérom son *Diccio-
nario Geográfico de Gua-
temala* en quatre tomes
(1978).

L'entrée au Guatemala

En avion

Aéroports

Il existe deux aéroports
internationaux au Gua-
temala : l'Aeropuerto
Internacional La Aurora
de la Ciudad de Guate-
mala et l'Aeropuerto de
Santa Elena dans le
Petén. Ce dernier est
surtout fréquenté par
les visiteurs du site
archéologique de Tikal.
Les vols quotidiens
sont en provenance de
l'Amérique centrale et
du Mexique.

L'Aeropuerto Interna-
cional La Aurora, situé
dans la zone 13 au sud
du centre historique et
des zones hôtelières et
commerciales, est l'aé-
roport principal du
pays. Il accueille les
vols des principales
compagnies aériennes
internationales.

Des autobus (n°s 83)
font le trajet jusqu'au
centre-ville, mais si
vous arrivez après 18h,
mieux vaut prendre un
taxi (7$US). Si votre
destination est Antigua,
il y a toujours des mini-
bus privés qui vous y
conduiront; les prix
sont négociables
(10$US-25$US). Il faut
nécessairement se ren-
dre au centre-ville
d'abord pour se diriger
vers d'autres destina-
tions.

Taxi Aereo
☎ *331-3073*
☎ *334-6674*

Aerofacilidade S. A.
☎ *331-7374*

Traslados S. A.
☎ *334-7783*

Même si les grandes
villes du Guatemala
possèdent leur propre
aéroport, il n'y a pas de
liaison aérienne com-
merciale entre les vil-
les, sauf les vols entre
la Ciudad de Guatema-
la et Tikal. Néanmoins,
il est possible de louer
les services d'avion-
nette ou d'hélicoptère.

Pour les touristes étran-
gers, les formalités
d'entrée, habituelle-
ment rapides, se résu-

Renseignements généraux

ment à la présentation du passeport et à la remise de la déclaration douanière aux fonctionnaires de service.

L'office du tourisme, **Inguat (Instituto Guatemalteco de Turismo)** *(tlj 6h à 21h; ☎331-8392)* possède un bureau dans le grand hall contigu à la sortie de la douane. L'agent d'information d'Inguat peut vous aider à trouver une chambre d'hôtel. Un bureau de change et la billetterie pour l'achat d'une course en taxi sont aussi situés dans le hall.

Principaux liens internationaux de l'aéroport La Aurora et vols réguliers des principales compagnies d'aviation à destination du Guatemala

AMSTERDAM
KLM propose des vols avec escale à México, du vendredi au mardi.

ATLANTA
Delta propose un vol tous les jours.

BELIZE
Taca propose des vols quotidiens via le El Salvador. **Aerovias** et **Tikal Jets** proposent de trois à cinq vols par semaine avec escale à Santa Elena.

BOGOTA
Copa et **Lasca** font le trajet avec escales quotidiennement.

CANCÚN
Aviateca et **Mayan World** font le trajet tous les jours.

CARACAS
Copa et **Lasca** font le trajet avec escales quotidiennement.

DALLAS
Aviateca propose un vol tous les jours.

HOUSTON
La compagnie **ontinental** propose deux vols tous les jours.

LIMA
Lasca fait le trajet tous les jours avec escale à Caracas.

LOS ANGELES
les compagnies **United** et **Taca** font le trajet tous les jours.

MADRID
Iberia propose un vol tous les jours avec escale à Miami.

MANAGUA
Copa et **Aviateca** proposent des vols tous les jours.

MÉRIDA
Aviateca fait le trajet avec escale à Flores les mardis, jeudis et samedis.

MÉXICO
Mexicana et **Aviateca** proposent des vols tous les jours.

MIAMI
Aviateca et **Iberia** proposent un vol tous les jours, tandis que la compagnie **American** fait le trajet trois fois par jours.

SAN PEDRO SULA
La compagnie **Taca** fait le trajet deux fois par jour.

SAN FRANCISCO
La compagnie **Taca** fait le trajet avec escale tous les jours.

SAN SALVADOR
Taca, Copa et **Aviateca** proposent des vols tous les jours.

TEGUCIGALPA
La compagnie **Taca** fait le trajet avec escale à San Pedro Sula deux fois par jour.

Plusieurs compagnies d'aviation possèdent des bureaux dans la capitale, même si elles ne desservent pas l'aéroport international La Aurora. Voici les coordonnées des principales compagnies nationales et internationales :

Aerocaribe, Aeromexico et Mexicana
13 Calle 8-44, Zona 10
Edyma Plaza, Local 104
☎*333-6048*
⇌*331-2697*
Aéroport La Aurora
☎*331-8392 ou 331-0311*

Aerolineas Argentinas
10a. Calle 3-17, Zona 10
Edificio Aseguradora General, Nivel 1
☎*331-1276*
⇌*334-6662*

Aerovias
angle Avenida Hincapié et 18
Calle, Zona 13
Hangar n° 21
☎ *361-5703*
┅ *334-7935*

Air Canada
18 Calle 5-56, Zona 10
Edificio Unicentro, Nivel 3 y 7
☎ *366-9985*
┅ *366-6415*

Air France
Avenida de la Reforma 9-00,
Zona 9
Plaza Panamericana
☎ *331-9124*
┅ *331-1918*

Air New Zealand
Avenida de la Reforma 9-00,
Zona 9
Plaza Panamericana, n° 8
☎ *331-2070*
┅ *331-2079*

Alitalia
10a. Calle 3-17, Zona 10
Edificio Aseguradora General,
Nivel 1
☎ *331-1276*
┅ *364-6662*

American Airlines
Avenida de la Reforma 15-54,
Zona 9
Edificio Reforma Obelisco,
n° 401
☎ *334-7379*
┅ *360-6084*
Aéroport La Aurora
☎ *334-1716*
┅ *332-1277*

Aviateca, Nica et Taca
Réservations ☎ *334-7722*
Avenida Hincapié 12-22,
Zona 13
☎ *331-8222 ou 331-7401*
Aéroport La Aurora
☎ *361-5784*

Bristish Airways
1a. Avenida 10-81, Zona 10
Edificio Inexa, Nivel 6
☎ *332-3402*
┅ *332-7401*
Continental Airlines
18 Calle 5-56, Zona 10

Aéroport La Aurora
☎ *331-2051*
┅ *332-7401*

Copa
1a. Avenida 10-17, Zona 10
☎ *361-1567 ou 361-1677*
┅ *332-1338*

Delta Airlines
15 Calle 3-20, Zona 10
Edificio Centro Ejecutivo, Nivel
2, Oficina 201
☎ *337-0642/70/80/88*
┅ *337-0588*

Iberia
Edificio Galería de la Reforma,
local 204
Avenida de la Reforma 8-60,
Zona 9
☎ *332-0911*
┅ *332-1012 ou 334-3715*
Aéroport La Aurora
☎ *332-5517*
┅ *332-3634*

Japan Airlines
26 Avenida 2-49, Zona 14
☎ *363-5296/97*
┅ *368-2224*

KLM
Edificio Plaza Marítima
6a. Avenida 20-25, Zona 10
☎ *367-6178*
┅ *337-0227*

Lasca
Aéroport La Aurora
☎ *332-7470*

Lufthansa
Diagonal 6 10-01, Zona 10
Centro Comercial Las Margaritas, Torre II, Nivel 8
☎ *336-5526*
┅ *339-2994*

Mayan World
Avenida de la Reforma 6-64,
Zona 9
☎ *339-1519*
┅ *339-1022*

Sam/Avianca
1a. Avenida 10-17, Zona 10
☎ *361-1567/87/97*
┅ *332-1338*

Traslados, S. A.
Angle Avenida Hincapié et 18
Calle, Zona 13
Hangar n° 30
☎ / ┅ *334-7783*

Tikal Jets
Aéroport La Aurora
☎ *334-5631 ou 334-5568*
┅ *334-5631*

United Airlines
Avenida de la Reforma 1-50,
Zona 9
Edificio El Reformador, Nivel 2
y 3
☎ *332-2995*
┅ *332-3903*
Aéroport La Aurora
☎ *332-1994*
┅ *332-2795*

Varug
Avenida de la Reforma 9-00,
Zona 9
Plaza Panamericana, Planta
Baja
☎ *331-1952*
┅ *332-0286*

Pour les mordus de l'archéologie : le Mayan Path

Les compagnies aérien-
nes **Aviateca**, **Copa** et **Taca**
proposent une formule
intéressante qui permet
de bénéficier de liai-
sons fréquentes pour
circuler rapidement et à
prix compétitifs à
l'intérieur du monde

maya : Guatemala, Belize, Mexique, El Salvador et Honduras. Le parcours est choisi à partir des villes desservies par les compagnies. Chaque segment vaut deux coupons et il est nécessaire d'avoir un minimum de quatre coupons pour constituer un Mayan Path. Le coût d'un coupon est de 65$US; donc, le Mayan Path coûte 260$US.

En voiture

Du Mexique

Deux routes mexicaines mènent au Guatemala. L'Interaméricaine (Mex 190), qui devient la (CA1) au Guatemala, passe la frontière à La Mesilla, tandis que la Mex 200 passe par El Carmen pour rejoindre la route nationale 1 ou la Carretera al Pacífico (CA2), qui longe la côte du Pacifique. Cette dernière route est la plus rapide pour se rendre à la capitale du Guatemala. Tecún Umán est la principale entrée de la côte. Quelques pistes et routes secondaires (sans poste-frontière) relient le Mexique et le Guatemala.

Il est possible de traverser le Río Usumacinta (entre Frontera Echeverría au Mexique et Coop Bethel) avec sa voiture sur un bac de fortune. Il s'agit d'un exploit pour aventuriers qui ne craignent pas la perte complète de leur voiture. Une route goudronnée relie Palenque et Frontera Echeverría, sauf pour les 20 derniers kilomètres.

Du Belize

Une seule route carrossable relie le Belize et Ciudad Melchor de Mencos, au Petén. Plusieurs pistes traversent la frontière du Guatemala, mais c'est une aventure difficile et non recommandée.

Du El Salvador

Plusieurs routes relient le Guatemala et le El Salvador. Les principales sont celle de la côte du Pacifique, la CA2 (Carretera al Pacífico), qui passe la frontière à Ciudad Pedro de Alvarado-La Hacadura; la CA8 qui passe la frontière à Paso Nuevo El Jobo-Las Chinamas; l'Interaméricane (CA1), qui passe la frontière à San Cristóbal Fronteras-San Cristóbal; et la CA12, qui passe la frontière à Angiuatú.

Du Honduras

Deux routes carrossables relient le Honduras et le Guatemala : celle qui passe la frontière à El Florido-Capariá est une route en terre qui sert surtout aux visiteurs du site archéologique hondurien de Copán. La CA10, une route goudronnée, relie les villes d'Esquipulas (Guatemala) et de Nueva Ocotepeque (Honduras).

En autocar

Du Mexique

Il faut se rendre au différents postes-frontières et changer d'autocar. Sauf quelques exceptions, les autocars nationaux ne roulent que dans leur propre pays.

De l'Amérique centrale

Plusieurs compagnies d'autocars font le trajet entre les capitales des pays de l'Amérique centrale. Toutes offrent des services de 1re classe qui incluent climatisation, hôtesse et télé.

Du Honduras

Une nouvelle route (de 4 à 5 heures) entre Puerto Barrios, au Guatemala, et Puerto Cortés, au Honduras, a écourté le temps de déplacement entre ces deux ports.

Du Belize

Il faut se rendre à Melchor de Mencos et changer d'autocar.

De Los Angeles

La compagnie Transportes Fortaleza del Sur y Fortaleza fait le trajet une fois par semaine au coût de 200$US.

En bateau

Du Mexique

On peut entrer au Guatemala (Petén) par le Río Usumacinta en partant du Chiapas au Mexique, à prix et à fréquence variables. Une pirogue qui dessert les marchands fait la navette entre Frontera Echeverría et Sayaché sur le Río de La Pasión. Des pirogues traversent le Río Usumacinta entre Frontera Echeverría et Bethel. On peut traverser la rivière en voiture depuis dans un bac fait de deux pirogues attachées ensemble. Pour aventuriers seulement.

Du Belize

Des traversiers relient Punta Gorda (sud du Belize) à Puerto Barrios ou Livingston, sur la côte de l'Atlantique.

Du Honduras

De Puerto Quetzal, au Honduras, les bateaux pour Puerto Barrios et Livingston partent lorsque le nombre de passagers atteint le coût estimé du voyage.

Assurances

Annulation

Cette assurance est normalement suggérée par l'agent de voyages au moment de l'achat du billet d'avion ou du forfait. Elle permet le remboursement du billet ou forfait, dans le cas où le voyage devrait être annulé en raison d'une maladie grave ou d'un décès. Les gens n'ayant pas de problèmes de santé ont peu de chance d'avoir recours à une telle protection. Elle demeure par conséquent d'une utilité relative.

Vol

La plupart des assurances-habitation au Canada protègent une partie des biens contre le vol, même si celui-ci a lieu à l'étranger. Pour réclamer, il faut avoir une copie du rapport de police. En général, la couverture pour le vol en voyage correspond à 10% de la couverture totale. Selon les montants couverts par votre police d'assurance-habitation, il n'est pas toujours utile de prendre une assurance supplémentaire. Pour les voyageurs européens, il est recommandé de prendre une assurance-bagages.

Assurance-maladie

Sans doute la plus utile, l'assurance-maladie s'achète avant de partir en voyage. Cette police d'assurance doit être la plus complète possible. Au moment de l'achat de la police, il faudrait veiller à ce qu'elle couvre bien les frais médicaux de tout ordre, comme l'hospitalisation, les services infirmiers et les honoraires des médecins (jusqu'à concurrence d'un montant assez élevé).

Une clause de rapatriement, pour le cas où les soins requis ne peuvent être administrés sur place, est précieuse. En outre, il peut arriver que vous ayez à débourser le coût des soins en quittant la clinique. Il faut donc vérifier ce que prévoit votre police en pareil cas. Durant votre séjour, vous devriez toujours garder sur vous la preuve que vous avez contracté une assurance-maladie, ce qui vous évitera bien des ennuis si par malheur vous en avez besoin.

Santé

Les malaises que vous risquez le plus de ressentir sont causés par une eau mal traitée, susceptible de contenir des bactéries provoquant certains problèmes, comme des troubles digestifs, de la

Renseignements généraux

diarrhée, de la fièvre. L'eau en bouteille, que vous pouvez acheter un peu partout au pays, est la meilleure solution pour éviter les ennuis. Lorsque vous achetez l'une de ces bouteilles, tant au magasin qu'au restaurant, vérifiez toujours si elle est bien scellée.

Les fruits et les légumes nettoyés à l'eau courante (ceux qui ne sont donc pas pelés avant d'être consommés) peuvent causer les mêmes désagréments.

Dans l'éventualité où vous auriez la diarrhée, diverses méthodes peuvent être utilisées pour la traiter. Tentez de calmer vos intestins en ne mangeant rien de solide et en buvant des boissons gazeuses, de l'eau en bouteille, du thé ou du café (évitez le lait) jusqu'à ce que la diarrhée cesse. La déshydratation pouvant être dangereuse, il faut boire beaucoup. Pour remédier à une déshydratation sévère, il est bon d'absorber une solution contenant un litre d'eau, de deux à trois cuillerées à thé de sel et une de sucre. Vous trouverez également des préparations toutes faites dans la plupart des pharmacies.

Par la suite, réadaptez tranquillement vos intestins en mangeant des aliments faciles à digérer. Des médicaments, tel l'Imodium, peuvent aider à contrô-

ler certains problèmes intestinaux. Dans les cas où les symptômes sont plus graves (forte fièvre, diarrhée importante...), un antibiotique peut être nécessaire. Il est alors préférable de consulter un médecin.

La nourriture et le climat peuvent également être la cause de divers malaises. Une certaine vigilance s'impose quant à la fraîcheur des aliments (en l'occurrence la viande et le poisson) et à la propreté des lieux où la nourriture est apprêtée. Une bonne hygiène (entre autres, se laver fréquemment les mains) vous aidera à éviter bon nombre de ces désagréments.

Il est recommandé de ne jamais marcher pieds nus à l'extérieur, car parasites et insectes minuscules pourraient traverser la peau et causer divers problèmes, notamment des dermites (infection à champignons).

Malheureusement, on peut, en visitant le Guatemala, attraper certaines maladies, comme la malaria, la typhoïde, la diphtérie, le tétanos, la polio et l'hépatite A. Très rares sont les cas où les visiteurs contractent de telles infections, mais ils se présentent à l'occasion. Aussi est-il recommandé, avant de partir, de consulter un médecin (ou de vous rendre dans une cli-

nique des voyageurs) qui vous conseillera sur les précautions à prendre. Il est à noter qu'il est bien plus simple de se protéger de ces maladies que de les guérir. Il est donc utile de prendre les médicaments, les vaccins et les précautions nécessaires afin d'éviter des ennuis médicaux susceptibles de s'aggraver.

Maladies

La brève description des principales maladies qui suit n'est présentée qu'à titre informatif.

La malaria

La malaria (ou paludisme) est causée par un parasite sanguin dénommé *Plasmodium sp.* Ce parasite est transmis par un moustique (l'anophèle) qui est actif à partir de la tombée du jour jusqu'à l'aube. On suggère les mesures de protection contre les piqûres de moustiques (voir plus loin).

La maladie se caractérise par de fortes poussées de fièvre, des frissons, une fatigue extrême, des maux de tête ainsi que des douleurs abdominales et musculaires. L'infection peut parfois être grave quand elle est causée par l'espèce *P. falciparum*. La maladie peut survenir lors du séjour à l'étranger ou dans les

12 semaines après le retour. Exceptionnellement, elle se manifestera plusieurs mois plus tard. Il importe alors de consulter un médecin.

L'hépatite A

Cette infection est surtout transmise par des aliments ou de l'eau que vous ingérez et qui ont été en contact avec des matières fécales. Les principaux symptômes sont la fièvre, parfois la jaunisse, la perte d'appétit et la fatigue. Cette maladie peut se déclarer entre 15 et 50 jours après la contamination.

Il existe une bonne protection contre la maladie : un vaccin administré par injection avant le départ. En plus du traitement recommandé, il est conseillé de se laver les mains avant chaque repas et de s'assurer de l'hygiène des lieux et des aliments consommés.

L'hépatite B

Tout comme l'hépatite A, l'hépatite B touche le foie, mais elle se transmet par contact direct ou par échange de liquides corporels. Ses symptômes s'apparentent à ceux de la grippe et se comparent à ceux de l'hépatite A. Un vaccin existe aussi, mais sachez qu'il est administré sur une certaine période, de sorte que vous devriez prendre les dispositions nécessaires auprès de votre médecin plusieurs semaines à l'avance.

La fièvre typhoïde

Cette maladie est causée par l'ingestion d'eau ou d'aliments ayant été en contact (direct ou non) avec les selles d'une personne contaminée. Les symptômes les plus communs en sont une forte fièvre, la perte d'appétit, les maux de tête, la constipation et, à l'occasion, la diarrhée ainsi que l'apparition de rougeurs sur le corps. Ils apparaissent de une à trois semaines après l'infection initiale.

L'indication thérapeutique du vaccin (qui existe sous deux formes différentes, soit intramusculaire ou en pilule) dépendra de votre itinéraire. Encore une fois, il est toujours plus prudent de vous rendre dans une clinique quelques semaines avant votre départ afin de bien planifier la série d'injections du vaccin.

La diphtérie et le tétanos

Ces deux maladies, contre lesquelles la plupart des gens ont été vaccinés dans leur enfance, ont des conséquences graves. Donc, avant de partir, vérifiez si vous êtes bel et bien protégé contre elles; un rappel s'impose parfois. La diphtérie est une infection bactérienne qui se transmet par les sécrétions provenant du nez ou de la gorge, ou encore par une lésion de la peau d'une personne infectée.

Elle se manifeste par un mal de gorge, une fièvre élevée, des malaises généraux et parfois des infections de la peau. Le tétanos est causé par une bactérie. Elle pénètre dans l'organisme lorsque vous vous blessez et que cette blessure entre en contact avec de la terre ou de la poussière contaminée.

Les autres maladies

Il est toujours sage d'être prudent quant aux maladies vénériennes et au sida.

N'oubliez pas non plus qu'une trop grande consommation d'alcool peut causer des malaises, particulièrement lorsqu'elle s'accompagne d'une trop longue exposition au soleil. Elle peut aussi entraîner une certaine déshydratation.

Insectes

L'omniprésence des insectes, particulièrement pendant la saison des pluies et dans les régions boisées, aura vite fait d'ennuyer plus d'un vacancier. Pour vous protéger, vous

Renseignements généraux

aurez besoin d'un bon insectifuge. Les produits répulsifs contenant du DEET sont les plus efficaces. La concentration de DEET varie d'un produit à l'autre; plus la concentration est élevée, plus la protection est durable.

Dans de rares cas, l'application d'insectifuges à forte teneur (plus de 35%) en DEET a été associée à des convulsions chez de jeunes enfants; il importe donc d'appliquer ce produit avec modération, seulement sur les surfaces exposées, et de se laver pour en faire disparaître toute trace dès qu'on regagne l'intérieur. Le DEET à 35% procure une protection de quatre à six heures, alors que celui à 95% protège pendant une période de 10 à 12 heures. De nouvelles formulations de DEET, dont la concentration est moins élevée mais qui offrent une protection plus durable, sont disponibles en magasin.

Dans le but de minimiser les risques d'être piqué, couvrez-vous bien en évitant les vêtements aux couleurs vives, et évitez de vous parfumer. N'oubliez pas que les insectes sont plus actifs au crépuscule. Lors de promenades dans les montagnes et dans les régions forestières, des chaussures et chaussettes protégeant les pieds

et les jambes seront certainement très utiles.

Des spirales insectifuges vous permettront de passer des soirées plus agréables. Avant de vous coucher, enduisez votre peau d'insectifuge, ainsi que la tête et le pied de votre lit. Vous pouvez aussi dormir sous une moustiquaire, mais le mieux reste encore de louer si possible une chambre climatisée.

Comme il est impossible d'éviter complètement les moustiques, vous devriez apporter une pommade pour calmer les irritations causées par les piqûres.

Serpents

La richesse et la diversité de la faune entraînent aussi, il va sans dire, la présence d'espèces qui peuvent nous sembler moins conviviales à prime abord! Ainsi le Guatemala abrite plusieurs espèces de serpents, dont certaines sont venimeuses. Inutile d'être alarmiste outremesure, vous n'en verrez peut-être aucun durant votre séjour.

Cependant, il importe de garder l'œil ouvert. Prenez toujours garde de regarder où vous marchez. Dans la forêt, vérifiez les lieux avant de vous appuyer ou de vous asseoir quelque part. Lors d'excursions de randonnée pédestre, soyez prudent en écar-

tant les feuilles sur votre passage; lors de baignade en rivière, surveillez aussi bien les rives que la surface de l'eau.

Certaines personnes, croyant être plus rapides qu'un serpent, s'amusent à les taquiner ou à les bouger pour les observer : inutile de préciser qu'il s'agit d'une grave erreur. Encore une fois, la présence de serpents ne devrait pas vous empêcher de découvrir un coin de pays; les serpents, comme la plupart des animaux, ne cherchent pas la présence de l'humain et fuient à son approche.

Soleil

Aussi attirants que puissent être les chauds rayons du soleil, ils peuvent être la cause de bien des petits ennuis. Aussi, pour profiter au maximum de ses bienfaits sans souffrir, veillez à toujours opter pour une crème solaire qui vous protège bien (indice de protection 15 pour les adultes et 25 pour les enfants) et à l'appliquer de 20 à 30 min avant de vous exposer.

Toutefois, même avec une bonne protection, une trop longue période d'exposition, au cours des premières journées surtout, peut causer une insolation provoquant étourdissement, vomissement, fièvre, etc. N'abusez donc pas du soleil. Un parasol, un chapeau et des lunettes de soleil sont autant d'accessoires qui vous aideront à contrer les effets néfastes du soleil tout en profitant de la plage.

Trousse de santé

Une petite trousse de santé permet d'éviter bien des désagréments. Il est bon de la préparer avec soin avant de quitter la maison. Il peut être malaisé de trouver certains médicaments dans les petites villes. Veillez à emporter une quantité suffisante de tous les médicaments que vous prenez habituellement, ainsi qu'une ordonnance valide pour le cas où vous les perdriez.

De même, apportez avec vous l'ordonnance pour vos lunettes ou vos verres de contact. Les autres médicaments tels que ceux contre la malaria et l'Imodium (ou un équivalent) devraient également être achetés avant le départ. De plus, vous pourriez emporter des pansements adhésifs, des désinfectants, des analgésiques, des antihistaminiques, du liquide pour verres de contact et une paire de lunettes supplémentaire si vous en portez, des comprimés contre les maux d'estomac et le mal des transports, ainsi que des serviettes sanitaires et tampons.

Climat

Une température annuelle moyenne de 20°C assure le Guatemala d'un climat des plus agréables qui tient pour une large part à l'altitude. Dans les régions situées entre 1 300 et 1 600 m d'altitude, qui comprend la Ciudad de Guatemala, Antigua, le Lago de Atitlán, Chichicastenango et Cobán, l'air du jour est agréable, alors que les nuits sont assez fraîches tout au long de l'année, et, malgré la chaleur du soleil, l'humidité n'est jamais un problème.

L'humidité et la chaleur extrême caractérisent le climat des Basses Terres du Petén et des côtes. La saison des pluies, qui peut s'étirer jusqu'au mois de décembre, rend les routes impraticables, surtout dans le Petén. Dans les régions côtières, la température monte à 37°C, alors que, dans les montagnes les plus élevées, il gèle quelquefois la nuit. Dans les hauts plateaux du centre, la saison des pluies va de mai à octobre, avec un ciel dégagé avant et après les fortes précipitations qui sévissent plutôt l'après-midi et le soir.

Préparation des valises

Le type de vêtements à emporter varie d'une saison à l'autre et doit prendre en compte les régions qu'on veut visiter. D'une manière générale, les vêtements de coton et de lin, amples et confortables, sont les plus appréciés au Guatemala.

Pour les balades en ville, il est préférable de porter des chaussures fermés couvrant bien les pieds, car elles protègent mieux des blessures qui risqueraient de s'infecter. Pour les soirées fraîches, une chemise ou un gilet sont très utiles.

Dans les Hautes Terres, vous aurez besoin de vêtements plus chauds : pantalon, jeans, veste et chandail. Dans les Basses Terres, vous devriez toujours mettre un chapeau, des lunettes de soleil et une bonne crème solaire.

En matière vestimentaire, les Mayas demeurent assez conservateurs; tous les hommes portent un pantalon ou leur vêtement traditionnel et la plupart des femmes portent leurs *trajes* identifiant leur appartenance.

Sécurité

Voyager, même dans son propre pays, exige une certaine prudence,

Renseignements généraux

et la meilleure précaution à prendre consiste à vous renseigner sur l'état actuel de la situation et à rester relativement prudent en évitant les endroits dangereux.

Votre ambassade est généralement bien informée de la situation au pays et offre un tableau précis des lieux à éviter et une série de recommandations quant au comportement acceptable au Guatemala. Il est d'ailleurs recommandé de s'inscrire auprès de votre ambassade dès votre arrivée au pays pour les cas d'urgence.

Problèmes juridiques et drogues

Nous vous recommandons fortement de ne vous impliquer en aucune façon dans les drogues illégales, qu'il s'agisse d'en acheter ou d'en consommer, et même de vous associer avec des personnes qui le font, et ce, même si les gens du pays semblent le faire sans problème.

Sachez qu'en tant qu'étranger vous êtes désavantagé, et vous pouvez être victime d'un coup monté. La législation sur les drogues au Guatemala est stricte et les sanctions peuvent être très sévères. Sachez qu'il arrive parfois que les policiers soient partie prenante

dans les coups montés et ne sont d'aucune aide. Moins vous aurez à faire avec la justice, mieux vous vous porterez.

Criminalité

La guerre civile guatémaltèque, qui a sévi pendant plus de 35 ans, a pris fin avec un accord de paix en décembre 1996. La démobilisation prévue a créé des milliers de sans-emploi, une situation difficile mais passagère si l'on se fit à ce qui s'est passé dans les autres pays, comme le El Salvador, à la fin de leur guerre civile.

Plusieurs analystes attribuent aux ex-combattants l'accroissement du taux de criminalité. On a enregistré des cas de viol, de vol à main armée, de vol de voitures et même de meurtres de touristes étrangers. Toutefois, ce sont des incidents isolés et, pour les quelques malheureux touristes victimes, des dizaines de milliers d'autres découvrent la gentillesse de la population et les beautés incomparables du Guatemala.

Le vol, surtout le vol à la tire (pickpocket), est la forme la plus commune de criminalité dans les villes comme la Ciudad de Guatemala, Antigua et Chichicastenango. Même dans les endroits publics voire les restaurants, il

faut toujours être aux aguets; les vols de sacs à main sont fréquents même dans les restaurants avec gardes de sécurité.

Les lieux de grands rassemblements comme les gares d'autocars et les marchés publics sont prisés des voleurs à la tire. N'oubliez pas que les touristes étrangers sont particulièrement visés, car ils sont censés être riches et posséder des objets de valeur.

Quelques conseils

Laissez tout ce dont vous n'avez pas besoin (bijoux, argent, passeport) dans une enveloppe scellée et signée dans un coffret à votre hôtel. Exigez un reçu. La majorité des hôtels, sauf les plus modestes, possèdent des coffret de sécurité. Si l'hôtel n'a pas de coffret, il est souvent plus sûr de laisser vos objets dans une valise fermée à clef dans votre chambre que de les conserver sur vous dans les rues de la Ciudad de Guatemala.

Achetez le journal du matin que vous traînerez sous le bras et bien en évidence avec vous, partout où vous allez. Il n'est pas nécessaire de connaître la langue, il s'agit de cacher votre identité. Ne portez pas le drapeau de votre pays sur vos vêtement ou sur votre sac à dos.

Le port d'une ceinture-portefeuille sous vos vêtements ou d'une pochette suspendue autour de votre cou est la moindre des précautions. Munissez-vous d'un sac utilitaire que vous pourrez facilement porter soit sur le dos ou par devant (dans les autobus ou les marchés). Aux billetteries des gares d'autocars, gardez toujours votre petit sac utilitaire entre vos pieds, surtout si vous discutez avec le préposé.

Il n'est pas recommandé de vous promener seul dans les rues désertes ou dans les endroits isolés des villes, surtout la nuit.

Porter plainte à la suite d'un vol ne vous sera nécessaire que si vous voulez un rapport de police pour la déclaration à votre compagnie d'assurances. Souvent vous devrez alors remplir vous-même un formulaire de déclaration de vol que le bureau ou un officier de police signera et sur lequel il apposera un tampon officiel.

Transports

Le Guatemala est un petit pays, mais sa topographie exceptionnelle rend l'accès à certaines régions plutôt laborieux. Mis à part les vols vers Tikal, il n'y a pas de liaison aérienne commerciale entre les villes du Guatemala. Néanmoins, il est possible de se déplacer en avionnette ou en hélicoptère (voir p 57).

Voiture

La voiture constitue le moyen de transport le plus efficace pour visiter le Guatemala. La circulation dans la Ciudad de Guatemala est dense et, aux heures de pointe, ressemble, à peu de chose près, à celle de toutes les grandes villes du monde.

Par contre, en dehors de la métropole, les routes principales sont bien entretenues et la circulation y est fluide la plupart du temps. Depuis la signature de l'accord de paix, plusieurs routes secondaires ont été goudronnées, entre autres celles qui mènent à Comalapa, Mixco Viejo (au nord de la capitale) et Abaj Takalik (sur la côte du Pacifique). Les ponts détruits par l'ouragan Mitch (1998) ont été réparés, et la route entre Río Dulce et Flores sera goudronnée prochainement. L'autoroute à péage Ciudad de Guatemala-Palín-Escuintla (vers la côte du Pacifique) est ouverte et l'Interaméricaine, en partie goudronnée.

Quiconque conduit une voiture immatriculée à l'extérieur du Guatemala doit posséder une assurance responsabilité civile. Il est fortement recommandé de respecter cette loi.

Mieux vaut ne pas circuler après la tombée du jour. Une branche d'arbre, ou un objet inhabituel sur la chaussée, indique une voiture arrêtée ou un obstacle un peu plus loin.

De nombreux postes d'essence bordent les routes principales, mais, lorsqu'on quitte celles-ci, mieux vaut faire le plein quand on peut.

Location de voitures

Pour louer une voiture au Guatemala, il faut avoir 25 ans et un permis deconduire; le permis international est recommandé.

Une carte de crédit est exigée par la plupart des centres de location. Certaines firmes ont des succursales à l'aéroport, dans la capitale, à Antigua, Quetzaltenango, Cobán et Santa Elena.

On peut louer à un endroit et laisser la voiture à un autre moyennant des frais supplémentaires. Tous les prix des centres de location sont négociables.

Différents types de voitures sont disponibles dans les centres de location et les tarifs varient selon le type de voiture et la durée de la location (le tarif à la semaine est moins

Renseignements généraux

cher); il faut compter entre 60$ et 100$US par jour pour les modèles standards.

Les assurances ne couvrent pas les frais en cas de collisions ou de vols, et l'on exige une franchise de 1 000$ à 1 500$US en cas de sinistre. Mieux vaut se garer dans un stationnement, surtout la nuit.

Avant de quitter le centre de location, il faut faire une vérification complète, y compris le dessous du véhicule, et un constat de l'état de celui-ci avant de le louer. Voici les bureaux des principales firmes dans la Ciudad de Guatemala :

Ahorrent Rent a Car
Boul. Liberación 4-83, Zona 9
☎361-5661 ou 332-0544
⇌361-5621
À l'aéroport La Aurora
☎362-8923
À Antigua Guatemala
☎832-0787

Americar Rental System
6a. Avenida 3-95 A, Zona 10
☎/⇌332-6931
À l'aéroport La Aurora
☎361-5644 ou 361-5612

Avis Rent a Car
12 Calle 2-73, Zona 9
☎331-2750
⇌332-1263
À l'aéroport La Aurora
☎331-0017
⇌331-5645

Budget Rent a Car
Avenida de la Reforma 14-90, Zona 9
☎332-2389
⇌332-2546
À l'aéroport La Aurora
☎360-8639
⇌331-0273

Fanny's Rentautos
À l'aéroport La Aurora, Nivel 1
☎339-3812
⇌332-5766

Guatemala Rentautos
19 Calle 16-91, Zona 12
☎/⇌473-1330

Hertz Rent a Car
7a. Avenida 14-76, Zona 9
☎332-2242
⇌331-7924
À l'aéroport La Aurora
☎331-1711

National Car Rental
Calle Montúfar 7-69, Zona 9
☎332-4702 ou 360-3963
À l'aéroport La Aurora
☎331-8365

Pass Rent a Car
À l'aéroport La Aurora, Zona 13
☎331-7843
⇌331-8001

Sears Car & Truck Rental
À l'aéroport La Aurora, Zona 13
☎360-5056
⇌331-0725

Tabarini Renta Autos
2a. Calle A 7-30, Zona 10
☎331-9814
⇌334-1925
À l'aéroport La Aurora
☎331-4755

Tally Rentautos
7a. Avenida 14-60, Zona 1
☎232-0421 ou 232-3327
⇌253-1749
À l'aéroport La Aurora
Zona 13
☎332-6063
⇌334-5925

Thrifty Car Rental
Avenida de la Reforma 8-33, Zona 10
☎332-1130
⇌332-1207
À l'aéroport La Aurora
☎332-1265 ou 332-1306

Tikal Rent A Car
2a. Calle 6-56, Zona 10
☎332-4721 ou 361-0247
⇌361-0257

Moto

On peut louer des motos dans la Ciudad de Guatemala, où le choix est plus grand, et à Antigua. Il faut compter plus de 100$US par semaine pour des motos comme les Kawasaki ou Yamaha. Les conditions de la location de motos suivent de près les exigences qui s'appliquent à la location de voitures.

Vélo

On peut aussi louer une bicyclette ou un vélo de montagne à la journée, à la semaine ou au mois dans les villes de Quetzaltenango et d'Antigua.

Taxi

Des services de taxis sont proposés dans toutes les grandes villes. Il faut négocier le prix de la course avec le chauffeur avant de s'asseoir dans la voiture. Certains trajets sont à tarif fixe, par

Tableau des distances (km)

© ULYSSE

	Antigua	Cobán	Cuilapa	Escuintla	Flores	Ciudad de Guatemala	Huehuetenango	Jalapa	Jutiapa	Puerto Barrios	Quetzaltenango	Retalhuleu	Salamá	San Marcos	Sololá	Totonicopán
Cobán	261															
Cuilapa	104	277														
Escuintla	105	273	102													
Flores	530	535	553	549												
Ciudad de Guatemala	45	215	65	56	492											
Huehuetenango	233	483	331	289	756	266										
Jalapa	213	379	107	206	659	167	430									
Jutiapa	159	232	55	149	609	118	386	51								
Puerto Barrios	344	337	359	354	296	299	565	466	416							
Quetzaltenango	171	424	270	178	700	209	91	376	326	510						
Retalhuleu	190	404	230	132	677	186	146	338	284	488	70					
Salamá	195	101	209	210	470	155	419	321	269	276	361	340				
San Marcos	219	468	318	230	747	255	137	425	374	550	48	115	407			
Sololá	91	340	191	139	616	128	153	294	244	425	91	151	278	139		
Totonicopán	172	421	272	224	699	209	90	376	320	505	30	84	360	77	91	
Zacapa	190	191	214	207	368	151	417	313	268	169	356	338	123	399	277	357

Exemple : la distance entre Flores et Retalhuleu est de 677 km.

exemple de l'aéroport au centre-ville.

Autocar

Les autocars de nombreuses compagnies de transport sillonnent toutes les routes du Guatemala et constituent le moyen le plus économique pour se déplacer partout au pays.

La Ciudad de Guatemala est la plaque tournante de toutes les routes menant d'une région à l'autre et presque tous les villages sont reliés à la capitale. Il y a littéralement des milliers d'autocars qui entrent dans la ville ou en sorte.

Dans chacun des chapitres de ce guide, nous avons indiqué dans la section «Pour s'y retrouver sans mal» les routes et les horaires des principales compagnies.

Les autocars de 2ᵉ classe

Deux classes d'autocars se distinguent par le type de véhicule et le nombre de passagers qu'ils transportent. Les *camionetas* sont des autobus scolaires importés des États-Unis et connus par les touristes étrangers sous l'appellation de *chicken bus*. Elles desservent tous les lieux accessibles par chemin carrossable.

Elles sont habituellement remplies à craquer et s'arrêtent partout; l'expérience d'un trajet dans ces autocars est mémorable.

Dans la capitale, les points de départ sont très nombreux et les autorités municipales projettent l'ouverture prochaine de deux nouveaux emplacements; le Terminal Meta del Norte, dans le Barrio de la Parroquia (zone 6), desservira le Petén et l'est du pays, tandis que le Terminal Central de Mayoreo, sis sur la Calzada Aguilar Batres dans la zone 12, desservira les Hautes Terres et la côte du Pacifique.

D'ici à l'ouverture des nouveaux emplacements, la gare principale située dans la zone 4 (*7a. Calle, angle 4a. Avenida*) est le point de départ et d'arrivée des autocars de 2ᵉ classe (les *chicken bus*) desservant la côte du Pacifique. Officiellement, son appellation est le **Mercado y Terminal de Buses Extraurbanos**, mais on s'y réfère par les termes **Terminal Zona 4**. C'est sans contredit un labyrinthe difficilement descriptible, mais tout un chacun vous indiquera où se situe l'autocar que vous cherchez. C'est un lieu achalandé qu'on aborde avec précaution; les vols à la tire (pickpockets) sont fréquents, comme partout au Gua-

temala où il y a foule dense et bousculade.

Plus près du centre historique, la gare de la zone 1 (*angle 9a. Avenida et 19 Calle*) est le point de départ de plusieurs autocars de 2ᵉ classe, mieux connus sous le nom de *chicken bus*.

Les autocars de 1ʳᵉ classe

Plus confortables mais deux fois plus dispendieux, les autocars de 1ʳᵉ classe que l'on surnomme pullmans se distinguent par le nombre de passagers et le temps de parcours; habituellement, chacun a droit à un siège et les arrêts sont moins fréquents. La très grande majorité des autocars de 1ʳᵉ classe partent des bureaux de la compagnie.

Minibus

Plusieurs agences de voyages font la navette entre les lieux touristiques les plus achalandés à un coût plus élevé que celui des autocars. Le coût du trajet entre l'aéroport La Aurora et la ville d'Antigua varie (7-10US), la course s'effectuant en taxi communautaire, c'est-à-dire un minibus à 12 passagers, tandis qu'un taxi privé vous coûtera 25$US. Ce même type de transport est disponible dans presque

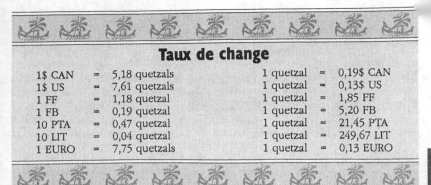

Taux de change

1$ CAN	=	5,18 quetzals	1 quetzal	=	0,19$ CAN
1$ US	=	7,61 quetzals	1 quetzal	=	0,13$ US
1 FF	=	1,18 quetzal	1 quetzal	=	1,85 FF
1 FB	=	0,19 quetzal	1 quetzal	=	5,20 FB
10 PTA	=	0,47 quetzal	1 quetzal	=	21,45 PTA
10 LIT	=	0,04 quetzal	1 quetzal	=	249,67 LIT
1 EURO	=	7,75 quetzals	1 quetzal	=	0,13 EURO

toutes les villes «touristiques» du Guatemala. Le coût est énorme lorsqu'on le compare au prix des autocars, mais le service est plus sécuritaire et beaucoup plus rapide.

Les services financiers

Monnaie

Le quetzal (Q), nommé d'après l'oiseau emblématique du Guatemala, est la monnaie nationale. Un quetzal se divise en 100 centavos. Il existe des pièces de 1,5 et 25 centavos, ainsi que des billets de 50 centavos et de 1,5, 10, 20, 50 et 100 quetzals.

Banques

Les banques sont ouvertes du lundi au vendredi de 9h à 15h (certaines ferment à 19h). Le samedi les banques sont ouvertes de 10h à 14h. La grande majorité des banques changent les dollars US et les chèques de voyage. Les grandes banques avancent des fonds sur les cartes de crédit Visa et MasterCard, et des guichets automatiques se retrouvent dans certaines grandes villes.

Change

La valeur du quetzal fluctue selon les marchés monétaires internationaux, et le taux de change avec le dollar américain varie quotidiennement. Les journaux publient tous les jours le taux de change dans leur section économie. Le dollars US est la seule monnaie étrangère acceptée par les banques partout au pays.

Sachez que les devises et les chèques de voyage dans une autre monnaie que le dollar américain sont difficilement échangeables. Parfois, dans les hôtels, on indiquera les prix en dollars américains.

Il existe un marché de change non officiel pour les dollars américains, mais le cours proposé est à peu de chose près le même que dans les banques. Ce marché se situe dans les rues près du bureau de poste principal de la Ciudad de Guatemala.

Chèques de voyage

Les chèques de voyage constituent un moyen sûr de transporter de l'argent en sécurité. Mais même en devises américaines, vous aurez de la difficulté à les encaisser, sauf dans les banques et certains commerces des grandes villes. Veillez à toujours avoir des espèces sur vous, même si vous avez des chèques de voyage et une carte de crédit.

La perte ou le vol de chèques de voyage

Pour rapporter les chèques de voyage perdus ou volés, il faut appeler

Identité et choc culturel*

À l'aube d'un voyage, on se préoccupe de la condition de nos bagages et équipements, on s'assure de mettre à jour notre vaccination et d'obtenir tous les papiers légaux nécessaires, mais souvent peu d'attention est apportée à la préparation culturelle. Sans «entraînement», on risque le choc! Voici donc en quoi consiste le choc culturel, comment cela se produit et de quelle façon on peut se préparer à vivre cet état.

Brièvement, on peut définir le choc culturel comme de l'anxiété que l'on ressent lorsque nos outils de communication et de compréhension usuels deviennent inefficaces dans un contexte culturel différent de celui d'où l'on est originaire. C'est un état qui, mélangé à la fatigue, à la surprise et aux efforts de compréhension qu'exigent le voyage et le contact inter-culturel, engendre un stress psychologique quelquefois dérou-tant...

Le choc culturel est un phénomène frustrant qui peut facilement faire bifurquer la personne qui voyage avec de bonnes intentions vers l'intolérance, le racisme et l'ethnocentrisme; c'est-à-dire développer la conviction que l'on vit dans une société idéale comparative-ment à ce nouvel univers où bien des choses sombrent dans le total mystère. Toutefois, ce genre de réaction est nuisible parce qu'elle limite beaucoup l'expérience du voyage.

Les gens rencontrés dans un nouvel environnement ont des attitudes et un style de vie pouvant être difficiles à comprendre et parfois même à accepter en fonction de nos valeurs. On se demande comment des gens peuvent vivre en faisant parfois le contraire de ce que nous jugeons raisonnable. Il est alors d'autant plus facile de modeler une réalité que nous ne compre-nons pas afin de la discréditer ou de la ridiculiser.

Aujourd'hui, même si l'on tente de vendre la globalité du monde et l'homogénéité culturelle croissante de notre planète, il est toujours à propos de parler des mondes plutôt que du monde; le monde du sport, le monde des affaires, celui des Africains, celui des banlieusards ou le monde des riches ou des pauvres. Des mondes en communication, certes, mais qui ont leurs idées et leur propre conception de la vie. Des mondes ayant chacun au moins une image des autres si ce n'est pas de contact; une image parfois floue, parfois même faussée, d'autres fois assez juste, mais toujours seulement qu'une image. Si une image vaut mille mots, la réalité des mondes en contient, elle, bien des millions. Avant de partir, il faut savoir que la réalité dépasse souvent la fiction et que le voyage est de l'activité culturelle active comparative-ment à la télévision.

Depuis que les groupes humains sont en interrelation, ils tentent de se retrouver à travers leurs différences. Il faut se rappeler que ce qui fait la force d'un groupe, qu'il soit animal ou humain, c'est sa diversité : diversité génétique, diversité des idées et des solutions pour avancer. Qui n'a jamais plaint un monde où tous les humains seraient identiques?

Voyager, c'est donc accepter de développer une vision holistique du monde – une vision globale –, c'est-à-dire être prêt à faire face au fait que le tissu culturel humain est complexe, composé de plusieurs ethnies qui ont toutes quelque chose à nous apprendre : une dimension philosophique, une connaissance médicinale ou une pratique culinaire qui risque d'alimenter notre bagage personnel et qui constitue la richesse du patrimoine humain.

Il faut donc être capable de relativisme culturel : être à même de contextualiser les comportements et les agissements des gens en fonction de leur milieu social, leurs moyens techniques et financiers, et surtout de considérer leur conception différente du monde. Il faut être plus que curieux ou tolérant. Il faut accepter de réapprendre à voir le monde à travers une nouvelle lunette culturelle.

Ne cherchez pas trop de référents, de choses qui sont comme chez vous. Ne tentez pas de reforger l'environnement en fonction de vos envies, laissez-vous aller à la nature des choses. Rappelez-vous que, dans cette réalité dure à saisir qu'est le pays étranger et qui peut sembler parfois hostile, il y a des gens qui trouvent le bonheur et qui aiment la vie. Lorsque l'on participe au quotidien des gens : ils sont amenés à nous communiquer et à nous permettre de saisir ce qu'ils vivent, ils nous commentent ce qui se déroule sous nos yeux et nous permettent ainsi de démystifier des concepts qui peuvent paraître très exotiques au premier coup d'œil et qui sont en fait faciles à contextualiser lorsqu'ils sont expliqués. C'est toujours avantageux d'obtenir des instructions avant de participer à fond à un jeu, et il va de soi que le fait de parler la langue aide à la compréhension. Sinon, la courtoisie est toujours de mise. Par contre, soyez prudent lorsque vous communiquez par signes, car certains gestes ou utilisations de vos mains pourraient avoir une signification autre que celle que vous leur donnez.

Débutez le plus tôt possible votre préparation culturelle; les libraires et les bibliothèques sont remplies d'ouvrages pertinents sur les cultures qui vous fascinent. Vous découvrirez que la lecture permet de partir avant l'avion et, une fois de retour, qu'elle est un bon moyen de vous assurer que le voyage perdure.

*Texte préparé par Jean-Étienne Poirier

Renseignements généraux

à frais virés (PCV) la compagnie émettrice :

American Express
☎*(801) 968-8300*

Bank of America
☎*(410) 581-5353*

Citibank
☎*(813) 623-1709*

MasterCard
☎*(212) 974-5696*

Visa
☎*(415) 574-7111*

Thomas Cook (Ciudad de Guatemala)
☎*331-4155*
European
☎*441 733 18950*

Les cartes de crédit

Les cartes de crédit Visa et MasterCard sont acceptées dans bon nombre de commerces et dans la plupart des hôtels et des restaurants de catégorie supérieure des grandes villes. Cependant, ne comptez pas seulement sur elles, car plusieurs petits commerçants les refusent.

La perte ou le vol de cartes de crédit

L'agence **CREDOMATIC** (☎*331-7436*) contrôle l'utilisation des cartes de crédit perdues ou volées au Guatemala mais non dans les autres pays. Pour rapporter une carte de crédit perdue ou volée et arrêter son utilisation dans d'autres pays, il

faut appeler à frais virés (PCV) :

American Express
☎*(919) 333-3211*
☎*(919) 334-0040*

Diner's/Carte Blanche
☎*(303) 790-2433*

Discover
☎*(801) 568-0205*

MasterCard
☎*(314) 275-6100*

Visa
☎*(415) 432-3200*

Les cartes bancaires

Les cartes bancaires ne sont pas souvent acceptées sauf si vous avez un compte bancaire dans une institution guatémaltèque.

Les pourboires

On s'attend à un pourboire d'environ 10% de l'addition dans les restaurants, mais il est convenu de laisser au moins un peu de monnaie pour les petits *comedores*.

Les taxes

Au Guatemala, la TPS ou TVA s'élève à 10%. En plus, les chambres d'hôtel sont soumises à une taxe supplémentaire de 10% en vue de financer l'institut du tourisme du Guatemala (Inguat). Généralement, les lieux d'hébergement

les moins chers ne font pas payer de taxes.

Poste et télécommunications

Poste

Malgré sa restructuration en 1997, la poste guatémaltèque se défait avec difficultés de sa réputation d'incompétence. Encore aujourd'hui, de nombreux Guatémaltèques ont recours à des entreprises privées pour le courrier important. Néanmoins, les cartes postales que nous avons envoyées se sont toutes rendues.

La société d'État des Postes du Guatemala a subi une cure de rajeunissement, un traitement de choc administré par Postes Canada en 1998, et le service est dorénavant beaucoup plus fiable. Pour l'envoi de gros paquets à l'étranger, informez-vous avant de sceller la boîte.

L'acheminement d'une lettre jusqu'au Canada prend entre 4 et 10 jours. Vous pouvez recevoir votre courrier à la poste restante qui loge dans le bureau principal.

Téléphone et télécopie

Somme toute, les appels téléphoniques au Guatemala sont bon marché, mais, à l'extérieur de la capitale, les cabines téléphoniques sont plutôt rares. Vous aurez besoin de pièces de 10 ou 25 centavos pour alimenter l'appareil.

Telgua, la nouvelle société privatisée de téléphone, a des bureaux dans toutes les villes du Guatemala, et vous n'aurez aucune difficulté à communiquer avec l'extérieur du pays. Ces bureaux proposent des services de fax et d'interurbains internationaux, mais les prix sont exorbitants.

Les hôtels et les agences de voyages offrent de meilleurs prix. Les possibilités d'appels en PCV à partir du Guatemala étaient difficiles par le passé. Par ailleurs, il existe de nombreux services de lignes directes, comme celui de Canada Direct (☎ *9999-198*) de Bell Canada, qui permet de payer les tarifs canadiens.

La téléphonie au Guatemala étant en pleine restructuration comme partout dans le monde, il faut donc s'informer des nouveaux services; le GuiActiva (annuaire de Telgua) le plus récent vous informera des nouveautés.

Internet

L'accès au réseau Internet est de plus en plus généralisé au pays, particulièrement dans les hôtels et les agences de voyages. De nombreux établissements proposent un service d'accès au web et au courrier électronique à leur clientèle. Ces accès sont disponibles surtout dans les grandes villes.

Médias

Les informations nationales et internationales sont facilement accessibles par les nombreux journaux, revues, radios et télévisions. En théorie, il n'y a pas de censure au Guatemala. Des huit journaux publiés au Guatemala, les quotidiens *Prensa Libre* et *Siglo Veintiuno* sont vendus partout au pays, et les revues les plus disponibles sont *Crónica* et *Crítica*. Les médias de langue anglaise sont nombreux; *Siglo News* est le plus vendu, tandis que *Revue*, un mensuel, est disponible dans presque tous les hôtels et agences de voyages. La télévision et la radio sont présentes partout au pays.

Cinq chaînes de télévision guatémaltèques se disputent l'auditoire avec une douzaine de postes étrangers fortement dominés par les chaînes étasuniennes.

Les nombreuses chaînes de radiodiffusion semblent toutes offrir la même programmation : le rock latino et le *merengue*.

Jours fériés

Voici la liste des jours fériés officiels :

1ᵉʳ janvier
Jour de l'An

Mars-avril
Mardi gras, mercredi des Cendres, Jeudi saint, Vendredi saint et dimanche de Pâques

1ᵉʳ mai
Fête du Travail

30 juin
Fête de l'Armée

15 août
Jour de fête dans la Ciudad de Guatemala (seulement)

15 septembre
Fête de l'Indépendance

20 octobre
Jour de la Révolution de 1944

1ᵉʳ novembre
Toussaint

24 décembre
Veille de Noël (commence à midi)

25 décembre
Noël

31 décembre
Saint-Sylvestre (commence à midi)

Nous avons indiqué dans la section «Sorties»

de chacun des chapitres, un calendrier des fêtes patronales.

Hébergement

Vous trouverez au Guatemala une très grande variété de lieux d'hébergement allant du dortoir bon marché aux luxueuses suites des chaînes internationales. Les prix de la grande majorité des chambres sont assujetties au contrôle de l'Institut du tourisme du Guatemala (Inguat).

On distingue une gamme complète d'établissements portant des noms parfois sans relation avec le type de chambres qu'on propose : *boteles, pensiones, posadas, bospedajes, casas* et *huespedes*. Théoriquement, les *hoteles* sont plus luxueux que les *hospedajes* ou les *huespedes*, mais, en dehors des grands centres, le contraire s'avère aussi vrai.

Le Guatemala est l'endroit idéal pour les voyageurs à petit budget, et vous trouverez une chambre propre pour deux personnes pour moins de 10$US. Dans cette catégorie de prix, il n'y a généralement pas d'eau chaude et les toilettes et salle de bain sont partagées. Les chambres de ces hôtels ne comportent qu'un lit, une chaise et une table, et il est préférable d'apporter avec soi un sac de couchage ou des draps.

Dans une seconde catégorie, celle des hôtels de catégorie moyenne, les chambres sont confortables et le décor plus recherché. L'ordre des prix varie entre 10$ et 20$US en occupation double. Ces établissements sont généralement très accueillants et familliers, et les propriétaires habitent l'endroit. Qu'ils soient nationaux ou étrangers, tous s'évertuent à rendre votre séjour des plus agréables. La majorité des chambres sont munies d'une salle de bain privée et d'eau chaude.

Enfin, les hôtels de catégorie supérieure sont situés dans les grandes villes et bénéficient généralement de sites agréables. Plusieurs de ces hôtels ont un caractères familial et très sélect, tandis que d'autres sont gérés par des firmes hôtelières nord-américaines ou européennes. Cette catégorie inclut des chambres à prix exagérés.

$	moins de 65 quetzals
$$	de 65 à 145 quetzals
$$$	plus de 145 quetzals

Achats

Plus que partout ailleurs dans l'hémisphère Nord, l'activité principale des visiteurs au Guatemala est le magasinage d'artisanat. Les ouvrages de tissage faits à la main, la poterie, l'argenterie, les masques, la sculpture sur bois, les meubles, la bijouterie et les ustensiles utilitaires sont tous disponibles à des prix ridicules.

La décision majeure pour l'acheteur demeure toujours l'endroit où acheter : dans un marché public ou dans une boutique? Les boutiques des grandes villes comme la Ciudad de Guatemala proposent des marchandises maintes fois examinées par la loupe d'acheteurs aguerris. D'autre part, les marchés publics offrent une marchandise à des prix qu'on ne saurait justifier ailleurs dans le monde.

Plein air

D'un point de vue géographique, le Guatemala est situé dans une région stratégique, ce qui lui confère une immense richesse écologique et une impressionnante biodiversité.

Casé entre deux continents qui ont été séparés durant des millions d'années, le pays fut le terrain privilégié d'échanges génétiques entre les Amériques. Sa topographie accidentée, ses deux rives océaniques et la grande variation régionale des précipitations en font un des plus grands centres de production naturelle de ressources génétiques au monde.

En vue de conserver son héritage naturel et de mieux gérer l'achalandage touristique, le Guatemala a développé depuis 1989 un réseau d'aires protégées (SIGAP) et créé un Conseil national des aires protégées (CONAP), qui en assume la direction et la coordination.

Aujourd'hui, le Guatemala est fier de son inventaire de plus de 30 aires protégées, chapeautées par des ONG (organisation non gouvernementale) ou des institutions gouvernementales qui exercent un contrôle administratif se limitant souvent à une «couverture institutionnelle» comme on dit en langue de fonctionnaire.

Ces aires protégées se retrouvent sous des vocables différents selon la nature du site; depuis les petits parcs d'intérêt culturel et naturel comme Mixco Viejo ou Quiriguá jusqu'aux immenses réserves écologiques.

Malgré les règlements et ordonnances, et dans certains cas le permis d'entrée, la visite de la grande majorité des aires protégées n'est soumise à aucun contrôle. Il est toutefois recommandé de contacter l'Office du tourisme du Guatemala (Inguat) pour obtenir plus de renseignements sur l'aire protégée que vous voulez visiter. On vous informera de la disponibilité des équipements, des chambres, et si un guide est nécessaire.

Mais les activités de plein air ne se limitent pas aux aires protégées. En effet, la variété de climats et d'écosystèmes (une vingtaine) qu'on retrouve au Guatemala offre une possibilité de pratiquer de nombreuses activités dont certaines sont malheureusement cantonnées à des lieux spécifiques par la pénurie d'équipements et d'agences de location. Mais l'entrave aux plaisirs de la nature ne saura avoir qu'un temps, car déjà le nombre d'organismes voués aux activités de plein air augmente annuellement.

Activités de plein air

moyen de découvrir les nombreux parcs et réserves du pays, et même l'unique façon de visiter certaines parties du Guatemala. Dans les *aldeas*, ou ces villages situés aux confins de plusieurs *municipios* (municipalités régionales), la randonnée pédestre remplace le transport en commun, car la roue se bute aux entraves naturelles et la bête de somme est trop coûteuse.

Comme le pays présente un relief très accidenté et que plusieurs chaînes de montagne le traversent, les randonnées en montagne s'avèrent particulièrement spectaculaires et offrent l'occasion d'épier, pour un instant, un mode de vie inconnu. Quelques agences de voyages de la Ciudad de Guatemala, Quetzaltenango et Antigua proposent l'équipement nécessaire au trekking de longs parcours.

Ascension des volcans

Le Guatemala est doté d'une chaîne de volcans qui longe la côte du Pacifique; certains sont toujours actifs comme le Pacaya, près de la Ciudad de Guatemala. Les volcans qui entourent les villes touristiques comme Quet-

zaltenango ou Antigua offrent des vues incomparables sur toute la région.

La montée se fait généralement en trois ou quatre heures et le spectacle qu'offrent les volcans actifs impressionne par les fumerolles, les exhalaisons sulfureuses, la chaleur de la lave et le sol qui tremble sous nos pieds.

À l'est et au sud de la capitale, de nombreux volcans éteints beaucoup plus faciles à escalader cachent dans leur cratère des lacs où se pratique la baignade ou la pêche.

L'ascension de volcans attire de nombreux touristes depuis fort longtemps au Guatemala, mais malheureusement l'augmentation de la criminalité ces dernières années a rendu certains lieux moins sûrs.

Observation d'oiseaux et de la faune

On ne sait pas combien d'espèces d'oiseaux habitent le Guatemala; certains ornithologues avancent même le chiffre de 800. Nous savons que Tikal et la région de la forêt tropicale sèche connaissent 281 espèces d'oiseaux dont 180 sont résidants. Le Parque Nacional Laguna Lachua abrite 122

Randonnée pédestre

La randonnée pédestre constitue le meilleur

espèces d'arbres, certains de grande valeur comme le sapotillier, ainsi que de nombreux mammifères (130 espèces) en plus des 298 espèces d'oiseaux.

Quel que soit le lieu où l'écosystème est visité, les ornithologues seront ravis du nombre d'oiseaux qu'ils pourront observer. Des biotopes comme celui de Chocón Machacas, situé sur la rive nord du Golfete, sont aménagés pour permettre aux observateurs de la faune de l'apprécier.

Certains sites archéologiques comme Tikal sont de véritables petits paradis fauniques qui sauront vous charmer et vous faire apprécier la nature. Les singes, les tortues, les iguanes, les crocodiles, les tatous, les tapirs et les dindons ocellés comptent parmi les animaux les plus fréquemment observés dans les parcs et réserves.

Spéléologie

Les spéléologues amateurs sont de plus en plus nombreux à fréquenter l'Alta Verapaz, où la découverte de nouveaux réseaux de grottes attire de partout. Malheureusement, l'infrastructure limite le développement de ce sport. Même si plusieurs réseaux de grottes exigent un permis gouvernemental, il est possible d'en visiter

avec l'aide d'un guide expérimenté.

Canot, kayak et rafting

Des expéditions de un à cinq jours sont proposées par de nombreuses agences de la capitale, d'Antigua et de Cobán. Le Río Cahabón est la principale rivière (classes III et IV) où la descente de rapides en rafting ou en kayak se pratique. La dernière partie de cette rivière, celle au nord de Cahaboncito avant le déversement dans le Lago de Izabal, s'avère des plus sauvages et la diversité des attraits le long de cette région lui confère un prestige inégalé.

Le rafting et le kayak se pratiquent aussi sur la rivière Lanquín, tandis que le canot est utilisé pour la descente des rivières Chixoy, Candelaria et Lachuá, dans le nord-ouest de l'Alta Verapaz.

Deltaplane

Ce sport est en croissance au Guatemala. Les montagnes et falaises des lacs Amatitlán et Atitlán se prêtent bien à sa pratique. Des compétitions internatio-

nales ont lieu tous les ans au Lago Atitlán.

Vélo

Les routes du Guatemala se prêtent bien à la randonnée à vélo. À l'extérieur de la capitale, la circulation automobile est lente et parsemée, ce qui permet aux cyclistes de pédaler en sécurité. Antigua, Quetzaltenango et leurs environs sont particulièrement propices au vélo de montagne (on y fait la location) et la découverte des villages guatémaltèques ne saurait connaître meilleur moyen.

Équitation

La visite de certains sites archéologiques situés dans la jungle du Petén vous initiera à la montée à cheval, car c'est le seul moyen de transport hormis la marche. Vous serez aussi surpris de constater que le métier de cow-boy existe toujours dans les grands ranchs d'élevage de bovins de la région de l'Oriente. Comme sport, l'équitation se pratique un peu partout dans les Hautes Terres de l'Ouest et dans le centre du pays.

Baignade

Le Guatemala compte des dizaines de plages et de lieux favorables à la baignade dans chacune de ses régions. Les plages paradisiaques de la côte des Caraïbes se comparent favorablement à celles des pays voisins malgré leur accessibilité difficile. Celles de la côte du Pacifique sont réputées pour leurs vagues fortes et brutales et méritent une attention particulière.

Il faut vous rappeler que les plages de sable gris de cette région ne conviennent pas à la baignade en famille; vous devez porter une vive attention aux vagues et à leur puissant contre-courant (ressac) qui font des dizaines de victimes chaque année.

Si vous vous sentez emporté par le ressac, il ne sert à rien de vous débattre; laissez-vous aller comme si vous vouliez flotter, gardez votre souffle pour les quelques secondes que dure le ressac, puis la force du courant s'amenuisera et vous vous sentirez libéré. Alors il vous sera facile de nager jusqu'à la plage.

Planche à voile et ski nautique

Les véliplanchistes trouveront au Lago Atitlán et dans le département d'Izabal des vents propices. Le ski nautique est une nouveauté au Guatemala. Les prix pratiqués sont donc prohibitifs.

Golf

Comme partout en Amérique et en Europe, le golf devient de plus en plus populaire au Guatemala surtout dans la région de la capitalnationale, où de nouveaux terrains ont récemment vu le jour. Les clubs de golf contrôlent les terrains, mais l'accès est possible en passant par les agences de voyages et les grands hôtels de la capitale.

Tennis et squash

La pratique de ces sports est limitée à la région de la capitale. Certains courts sont ouverts au public, mais il est aussi possible de jouer sur des terrains de clubs privés.

Ciudad de Guatemala et ses environs

A vec ses trois millions d'habitants, Ciudad de Guatemala, communément appelée Guaté, est la plus vaste agglomération urbaine d'Amérique centrale. Lieu nodal cosmopolite, elle affiche un mode de vie vibrant d'activités qui marie les mœurs internationales aux us de la culture traditionnelle.

Siège du gouvernement de la République et principal centre économique et culturel du pays, la métropole sert de tremplin vers les nombreuses destinations touristiques du pays. C'est ici que commence la découverte de ce pays que plusieurs n'hésitent pas à qualifier comme le plus beau du monde.

Depuis son déménagement dans la vallée de La Ermita en 1776 , la Ciudad de Guatemala conserve les traces de son passé. D'ailleurs, ces traces se reflètent dans ses nombreux monuments et parcs où s'expriment autant les légendes que les faits historiques témoins du temps jadis.

Ciudad de Guatemala ou Nueva Guatemala de Asunción, fondée en 1776, conserve de nombreux complexes architecturaux construits à diverses époques, depuis le néoclassicisme des débuts de la ville jusqu'aux styles contemporains en passant par le «Néo-Maya». Les traces du XIXe siècle se retrouvent autant dans l'ancien édifice de l'Universidad de San Carlos, logeant actuellement le Museo de la

San Carlos, logeant ac-
tuellement le Museo de la
Universidad de San Car-
los, que dans les grandes
maisons patrimoniales du
centre historique.

De nouvelles formes
architecturales ont
remplacé le patrimoine
bâti de l'époque colo-
niale, détruit en grande
partie par les tremble-
ments de terre de 1917,
1918 et 1976. Le Palacio
Nacional et les édifices de
la Policía Nacional, de la
Poste, du Congreso Na-
cional de la República et
de la Sanidad Pública
témoignent tous de
l'influence du style Art
déco et de ce que cer-
tains appellent le style
«Néo-Maya». Ces construc-
tions donnent à la ville
un cachet monumental.

D'autres bâtiments
projettent l'image
d'une ville plus ouverte à
la modernité. En effet, les
années cinquante ont été
témoins de la construc-
tion du Centro Cívico, où
se trouvent, entre autres,
le Centro Cultural Miguel
Ángel Asturias et son
Teatro Nacional, dessiné
par l'architecte Efraín
Recinos, personnage in-
contournable du patri-
moine bâti du Guatemala.
En plus, de nombreux
édifices modernes érigés
en hauteur rappellent les

styles architecturaux de
notre fin de siècle tout en
y intégrant les traits particuliers du bâti guatémal-
tèque.

La croissance démogra-
phique a imposé à la
métropole le développe-
ment de nouvelles aires
au sud du centre histo-
rique, où l'on retrouve
des tours d'habitations,
des centres commerciaux,
des galeries d'art, des
boutiques à la mode ainsi
que la Zona Viva, trépi-
dante d'activités
nocturnes.

Développement métropolitain depuis 1945

La croissance démogra-
phique naturelle et la
migration interne de la
population à la recherche
de meilleures conditions
de vie transformèrent
radicalement la visage
urbain de la capitale.
Entre 1945 et aujourd'hui,
la population de la capi-
tale déborda les limites
du *municipio*, envahis-
sant les localités voisines.
Plusieurs nouvelles cons-
tructions modifièrent la
trame urbaine de la mé-
tropole et changèrent le
plan urbain initial. Depuis
les gouvernements de la
Révolution, on peut iden-
tifier deux périodes dans
le développement de la
ville : de 1945 à 1976,
l'avant du grand tremble-
ment de terre et de 1976
à aujourd'hui.

La période 1945-1976

Les ramifications de
l'arrivée au pouvoir en
1944 du gouvernement
révolutionnaire (tran-
quille) de Juan José Aré-
valo provoquèrent des
changements radicaux
dans toutes les sphères
de la nation. La constitution de 1945 redonna aux
municipalités leur auto-
nomie et fut le point de
départ pour la nouvelle
génération de bâtisseurs.
À cette époque, l'ingé-
nieur Raúl Aguilar Batres
élabora un nouveau sys-
tème de nomenclature
des rues (en *calles* et en
avenidas) et de numéro-
tation des adresses.

Pour sa part, l'État initia
de nombreux projets
dont le plus important fut
la construction
(1948-1950) de la Ciudad
Olímpica (la ville olym-
pique) dans les ravins
situés entre les quartiers
historiques et les aires
d'expansion de la ban-
lieue, c'est-à-dire entre la
7a. Avenida et la 12 Ave-
nida de la zone 4 actuel-
le.

En 1952, la municipalité
débuta la construction du
Centro Cívico (voir p 97),
qui, une fois terminé,
devint le projet urbain
transcendantal de la ville.
Cette même année, le
président Jacobo Arbenz
approuva les plans ur-
bains présentés par la
municipalité pour la division de la ville en 25 zones. Entre 1955 et 1957,
les grands travaux rou-
tiers, entre autres celui
connu sous le nom de
Trebol, facilitèrent le
transport vers l'Atlantique

et le Pacifique. La construction du premier périphérique facilita le déplacement des riches et de la nouvelle classe moyenne vers les banlieues au sud du centre historique (Santa Clara, Tivolí, Elgin, Oakland, La Cañada) et le développement, à l'est et à l'ouest, des *colonias* (petites villes de banlieue).

Sous le gouvernement d'Ydígoras Fuentes (1958-1963), la démolition du stade Escolar (ou Autonomía) permit la construction, dans le Centro Cívico, de l'édifice du Crédito Hipotecario Nacional et, un peu plus tard, du Banco de Guatemala, de la Corte Suprema de Justicia et de la Torre de Tribunales. Sous l'administration de Julio César Méndes Montenegro (1966-1970), on reprend la construction du Teatro Nacional et de plusieurs édifices privés, notamment El Triangulo, la Plaza del Sol et Torrecafé. Avec la construction d'édifices verticaux et la réalisation de projets comme le Terminal de Autobuses de la zone 4 (1958-1959), plusieurs maisons particulières ont été reconverties en bureaux, commerces ou magasins.

Période postérieure à 1976

Le tremblement de terre de 1976 détruisit 50 000 logements dans la Ciudad de Guatemala et 200 000 dans le pays, et il provoqua une première grande migration vers la capitale. Une deuxième vague fut provoquée par la guerre civile. Ces nouveaux arrivants s'établirent sur des terrains impropres à la construction d'habitations, sur des aires de plus en plus marginales près des ravins. Ces bidonvilles occupent actuellement plus ou moins 50% de l'aire construite de la capitale et limitent le développement rationnel du territoire.

D'autre part, avec la construction des édifices gouvernementaux du Centro Cívico et le déplacement des centres commerciaux et des tours d'habitations de la classe moyenne vers les zones plus au sud, le centre historique perdit de son importance.

Les zones 9 et 10, qui, jusque-là étaient des zones résidentielles, deviennent le nouveau quartier des affaires de la capitale.

Depuis 1945, la métropole s'étend dans toutes les directions et déborde vers les flancs des montagnes avoisinantes. Cette concentration urbaine, une des plus grandes de toute l'Amérique, provoque une rareté des services et la congestion de la circulation automobile de la capitale. Afin de pallier le problème, la ville a construit de nouvelles voies de circulation rapides comme le Trébol de Vista Hermosa, le Periférico et le Boulevar de los Próceres, qui relie le Boulevar Liberación et l'Avenida de la Reforma avec la route du El Salvador, une autre aire d'urbanisation des dernières années. Le développement urbain continue à s'étendre vers les localités de plus en plus éloignées du centre-ville.

La métropole récompense bien les friands de cuisine ancestrale typique, car elle recèle de nombreux établissements de ce genre.

Hâtez-vous car ils ont malheureusement tendance à disparaître petit à petit. Par ailleurs, comme toute capitale, la Ciudad de Guatemala possède une grande variété de restaurants de classe internationale. Vous trouverez ici une gamme complète d'établissements pour tous les goûts et à tous les coûts.

Guaté ne fait pas consensus auprès des visiteurs étrangers : elle plaît d'emblée ou non. Elle demeure néanmoins une métropole qui propose aux touristes un bon choix d'hôtels, et l'on y trouve une pléthore de produits manufacturés et artisanaux. De fait, c'est le seul centre véritablement urbain que vous rencontrerez dans ce pays. La Ciudad de Guatemala offre un environnement moderne, luxueux et citadin à l'excès qui contraste avec la vie rurale et plutôt paisible du reste de la République.

Aujourdhui

Ciudad de Guatemala demeure un centre urbain où se côtoient les cultures cosmopolites et les cultures traditionnelles. Ces dernières y survivent étonnamment bien; les mains habiles des artisans façonnent une multitude d'objets et maintiennent les traditions ancestrales des arts populaires, et les rituels religieux sont célébrés l'année durant.

Pour s'y retrouver sans mal

En avion

L'aéroport international de la Ciudad de Guatemala, La Aurora, est situé dans la zone 13, au sud du centre historique et des zones hôtelières et commerciales 9 et 10. Pour plus d'informations, voir «Renseignements généraux» p. 57

En voiture

La circulation dans la Ciudad de Guatemala est dense et, aux heures de pointe, ressemble, à peu de chose près, à celle de toutes les grandes villes du monde.

Comment se repérer dans la capitale

La Ciudad de Guatemala comporte 25 zones (*zonas*), chacune avec son quadrillage numérique : les avenues (*avenidas*) sont orientées nord-sud et les rues (*calles*) le sont est-ouest. Une adresse

qui se lit 10a. Avenida 8-22, Zona 1, signifie 10e Avenue au numéro 22, qui est entre la 8e Rue et la 9e Rue dans la zone 1. Le numéro de zone est important, car les mêmes avenue (i.e. 10e Av.) et rue (i.e. 8a. Calle) peuvent se retrouver dans plusieurs zones. La lettre *a.* minuscule qui suit le chiffre indiquant l'avenue ou la rue est l'abréviation espagnole du nombre ordinal de l'avenue ou de la rue. Exemple : 7a. Avenida signifie la Séptima Avenida (7e Avenue). Le *a.* est utilisé pour les nombres de 1 à 10. Toutes les zones susceptibles d'intéresser le visiteur (zones 1, 2, 4, 9, 10 et 13) s'avèrent accessibles par autobus. Ceux-ci empruntent l'Avenida de la Reforma dans les zones 9 et 10, la 7a. Avenida dans la zone 4, la 6a. Avenida et la 10a. Avenida dans la zone 1.

Zone 1

Elle constitue le cœur commercial et historique de la capitale. On y retrouve le Parque Central, la plupart des hôtels à petit budget, des restaurants, des cinémas, le bureau de poste central et plusieurs gares des compagnies d'autocars de première classe. On trouve, dans cette zone la plus achalandée de la ville, la majorité des attraits touristiques. Au sud, le Centro Cívico comprend de nombreux édifices administratifs.

Zone 2

Située au nord de la zone 1, ancienne zone résidentielle, elle compte, au nord du boulevard périphérique, un grand espace vert : le Parque Minerva. Récemment rénovés, certains quartiers reçoivent le trop plein de la zone 1.

Zone 4

Dans cette petite zone, au sud de la zone 1, on retrouve la gare d'autocars de 2e classe, le Mercado Central et l'office de tourisme (Inguat), qui fait partie du Centro Cívico.

Zones 9 et 10

Divisées par l'Avenida de la Reforma, les zones 9 et 10 forment avec la zone 4 le centre-ville commercial. On y trouve les grands hôtels, les restaurants internationaux, l'université Marroquín et ses deux musées ainsi que la grande majorité des ambassades. La petite **Zona Viva** borde le côté ouest de l'Avenida de la Reforma, autour de la 12 Calle dans la zone 10; on y trouve les réputés restaurants et boîtes de nuit à la mode de la capitale.

Zone 13

Zone de l'aéroport international La Aurora, elle abrite les principaux musées de la République, à savoir le Musée d'histoire et d'archéologie, le Musée d'art moderne et le Musée d'histoire naturelle, ainsi qu'un marché d'artisanat.

Ce qu'on appelle la «zone historique» comprend grosso modo la zone 1, une partie de la zone 2 et une partie de la zone 4. Tandis que la zone commerciale comprend en gros les zones 4, 9, 10, 12 et 13.

Location de voitures

Pour la liste des bureaux des principales firmes de la Ciudad de Guatemala, voir «Renseignements généraux» p. 68

En autocar

La Ciudad de Guatemala est la plaque tournante de toutes les routes menant d'une région à l'autre et presque tous les villages sont reliés à la capitale. Il y a littéralement des milliers d'autocars qui entrent dans la ville et en sortent.

Dans la capitale, les points de départ sont très nombreux et les autorités municipales projettent l'ouverture prochaine de deux nouveaux emplacements; le Terminal Meta del Norte, dans le Barrio de la Parroquia (zone 6), desservira le Péten et l'est du pays, tandis que le Terminal Central de Mayoreo, sis sur la Calzada Aguilar Batres dans la zone 12, desservira les Hautes Terres et la côte du Pacifique. La date d'ouverture de ces gares d'autocars est à vérifier avec le bureau du tourisme Inguat au ☎331-1333.

Les autocars de 2ᵉ classe

D'ici à l'ouverture des nouveaux emplacements, la gare principale de la capitale, située dans la zone 4 *(7a. Calle, angle 4a Avenida)* est le point de départ et d'arrivée des autocars de 2ᵉ classe desservant la côte du Pacifique. Officiellement, son appellation est **Mercado y Terminal de Buses Extraurbanos**, mais on s'y réfère par les termes **Terminal Zona 4**.

C'est sans contredit un labyrinthe difficilement descriptible, mais tout un chacun vous indiquera où se situe l'autocar que vous cherchez. C'est un lieu achalandé qu'on aborde avec précaution; les vols à la tire sont fréquents, comme partout où il y a foule dense et bousculade. Si vous décidez de ne pas prendre de taxi jusqu'à la gare, il faut couvrir à pied quelques pâtés de maisons pour s'y rendre. De la gare, on prend l'autobus (n° 17) pour se rendre dans la zone 1 au coin de la 2a. Calle et la 4a. Avenida.

Plus près du centre historique, la gare de la zone 1 *(angle 9a. Avenida et 19 Calle)* est le point de départ de plusieurs autocars de 2ᵉ classe.

Les autocars de 1ʳᵉ classe

La très grande majorité des autocars de 1ʳᵉ classe et quelques autocars de

2ᵉ classe partent des bureaux de la compagnie.

La liste qui suit n'est pas exhaustive, mais comprend la majorité des destinations des environs de la capitale ainsi que des grandes villes de l'intérieur du pays et des postes-frontières. Il vaut mieux téléphoner pour vérifier et surtout pour réserver un siège.

Depuis la Ciudad de Guatemala vers :

Granados (77 km)
Terminal Z.4
Départs à 11h, 11h30, 12h et 13h; dim, un seul départ à 15h30

Santa Cruz El Chol (88 km)
Terminal Z.4
Départs se font à 10h, 11h15, 12h30, 15h30 et 17h; dim, un seul départ à 15h30

Amatitlán (30 min)
angle 20 Calle et 2a. Avenida, Z.1.
Départs aux 30 min entre 7h et 19h

Antigua (1 heure) en passant par San Lucas et Santa Lucía Sacatepéquez
15 Calle entre 3a. Avenida et 4a. Avenida, Z.1
Départs aux 30 min entre 5h30 et 18h30
D'autres autocars partent de la 8a. Avenida 38-41, Z.3

La Ciudad de Guatemala

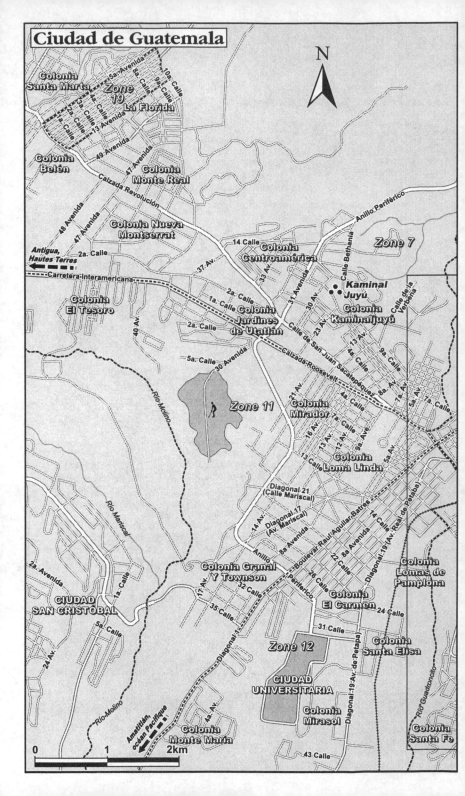

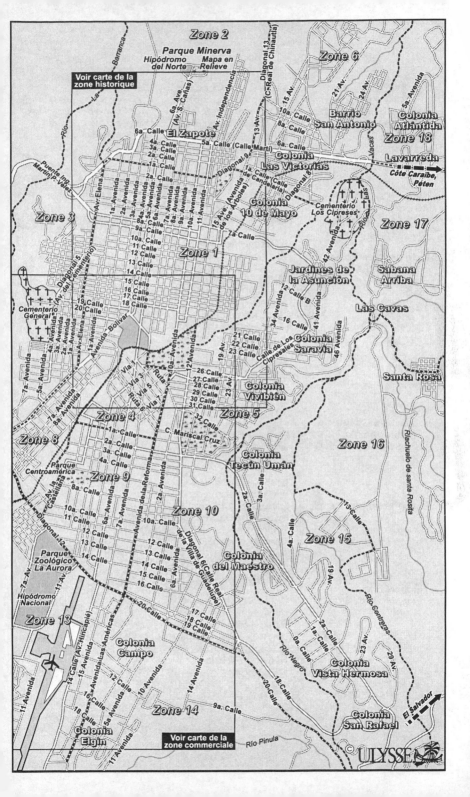

Autosafari Chapín
(1 heure 30 min) en
passant par Esquintla
Delta y Tropical
angle de la 1a. Calle et de la 2a.
Avenida, Z.4
Départs aux 30 min entre
6h et 18h30

Biotopo Mario Dary
Rivera
(3 heures 30 min)
*voir Cobán*Chichicaste-
nango
(3 heures) en passant
par San Lucas, Chimal-
tenango et Los Encuen-
tros
Veloz Quichelene
Terminal Zona 4
Départs aux heures entre
5h et 18h

Chiquimula
(3 heures)
voir Esquipulas

Cobán (5 heures) en
passant par El Rancho
et le Biotopo Mario
Dary Rivera (Purulhá),
Tactic
Les autocars se rendent
jusqu'à Chamelco et
Carchá
Escobar y Monja Blanca
☎251-1878 *ou* 238-1409
8a. Avenida 15-16, Z.1
Départs aux heures entre
5h et 18h

Copán (Honduras)
Transporte Vilma
correspondance à Chiqui-
mula

Esquipulas (4 heures)
en passant par El Ran-
cho, Río Hondo, Zacapa
et Chiquimula
Rutas Orientales
☎230-4608 *ou* 220-6740
19 Calle 8-18, Z.1
Départs aux 30 min entre
4h30 et 19h

El Carmen / frontière
mexicaine (5 heures)
en passant par Escuin-
tla, Mazatenango, Retal-
huleu, Coatepeque,
Tecún Umán et Mala-
catán
Transportes Galgos
☎253-4868
7a. Avenida 19-44, Z.1
Départs à 5h30, 10h,
13h30 et 16h30

Transportes Fortaleza
☎ 220-6730 *ou* 230-3390
19 Calle 8-70, Z.1
départs à compter de
0h15

Huehuetenango
(5 heures) en passant
par Los Encuentros et
4 Caminos
Transportes Veláz-quez
angle 20 Calle et 1a. Avenida, Z.1
Départs aux heures entre
8h à 17h
nous la recommendons

Los Halcones ☎238-1929
7a. Avenida 15-27, Z.1
Départs à 7h, 14h et 17h

La Democracía (2 heu-
res) en passant par
Escuintla et Siquinalá,
juaqu'à La Gomera et
Sipacate
Chiantla Gomerana
Terminal Zona 4
Départs aux 30 min entre
6h et 16h30

La Mesilla / frontière
mexicaine (7 heures)
en passant par Los En-
cuentros, Totonicapán
et Huehuetenango
Transportes Velásquez
☎473-6005
angle 20 Calle et 2a. Avenida, Z.1
Départs aux heures entre
7h30 et 17h30

Panajachel
(3 heures) en passant
par Chimaltenango, Los
Encuentros et Sololá
Transportes Rebulli
☎251-3521
21 Calle 1-34, Z.1
Départs aux heures entre
7h à 16h

Puerto Barrios
(5 heures) en passant
par El Rancho, Tecu-
lután, Río Hondo, Los
Amates et Quiriguá
Transportes Litegua
☎253-8169
15 Calle 10-40, Z.1
Départs à toutes les heures
entre 5h30 et 17h

Quetzaltenango
(4 heures) et San
Marcos
Transporte Marquensita
☎230-0067
1a. Avenida 21-31, Z.1
Départs à 6h, 6h30, 8h40,
11h, 15h30, 16h et 17h

Lineas América
angle 2a. Avenida et 18 Calle, Z.1
Départs à 5h15, 9h15,
12h, 15h15, 16h40 et
19h30

Quetzaltenango
(4 heures) et
Coatepeque
Transportes Galgos
☎253-4868
7a. Avenida 19-44, Z.1
Départs à 5h30, 8h30,
11h, 14h30, 15h et 19h

Quiriguá
voir Puerto Barrios

Río Dulce
(5 heures) en passant
par El Rancho, La
Ruidosa
Transportes Litegua
☎253-8169 *ou* 232-7578
15 Calle 10-40, Z.1
Départs à 9h, 11h et 13h

San Marcos (5 heures)
Rápidos del Sur
☎232-7025 ou 232-2771
20 Calle 8-55, Z.1
Départs aux heures entre
2h30 et 18h

Fortaleza del Sur
☎230-3390 ou 220-6730
19 Calle 8-70, Z.1
Départs aux heures entre
2h30 et 18h

Santa Elena et Flores
(8 heures) en passant
par El Rancho, La
Ruidosa, Río Dulce et
San Luís Poptún
Líneas Máxima de Petén
☎232-2495 ou 238-4032
9a. Avenida 17-28, Z.1
Départs à 16h, 18h et 20h

Fuente del Norte
☎251-3817 ou 238-3894
17 Calle 17-01, Z.1
Départs à 3h, 4h, 6h, 8h,
10h, 14h, 16h, 16h30,
18h et 20h30

Maya Express
17 Calle 9-36, Z.1
☎253-9325

Tecún Umán / frontière
mexicaine (5 heures)
en passant par Escuin-
tla, Mazatenango, Retal-
huleu et Coatepeque
Transportes Fortaleza del
Sur
☎220-6730, 232-3643, ou
251-7994
19 Calle 8-70, Z.1
Départs à 1h30, 3h, 3h30
et 17h30

Vers l'Oriente

Toutes les villes entre la
capitale et la frontière
salvadorienne sont des-
servies par de nombreu-
ses compagnies
d'autocars dont le point

de départ est le grand
Terminal Zona 4.

Vers l'Amérique centrale

Plusieurs compagnies
d'autocars font le trajet
entre les capitales des
pays de l'**Amérique cen-
trale**. Toutes offrent des
service de 1re classe qui
incluent climatisation,
hôtesse, télé. La liste qui
suit n'est pas exhaustive.

San Salvador
(5 heures) en passant
par Cuilapa, Oratorio,
Jalpatagua et Valle Nue-
vo
King Quality
☎368-0138 ou 333-4735
1a. Avenida 15-71, Z.10
Départs à 6h30, 8h, 14h
et 15h30

Pullmantur
☎332-9785/86/88 ou
367-4746
Hotel Holliday Inn, 1a. Avenida
13-22, Z.10
Départs deux fois par jour
à 7h et 15h

Melva International
☎331-0874 ou 331-6323
3a. Avenida 1-38, Z. 9
Départs aux heures entre
5h30 et 14h30

Panamà, en passant par
San Salvador, Managua
et San José (Costa Rica)
Tica Bus
☎331-4279 ou 361-1773
11 Calle 2-72, Z.9
Départ à 12h30

Tegucigalpa
(Honduras)
Tica Bus
☎331-4279 ou 361-1773
Calle 2-72, Z.9
Départs à 12h30

Melchor de Mencos
(Belize)
Transportes Fuente del Norte
☎251-3817 ou 238-3894
17 Calle 17-01, Z.1
Départs chaque heure
entre 3h et 20h

Los Angeles
(Californie É.-U.)
Transportes Fortaleza del
Sur y Fortaleza
19 Calle 8-70, Z.1
☎230-3390 ou 220-6730
Départ hebdomadaire
(200$US)

En autobus

Comme dans plusieurs
grandes villes du monde,
le système de transport
en commun de la Ciudad
de Guatemala se révèle
compliqué; même les
résidants demeurent
confus face à l'anarchie et
la multiplicité des routes
du système de transport
public. De temps à autre,
les autorités municipales
exigent le changement
d'itinéraires des autobus
afin de décongestionner
le centre-ville.

Pour rendre les choses
un peu plus difficiles, la
plupart des rues du
centre historique sont à
sens unique; pour le
retour au point de départ,
les autobus utilisent donc
des rues différentes. Il
faut s'armer de patience;
l'infime coût (1Q-1,20Q)
du transport en commun
compense tous les incon-
vénients. Assurez-vous
d'avoir des pièces de
monnaie, car on vous
refusera les grosses cou-
pures. Le soir, entre 22h
et 1h du matin, des mini-
bus servent de taxis
communautaires et sui-

vent généralement les mêmes parcours que les autobus.

Si vous demeurez un certain temps dans la capitale et que vous voulez utiliser l'autobus pour vos déplacements, *Rutas*, un petit guide d'orientation pour usagers, vous sera très utile. Les arrêts d'autobus *(paradas)* se situent tous les 300 à 400 m. Les routes s'organisent par secteur et une couleur identifie les bus de chaque secteur en plus d'un numéro (précédé d'un *T* ou d'un *I*) qui indique le point de départ et d'arrivée de la route. Un nouveau système de numérotation est en vigueur depuis 1998, mais l'ancien est difficile à faire disparaître. La destination est affichée dans le pare- brise de l'autobus.

Dans la zone 1, les bus de la 4a. Avenida et de la 10a. Avenida sont des plus utiles pour les destinations à l'intérieur de la ville.

Les autobus affichant Terminal vont à la gare principale d'autocars de 2ᵉ classe de la zone 4.

Les autobus nᵒ 83 (ancienne numérotation) vont à l'aéroport La Aurora.

En taxi

Malgré le nombre important de compagnies, peu de taxis circulent dans la ville. Attraper une voiture à la volée n'est pas impossible, mais peut s'avé-

rer long. Il vaut mieux téléphoner. **Amarillo Express** *(☎332-1515)* propose ses services à des tarifs avantageux. Lorsque la voiture ne possède pas de taximètre, il faut négocier le prix de la course avant de monter.

Renseignements pratiques

Offices de tourisme

Inguat (Instituto Guatemalteco de Turismo)
Centro Cívico, 7a. Avenida 1-17, Zona 4
☎*331-1333*
⇌*331-8893*
www.travel-guatemala.org.gt
www.infovia.com.gt/inguat.
Le bureau principal de l'office du tourisme du Guatemala Inguat possède aussi un bureau à l'aéroport international La Aurora et sur la 7a. Avenida 1-17, Zona 4.

Agences de voyages

EK CHUAH
3a. Calle 6-24, Zona 2
☎*232-4375*
☎*232-0745*
⇌*232-4375*
Parmi les nombreuses agences de voyages de la Ciudad de Guatemala, EK CHUAH s'est montrée particulièrement efficace. Cette agence est gérée par Jean-Luc Braconnier, un Français qui habite le Guatemala depuis nombre d'années.

Il a entre autres participé à la rédaction de guides de voyage sur le pays et il connaît donc bien des mystères et des lieux moins connus du Guatemala.

Aventuras Naturales
Avenida Reforma 1-50, Zona 9
Edificio Reformador, 1er. Nivel
☎*260-1623*
jcruz@tradepoint.org.gt

Clark Tours
Diagonal 6, 10-01, Zona 10
Centro Gerencial Las Margaritas
Torre II, 7o. Nivel
☎*339-2888*
☎*339-2757*
⇌*339-2909*
⇌*339-2756*
clark@guate.net

Destinos Turisticos
12 Calle 1-25, Zona 10
Edificio Géminis 10 Torre Norte
☎*338-2924*
☎*338-2925*
⇌*335-2821*

Discovery Tours
12 Calle 2-04, Zona 9
Edificio Plaza del Sol Local 211
☎*339-2281*
☎*339-2284*
⇌*339-2285*

Ecoviajes Guayacan
6a. Avenida 0-15, Zona 2
☎*230-2790*
⇌*251 4074*
guayacan@infovia.com.gt

Expedicion Panamundo
6a. Avenida 14-75, Zona 9
☎*331-7588*
☎*331-7561*
⇌*331-7565*
⇌*331-7532*

Expediciones Maya
15 Calle 1-91, Zona 10
Edificio El Tauro, Primer Nivel Of.
104
☎363-4955
☎363-4967
☎337-4666
≈363-4965
mayaexp@guate.net

Guatemala Turística
4a. Calle 4-59, Zona 1
☎230-2001-2-3
≈230-1994

Guatours
6a. Avenida 20-25, Zona 10
Edificio Plaza Marítima, Primer
Nivel
☎337-0019
☎337-0149
≈337-3258

Mayaventura
15 Calle 3-20, Zona 10
Edificio Centro Ejecutivo
4to. Niv., Of. 408
☎363-4634
≈333-7266
≈337-3964
mayaventura@
gcal.citel.com.gt

Mesoamerica Explorers
7a. Avenida 13-01, Zona 9
Edificio La Cúpula, 2do. Nivel, Of.
13
☎/≈332-5045

Ride
7a. Avenida 14-44, Zona 9
Edif. La Galería, Oficina 11, Planta
Baja
☎334-0318
≈334-0322
mayadest@guate.net
www.travlnt/mayadestinos

Poste et téléphone

Palacio de correos
lun-ven 8h à 16h
7a. Avenida 11-67, Zona 1

Telgua
12a. Calle, angle 8a. Avenida,
Zona 1
tlj 7h à minuit

Banques

Credomatic
5a. Avenida, angle 11a. Calle 5-6,
Zona 1
Permet d'effectuer des
avances de fonds sur la
carte de crédit Master-
Card. Conversion de la
majorité des devises
étrangères.

Banco del Café
Avenida de la Reforma 9-30,
Zona 9
Pour la carte American
Express.

La perte ou le vol de carte de crédit

L'agence **CREDOMATIC**
(☎331-7436) contrôle
l'utilisation des cartes de
crédit perdues ou volées
au Guatemala mais non
dans les autres pays. Pour
rapporter une carte de
crédit perdue ou volée et
arrêter son utilisation
dans d'autres pays, il faut
appeler à frais virés
(PCV) :

American Express
☎(919) 333-3211
☎334-0040

Diner's/ Carte Blanche
☎(303) 790-2433

Discover
☎(801) 568-0205

MasterCard
☎(314) 275-6100

Visa
☎(415) 432-3200

Urgence

Police
☎120 ou 137

Feu
☎123

Croix-Rouge
☎125

Ambulance
☎125

Clubs socioculturels

Alliance française
13 Avenida 16-30, Z.10
☎366-1287
☎366-2194
☎366-2202
alianzafr@guate.net

**Asociación de Educación y
Cultura Alejandro Von
Humboldt (club allemand)**
3a. Calle 13-89, Col. Tecún Umán,
Z.15
☎369-1150
☎369-1625

Club Americano
3a. Calle 14-00, Col. Tecún Umán,
Z.15
☎369-1011

Club Guatemala
7a. Avenida 12-75, Z.1
☎232-2506

Club Italiano
2a. Avenida 9-95, Z.10
☎332-2070

**Instituto Guatemalteco de
Cultura Hispánica**
7a. Avenida 11-63
Edificio Galerías España, Nivel 4, Z.9
☎331-9141 ou 334-7147
ou 331-9142

Societa Dante Alighieri
4a. Avenida 12-47, Z.1
☎232-9824

La Ciudad de Guatemala

Attraits touristiques

Zone 1

La zone 1 est la plus ancienne et la plus bruyante de la capitale. Des commerces en tout genre ont pignon sur la 6a. Avenida et la 7a. Avenida. Les boutiques chics ont, quant à elles, déménagé dans les zones 9 et 10. La majorité des attraits touristiques se trouvent à courte distance du Parque Central.

La **Plaza de la Constitución** ★★★ *(délimitée par la 6a. Avenida, la 7a. Avenida, la 6a. Calle et la 8a. Calle, Z.1)* est le cœur de la ville. Elle est désignée sous différents vocables : **Plaza Mayor**, **Plaza de Armas** ou tout simplement **Parque Cen-**tral. Inauguré à la fondation de la nouvelle capitale en 1776, le Parque Central illustre parfaitement le schéma urbain qui caractérise les colonies espagnoles partout dans les Amériques.

Il s'agit toujours d'une grande place, destinée aux manifestations officielles, qui est bordée au nord par le Palacio de los Capitanes General (palais du Gouvernement) et à l'est par la cathédrale et le palais épiscopal. L'occupation des côtés ouest et sud varie. Ici, la bibliothèque nationale occupe le côté ouest, tandis que le Portal del Comercio se trouve au sud. Sa partie ouest est appellée **Parque Centenario**.

Situé du côté nord de la Plaza de la Constitución, l'actuel **Palacio Nacional** ★★★ *(tlj 9h-17h; angle 6a. Calle et 6a. Avenida, Z.1. ☎221-4444, poste 1133)* a été édifié sous la présidence de Jorge Ubico (1931-1944). L'emplacement du présent édifice fut occupé par un premier Palacio de los Capitanes General, qui fut détruit par les tremblements de terre de 1917 et de 1918. Un nouvel édifice fut construit en 1921. Pour la célébration des 100 ans de l'Indépendance centraméricaine, il fut baptisé Palacio del Centenario et surnommé Palacio de Cartón (palais de carton) par le peuple. Un incendie le détruisit en 1924 amenant l'édification du palais actuel.

À sa construction en 1943, le Palacio Nacional représentait la plus monumentale structure de toute l'Amérique centrale. Son style baroque espagnol, expressément exigé par le président Ubico, rassemble la tradition du solide et de la grandeur de l'architecture espagnole influencée par l'art mauresque si riche en détails décoratifs comme le luxe des couleurs des

Palacio Nacional

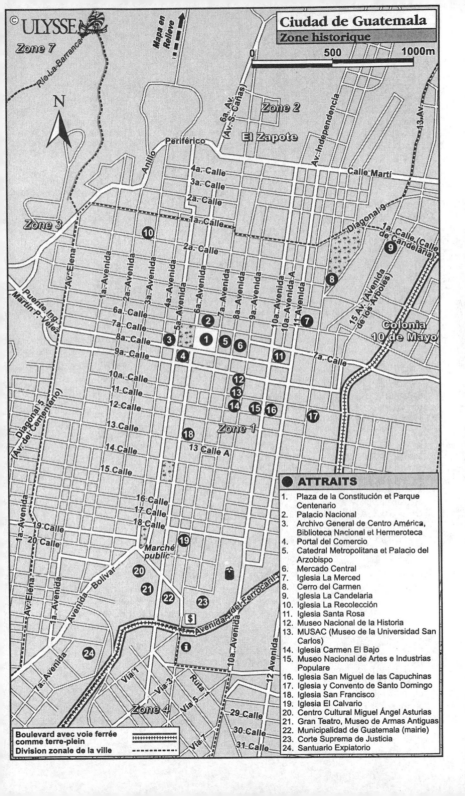

Ciudad de Guatemala
Zone historique

0   500   1000m

Zone 7

Zone 2

El Zapote

Zone 3

Colonia 10 de Mayo

Zone 1

Marché public

Zone 4

● **ATTRAITS**

1. Plaza de la Constitución et Parque Centenario
2. Palacio Nacional
3. Archivo General de Centro América, Biblioteca Nacional et Hermeroteca
4. Portal del Comercio
5. Catedral Metropolitana et Palacio del Arzobispo
6. Mercado Central
7. Iglesia La Merced
8. Cerro del Carmen
9. Iglesia La Candelaria
10. Iglesia La Recolección
11. Iglesia Santa Rosa
12. Museo Nacional de la Historia
13. MUSAC (Museo de la Universidad San Carlos)
14. Iglesia Carmen El Bajo
15. Museo Nacional de Artes e Industrias Populare
16. Iglesia San Miguel de las Capuchinas
17. Iglesia y Convento de Santo Domingo
18. Iglesia San Francisco
19. Iglesia El Calvario
20. Centro Cultural Miguel Ángel Asturias
21. Gran Teatro, Museo de Armas Antiguas
22. Municipalidad de Guatemala (mairie)
23. Corte Suprema de Justicia
24. Santuario Expiatorio

Boulevard avec voie ferrée comme terre-plein

Division zonale de la ville

faïences. Cette combinaison de style est propre à l'architecture coloniale guatémaltèque. Mais le plus grand intérêt du Palacio Nacional se situe à l'intérieur : la chapelle et les fresques du grand peintre guatémaltèque Alfredo Gálvez Suárez. Les chandeliers en cristal des salles de réception pèsent quelque 1 000 kg chacun.

Le Palacio Nacional fut déclaré monument historique le 17 novembre 1980 et abrite maintenant la présidence de la République et quelques ministères, mais aussi le musée de l'histoire du Guatemala, ainsi qu'un centre culturel qui expose une collection de peintures et de sculptures. À l'arrière du Palacio Nacional, vous pouvez admirer la résidence présidentielle, au parement extérieur en pierre verte.

À l'est du Parque Central, la **Catedral Metropolitana** ★★ (lun-dim; 8h-19h; Plaza de la Constitución, 7a. Avenida, entre 6a. Calle et 8a. Calle, Z.1) fut construite par l'architecte espagnol Marcos Ibáñez entre 1782 et 1815 (les tours sont de 1867). La première pierre fut posée par l'archevêque Francos y Monroy et le capitaine général du roi, Matías de Gálvez, le 25 juillet 1782. L'édifice fut terminé vers 1815. Plusieurs peintures et statues qu'on retrouve à l'intérieur proviennent originalement de l'ancienne cathédrale d'Antigua. Les peintures qui ornent les murs sont

des œuvres des XVIIe et XVIIIe siècles.

À la droite de la cathédrale, dans une petite chapelle consacrée à Notre-Dame du Bon Secours, on peut voir une statuette amenée lors de l'expédition du conquistador Pedro de Alvarado.

Sous la cathédrale, des catacombes abritent un cimetière souterrain connu sous le nom de **La Bovedas de la Catedral** (ouvert les 1er et 2 novembre de chaque année; Plaza del Sagrarío, 8a. Avenida, entre 6a. Calle et 8a. Calle, Z. 1), où logent les sépultures des archevêques du Guatemala, de quelques présidents de la République et de certains notables de la ville qui ont contribué au rayonnement de l'église catholique dans le pays.

Le **Palacio del Arzobispo** (palais de l'archevêque) s'élève à côté de la cathédrale.

Face à la cathédrale, de l'autre côté du Parque Central, trois institutions majeures, à savoir l'**Archivo General de Centro América**, la **Biblioteca Nacional** et la **Hermeroteca** (5a. Avenida, entre 7a. Calle et 8a. Calle, Z.1), occupent un bâtiment construit en 1956. Les premières archives du Guatemala datent de 1846. Le Trésor national comprend 65 000 documents entre autres, l'original du fameux livre de Bernal Díaz del Castillo : L'Histoire véridique de la conquête de la Nouvelle-Espagne (qui est le

premier compte rendu de la Conquête des Espagnols).

Le **Portal del Comercio** ★ (8a. Calle, entre 5a. Avenida et 6a. Avenida, Z.1), qui date de 1788, est catalogué par les historiens comme l'unique construction coloniale du Parque Central. Les arcades du Portal del Comercio ainsi que la Catedral Metropolitana ont survécu au séisme de 1917.

Le **Mercado Central** ★★★ (lun-sam, 6h à 18h, dim 9h à 12h; 9a. Avenida, entre 6a. Calle et 8a. Calle, Z.1), situé derrière la cathédrale, offre aux visiteurs un incroyable éventail d'objets fabriqués par les artisans de tout le pays. Ici, vous pouvez marchander; c'est un véritable souk renfermant des centaines d'étals. Vous y trouverez de tout, et ce, à très bon prix. Pour acheter vos souvenirs, c'est l'endroit idéal. Au deuxième sous-sol, on trouve un marché d'alimentation très achalandé.

À quelques rues au nord-est du marché, la superbe **Iglesia La Merced** ★★★ (angle 11 Avenida et 5a. Calle, Z.1), coiffée d'une élégante coupole de mosaïque de style néoclassique (fin XVIIIe siècle), fut consacrée en 1813. Confiée aux jésuites, elle est remarquable pour sa trentaine d'inégalables statuettes sculptées et ses 300 peintures, véritable Trésor national.

Rappel historique sur les capitales du Guatemala

1524 Iximché (Tecpán)
Alliés des Espagnols au moment de la conquête, les Kaqchikel contrôlent le territoire entre la vallée de Guatemala et le Lago de Atitlán. Rassuré par cette présence, Pedro de Alvarado établit son quartier général dans leur capitale, Iximché. Le 27 juillet 1524, Iximché devient ainsi la première capitale du Guatemala. Mais les exigences espagnoles sont trop élevées; les tributaires kaqchikel contestent la présence espagnole et, en moins d'un an, la révolte des premiers occupants force les conquérants à déménager leur capitale vers un emplacement plus sûr; cette quête durera trois ans.

1527 Santiago de Goathemala (Ciudad Vieja)
Après quelques tentatives, entre autres à Comalapa, les Espagnols établissent leur administration dans la vallée d'Almolonga, au pied du volcan Agua. Santiago de Goathemala, la nouvelle capitale, est consacrée le 22 novembre 1527. La construction du palais des Conquistadores ainsi que de la première cathédrale du Guatemala atteste alors le pouvoir politique et ecclésiastique des nouveaux maîtres du Guatemala. À la suite de pluies torrentielles, une coulée de boue détruit cependant la ville durant la nuit du 10 septembre 1541, causant la mort de nombreuses personnes, entre autres Doña Beatriz, la veuve du conquistador Pedro de Alvarado. La catastrophe oblige à un nouveau déménagement. Plusieurs historiens croient que Santiago de Goathemala fut rebaptisée Ciudad Vieja.

1542 Santiago de los Caballeros (Antigua Guatemala)
On fonde la ville de Santiago de los Caballeros dans la vallée de Panchoy le 22 novembre 1542, et la première réunion du *cabildo* (conseil municipal) a lieu le 10 mars 1543. Le roi Philippe II consacre la ville en lui attribuant, le 10 mars 1566, le titre de *La Muy Noble y Muy Leal Ciudad de Santiago de Los Caballeros de Guatemala*. Cette ville, connue aujourd'hui sous le nom d'«Antigua Guatemala», demeurera la capitale du pays pendant plus de deux siècles, soit jusqu'à sa destruction par un tremblement de terre en 1773. Ce cataclysme entraînera un nouveau départ, et ce, même si une partie de la population s'entête à rester à Antigua.

1776 Nueva Guatemala de la Asunción (Ciudad de Guatemala)
La couronne d'Espagne impose le déménagement de l'administration du royaume du Guatemala dans la vallée de La Ermita, aussi connue sous les noms de «vallée de La Virgen» et «vallée de Las Vacas». Ainsi Nueva Guatemala de la Asunción fut-elle consacrée par décret du roi Carlos III d'Espagne le 23 mai 1776. Le tracé des rues fut réalisé par l'ingénieur Marcos Ibáñez, nommé par le roi en 1778 après

recommandation de l'architecte, *mayor* et intendant des Œuvres du Roi, Don Francisco de Sabatini. La nouvelle ville retient la distribution des paroisses, des églises et des couvents de Santiago de los Caballeros, et préserve le caractère monastique de l'ancienne capitale. Si la Nueva Guatemala de la Asunción conserve les mêmes éléments architectoniques qu'Antigua, notamment les grands patios et les habitations spacieuses, le style néoclassique supplante le baroque. La croissance urbaine impose dès 1791 une première division en six *cuarteles* (secteurs) qui reflètent nominalement la noblesse qu'on espérait leur accorder : le Cuartel San Agustín comprend les quartiers d'El Peru et de San Juan de Dios; le Cuartel de la Plaza Mayor, ceux de San Sebastián et d'Escuela de Cristo; le Cuartel de Santo Domingo, ceux de Habana et de Capuchinas; le Cuartel de la Merced, ceux de Catedral et de San José; le Cuartel de la Candelaria, ceux de Tanque et de Marullero, et le Cuartel de Uztariz, les quartiers d'Ojo de Agua et de Santa Rosa.

Mais la croissance de la population urbaine exige une réorganisation. Durant les 50 dernières années, la Ciudad de Guatemala passe en effet de 300 000 à 3 000 000 d'habitants.

Aujourd'hui, la ville, divisée en 25 zones, se trouve quadrillée et dotée d'une Plaza Central autour de laquelle les avenues se déploient du nord au sud, et les rues, d'est en ouest. Des précipices au nord et à l'est limitent son développement, de sorte que les quartiers modernes ont dû s'étendre vers le sud et l'ouest.

Ses 17 retables ont tous été réalisés à Antigua au cours du XVIIᵉ siècle.

Un peu plus au nord se situe le **Cerro del Carmen** ★ *(12 Avenida et 2a. Calle, Z.1)* une colline sur laquelle se dresse une chapelle qui constitue l'un des rares joyaux historiques de l'époque coloniale. Premier temple construit en 1620 dans la vallée de l'Ermite, comme on appelait la région à cette époque, l'église fut maintes fois modifiée. Les quatre niches de la façade de l'église représentent le saint prophète Élie, sainte Thérèse d'Avila, saint Jean de la Croix et sainte Madeleine de Pazzis.

Selon des écrits anciens, la vie des citadins du XVIᵉ siècle vibrait autour de cette colline, véritable berceau de la ville. L'histoire veut que les religieuses de sainte Thérèse d'Avila d'Espagne aient demandé à un Génois d'apporter une statue de la Vierge au Nouveau Continent, où la sainte fondatrice de l'ordre aurait voulu évangéliser les païens. Le religieux génois, Juan Corz, qui apporta la statue, devint ermite et on lui construisit une première église qui fut consacrée en 1620. Le don de la Mère supérieure de l'ordre orne aujourd'hui l'Ermita del Carmen. L'**Iglesia La Candelaria** ★ *(angle Diagonal 4 et Calle de la Candelaria)*, située au pied du Cerro del Carmen, est une très ancienne église du début du XVIIᵉ siècle.

Au sud du Mercado Central, quelques musées méritent une visite. Le **Museo Nacional de la Historia** ★ *(mar-ven 9h à 16h, sam-dim 9h à 12h et 14h à 16; 9a. Calle 9-70, Z.1, ☎253-6149)* expose sa collection permanente qui comprend des documents historiques, des meubles de l'époque coloniale, des armes à feu anciennes et des objets

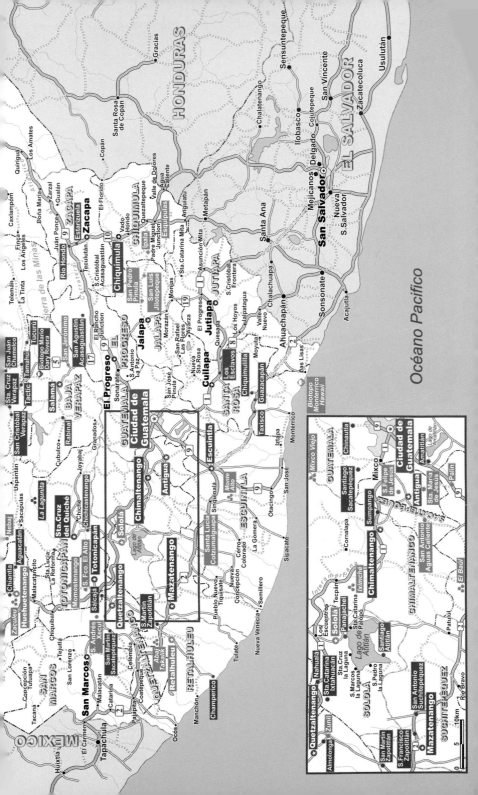

Une petite foule se rassemble devant l'église du village de Zunil, dans le Quetzaltenango lors du dimanche des Rameaux.
- *Carlos Pineda*

Le plaisir de déambuler autour des marchés du Guatemala...
- *Claude Hervé-Bazin*

de l'époque de l'indépendance politique (1821).

Le **MUSAC** ou **Museo de la Universidad San Carlos** ★ *(ouvert le dernier dimanche du mois seulement 10h à 18h; 9a. Avenida 9-79, Z.1)* a été récemment rénové. Ce lieu a été témoin de plusieurs événements historiques. C'est ici qu'on proclama l'indépendance du Guatemala en 1823 et que fut rédigée la Constitution fédérale. Le nouveau musée est bien conçu.

Le **Museo Nacional de Artes e Industrias Populare** *(lun-ven 9h à 17h; 10a. Avenida 10-72, Z.1, ☎238-0334)* présente, en permanence, céramiques, tissus, argenterie, masques, instruments de musique, objets de métal et calebasses.

Au nord-ouest du Parque Central, l'**Iglesia La Recolección** ★★ *(2a. Calle, entre 2a. Avenida et 3a. Avenida, Z.1)* est un véritable trésor d'art en grande partie venu d'Antigua : statues, peintures, objets de culte dont un superbe reliquaire d'argent massif dans la chapelle de Sagrarío et une Virgen del Socorro (Vierge du Secours) apportée d'Espagne en 1524.

La majestueuse **Iglesia San Francisco** ★★ *(angle 6a. et Avenida 13 Calle, Z.1)*, au vaste parvis, et le **Museo Fray Francisco Vásquez** *(lun-sam 9h à 12 et 14h30 à 18h, dim 15h à 18h)* sont situés au sud du Parque Central. Le musée abrite les objets

ayant appartenu au franciscain dont il porte le nom.

L'**Iglesia San Miguel de las Capuchinas** *(angle 10a. Avenida et 10a. Calle, Z.1)* possède un très bel autel de saint Antoine et d'autres pièces en provenance d'Antigua.

L'**Iglesia Santa Rosa** ★ *(angle 10a. Avenida et 9a. Calle, Z.1)* a servi pendant 25 ans de cathédrale. La plupart des retables sont venus d'Antigua, à l'exception du maître-autel.

L'**Iglesia y Convento de Santo Domingo** ★★ *(angle 12 Avenida et 10a. Calle, Z.1)* est dédiée à la Vierge du Rosaire, dont la statue a été sculptée en 1630. La Vierge du Rosaire fut couronnée reine du Guatemala le 28 janvier 1833. Il faut voir également le très beau gisant, un Christ au tombeau, apporté d'Angleterre par les dominicains en 1628. Originellement placé dans l'église Santo Domingo d'Antigua, il fut transporté ici après le séisme de 1773.

L'**Iglesia El Calvario** *(angle 5a. et Avenida 18 Calle, Z.1)* se reconnaît de loin à son clocher carré aux nombreux clochetons.

L'**Iglesia Carmen El Bajo** *(angle 8a. Avenida et 10a. Calle, Z.1)* a été construite à la fin du XVIIIᵉ siècle; sa façade a été très endommagée durant le tremblement de terre de 1976.

Le **Centro Cívico** est un complexe d'édifices publics, construits aux frontières des zones 1 et 4, qui illustrent les transformations urbaines qui font de la capitale une ville moderne. Il comprend, entre autres services, la la mairie, le Banco de Guatemala, le ministère des Finances, la Cour suprême, les bureaux de l'Instituto de la Securidad Social, l'Inguat (office du tourisme du Guatemala), le Teatro Nacional et la «ville olympique».

Le **Centro Cultural Miguel Ángel Asturias** ★★★ *(en voiture, on entre par la 24 Calle 3-84, Z.1; à pied, on y accède par la 7a. Avenida, côté ouest de la Plaza Cívica, Z.1)*, construit par l'architecte Efraín Recinos, est considéré comme une grande création artistique par plusieurs Guatémaltèques. Sa construction s'est échelonnée sur 18 ans. Il intègre le **Gran Teatro**, d'une capacité de 2 100 personnes, un théâtre de poche et un théâtre en plein air, ainsi que le **Museo de Armas Antiguas**, un musée militaire.

Au sud du Centro Cultural se trouve le **Santuario Expiatorio** ★ *(angle 2a. Avenida et 26 Calle, Z.1)*, un complexe architectural moderne qui comprend une église, une école et un auditorium en forme de poisson qui peut asseoir 3 000 personnes.

Au sud de la zone 1 se trouve l'**Estación de**

La Ciudad de Guatemala

Ferrocarril *(angle 10a. Avenida et 8a. Calle, Z. 1)*. Le premier tronçon de chemin de fer entre la Ciudad de Guatemala et le port de San José fut inauguré le 20 juillet 1880 par le président Justo Rufino Barrios. Signe de la présence étrangère, pour ne pas dire étasunienne, la première appellation de la compagnie ferroviaire fut International Railways of Central America (IRCA). Aujourd'hui le nom est changé en Ferrocarriles de Guatemala (FEGUA), mais les trains ne transportent plus de passagers. La gare a mystérieusement été la proie des flammes en 1996, quelques mois avant le début d'une enquête publique sur les agissements de la FEGUA.

Zone 2

Le grand **Parque Minerva** ★★, situé dans le nord de la capitale, abrite des terrains de sport et l'université Mariano Gálvez. On y trouve une impressionnante carte en relief du Guatemala appelée **Mapa en Relieve** ★★★. Conçue par l'ingénieur Francisco Vela, elle reproduit la topographie du Guatemala sur une échelle de 1/10 000ᵉ en surface, mais, pour plus d'effet, l'altitude est représentée au 1/2 000ᵉ. Son inauguration, après 19 mois de travail, eut lieu le 29 octobre 1905.

L'**Hipódromo del Norte** est situé dans la zone 2, près de la carte en relief et des terrains de sport.

Zone 4

La zone 4 joue le rôle de tampon entre l'ancien et le nouveau. Commerces et immeubles à bureaux font concurrence aux grands hôtels et aux centres commerciaux.

L'**Iglesia Capilla de Yurrita** ou **Iglesia Nuestra Señora de las Augustias Yurrita** ★ - *(angle Ruta 6 et 6a. Avenida A, Z.4, ☎336-3514)*, construite en 1928, rappelle par son clocher les églises orthodoxes à bulbes; les portes sont très finement travaillées et les retables, à l'intérieur, superbement sculptés.

Zone 9

La zone 9 est le parc d'attractions nocturnes et le secteur commercial des riches habitants de la capitale.

La **Torre del Reformador** *(angle 7a. Avenida et 2a. Calle, Z.9)* fut érigée en hommage au dictateur libéral Justo Rufino Barrios (1873-1885). Elle est une réplique à plus petite échelle de la tour Eiffel. La cloche du sommet se fait entendre une seule fois par année, soit le 30 juin, jour anniversaire de la révolution fomentée par Barrios.

La **Fuente de la Plazuela de España** (la fontaine de la placette d'Espagne) *(angle 7a. Avenida et 12 Calle, Z.9)*, située au centre du rond-point, fut érigée à la mémoire du roi Carlos III d'Espagne. La Plazuela de España fut rebaptisée Plaza de España par le président du gouvernement espagnol José María Aznar à la veille de la signature des accords de paix entre la guérilla et le gouvernement guatémaltèque.

La **Galería Paiz de Arte Contemporáneo** *(angle 7a. Avenida et 8a Calle, Z.9)* est une galerie d'art où sont exposées les œuvres des peintres guatémaltèques modernes.

Zone 10

Frontière entre la zone 9 et la zone 10, l'**Avenida la Reforma** a été nommée en l'honneur du réformateur Justo Rufino Barrios. Le tracé et les sculptures qui ornent son terre-plein datent de la fin du siècle dernier. Au bout de l'Avenida la Reforma se dresse la **statue équestre du général Justo Rufino Barrios**. C'est aussi le lieu choisi pour l'**Obelisco** (obélisque), haut de 18 m, qui a été érigé à la gloire des dignitaires de l'indépendance du Guatemala.

Tout au sud de l'Avenida de la Reforma, quelques attraits méritent un détour. L'horloge fleurie qu'est la **Reloj de Flores** *(angle Av. de la Reforma et 19 Calle, Z.10)* présente l'esthétique du jardin et la mécanique du temps. Son cadran est couvert de fleurs naturelles, et les aiguilles marquent l'heure officielle du Guatemala.

★★★
Museo Popol Vuh de Arqueología

Le Museo Popol Vuh de Arqueología *(15Q; lun-ven 8h à 17h, sam 9h à 13h; 6a. Calle Final, Universidad Francisco Marroquín, Z.10)* loge dans le complexe culturel du campus universitaire Francisco Marroquín. Ce magnifique musée possède une grande collection d'art précolombien et colonial ainsi qu'une copie du codex de Dresde, un des quatre livres mayas écrits en hiéroglyphes encore conservés de nos jours. Sa visite complétera celle du Museo Nacional de Arqueología y Etnología (voir p 103).

Le musée Popol Vuh tire son nom du livre sacré des K'iche' découvert à Chichicastenango par le père dominicain Francisco Ximénez entre 1701 et 1703. Avec la quantité d'informations religieuses, historiques et linguistiques qu'il renferme, le *Popol Vuh*, traduit sous le nom de «Livre du Conseil», est un des plus riches documents servant à l'étude des peuples mayas.

Le musée Popol Vuh de l'université Francisco Marroquín a été fondé en 1977 grâce aux dons de Jorge Castillo et Ella de Castillo. En plus des objets donnés par les deux grands collectionneurs, le musée s'est enrichi de plusieurs nouvelles pièces archéologiques et œuvres d'art guatémaltèques.

La collection exceptionnelle du musée Popol Vuh mérite les quelques heures qu'on peut consacrer à sa visite. Son intérêt réside dans les magnifiques pièces de céramique, l'unique collection d'urnes funéraires et les sculptures provenant de la côte du Pacifique et des Hautes Terres centrales du Guatemala. S'ajoutent à ces collections préhispaniques, une salle consacrée au folklore, incluant la plus importante collection de masques du Guatemala, ainsi qu'une salle des œuvres d'art liturgiques des XVIIᵉ et XVIIIᵉ siècles.

Céramique maya

La **salle 1** situe les Mayas à travers le temps, et de grands tableaux expliquent la nomenclature que les archéologues ont développée pour désigner les époques et les différentes phases de la civilisation. La **salle 2** est consacrée aux céramiques des premiers occupants sédentaires du Guatemala, tandis que la **salle 3** expose les œuvres lithiques trouvées dans les premières grandes villes : Kaminal Juyú située dans la zone 7, Abaj Takalik dans le département de Retalhuleu et La Blanca dans le département de San Marcos.

La collection de sculptures de l'époque préclassique qui provient de ces sites comprend plusieurs «pierres-champignons» dont les pieds sont décorés d'animaux. On croit que certains cultes faisaient usage du champignon pour ses qualités psychotropes afin de communiquer avec les dieux. D'autres croient que les pierres-champignons ne sont que des marqueurs qui délimitaient la propriété.

Les **salles 4, 5 et 6** exposent les céramiques et les monuments de l'époque classique. À noter, les deux belles pierres provenant d'El Naranjo : l'autel raconte l'histoire de la famille des gouvernants et la stèle nous montre la tenue vestimentaire d'un souverain de cette fastidieuse et remarquable époque.

La Ciudad de Guatemala

Les céramiques avec hiéroglyphes proviennent principalement des départements Quiché, Sololá et Huehuetenango. Contrairement à celles des Basses Terres, ces pièces ne sont décorées que de quatre ou cinq glyphes. Une section regroupe une collection de figurines d'un réalisme étonnant. Les figurines sont classées par groupes : guerriers, élites, joueurs de balle, musiciens. Il faut aussi voir les urnes funéraires miniatures dans lesquelles étaient déposés des objets précieux en jade, en obsidienne ou en os.

Une autre partie de la salle expose des pièces provenant du Honduras, du El Salvador et de l'est du Guatemala. On peut comparer les différences de technique de décoration de la céramique. La céramique la plus appréciée est la *Copador*, provenant de Copán, au Honduras. Une bande de dessin en «faux glyphes» caractérise ces pièces. Les pièces en albâtre proviennent des mines de la Sierra de Las Minas, à l'extrême nord du fleuve Motagua, région qui transigeait surtout avec le Honduras.

La **salle 7** est consacrée au postclassique et expose une copie du codex de Dresde et des urnes funéraires provenant de la région d'Ixil, dans le département du Quiché. Les urnes font de 40 cm à 1,20 m de hauteur. Les plus grandes étaient fabriquées de façon à pouvoir accueillir le corps du dé-

funt en position fœtale. Les plus petites recevaient les offrandes que le défunt apportait avec lui dans l'autre vie.

Les motifs décorant l'extérieur des urnes sont souvent associés à Xibalba, «l'infra-monde maya» où le défunt séjournait, à l'instar du soleil qui se couche, pour une période de purification dans l'obscurité, pour ensuite monter au ciel. Des représentations modelées en hauts- reliefs et en bas-reliefs de figures de jaguars et de dieux sont les plus communes.

La **salle consacrée à l'époque coloniale** présente un Guatemala métissé. Les masques sont d'une éloquence indescriptible. Des scènes de danses montrent l'influence espagnole et française sur la mode vestimentaire de l'époque. Les représentations du dieu païen «Maximón» de Santiago Atitlán et de son pendant «San Simón» de Zunil (Quetzaltenango) exhibent l'originalité du métissage des croyances nouvelles et anciennes.

La **salle de l'art colonial** contient une collection d'œuvres d'art liturgiques des XVIIe et XVIIIe siècles. Les œuvres du style de la prestigieuse école guatémaltèque de l'époque coloniale illustrent la finesse du travail des artisans.

★★★ Museo Ixchel de Traje Indígena

Le Museo Ixchel de Traje Indígena *(15Q; lun-ven 8h à 17h, sam 9h à 13h; 6a. Calle Final, Universidad Francisco Marroquín, Z.10)* loge dans un autre édifice du complexe culturel du campus universitaire Francisco Marroquín. Il porte le nom d'Ixchel, déesse de la Lune et patronne du textile, de la médecine, de la fécondité et des inondations. Ixchel est aussi l'épouse du Dieu-Soleil. Plus importante déesse du panthéon maya, elle est plus connue dans l'île de Cozumel, au Yucatán, où des temples ont été construits pour la vénérer.

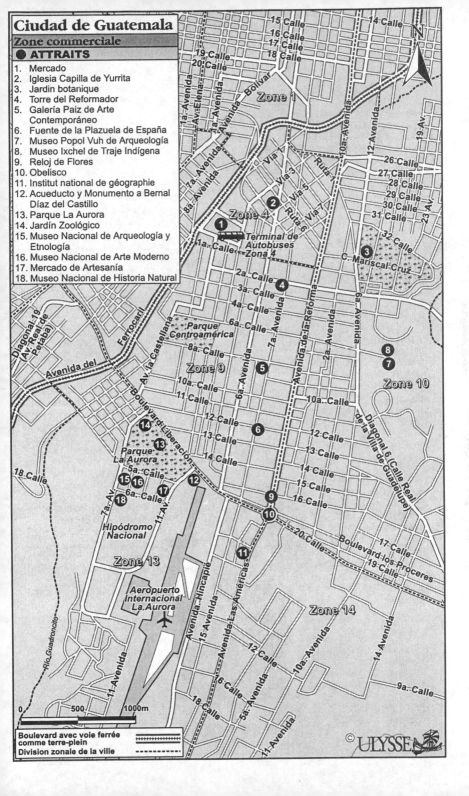

Ciudad de Guatemala
Zone commerciale
● **ATTRAITS**

1. Mercado
2. Iglesia Capilla de Yurrita
3. Jardin botanique
4. Torre del Reformador
5. Galería Paiz de Arte Contemporáneo
6. Fuente de la Plazuela de España
7. Museo Popol Vuh de Arqueología
8. Museo Ixchel de Traje Indígena
9. Reloj de Flores
10. Obelisco
11. Institut national de géographie
12. Acueducto y Monumento a Bernal Díaz del Castillo
13. Parque La Aurora
14. Jardín Zoológico
15. Museo Nacional de Arqueología y Etnología
16. Museo Nacional de Arte Moderno
17. Mercado de Artesanía
18. Museo Nacional de Historia Natural

Boulevard avec voie ferrée comme terre-plein
Division zonale de la ville

© ULYSSE

Créé en 1973, le musée est une fondation privée sans but lucratif et possède une immense collection composée de 4 000 costumes mayas. Ceux-ci proviennent de 120 villes ou villages de la région des Hautes Terres et certains remontent au XIXᵉ siècle. La collection permanente montre l'histoire du vêtement en quatre temps : une première partie est consacrée à l'histoire précolombienne (1000 av. J.-C. à 1523 ap. J.-C.) du tissage maya; une deuxième, à la fusion des traditions mayas et espagnoles; une troisième, aux effets de l'industrialisation; et une dernière, au développement moderne. Même si tous les costumes ne sont pas en montre actuellement, plusieurs photos, peintures et documentaires du début du XXᵉ siècle révèlent la richesse de l'artisanat guatémaltèque.

Deux vidéos en espagnol ou en anglais sont présentés dans l'auditorium : *Indumentaria Maya de Guatemala*; *Mayan Clothing of Guatemala* (histoire du costume maya au Guatemala) et *Fiesta de Cofradía Maya*; *Mayan Cofradía Fiesta* (fête des confréries mayas)

La boutique du musée propose de l'artisanat provenant de tout le pays. Les produits textiles en vente ici se trouvent difficilement dans les marchés de la ville.

Zone 12

Située dans la zone 12, l'**Universidad de San Carlos** ★ *(Diagonal 19 ou Avenida Real Petapa, entre 31 Calle et 34 Calle A, Z.12)* fut fondée par ordonnance royale le 31 janvier 1676 dans la ville d'Antigua Guatemala. Un siècle plus tard, elle déménagea à la Ciudad de Guatemala, dans un édifice de style néoclassique de la zone historique. Les édifices de l'actuel campus maintenant situé dans la zone 12 sont de style moderne.

L'université conserve certaines anciennes propriétés dans la zone 10 et dans la zone historique, où un grand **jardin botanique** *(lun-ven 8h à 17h)* est accessible par la Calle Mariscal Cruz 1-56, Z.10 : un véritable îlot de tranquillité dans une ville trop affairée.

Zone 13

La zone 13 est située au sud des zones 9 et 10, soit au sud de la Diagonal 12 (aussi connue sous le nom de Boulevard Liberación) et à l'ouest de l'Avenida de la Reforma. Le parc La Aurora doit sa renommé surtout à la présence de l'aéroport international. Mais le parc La Aurora comprend un éventail d'attraits qui peut satisfaire tous les goûts : jardin zoologique, aire de jeux, vélodrome, Plaza de Toros, hippodrome national, marché artisanal et plusieurs musées.

L'**Acueducto y Monumento a Bernal Díaz del Castillo** *(angle Diagonal 12 et 15 Avenida Empila, Z.13)* est situé le long de la frontière entre les zones 9 et 13. Les arches en brique rouge font partie de l'ancien aqueduc construit à la fin du XVIIIᵉ siècle afin d'alimenter la ville en eau potable. Un canal, terminé en 1796, amenait l'eau de Mixco et de Pinula jusqu'à la nouvelle capitale. Le constructeur a intégré un ancien talus d'une dizaine de mètres de haut qui serpentait dans la campagne et qui avait été érigé quelque 1 000 ans auparavant par les habitants de Kaminal Juyú. Le Monumento a Bernal Díaz del Castillo célèbre ce soldat espagnol qui a servi sous les ordres de Hernán Cortés. Il devint un des fondateurs de Santiago de los Caballeros (aujourd'hui Antigua Guatemala) et siégea au conseil municipal. Durant ses vieux jours, il écrivit *La véritable histoire de la conquête de la Nouvelle-Espagne*. Le livre raconte la marche des Conquistadores depuis Cuba jusqu'à la chute de Tenocticlán (México). Malgré ses 450 ans, le livre est toujours vendu dans les 10 langues de ses traductions.

Le **Museo Nacional de Arte Moderno** ★★ *(25Q; mar-ven 9h à 16, sam-dim 9h à 12h et 14h à 16; 7a. Avenida, entre 5a. Calle et 6a. Calle, Z.13)* est localisé dans le parc La Aurora (sur une petite rue en face du Museo Nacional de Arqueología y Etnología. Malgré son nom, le musée d'Art moderne possède une collection qui comprend des tableaux de peintres du XIX^c siècle.

Le **Museo Nacional de Historia Natural** ★ *(angle 6a. Avenida et 6a. Calle, Z.13)* est lui aussi situé dans le parc La Aurora. Le musée possède une collection de la faune nationale, avec oiseaux, animaux et papillons.

Le **Jardín Zoológico** ★★ *(6a. Avenida et Diagonal 12, Z.13)*, dans le parc La Aurora, a été créé en 1924 par le général Orellana. Le zoo possède une centaine d'espèces d'animaux du Guatemala portant des noms exotiques tels que *tepezcuintle, mazacuata* et le *zaguate*; d'autres nous sont plus connus comme les jaguars, les tortues et les perroquets.

Le **Mercado de Artesanía** ★, situé à l'est des musées, est le marché officiel de la ville. Il donne un aperçu général de l'artisanat de toutes les régions du pays; mais pour les achats, il vaut mieux se rendre au Mercado Central (voir p 124), situé à l'arrière de la cathédrale. Les fins de semaine, plusieurs familles viennent pique-niquer dans le parc adjacent.

★★★
Museo Nacional de Arqueología y Etnología

Le Museo Nacional de Arqueología y Etnología *(25Q; mar-ven 9h à 16 sam-dim 9h à 12h et 14h à 16; 7a. Avenida, entre 5a. Calle et 6a. Calle, Z.13)* est situé dans le parc La Aurora, dans la partie sud de la capitale. Il est facilement accessible par le transport public. Ses collections sont bien présentées; la lumière est bonne et les pièces sont clairement identifiées. Prévoyez un minimum de quatre heures pour une visite exhaustive.

Le musée national possède sans contredit la plus grande collection de sculptures, de pièces en jade et en céramique de la culture maya. L'organisation des salles s'inspire de l'architecture espagnole coloniale, où toutes les pièces s'ordonnaient autour d'une cour intérieure. Installé dans un bel édifice des années trente, le musée expose des maquettes qui reproduisent les sites de Quirigua, de Zaculeu et de Tikal. Cette dernière maquette est particulièrement impressionnante.

La collection ethnographique présente plusieurs **costumes** et **outils**. Il est frappant de constater que les Mayas d'aujourd'hui s'habillent de la même façon et continuent d'utiliser les mêmes instruments que leurs ancêtres.

La galerie qui entoure la cour intérieure regroupe, entre autres, des **stèles** (monolithes en pierre sculptée) de l'époque classique (300 à 900 ap. J.-C.) venant du Petén et de la côte du Pacifique. Il faut souligner la présence des très belles stèles provenant de Piedras Negras et des sculptures de Kaminal Juyú.

Si vous n'avez pas eu la chance de visiter Piedras Negras ou si vous voulez revivre l'époque classique de ce site situé sur le fleuve Asumacinta, la collection du musée présente des stèles et des sculptures d'un raffinement à couper le souffle.

La Ciudad de Guatemala

Le **trône 1** à lui seul mérite la visite du musée.

Vous pourrez également admirer le fameux **masque en jade** de Tikal qu'illustrent de nombreuses publicités touristiques. C'est un chef-d'œuvre qui consacre la maîtrise des artisans mayas.

Pièce très rare, le superbe **linteau en bois du temple IV de Tikal** révèle que les Mayas utilisaient ce matériau dans leur construction et leur décoration architecturale. Le musée de Bâle, en Suisse, possède le seul autre linteau en bois de Tikal.

Une reproduction de la sépulture d'un noble de Tikal témoigne fort bien des rites funéraires de la classe dominante maya. La variété des bijoux et des pièces en céramique démontre la richesse de l'occupant.

Le grand **masque de stuc** qui décorait les parois de la pyramide d'Uaxactún (une des premières villes mayas qui s'est développée dans le Péten) confirme que la tradition architecturale maya remonte au début de notre ère. Déjà à cette époque, on construisait des pyramides surmontées de temple pour la plus grande gloire du Dieu-Soleil.

Les «**pierres-champignons**» nous laissent croire que l'utilisation des champignons hallucinogènes remonte à des époques anciennes.

La représentation du dieu Vucub Caquix sur la stèle 11 de Kaminal Juyú laisse présager le culte du «roi divin» chez les Mayas. Sa présence sur des stèles de Kaminal Juyú et de Tikal démontre que les liens étroits entre ces deux grandes cultures dépassait les simples échanges économiques.

Zone 7

Les vestiges d'une grande ville dénommée **Kaminal Juyú ★★★** sont situés dans la banlieue nord-ouest de la capitale.

Sculpture Kaminaljuyé

L'expansion quelque peu anarchique de la ville moderne a détruit une bonne partie des vestiges. Moins de 20% du site a été sauvé de la pelle mécanique. Ici et là, on peut entrevoir une ancienne pyramide ou un petit monticule entre deux

maisons construites à même le site. Les autorités ont réservé un jardin public qui offre la possibilité de parcourir ce qui reste de la grande métropole. Un petit secteur a été aménagé pour la visite autour du monticule le plus élevé. Quelques plateformes de pyramide recouvertes de toit de tôle sont les seuls témoins de cet immense site.

Malgré l'absence de monuments architecturaux spectaculaires tels qu'on en trouve à Tikal, les quelque 200 monticules, dont 13 jeux de balle, témoignent de l'importance de cette cité précolombienne. Les archéologues ont retrouvé les traces d'occupation qui vont de l'an 1000 av. J.-C. jusqu'à la Conquête espagnole en 1523, et ils ont récupéré de nombreux objets dont certains sont exposés au Musée national d'archéologie et d'ethnologie et au musée Popul Vuh. Ils ont identifié deux grandes cultures: une première qu'ils ont nommée **Miraflores** et une deuxième connue sous le nom de **Esperanza**.

Sporadiquement, des fouilles de sauvetage ont lieu dans les zones menacées par l'aménagement urbain. De nombreux passages souterrains menant à des chambres funéraires tapissées de hiéroglyphes se cachent sous le parc. Si vous montrez de l'intérêt pour l'archéologie, vous pouvez visiter le site avec la permission de l'Institut d'anthropologie et d'histoire du Guatemala *(12 Aventda 11-65, Z.1, ☎531-570)*.

La culture Miraflores

Kaminal Juyú, qui signifie «monticules des mort» en k'iche', est un site extrêmement important pour la compréhension du développement de la civilisation maya. La plupart des spécialistes s'accordent pour attribuer à la civilisation olmèque du golfe du Mexique une influence prépondérante dans le développement de la civilisation maya. Cependant, certains traits culturels mayas n'ont pas d'antécédents olmèques; il faut donc chercher ailleurs. Kaminal Juyú, et plus particulièrement sa culture Miraflores, permettent de faire le lien entre les sites olmèques du golfe du Mexique, le site d'Izapa du piedmont mexicain de la côte du Pacifique et la culture maya des grandes villes des Basses Terres centrales situées dans le Péten.

Kaminal Juyú a connu sa première période glorieuse entre 300 av. J.-C. et 200 ap. J.-C. C'est à cette époque que plusieurs structures, cachées sous les monticules toujours visibles aujourd'hui, ont été érigées. Selon l'archéologue Marion Hatch, la ville, à son apogée, comptait 50 000 habitants, et son rayonnement s'étendait de l'est du Río Madre Vieja jusqu'au El Salvador. Kaminal Juyú (Miraflores) contrôlait l'économie de la côte du Paci-

fique et détenait probablement le monopole du commerce des produits recherchés comme le cacao, une denrée si précieuse qu'on l'utilisait comme monnaie, le sel, denrée essentielle à la vie humaine, le poisson, source de protéines importante, et l'obsidienne, matière première dans la fabrication des couteaux et des armes tranchantes; deux sources importantes d'obsidienne sont situées aux confins de la vallée. Kaminac Juyú entretenait également des relations privilégiées avec les premières petites villes de la Baja Verapaz et les villages de la vallée du Río

Stèle nº 3 - Santa Lucía Cotzumalhuapa

Motagua afin de s'approvisionner, croit-on, en jade, en obsidienne et en plumes de quetzal.

Les ressemblances des sculptures de style dit «Homme pansu» ou *barrigones* suggèrent des liens étroits entre les cultures du Monte Alto, situées sur la côte du Pacifique (voir p 261). Plusieurs sculptures de «pierres- champignons» à connotation phallique sont probablement reliées à l'utilisation rituelle des champignons hallucinogènes. On peut voir ces «pierres champignons» au Musée national d'archéologie et d'ethnologie et au musée Popol Vuh.

Plus impressionnantes encore sont les stèles sculptées dans le style d'Izapa, un site ancien très important situé du côté mexicain de la frontière. Deux de ces monuments ont été trouvés lors de travaux d'excavation de fosses de drainage. La première stèle, une imposante pièce de granit de 1,8 m de haut, qu'on peut voir au Musée national d'archéologie et d'ethnologie (stèle 11 de Kaminal Juyú), représente un homme portant un masque du dieu maya Vucub Caquix.

La deuxième stèle est encore plus extraordinaire. Elle devait être de proportions gigantesques avant son bris intentionnel. Les fragments qui ont survécu représentent divers dieux d'Izapa dont l'un porte la barbe, ce qui est très rare chez les Mayas. Ces dieux entourent

La Ciudad de Guatemala

un personnage aux yeux en forme de trident inversé qui porte un collier décoré de plumes et qui tient dans sa main droite un silex taillé. Les glyphes accompagnant ces figures sont probablement la représentation de leur «nom de calendrier», car, dans la Mésoamérique ancienne, dieux et hommes portaient le nom du jour de leur naissance. Un long texte glyphique sculpté sur quatre colonnes (qu'on ne peut pas déchiffrer) présage l'écriture des hiéroglyphes que l'on retrouve chez les Mayas de la période classique, soit de trois à quatre cents ans plus tard.

L'influence de Kaminal Juyú ne se limite pas aux sculptures et à la production d'objets en céramique. Les sépultures trouvées à l'intérieur des monticules sont probablement des modèles qui ont forgé la coutume funéraire maya qui consiste à enterrer les dirigeants à l'intérieur de pyramides ou le simple citoyen sous le plancher de la maison.

Entre 200 et 300 ap. J.-C., soit vers la fin de la période préclassique, Kaminal Juyú est en déclin : la construction d'édifices administratifs et de temples s'interrompt, la céramique perd sa finesse d'antan. Fini le culte des «pierres-champignons» et des sculptures du style Monte Alto. Finies aussi les stèles grandioses. Kaminal Juyú n'écrit plus. Ce hiatus culturel dure une centaine d'années et correspond à la présence

d'un peuple (culture Solano) qui occupe le sud-ouest de la vallée de Guatemala. Ces nouveaux arrivants bloquent l'accès aux richesses de la côte du Pacifique. Kaminal Juyú périclite; la population abandonne la ville. La période Miraflores est terminée.

La culture Esperanza : une deuxième vie

Puis la ville renaît de ses cendres. La culture Esperanza connaît son apogée entre 400 et 550 ap. J.-C. et la ville reprend sa prépondérance d'antan. L'architecture dite du *talud-tablero* (que l'on peut voir sous les toits protecteurs en tôle) témoigne de l'influence, voire d'une certaine mainmise, de Teotihuacán, la grande métropole d'alors, située au nord de México. La présence des objets de style provenant de Teotihuacán démontre l'étendue des réseaux d'influence de cette métropole située à quelque 1 000 km au nord. D'autre part la présence d'objets en céramique provenant du Petén confirme les liens entre Kaminal Juyú et Tikal. Le jeu de balle (13 seront trouvés sur le site) fait son apparition à Kaminal Juyú à cette époque.

C'est donc une culture hybride, miteotihuacan, mi-maya, que l'on découvre à Kaminal Juyú à l'époque Esperanza. Pour certains historiens, cette culture confère à Kaminal Juyú le rôle de plaque

tournante pour la civilisation mexicaine et celle des grandes villes mayas du Petén telles que Tikal. Il est fort possible que l'influence mexicaine que l'on retrouve au début de la période classique à Tikal ait transité par Kaminal Juyú. En effet, le culte mexicain au dieu Tlaloc qu'on retrouve sur les plus anciennes stèles de Tikal suggère la «mexicanisation» de son élite.

Certains prétendent que l'influence de Teotihuacán ne se limitait pas à la religion et donnent comme preuve l'introduction du lance-flèches mexicain qui aurait permis à Tikal de conquérir son voisin Uaxactún et de devenir la grande métropole du monde maya. Néanmoins, il est difficile de conclure que l'influence mexicaine sur les villes du Petén a nécessairement transité par Kaminal Juyú. Somme toute, la ville de Kaminal Juyú joua un rôle prépondérant dans le développement de la culture maya durant la période Esperanza.

L'histoire nous dit que vers 600 ap. J.-C., Kaminal Juyú connaît un nouveau déclin, probablement lié à celui de Teotihuacán. C'est le retour du style beaucoup plus maya que l'on retrouve partout au Guatemala de l'époque classique, sans jamais retrouvé son faste d'antan. La vallée était occupée par les Mayas parlant le poqomam à l'arrivée des Espagnols en 1523.

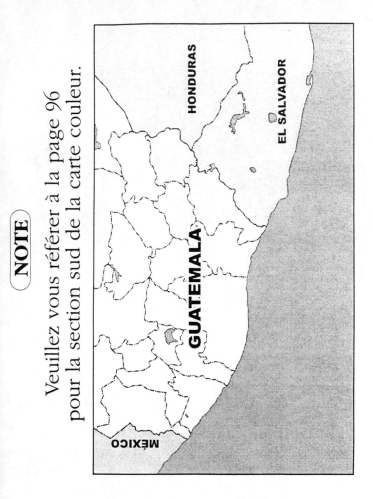

NOTE

Veuillez vous référer à la page 96
pour la section sud de la carte couleur.

Les environs de la capitale

La Ciudad de Guatemala et les 16 *municipios* (municipalités régionales) qui l'entourent forment une unité administrative dénommée «département de Guatemala». Ces *municipios* sont divisés en *ciudades* (villes), *aldeas* (villages) et autres plus petites agglomérations. Le département de Guatemala comprend un territoire de 2 250 km² et ses trois millions d'habitants sont majoritairement *ladinos*. Le Poqomam est toujours parlé dans les *municipios* de Chinautla et Mixco Nuevo, tandis que le kaqchikel est présent dans les *municipios* de San Pedro Ayampuc, San Pedro Sacatepéquez, San Juan Sacatepéquez, San Raymundo et Chuarrancho.

Plusieurs petites villes et villages situés près de la capitale peuvent faire l'objet de visites d'un jour. Certains voudront échapper à la pollution de la ville pour se réfugier dans la nature, d'autres visiteront les villages traditionnels un peu plus éloignés. Quelle que soit la direction empruntée, vous trouverez une destination que vous pourrez explorer durant la journée et revenir à votre hôtel le soir. D'autres attraits situés dans les montagnes avoisinantes nécessiteront un peu plus de temps.

Vers le sud

Au sud de la capitale, **San Miguel Petapa** est une petite municipalité sur la route de Villa Canales et du Lago de Amatitlán. Ses danses folkloriques de la Conquista y Partideños sont très prisées des citadins de la capitale. D'origine préhispanique, la population d'origine fait partie de la souche des Petapas et parle autant le poqomam que le pokomchi. Les femmes de San Miguel Petapa et de Villa Canales fabriquent toujours des vêtements traditionnels (*huipiles, cortes, manteles*) en coton.

Ville de quelque 33 000 habitants, **Amatitlán** ★★ (*à 40 min au sud de la capitale sur la route vers le Pacifique CA9*) est située sur le bord du Lago de Amatitlán au pied du volcan Pacaya. À seulement 30 km de la Ciudad de Guatemala par la route CA9, elle rivalise avec le Lago de Atitlán comme destination balnéaire auprès des habitants de la capitale. Si la baignade dans le lac n'est pas recommandée, elle l'est dans les eaux thermales des piscines naturelles nichées dans les collines environnantes.

La vue qu'offre le Parque Naciones Unidas (parc des Nations Unies), situé à quelques kilomètres sur la pente du volcan Pacaya (toujours actif), est impressionnante.

Un rare funiculaire transporte les voyageurs du Parque Naciones Unidas au Parque Las Niñas, près du lac. On peut louer une embarcation à Amatitlán. Dans le Parque Morazán de la municipalité, il y a un immense *ceiba* qui vaut le détour.

Vous pouvez visiter un petit site maya à 3 km à l'est d'Amatitlán. Des fouilles subaquatiques par des équipes françaises ont eu lieu en 1967 et 1968. Les recherches ont abouti à la découverte d'un site submergé qui n'avait pas été bouleversé par les prédécesseurs. Plusieurs objets, surtout en céramique, ont été récupérés et sont maintenant exposés au Musée d'anthropologie et d'ethnologie de la Ciudad de Guatemala.

Vers le nord

Le village de **Chinautla** ★ est situé dans la banlieue nord de la capitale. On s'y rend en prenant la Diagonal 13, Zona 2, qui devient la Calle Real de Chinautla. Les habitants d'origine poqomam produisent une poterie traditionnelle blanche et rouge. On utilise toujours la technique de fabrication préhispanique, méconnaissant l'usage de tour de potier et du four; les objets sont modelés à la main et cuits au soleil à l'aide de combustibles végétaux. De nombreux dessins ornementaux sont préhispaniques, bien que certaines formes, comme

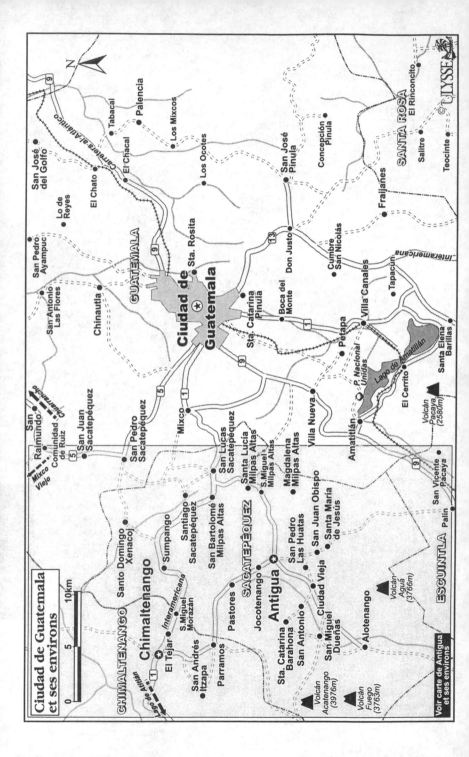

Ciudad de Guatemala et ses environs

les *porrones* (cruches espagnoles) et les représentations d'anges, soient dues à la culture occidentale. On pourrait faire la même remarque à propos de la céramique de San Luis Jilotepeque (une autre ville poqomam), avec ses beaux récipients en forme de canard.

Plus au nord, le village de **Chuarrancho ★**, avec sa population de 10 000 habitants dont 80% sont des Kaqchikel, est situé à 36 km de la capitale. Dans ce village agricole, les femmes portent toujours leurs costumes traditionnels. Le village est surtout reconnu pour ses fêtes communales dansantes et ses joueurs de marimba. La marimba est considérée comme un instrument musical national et son origine est un sujet de discorde. Certains historiens affirment qu'il s'agit d'un instrument préhispanique. D'autres maintiennent que c'est une importation d'Afrique que les Espagnols ont amenée avec les esclaves au début de la colonie.

Le village de **San Pedro Sacatepéquez,** sur la route 5 vers Mixco Viejo, fut reconstruit à la suite du tremblement de terre de 1976. La majorité habitants de ce village moderne sont d'origine kaqchikel. Les fleurs qu'ils cultivent et les vêtements qu'ils fabriquent méritent un arrêt. Selon l'ancien directeur de l'Institut d'anthropologie et d'histoire du Guatemala, Luis Luján Múñoz, les plus beaux tissus provien-

nent, entre autres, des villes de San Juan et San Pedro Sacatepéquez. À souligner, la cérémonie du passage de l'image du Christ, qui a lieu le 15 mars.

À 31 km de la capitale sur la route 5 vers Mixco Viejo, **San Juan Sacatepéquez,** avec ses 75 000 habitants, est la plus importante municipalité kaqchikel de la région. Elle a été complètement détruite lors du tremblement de terre de 1976. La ville est reconnue pour ses tisserands et ses artisans potiers du village voisin, Las Trojes. C'est l'agglomération urbaine la plus proche (28 km) du site archéologique de Mixco Viejo (voir p 109).

Le village de **San Raymundo de las Casillas ★**, que l'on rejoint en prenant à droite sur la route de Mixco Viejo, est surtout connu par la réputation de son fondateur, Bernal Díaz del Castillo. Soldat et compagnon du conquistador Hernán Cortés, celui-ci écrivit à la fin de sa vie l'œuvre intitulée *La véritable histoire de la conquête de la Nouvelle-Espagne*. Son livre est encore aujourd'hui une source d'informations importante pour comprendre l'implantation des Espagnols au Nouveau Monde. La ville, fondée en 1558, est située à 43 km au nord de la capitale, et ses 15 000 habitants vivent de l'agriculture, de la coupe de bois, d'élevage de bovins et de porcs ainsi

que d'aviculture. La fabrication de vêtements aux couleurs éblouissantes et aux dessins artistiques y est reconnue.

★★★
Mixco Viejo

Le site archéologique de Mixco Viejo *(15Q; tlj 8h à 16h)* est situé au nord de la capitale. On y parvient en empruntant la route 5 jusqu'à Montúfar; à cet endroit, une bifurcation vers la gauche mène au site. Nous sommes dans les Hautes Terres, à 60 km de la Ciudad de Guatemala, et les vues captivantes traduisent bien le mot *mixco*, qui, dans la langue des Poqomam, signifie «endroit dans les nuages».

Le plateau sur lequel est construit Mixco Viejo est entouré de gorges et de ravins qu'on appelle *barrancos*. Avant la construction de la route, le site était difficilement accessible. C'est pourquoi les Mayas l'ont choisi pour bâtir leur centre administratif et religieux. L'invulnérabilité de leur ville s'imposait au choix du lieu, car les Hautes Terres étaient alors le théâtre de guerres constantes entre les différents groupes : les K'iche', les Kaqchikel et les Poqomam, tous des Mayas parlant des langues de la même famille linguistique.

Jusqu'à tout récemment, les historiens croyaient que Mixco Viejo était la capitale des souverains

La Ciudad de Guatemala

poqomam conquise par les Espagnols en 1525. Nous savons maintenant que la capitale des Poqomams se situait près de Chinautla, un site archéologique que l'on dénomme Mixco ou Chinautla Viejo.

Histoire et mythologie

À l'arrivée des Espagnols en 1524, les Kaqchikel occupaient un territoire qui s'étendait de l'ouest de la vallée de Guatemala jusqu'au Lago de Atitlán et du Río Motagua jusqu'au piedmont. Leur histoire (voir p) est liée à celle des K'iche', leur alliés jusqu'en 1470.

Selon les textes anciens, la rébellion contre le souverain Quicab en 1470 provoqua le départ des Kaqchikel. À l'instar des autres peuples mayas, les Kaqchikel étaient organisés en quatre unités sociopolitiques qui portaient le nom des grandes lignées dominantes : Kaqchikeles, Zotziles, Tukuches et Chajomas ou Akajales.

Les Zotziles et les Kaqchikeles, établis près de Tecpán dans leur capitale Iximche, dominaient les côtes nord et est du Lago de Atitlán, et contrôlaient les importantes routes de commerce.

Initialement, les Tukuches étaient aussi établis à Iximche. En 1493, ils se soulevèrent, furent conquis et expulsés de la ville. On pense qu'ils s'établirent à San Pedro Sacatepéquez.

Quatrième groupe, les Chajomas ou Akajales occupèrent une partie de la vallée du Motagua s'étendant principalement dans le territoire qu'on connaît aujourd'hui comme San Martín Jilotepeque. Ils conquirent les Poqomam et occupèrent leur forteresse connue aujourd'hui sous le nom de Mixco Viejo, qui devint leur capitale.

La ville forteresse

Selon les plus récentes découvertes, la construction de Mixco Viejo date du postclassique récent, c'est-à-dire entre 1250 et 1524 après J.-C. L'emplacement du site prend toute son importance par la présence de la très importante source d'obsidienne de san Martín Jilotepeque et par la proximité du Río Motagua, la seule voie navigable qui donne sur l'Atlantique.

Mixco Viejo était une des plus grandes villes des Hautes Terres avec cinq quartiers construits sur les buttes du plateau, et ceinturés de hautes murailles à gradins, ainsi qu'une douzaine de quartiers plus modestes dans les parties basses de la ville.

Comme on peut l'imaginer en regardant les vestiges, chaque quartier était formé d'une grande place où s'élevaient les édifices religieux et cérémoniels. Les pyramides coiffées de temple en matériau périssable, et les jeux de balle étaient entourés de plateformes d'observation bordant les *barrancos*, d'où l'on surveillait les environs. Les artisans devaient demeurer et travailler dans le quartier périphérique et les paysans agriculteurs, près de leurs champs, à la campagne.

Comme nous l'avons dit, Mixco Viejo est un site qui a été occupé au plus tôt au XIIIᵉ siècle de notre ère, mais les constructions que les archéologues ont mises au jour sont très influencées par l'architecture mexicaine et ressemblent à s'y méprendre à celles des Aztèques des XIVᵉ et XVᵉ siècles. C'est une architecture sévère, sans sculptures ornementales, très loin des styles exubérants du Yucatán, comme le style puuc d'Uxmal ou le style maya-toltèque de Chichén Itzá. Cependant, certains édifices étaient recouverts de stuc et étaient peints de couleurs vives.

Les fouilles archéologiques par une équipe française (de 1954 à 1967) étaient dirigées par Henri Lehmann, sous-directeur au Musée de l'Homme (Paris). Les informations que nous présentons ici proviennent de ses écrits.

Avant de visiter le site, marquez un arrêt à l'entrée où la maquette permet de s'orienter sur le site. Les quelque 120 structures, qui sont en fait des bases de temples, des autels, des jeux de balle et des plateformes, sont réunies en cinq groupes désignés par des lettres;

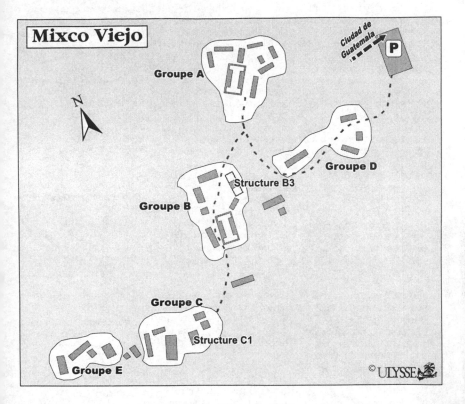

les plus intéressants sont les groupes A, B et C. Le premier ensemble après la maquette et les escaliers se présentent comme le groupe D.

D'ici vous pouvez voir au nord le groupe A, qui est à votre droite, et le groupe B, à l'ouest en face de vous. Des sentiers mènent aux deux groupes. Suivez celui qui mène au **groupe A**. Mixco Viejo possède deux jeux de balle, les deux en forme de *I* en contrebas. Le plus petit est situé du côté ouest du groupe A et est très bien restauré.

Revenez sur vos pas vers le sud et le **groupe B**, où l'on trouve une double pyramide (structure B-3). Celle-ci a une base commune, cinq étages ou gradins et un escalier bordé d'*alfardas* (rampes basses) sur le côté ouest.

Plusieurs plateformes et une autre base de pyramide font partie du groupe B, mais le plus intéressant est le jeu de balle. Lors des excavations, les archéologues ont trouvé un marqueur en pierre en très bonne condition. Un marqueur dans le jeu de balle de la Mésoamérique est un but, souvent un anneau que les joueurs devaient toucher avec une balle en caoutchouc sans l'aide des mains. Celui de Mixco Viejo représente une tête humaine dans la gueule ouverte d'un serpent. C'est une figure que l'on voit à Chichén Itzá et à Uxmal, au Yucatán. Les marqueurs qui sont inté-

grés au mur du jeu de balle sont des répliques de celui trouvé lors des fouilles. C'est la seule sculpture découverte ici.

Au sud et au sud-ouest, on retrouve le **groupe C**. La structure C-1, la plus importante du groupe, montre les trois étapes de sa construction, chaque nouvelle étape enterrant la précédente. C'est ainsi qu'on construisait partout en Mésoamérique. Le tremblement de terre de 1976 a détruit la restauration qu'avaient effectuée les archéologues français et guatémaltèques.

Un sentier mène au **groupe E**, où d'autres plateformes et des bases de temples ont été mises au jour. Vous pouvez revenir à l'entrée en empruntant un sentier en contrebas.

L'entrepôt qui sert de petit **musée** de site à Mixco Viejo peut être visité si vous demandez la permission. Le guide qui habite le site, soit Don Alphonso Girón, est aussi sculpteur et vend ses œuvres sur place, des répliques de pièces archéologiques.

Sur le chemin du retour vers la Ciudad de Guatemala, vous pouvez passer par la route de terre qui mène à **San Martín Jilotepeque ★** si le temps est sec seulement. Le presbytère du village renferme plusieurs sculptures précolombiennes. Les *huipiles* (blouses) sont d'un mauve typique. Un marché très pittoresque s'y tient le dimanche.

L'obsidienne récupérée dans plusieurs sites préhispaniques aussi éloignés que l'Altiplano mexicain et le golfe du Mexique provient de l'importante source située à San Martín Jilopeteque. Selon certains archéologues, plus de 25% des objets en obsidienne trouvés au site olmèque de La Venta provenaient de San Martín Jilopeteque.

Vers le nord-est

Situé plus à l'est, à 21 km au nord-est de la capitale, le village agricole de **San Pedro Ayampuc ★** est reconnu pour sa production de fèves blanches et noires. Il s'agit d'un village kaqchikel qui conserve ses coutumes ancestrales, ainsi que certaines cérémonies et rites religieux, tous pratiqués avec solennité. Peu de touristes se déplacent jusqu'à San Pedro Ayampuc.

Vers l'ouest

Mixco ★ fait partie de la banlieue ouest de la capitale. On s'y rend par l'Interaméricaine CA 1, qui mène à Santiago Sacatepéquez. La fondation de la municipalité de Mixco remonte au début de la colonie. En 1526, après un long siège, les conquistadors détruisirent la ville fortifiée des Poqomams. Aucunement intéressés à batailler de nouveau dans la montagne, sur un plateau quasi imprenable, les Espagnols et leurs alliés forcèrent les survivants à se déplacer à Mixco. Il faut noter que la localisation de l'ancienne forteresse poqomam est souvent confondue avec le site archéologique appelé Mixco Viejo (voir p 109).

Sur la route CA-1 (Interaméricaine) vers Chimaltenango, le village de **Santiago Sacatepéquez** ★★ doit sa notoriété à la célébration de la Toussaint, le 1er novembre. C'est la fête extraordinaire des cerfs-volants géants qu'on appelle *barriletes*. En plus des traditionnelles chandelles et de la nourriture laissées dans le cimetière communal, les hommes de Santiago font voler d'immenses *barriletes* multicolores faits de bambou ou roseau et de papier peint. La fabrication de ces cerfs-volants circulaires, de 3 m de diamètre et aux motifs élaborés, exige jusqu'à deux mois de travail minutieux. Les *barriletes* sont chargés de transmettre aux défunts un message d'affection, de dévotion et de réconfort.

Hébergement

La capitale offre une très grande variété de lieux d'hébergement allant du dortoir à 3$ aux luxueuses suites à 500$. La grande majorité des chambres pour petit budget sont situées dans la zone historique. Vous y trouverez des hôtels propres et peu chers, sans

salles de bain privées, mais sécuritaires. Il faut éviter la 18 Calle entre la 3a. Avenida et la 10a. Avenida.

Zone historique

Hotel Hernani
$
bp
angle 15 Calle et 6a. Avenida, Z.1
☎*232-2839*
Résolument d'allure ancienne, l'Hotel Hernani est un gîte simple et économique pour les voyageurs pas trop difficiles. Les chambres, propres et confortables, sont décorées sans fioritures.

Pensión Mesa
$
bc/bp
10a. Calle 10-17, Z.1
☎*232-3177*
Pour se retrouver dans les années soixante, on demeurera à la Pensión Mesa, lieu de retrouvailles pour les petits budgets. Ici, les voyageurs se rencontrent dans le patio central animé et ensoleillé tout au long de la journée, question de partager des renseignements sur les plus beaux coins du continent. Les chambres offrent un confort basique; certaines disposent d'une salle de bain privée.

Casa Lessing
$$
bc/bp
12 Calle 4-35, Z.1
☎*238-1881*
Située au centre-ville, la Casa Lessing propose de petites chambres très simples, propres mais décorées sans artifice.

L'accueil est agréable et empressé.

Hotel Belmont
$$
bp
9a. Avenida 16-38, Z.1
☎*238-3821*
L'Hotel Belmont se présente comme un des petits hôtels économiques de la capitale. Situé dans un secteur moins fréquenté par les voyageurs, plutôt bruyant, cet établissement propose néanmoins des chambres somme toute correctes offrant un confort basique.

Hotel Spring
$$
bc/bp, tv, ℜ
8a. Avenida 12-65, Z.1
☎*232-6637*
☎*220-3521*
≈*232-0107*
Situé au centre-ville, à quelques pas du Telgua et du Palacio de Correos, l'Hotel Spring (ou Primavera) offre un havre de paix et de sécurité. Les grandes chambres s'avèrent particulièrement prisées des groupes de trois ou quatre personnes voyageant ensemble. Il faut choisir celles qui donnent sur la cour intérieure et éviter celles qui donnent sur la rue.

Hotel Virrey
$$
7a. Avenida 15-46, Z.1
☎*232-8513*
En plein cœur du centreville, l'Hotel Virrey est bien situé. Confort basique. Choisissez les chambres des étages supérieurs.

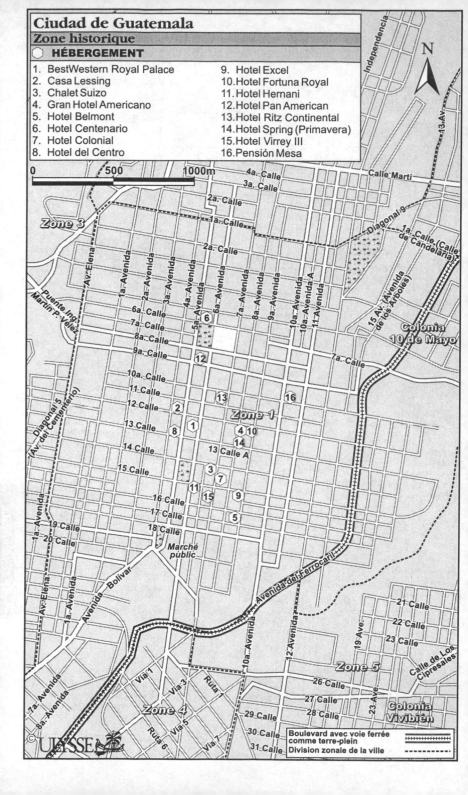

Bestwestern Royal Palace
$$$
bp, tvc, ≡, ☉
6a. Avenida 12-66, Z.1
☎*232-5125* à *28*
≈*238-3715*

La superbe architecture
d'inspiration coloniale du
Bestwestern Royal Palace
vaut à elle seule le dépla-
cement. En plein cœur
du centre-ville, cet établis-
sement propose des
chambres modernes et
confortables avec une
touche coloniale particu-
lière. Certaines d'entre
elles sont malheureuse-
ment quelque peu bru-
yantes, mais disposent
d'un balcon. Service
impeccable.

Chalet Suizo
$$$
bp
14 Calle 6-82, Z.1
☎*251-3786*
≈*232-0429*

Un classique, le Chalet
Suizo présente un bon
rapport qualité/prix. Situé
à coté du poste central de
la police, l'hôtel est sécuritaire, propre, bien organisé, et le service est
courtois. Les chambres
qui font face au patio
sont lumineuses et tran-
quilles. On peut y laisser
ses bagages.

Gran Hotel Americano
$$$
bp, tv, S
8a. Avenida 12-11, Z.1

Situé près du Telgua et
du Palacio de Correos, le
Gran Hotel Americano
loge dans un édifice en
hauteur et est propre et
confortable.

Hotel Colonial
$$$
bp, tvc
7a. Avenida 14-19, Z.1
☎*232-2955*
☎*232-6722*
colonial@infovia.com.gt

L'Hotel Colonial porte
bien son nom puisqu'il
loge dans une maison au
style de cette époque de
l'histoire guatémaltèque.
L'établissement dispose
d'un patio agréable domi-
né par une fontaine. Les
chambres, sans fioritures,
proposent un confort
adéquat bien qu'elles
soient humides. Central.

Hotel Centenario
$$$
bp, tvc
6a. Calle 5-33, Z.1
☎*238-0381 ou 238-2039*

Bien que l'Hotel Centena-
rio résolument de
charme, il a cependant
l'avantage de se trouver
en plein sur le Parque
Central. Service correct,
sans plus.

Hotel del Centro
$$$
bp, tvc, ℜ
13 Calle 4-55, Z.1
☎*238-1281 ou 230-6116*
≈*230 0208*

L'Hotel del Centro pro-
pose un confort respec-
table et a maintenu sa
réputation depuis des
décennies. Les chambres,
spacieuses, disposent de
grandes salles de bain
privées, somme toute
assez modernes. L'am-
biance, agréable, est as-
surée par la terrasse extérieure perchée sur le toit
de l'établissement.

Hotel Excel
$$$
bp, tv, ℜ, S
9a. Avenida 15-12, Z.1
☎*253-2709*
≈*238-4071*

L'Hotel Excel est une
construction récente de
type motel se trouvant
dans le centre-ville. Cet
hôtel de quatre étages a
l'avantage d'avoir une
cour intérieure sécuritaire
où l'on peut stationner sa
voiture.

Hotel Fortuna Royal
$$$
bp, tv, ☎, ℜ
12 Calle 8-42, Z.1
☎*230-3378 ou 238-2445*
≈*251-2215*
hotelroyal@telcom.net

Le hall de l'Hotel Fortuna
Royal est accueillant et
décoré avec élégance; ses
planchers sont en marbre
et les murs, en plaqué.
Les chambres sont im-
menses, et la réception,
accueillante et professionnelle, est digne des plus
grandes chaînes.

Hotel Pan American
$$$
bp, tv, ☎, ℜ, S
9a. Calle 5-63, Z.1
☎*251-8713 ou 232-6807*
≈*232-6402*
panahomta.infovia.com.gt

Situé dans le centre histo-
rique à un pâté de mai-
sons du Parque Central,
l'Hotel Pan American est
sans l'ombre d'un doute
le grand classique de la
capitale. Cette petite mer-
veille est appréciée sur-
tout pour son ambiance
détendue, ses décors
recherchés et une cour
intérieure toiturée. Les
chambres récemment
rénovées sont grandes,

La Ciudad de Guatemala

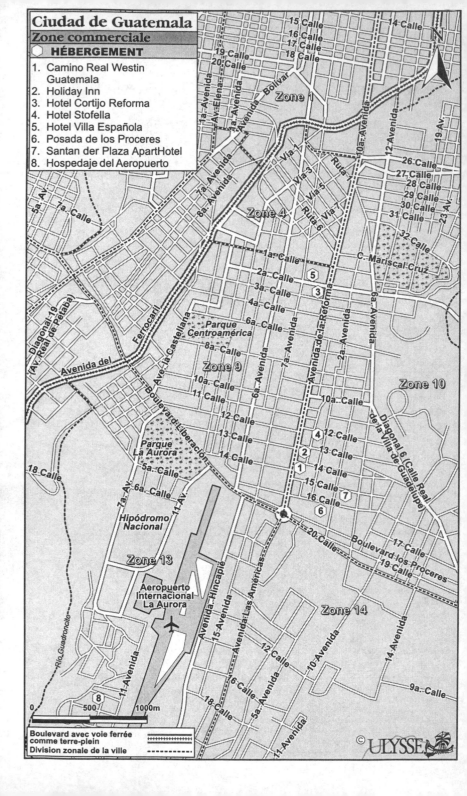

Ciudad de Guatemala
Zone commerciale

◇ HÉBERGEMENT

1. Camino Real Westin Guatemala
2. Holiday Inn
3. Hotel Cortijo Reforma
4. Hotel Stofella
5. Hotel Villa Española
6. Posada de los Proceres
7. Santan der Plaza ApartHotel
8. Hospedaje del Aeropuerto

N

15 Calle
16 Calle
17 Calle
18 Calle

19 Calle
20 Calle

Zone 1

26 Calle
27 Calle
28 Calle
29 Calle
30 Calle
31 Calle
32 Calle

Via 1
Via 3
Via 5
Ruta 1
Ruta 6
Via 7

Zone 4

C. Mariscal Cruz

1a Calle
2a Calle
3a Calle
4a Calle
6a Calle
8a Calle

Parque Centroamérica

Zone 9

10a Calle
11 Calle
12 Calle
13 Calle
14 Calle

Zone 10

10a Calle
12 Calle
13 Calle
14 Calle
15 Calle
16 Calle

Parque La Aurora

5a Calle
6a Calle

17 Calle
19 Calle

18 Calle

Hipódromo Nacional

Zone 13

Aeropuerto Internacional La Aurora

Boulevard los Proceres

Zone 14

12 Calle
10 Avenida
14 Avenida

6a Calle
5a Avenida
18 Calle
11 Avenida

9a Calle

0   500   1000m

Boulevard avec voie ferrée comme terre-plein +++++++++
Division zonale de la ville - - - - - -

© ULYSSE

confortables, propres et décorées avec goût.

Une grande partie de son personnel porte des habits de tradition maya. Pour les curieux, ne ratez pas l'occasion de visiter cet hôtel et son restaurant, tapissé de peintures d'époque illustrant la Conquête espagnole et logeant dans de grands salons contigu au hall d'entrée.

Hotel Ritz Continental
$$$ pdj
bp, ℜ, ≈ , tvc
6a. Avenida 10-13, Z.1
☎*238-1871* à *75*
⇰*238-1527*
botritz@guate.net
L'Hotel Ritz Continental s'avère plutôt vieillot et mal entretenu si l'on tient compte de l'image de marque de cette chaîne. Situé dans un secteur bruyant du centre-ville, il ne conviendra qu'à ceux qui désirent se rendre à pied au Parque Central. Autrement, d'autres établissements dans cette catégorie de prix offrent un bien meilleur rapport qualité/prix.

Zone commerciale

Camino Real Westin Guatemala
$$$
bp, ℜ, S, ≈ , ≡, ☉
Angle Avenida de la Reforma et 14 Calle. Z.10
☎*333 4633*
⇰*337 4313*
caminor@guate.net
Comptant parmi les meilleurs établissements hôteliers de la capitale, le Camino Real Westin Guatemala se démarque

de ses concurrents du fait qu'il fasse constamment l'objet de rénovations pour satisfaire les moindres exigences de la clientèle fidèle qu'il a acquise au fil des ans.

Les chambres, spacieuses et modernes, ont généralement deux lits doubles. Les chambres aux étages supérieurs offrent d'excellents points de vue sur la grande Avenida de la Reforma, une des artères principales de la capitale.

Holiday Inn
$$$
bp, tvc, ☉, S, ≡
1a. Avenida 13-2, Z.10
☎*332-2570*
USA ☎*800–HOLIDAY*
⇰*332-2584*
Les Nords-Américains qui connaissent bien cette chaîne d'hôtels se rendront au Holiday Inn pour un séjour sans souci, situé en plein cœur de la Zona Viva. Vous pourrez vous rendre à pied à de nombreux restaurants et cafés-terrasses du coin en toute sécurité. Toutes les chambres disposent de deux lits doubles. Service courtois.

Hospedaje del Aeropuerto
$$$ pdj
Calle A 7-32, Z.13
☎*332-3086*
Situé tout près de l'aéroport, l'Hospedaje del Aeropuerto est une véritable perle pour les voyageurs. Les sympathiques proprios de cette humble maison de banlieue trouvent toujours le tour pour rendre votre séjour agréable. Ils proposent à leur clientèle un transfert en voiture

vers l'aéroport ou vers les différents points de départ des autocars se dirigeant vers les autres villes du pays.

Les chambres, au confort basique mais propres, conviennent parfaitement compte tenu des aspects pratiques de l'établissement. Comme plusieurs, vous choisirez d'avoir l'esprit tranquille en évitant de vous engouffrer en plein centre-ville dès votre arrivée au pays.

Hotel Villa Española
$$$
bp, tvc, S, ℜ
2a. Calle 7-51, Z. 9
☎*339-0187 ou 331-7417*
⇰*332-2515*
Logeant dans une maison de style méditerranéen, l'Hotel Villa Española propose somme toute un confort adéquat et un rapport qualité/prix convenable. Les chambres, assez spacieuses, s'avèrent propres bien qu'elles mériteraient certaines rénovations pour les mettre au goût du jour.

Hotel Cortijo Reforma
$$$
bp, tvc, ℜ, S
Avenida de la Reforma 2-18, Z.9
☎*332-0712*
⇰*331-8876*
L'Hotel Cortijo Reforma perd peu à peu ses plumes. Cet établissement, qui fut longtemps un symbole de la capitale, est aujourd'hui un peu en désuétude. Les chambres sont toutefois confortables et spacieuses. Choisissez celles se trouvant aux étages supérieurs pour profiter d'excellents points de vue sur la ville.

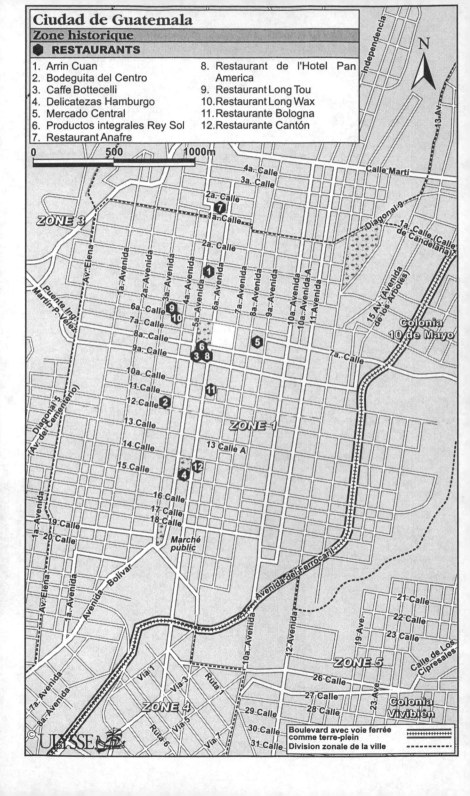

Posada de los Proceres

$$$
bp, ≡, tvc
16 Calle 2-40, Z.10
☎*363-0744*
☎*363-0746*
posadazv@gua.net

Sans aucun doute un des établissements de la Zona Viva offrant le meilleur rapport qualité/prix, la Posada de los Proceres est une valeur sûre. Moderne et confortable, ce petit hôtel tout neuf propose de grandes chambres avec toutes les commodités pour un séjour agréable. Le service est courtois et sans tache. Un petit bijou en plein coeur de la Zona Viva.

Santander Plaza Apart-Hotel

$$$ pdj
bp, tvc, ℝ , ⊙ , *S* , ℂ
15 Calle 3-52, Zona 10
☎*3337362*
☎*3335433*
⇰*3337363*

Toujours dans la Zona Viva, le Santander Plaza Apart-Hotel plaira aux gens d'affaires ou aux familles qui ont l'intention de demeurer quelque temps dans la capitale. Ces petits appartements disposent d'un four à micro-ondes et de séchoirs à cheveux. Toutes les chambres disposent de deux lits doubles et d'un sofa-lit. Il y a différents types d'appartements et des tarifs au mois et à la semaine. De plus, vous y trouverez un gymnase à l'étage.

Stofella

$$$
pdj, bp, tvc
2a. Avenida 12-28, Z.10
☎*3391878*
⇰*3310823*

Moderne et décoré avec goût, l'hôtel Stofella se trouve dans une partie animée de la Zona Viva. Avec ses 28 chambres, cet établissement combine le confort des grands hôtels avec un service plus personnalisé. Les chambres disposent de toutes les commodités.

Restaurants

Zone historique

Arrin Cuan

5a. Avenida 3-27, Z.1
☎*238-0784*
☎*238-0242*
⇰*232-8676*

En plein coeur de la Zona 1, ne manquez surtout pas le restaurant Arrin Cuan si vous avez un palais aventurier. Cet établissement propose un menu typique de la région de Cobán, entre autres le *kak-ik*, une soupe-repas de piments forts et de foie de boeuf accompagnée de *tamales* et de riz. On sert aussi de la soupe à la tortue ou au *tepez cuintle*, un animal sauvage de la même famille que l'*armadillo*. Les plats sont agréablement présentés.

Le restaurant loge dans une maison coloniale et toutes les tables sont disposées dans une cour intérieure des plus agréables avec sa fontaine rafraîchissante. Très populaire auprès de la population locale. Excellent service.

Delicatezas Hamburgo

$
15 Calle 5-34, Z.1

Du côté sud du Parque Central se trouve le petit mais très couru Delicatezas Hamburgo. On y propose du poulet, des spaghettis, des sandwichs et de bonnes frites.

Mercado

$
5a. Avenida, angle 14 Calle, Z.1

Vous trouverez les repas les plus économiques au Mercado du Parque Central, où s'étale une suite de petits kiosques de restauration typique du pays. On y propose généralement un menu du jour et des plats à la carte. Ambiance de marché typique et colorée.

Productos Integrales Rey Sol

$
8 Calle 5-36, Z.1

Les végétariens seront comblés lorsqu'ils trouveront le *comedor* de Productos Integrales Rey Sol, situé tout près du Parque Central. Le menu du jour *(10Q)* propose un plat principal variant selon la saison. Bon endroit pour les fruits et les jus de fruits.

Caffe Bottecelli

$$
9a. Calle 5-63, Z.1
☎*232-6807*

Le Caffe Bottecelli, situé à l'entrée de l'hôtel Pan American propose d'authentiques pâtes à

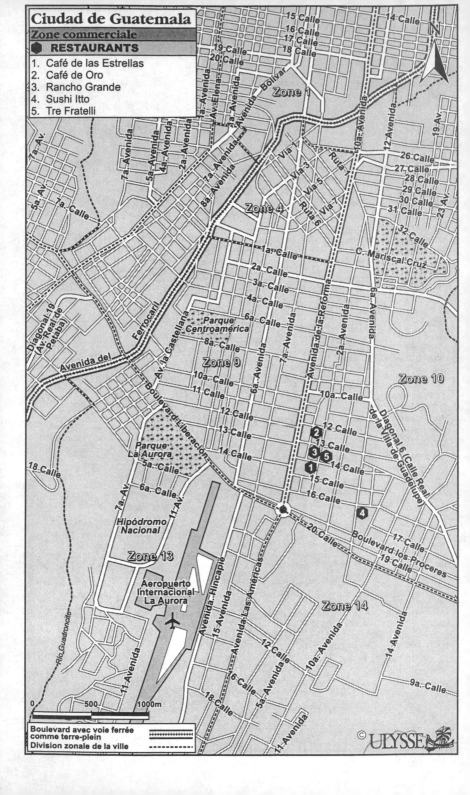

l'italienne et des pizzas bien garnies.

Restaurant Long Tou
$-$$
11h à 23h30
6a. Calle 3-49, Z.1
☎238-4770
Situé dans «la ville chinoise» (entre 5a. Calle et 6a. Calle, à l'ouest du Parque Central), le Restaurant Long Tou, est probablement l'établissement le plus fréquenté par la communauté chinoise. Les immenses portions peuvent facilement satisfaire l'appétit de deux personnes.

Restaurant Long Wax
$-$$
11h à 22h
6a. Calle 3-70, Z.1
☎232-6611
Si le Long Tou est fermé, essayez le Restaurant Long Wax, situé de l'autre côté de la rue. Celui-ci est honorable et se distingue des autres restaurants de la «ville chinoise» par son aire ouverte sur la rue.

Restaurant Anafre
$$
lun-sam 12h à 15h et 18h à 22h
1a. Calle 5-11, Z.2
☎232-1787
Situé dans un quartier en rénovation, le Restaurant Anafre loge dans une grande maison coloniale récemment rénovée. Les propriétaires guatémaltèques de souche grecque proposent un menu original et un service efficace dans un décor recherché. On sert les viandes sur l'*anafre*, une plaque de métal sur laquelle elles sont cuites. On parle le grec et l'anglais.

Restaurante Bologna
$$
10a. Calle 6-20, Z.1
☎251-1167
Pour la cuisine italienne relativement bon marché, choisissez le Restaurante Bologna. Les pâtes et la pizza sont particulièrement savoureuses. Laissez cependant de côté les viandes. Établissement petit mais avec du caractère.

Restaurante Canton
$$
6a. Avenida 14-29, Z.1
Pour la cuisine chinoise, rendez-vous au Restaurante Canton. On y propose quelques plats typiques à base de riz et accompagnés de crevettes, de poulet ou de boeuf. Les soupes sont servies en portions plus que généreuses.

Hotel Pan American
$$-$$$
9a. Calle 5-63, Z.1
☎251 8713, 15, 19
Dans la Zona 1, en plein coeur du vieux centreville, le restaurant de l'Hotel Pan American mérite qu'on s'y arrête pour la cuisine traditionnelle guatémaltèque et pour l'ambiance créée par les serveurs portant de superbes habits traditionnels.

Zone commerciale

Café de las Estrellas
$$
14 Calle 1-34, Z.10
☎333-4633, poste *6216*
Le petit restaurant de restauration rapide qu'est le Café de las Estrellas se distingue par l'ambiance créée par de multiples

affiches et souvenirs de la culture pop et rock. La nourriture est correcte, mais sans plus, et à base de hamburgers et de pizzas.

Oh Madrid!
$$-$$$
Calle 13 3-43, Z.10
La cuisine espagnole peut être dégustée au chic restaurant Oh Madrid!, un des derniers- nés des restaurants de la Zona Viva. Ce sympathique établissement aux couleurs de l'Espagne propose une ambiance chaleureuse et une excelente paella aux fruits de mer.

Rancho Grande
$$-$$$
2. Avenida 13-40, Z.10
☎333-5945
Pour les *tacos* mexicains, rendez-vous au Rancho Grande, qui se situe directement en face du Tre Fratelli (voir ci-dessous). On y propose une grande variété de *tacos*, tout aussi délicieux les uns que les autres; aussi opterez-vous pour El Plato Rancho Grande, qui permet de goûter à tous les *tacos* dans un même plat, soit au poulet, au boeuf, au porc et au chorizo, un saucisson espagnol.

Si vous vous sentez d'attaque pour une grillade mémorable, demandez la Grande Parillada, une sélection de multiples viandes assaisonnées à la mexicaine et grillées sur un feu de bois.

Sushi Itto
$$-$$$
4a. Avenida 16-01, Z.10
☎*368-0181*
La Zona Viva (Z.10) ne serait pas la même sans le très branché restaurant Sushi Itto. Cet excellent restaurant propose une grande variété de *sushis*. Plats de riz ou de pâtes, aux fruits de mer, au boeuf, au poulet ou aux légumes. Très moderne, l'établissement dispose d'une grande terrasse extérieure. Populaire à toute heure du jour.

Tre Fratelli
$$-$$$
2a. Avenida 13-25, Z.10
☎*366-2678*
☎*366-3168*
Le très populaire Tre Fratelli se spécialise dans la cuisine italienne avec des influences provenant de la Californie. Les hôtes, nombreux à l'heure du déjeuner, envahissent la grande terrasse pour se régaler d'excellentes pâtes.

Entre autres, essayez le *linguini alla venezia,* dont la sauce blanche baigne dans les crevettes, les calmars, l'ail, le citron et l'huile d'olive. Les pizzas s'avèrent aussi plutôt réussies et plus économiques. Ce n'est pas le cas des viandes, qui ne constituent définitivement pas l'apanage de la maison. Excellente ambiance.

Sorties

Bars et discothèques

Café de Oro
1a. Avenida,
entre Calle 12 et 13, Z.10
La Zona Viva regorge de petits cafés-terrasses somme toute agréables, mais qui ne se distinguent que très peu les uns des autres. Par contre, véritable classique du coin, le Café de Oro propose une ambiance de musique rock et alternative. Il s'agit d'un point de rencontre couru par les artistes guatémaltèques de tous les domaines.

Jaguar Disco
Camino Real Westin
Guatemala
Avenida de la Reforma et 14 Calle, Z.10
☎*333 4633*
La discothèque Jaguar Disco du Camino Real Westin Guatemala (voir p 117) propose une excellente ambiance pour tous les âges. Bon endroit pour se déhancher aux rythmes latins, pop et rock!

Bodeguita del Centro
12 Calle 3-55, Z.1
☎*230-2976*
Dans la Zona 1, rendez-vous sans faute à la Bodeguita del Centro, un cabaret incontournable. Tous les soirs, on y présente des duos de *trova,* un style musical provenant de Cuba et popularisé dans toute l'Amérique latine grâce à Sylvio

Rodríguez et Pablo Milanés.

Cinémas

Les cinémas de la métropole

América
17 Calle 3-52, Z.1
☎*232-7340*

Aries
9a. Calle 4-14, Z.1
☎*232-1302*

Cali
11 Avenida 15-72, Z.11
☎*232-5305*

Capitol 1, 2, 3, 4, 5, et 6
6a. Avenida 12-51, Z.1
☎*253-5634*

Capitol Royal
6a. Avenida 12-51, Z.1
☎*251-8733*

Capri
8a. Calle 3-52, Z.1
☎*232-2939*

Colón
12 Avenid 5-74 Z.1
☎*232-5135*

España
Av. de la Reforma 8-60, Z.9
☎*331-1251*

Las Américas 1 et 2
Av. Las Américas 7-20, Z.13
☎*331-9654*

Latino
26 Calle 13-50, Z.5
☎*232-6397*

Lido
11 Calle 7-19, Z.1
☎*232-0826*

Lux 1, 2, 3 et 4
6a. Avenida 11-02, Z.1
☎232-7126

Magic Place 1, 2, 3, 4, 5, 6 et 7

Av. Las Américas 16-76, Z.13
☎362-4323

Montserrat I
Calzada San Juan 14-19 Z.4 , Mixco
☎591-1459

Olimpia
15 Avenida 27-10, Z.5
☎331-7734

Palace
6a. Avenida 12-34, Z.1
☎232-8716

Plaza
7a. Avenida 6-26, Z.9
☎331-4827

Plaza Florida
☎53-1981

Calada San Juan
1-83, Z.7, Mixco

Pradera 1, 2, 3 et 4
☎232-1302
Boulevard los Próceres Final, Z.10

Prisa 1 et 2
☎366-8629
Boulevard los Próceres, Z.10

Próceres 1, 2, 3, 4 et 5
Centro Comercial los Próceres,
Boul. los Próceres, Z.10

Reforma
angle Calle Mariscal Cruz et Av. de
la Reforma , Z.10
☎334-1570

Tauro
9a. Calle 4-14, Z.1
☎232-1302

Tikal
6a. Avenida 13-50, Z.1
☎232-2416

Tikal Futura 1, 2, 3, 4, 5 et 6
Calzada Roosevelt et 21 Avenida,
Centro Comercial Tikal Futura, Z.11
☎440-2830

Trébol
Calzada Roosevelt 3-37, Z.11
☎471-8257

Tropical
Avenida Bolívar 31-67, Z.8
☎471-8161

Fêtes patronales

Janvier

Entre le 20 et le 25 janvier, **San Raymundo** commémore son saint patron, **San Raymundo de Peñafort**, dont la fête est le 23 janvier. Les célébrations comprennent les danses du Venanos, du Toritos, Diablos, La Conquista, Costeños, Moros, Los 12 Pares de Francia, Convite et du Fieros. Le dernier dimanche de janvier, le *municipio* de **Mixco** célèbre le Señor de Morenos avec la danse des Moros.

Février

Du 1er au 4 février, **Fraijanes** célèbre le Sagrado Corazón (Sacré-Cœur) par des événements sociaux, culturels et sportifs.

Mars

Entre le 16 et le 20 mars, **San José Del Golfo** et **San José Pinula** célèbrent la fête de leur saint patron le 19 mars. À San José Pinula, les festivités comprennent une corrida et une exposition d'artisanat. C'est avec des événements culturels et sportifs que Villa Canales célèbre le Señor de la Agonía le 25 mars.

Le premier vendredi du carême est commémoré dans le village de **San Pedro Ayampuc**.

Avril

Du 26 au 30 avril, le village de **Palencia** célèbre San Benito de Palermo.

Mai

Du 1er au 7 mai, **Amatitlán** célèbre les fêtes de Santa Cruz et du Niño de Atocha. Le jour principal est le 3 mai.

Juin

La Saint-Jean-Baptiste est célébrée à plusieurs endroits au Guatemala. Il faut savoir que, durant l'époque coloniale, cette fête était célébrée le même jour que les tributaires devaient payer leur dûs à la Couronne et que peut-être la Saint-Jean n'est pas que de bons souvenirs. Les festivités à **San Juan Sacatepéquez** durent du 22 au 27 juin. Le 29 juin, la Saint-Pierre est aussi très répandue. À

La Ciudad de Guatemala

Chuarrancho et à **San Pedro Sacatepéquez**, les célébrations durent du 28 au 30 juin.

Août

Mixco célèbre, le 4 août, la Santo Domingo de Guzmán. Le 15 août, la **Ciudad de Guatemala** célèbre sa sainte patronne, la Virgen de la Asunción. Les festivités débutent le 14 et se terminent le 16. C'est dans l'ancien quartier populaire du Barrio de Jocotenango et à l'Hipódromo del Norte (zone 2) qu'ont lieu les célébrations.

Septembre

San Miguel Petapa célèbre la San Miguel Arcángel le 29 septembre avec des danses folkloriques et des activités sportives et culturelles.

Novembre

Du 20 au 28 novembre, la ville de **Santa Catarina Pinula** célèbre Santa Catarina de Alejandría et le jour principal est le 25.

Décembre

Le 6 décembre, l'ancienne ville de **Chinautla** fête en l'honneur du Niño de Atocha. Le 8 décembre, **Villa Nueva** célèbre la Virgen de Concepción.

Achats

Peut-être plus que partout ailleurs dans l'hémisphère Nord, une des activités principales des visiteurs au Guatemala est le magasinage d'artisanat. Les ouvrages de tissage faits à la main, la poterie, l'argenterie, les masques, la sculpture sur bois, les meubles, la bijouterie et les ustensiles utilitaires sont tous disponibles à de très bon prix.

La décision majeure pour l'acheteur demeure toujours l'endroit où acheter : dans un marché public ou dans une boutique? Les boutiques des grandes villes comme la Ciudad de Guatemala proposent des marchandises maintes fois examinées par la loupe d'acheteurs aguerris. D'autre part, les marchés publics offrent une marchandise à des prix qu'on ne pourrait retrouver ailleurs au monde.

Mercado Central
angle 6a. Calle et 8a. Avenida, Z.1

Mercado de Artesanias
6a. Calle 10-95, Z.13
☎*472-0208*
Dans la capitale, plusieurs centres ou boutiques vendent l'artisanat du pays. Les deux grands marchés publics où l'on trouve un bon échantillon de l'artisanat guatémaltèque sont le Mercado Central, situé derrière la cathédrale, et le Mercado de Artesanias, situé près des musées nationaux

dans le quartier de La Aurora.

Artesanía Maya
Paseo del Pueblito, 13 Calle 0-43, Z.10
Dans le local L-18, Jorge Mario Chalí Sgrech, originaire de Comalapa, administre une coopérative d'artisans de plusieurs régions du Guatemala.

Si vous ne voulez pas vous rendre dans les marchés publics, voici les principaux magasins où l'on vend de l'artisanat du pays.

La Casa Verde
16 Calle 6-13, Z.10

Colección 21
15 Calle 2-64, Z.10

El Portón
Diagonal 6 13-63, Z.10

Lin Canola
5a. Calle 9-60, Z.1
☎*253-0138*

San Remo
14 Calle 7-60, Z.9

Les principaux centres commerciaux de la capitale

Centro Comercial Megacentro
Calzada Roosevelt, Z.7
☎*747-2535*

Centro Comercial El Uno
Avenida Las Américas 6-78, Z.13 ☎*331-4526*

Centro Comercial La Cupula
7a. Avenida 13-01, Z.9
☎*332-2690*

Centro Comercial Tikal Futura
Calzada Roosevelt 22-43, Z.11
☎*440-4030*

Antigua Guatemala

Au cœur de la vallée de Panchoy, où coulent deux petites rivières et qui s'entoure de collines et des volcans Fuego, Acatenango et Agua, Antigua Guatemala vous apparaîtra comme un joyau de l'urbanisme et de l'architecture coloniale.

Capitainerie générale de 1543 à 1773, l'ancienne capitale du royaume du Guatemala qu'on appelait alors, Santiago de los Caballeros, fut l'incomparable métropole religieuse et culturelle de toute l'Amérique centrale. Siège du pouvoir royal, religieux et civil pendant l'époque coloniale, l'Antigua actuelle renferme les plus belles ruines de palais, églises et monastères du Guatemala. Sa richesse architecturale témoigne du rôle déterminant que la ville a joué pendant plus de deux siècles.

Après la mort de Pedro de Alvarado, la couronne d'Espagne crée la Capitainerie générale du Guatemala, qu'elle établit à Santiago de los Caballeros en 1542. Afin de contrebalancer ce nouveau pouvoir, Carlos III crée, l'année suivante, l'Audience des Confins, une institution à la fois législative et judiciaire. Ces institutions administrent un territoire qui englobe toute l'Amérique centrale jusqu'au Costa Rica, le Yucatán inclus. Centre du pouvoir des Criollos, ces Guatémaltèques blancs de souche espagnole, l'*ayuntamiento* (la mairie) prend place elle aussi dans la capitale.

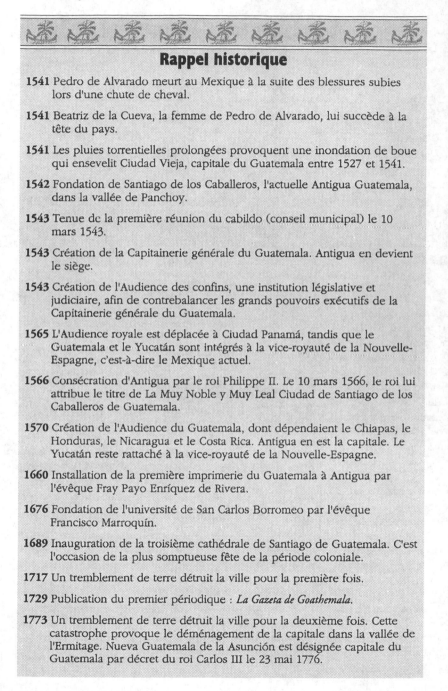

Rappel historique

1541 Pedro de Alvarado meurt au Mexique à la suite des blessures subies lors d'une chute de cheval.

1541 Beatriz de la Cueva, la femme de Pedro de Alvarado, lui succède à la tête du pays.

1541 Les pluies torrentielles prolongées provoquent une inondation de boue qui ensevelit Ciudad Vieja, capitale du Guatemala entre 1527 et 1541.

1542 Fondation de Santiago de los Caballeros, l'actuelle Antigua Guatemala, dans la vallée de Panchoy.

1543 Tenue de la première réunion du cabildo (conseil municipal) le 10 mars 1543.

1543 Création de la Capitainerie générale du Guatemala. Antigua en devient le siège.

1543 Création de l'Audience des confins, une institution législative et judiciaire, afin de contrebalancer les grands pouvoirs exécutifs de la Capitainerie générale du Guatemala.

1565 L'Audience royale est déplacée à Ciudad Panamá, tandis que le Guatemala et le Yucatán sont intégrés à la vice-royauté de la Nouvelle-Espagne, c'est-à-dire le Mexique actuel.

1566 Consécration d'Antigua par le roi Philippe II. Le 10 mars 1566, le roi lui attribue le titre de La Muy Noble y Muy Leal Ciudad de Santiago de los Caballeros de Guatemala.

1570 Création de l'Audience du Guatemala, dont dépendaient le Chiapas, le Honduras, le Nicaragua et le Costa Rica. Antigua en est la capitale. Le Yucatán reste rattaché à la vice-royauté de la Nouvelle-Espagne.

1660 Installation de la première imprimerie du Guatemala à Antigua par l'évêque Fray Payo Enríquez de Rivera.

1676 Fondation de l'université de San Carlos Borromeo par l'évêque Francisco Marroquín.

1689 Inauguration de la troisième cathédrale de Santiago de Guatemala. C'est l'occasion de la plus somptueuse fête de la période coloniale.

1717 Un tremblement de terre détruit la ville pour la première fois.

1729 Publication du premier périodique : *La Gazeta de Goathemala*.

1773 Un tremblement de terre détruit la ville pour la deuxième fois. Cette catastrophe provoque le déménagement de la capitale dans la vallée de l'Ermitage. Nueva Guatemala de la Asunción est désignée capitale du Guatemala par décret du roi Carlos III le 23 mai 1776.

1775 Interdit de toute réparation ou reconstruction dans la ville d'Antigua.

1777 Décret ordonnant le transfert de tous les équipements publics vers la Ciudad de Guatemala. Ce même décret ordonne la destruction de la ville d'Antigua avant le mois de mars 1778.

1777 En fin d'année, l'université San Carlos et le gouvernement municipal quittent la ville. Ces départs signent la mort officielle d'Antigua. Néanmoins, plusieurs personnes, surtout les pauvres, n'ayant rien à perdre, ne quittent pas. La ville continue d'exister, sans gouvernement municipal.

1799 Santiago de los Caballeros perd son nom et devient officiellement La Antigua Guatemala (L'ancienne Guatemala).

1944 Le 30 mars, l'Assemblée législative du Guatemala déclare Antigua "monument national". L'événement enclenche un processus de sauvetage et de conservation des monuments coloniaux.

1948 Le 12 octobre, le Congrès de la république du Guatemala proclame la ville d'Antigua *Ciudad Emérita*.

1958 Antigua est désignée capitale de la république du Guatemala pour 24 heures.

1965 L'assemblée générale de l'Institut panaméricain de géographie et d'histoire déclare la ville «Monument des Amériques».

1969 Le 28 octobre, le Congrès de la république du Guatemala décrète la Loi sur la protection de la ville d'Antigua.

1979 L'Unesco proclame Antigua "ville du Patrimoine culturel de l'humanité".

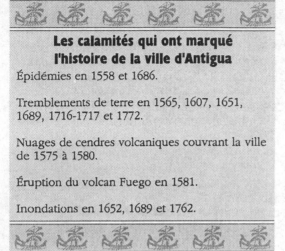

**Les calamités qui ont marqué
l'histoire de la ville d'Antigua**

Épidémies en 1558 et 1686.

Tremblements de terre en 1565, 1607, 1651, 1689, 1716-1717 et 1772.

Nuages de cendres volcaniques couvrant la ville de 1575 à 1580.

Éruption du volcan Fuego en 1581.

Inondations en 1652, 1689 et 1762.

Les vestiges que l'on peut voir aujourd'hui datent de cette époque coloniale, confiante dans l'avenir, riche et conquérante, luxueuse dans son modernisme et passionnée dans ses arts. L'évolution architecturale de la vieille ville ne se comprend qu'en fonction des tremblements de terre et des éruptions volcaniques qui l'ont secouée périodiquement.

Faut-il rappeler le rôle déterminant que l'épiscopat jouait dans la vie politique, économique, sociale et culturelle de la colonie? L'évangélisation des nouveaux sujets du roi n'a-t-elle pas été le leitmotiv de la Conquête? D'aucuns pourraient remettre en question le premier objectif des clercs, les considérant plutôt comme le cheval de Troie des Conquistadores.

Le pouvoir religieux est omniprésent dans ce nouveau centre de décision. De nombreux ordres religieux administraient les monastères, les collèges, les hôpitaux, les cloîtres et les couvents de la capitale. Ces assises légitimaient le pouvoir ecclésiastique qui rayonnait sur toute la colonie et justifiaient leur mainmise sur la formation de l'élite. La fondation de l'université de San Carlos en 1676, soit la troisième charte papale du continent après celle de México et de Lima au Pérou, confirme cette ascendance du clergé. En 1773, les différentes communautés religieuses, autant masculines que féminines, disposaient de 38 monastères et couvents, de 15 chapelles et oratoires, et de plusieurs ermitages. À cette date, la population se chiffrait à 60 000 citadins ainsi qu'à 30 000 habitants dans les villages environnants.

Compte tenu des nombreux séismes, il est très difficile aujourd'hui d'établir une chronologie exacte des constructions, destructions et reconstructions des différentes structures qui sont toujours visibles. Malgré cette difficulté, certains historiens de l'art peuvent distinguer différentes périodes de construction.

La vallée de Panchoy était tout indiqué pour la construction de la nouvelle capitale; deux rivières l'alimentent et facilitent sa défense. La proximité des routes déjà construites par les Mayas avant l'arrivée des Espagnols, et qui traversent le piedmont et la plaine côtière prédispose la communication et les échanges avec le Mexique.

C'est à l'ingénieur italien Juan Batista Antonelli que revient la charge de dessiner le tracé en damier de la nouvelle capitale. Pour la première fois dans l'histoire de l'Amérique, un ingénieur doit planifier dès sa conception une ville qui devra comprendre 5 000 habitants.

La répartition de l'espace, autour d'une grande place, sera déterminée par le statut social de l'occupant. Tout autour du centre, les institutions politiques et religieuses; à proximité, les Espagnols nobles et leurs descendants; plus loin, les commerçants et les artisans; plus loin encore, les serviteurs, les travailleurs des maîtres espagnols et les Métis (Espagnols- Indiens); puis les Mulâtres (Espagnols-Noirs), les Noirs (libres ou esclaves), les Zambos (Indiens Noirs) et, tout au loin, les premiers habitants du pays, les Indiens.

Les premiers bâtiments sont construits en adobe, c'est-à-dire en pierres brutes liées par une mixture de terre et de chaux; les toits à deux pentes sont en chaume, la paille du pays, qui sera

Le métissage au Guatemala

Dès le début de la conquête, différentes formes de métissage indiquent pour les générations futures la composition multiraciale du Guatemala. En effet, la première naissance connue fut celle d'une fille issue de l'union du conquérant Pedro de Alvarado et de sa concubine mexicaine née à Tlaxcala, au Mexique. Les naissances qui suivirent n'ont pas été enregistrées, mais elles existent, et seul le nombre est discutable car aucun des conquérants n'avait amené de femme espagnole avec lui. Il est fort probable que le métissage suit d'une manière parallèle la conquête.

L'arrivée au Guatemala des premières Espagnoles en 1539, soit 15 ans après la première naissance, coïncide avec la consécration royale d'Alvarado comme gouverneur du pays. Ce dernier ramène avec lui sa nouvelle épouse, Beatriz de la Cueva, et 20 dames de compagnie, dont 7 sont les servantes de celle qui gouvernera la colonie pendant quelques jours après la mort de son mari.

Quatre années plus tard, en 1543, quelques Espagnoles du port de Sanlúcar de Barrameda viendront gonfler la présence féminine à Santiago de los Caballeros. La pénurie d'Espagnoles poussa les hommes à rechercher les femmes indigènes et cette recherche ne fut pas toujours pacifique.

rapidement remplacée par la tuile. Le tremblement de terre de 1651 marque le début d'une nouvelle période de construction; on bâtit couvents et églises, entre autres la cathédrale. On utilise les matériaux de conception européenne, à savoir la brique, le stuc, le plâtre et la pierre sculptée.

Après 1680, une autre génération de bâtisseurs construit de nouvelles églises, des couvents et le palais épiscopal.

La dernière période de construction, la plus importante, s'échelonne entre le tremblement de terre de 1717 et celui de 1773. Elle témoigne d'une activité intense avec l'érection d'églises, de couvents et de la mairie. Après le séisme de 1751, les 20 dernières années de cette période témoignent de l'apogée du style baroque qui caractérise la ville d'Antigua d'aujourd'hui.

Vous trouverez un peu partout à travers la ville les belles maisons d'Antigua. Si elles n'ont pas la noblesse des constructions ecclésiastiques, ces maisons particulières doivent leur charme à l'absence d'étage, à leurs façades au ton doux et clair et leurs hauts murs, souvent enduits de chaux, qui débordent d'arbustes en fleurs. À l'intérieur, les patios ont souvent été convertis en jardins, bordés de galeries et de piliers de bois. L'architecture résidentielle d'Antigua ressemble à celle de San Cristóbal de Las Casas au Mexique, ou encore à celle de Trini-

dad, ville historique de Cuba, qui fut elle aussi déclarée Patrimoine culturel de humanité par l'Unesco.

Pour s'y retrouver sans mal

Antigua Guatemala se situe à 45 km de la capitale. Une autoroute à quatre voies (Calzada

Soyez prudent

Ne vous laissez pas tromper pas l'allure paisible de la belle ville d'Antigua; elle connaît son lot d'incidents violents et, même si les agressions sont rares, il faut rester vigilant. Des vols à main armée (voire des meurtres) ont eu lieu au Cerro de la Cruz et sur le Volcán Pacaya. Si vous voulez visiter le Cerro de la Cruz, demandez aux policiers du tourisme de vous accompagner pour la montée du Pacaya en toute sécurité.

Roosevelt/Calzada International) relie les deux villes. Elle passe par un belvédère (25 km), situé à 1 800m d'altitude (il mérite un arrêt pour la vue sur la capitale), et San Lucas Sacatepéquez, où elle bifurque vers le sud. La circulation entre les deux villes s'intensifie durant la fin de semaine.

Une autre route vers le nord passe par Jocotenango et Parramos, et relie Antigua et Chimaltenango, située sur l'Interaméricaine. Antigua se rattache aussi à Escuintla, au sud, par une route très difficile (entre Escuintla et Alotenango) qui passe entre les deux volcans Agua et Fuego.

Si vous voyagez d'Escuintla à Antigua, il vaut mieux prendre la route CA 9 ou l'autoroute à péage vers la Ciudad de Guatemala et rentrer à Antigua par le nord-ouest.

Les points de repère de la ville d'Antigua sont les trois volcans qui dominent l'horizon sud et sud-ouest. Le plus visible, de presque partout dans la ville, est le volcan Agua, qui se dresse au sud. Un autre point de repère idéal pour les piétons est l'*Arco de Santa Catarina*, sise sur la 5a. Avenida Norte entre la 1a. Calle et la 2a. Calle.

La ville présente une trame de rues en damier; les *avenidas* sont dans l'axe nord-sud et les *calles*, dans l'axe est-ouest. Mais, les *calles* et les *ave*

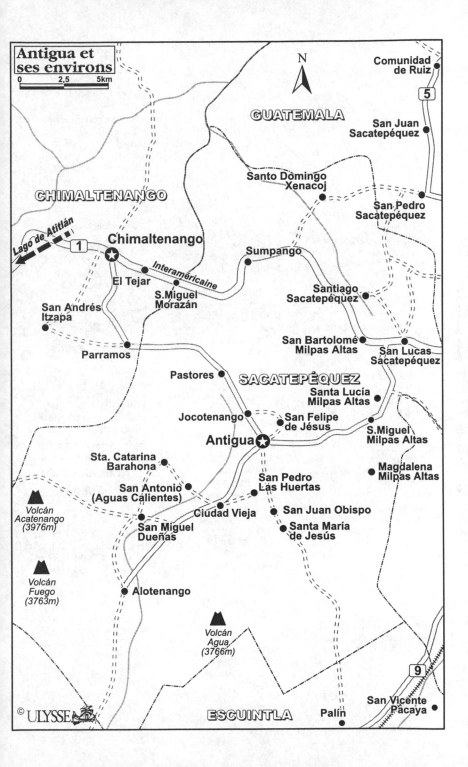

Antigua et ses environs

0   2,5   5km

N

Comunidad de Ruiz

5

GUATEMALA

San Juan Sacatepéquez

Santo Domingo Xenacoj

CHIMALTENANGO

San Pedro Sacatepéquez

Lago de Atitlán

1

Chimaltenango

Sumpango

El Tejar

Interaméricaine

S.Miguel Morazán

Santiago Sacatepéquez

San Andrés Itzapa

San Bartolomé Milpas Altas

San Lucas Sacatepéquez

Parramos

Pastores

SACATEPÉQUEZ

Santa Lucía Milpas Altas

Jocotenango

San Felipe de Jésus

S.Miguel Milpas Altas

Antigua

Sta. Catarina Barahona

Magdalena Milpas Altas

San Antonio (Aguas Calientes)

San Pedro Las Huertas

Volcán Acatenango (3976m)

Ciudad Vieja

San Juan Obispo

San Miguel Dueñas

Santa María de Jesús

Volcán Fuego (3763m)

Alotenango

Volcán Agua (3766m)

9

© ULYSSE

ESCUINTLA

Palín

San Vicente Pacaya

nidas portent également le nom espagnol d'un point cardinal. La borne de référence se situe à l'angle nord-est du Parque Central, c'est-à-dire le point de rencontre de la 4a. Calle et de la 4a. Avenida.

Les numéros de porte, contrairement à ceux de la Ciudad de Guatemala, n'indiquent pas la distance de la borne de référence. Pour compliquer un peu les choses, les noms anciens sont aussi utilisés sur les édifices pour indiquer les rues.

En voiture dans la ville

Antigua n'a pas été construite pour la voiture moderne et les autorités ne la favorisent pas. Même si la ville est facile d'orientation et d'accès, le stationnement au centre-ville est quelquefois toléré le jour mais très peu la nuit.

On oblige les autocars à contourner le centre pour les entrées et sorties de ville, contribuant ainsi à l'assainissement de l'air. La plupart des hôtels ont accès à des stationnements sécuritaires et il est fortement recommandé de ne pas stationner dans la rue, car, malgré les apparences, Antigua connaît son lot de voleurs.

Quelle que soit votre route d'entrée, vous vous retrouverez facilement au Parque Central devant la cathédrale. Il faut noter que la très grande majorité des rues sont à sens unique.

Location de voitures, motos et vélos

Antigua est la ville touristique par excellence du Guatemala et est donc pourvue de tous les services pour rendre le séjour des visiteurs le plus agréable possible. On y trouve plusieurs agences de location de voitures, soit dans des bureaux ayant pignon sur rue ou dans les halls des grands hôtels de la ville. Les taux varient selon le type de voiture et la durée de la location.

On peut louer un microbus avec chauffeur ou une Volkswagen Beetle; c'est moins coûteux de louer pour une semaine (une économie de 1/5 du coût quotidien). Comme pour les chambres d'hôtel, il existe un tarif *corporativo* qu'on obtient par le biais d'une agence de voyages.

Ahorrent
5a. Calle Oriente n° 11B
☎/≈832-0787
www.infoguate.com/ahorrent

Tabarini
2a. Calle Poniente n° 19A
☎832-3091

Avis
5a. Avenida Norte n° 22
☎832-3768**Budget**
6a. Avenida Norte n° 59A
☎832-0784

National
Hotel Ramada
☎832-0011

Jopa
110$US/semaine
6a. Avenida Norte n° 3
☎*832-0794*
On peut louer des motos à la Ciudad de Guatemaladans la, où le choix est plus grand; à Antigua, Jopa loue des motos Kawasaki et Yamaha pour une journée ou à la semaine.

Maya Mountain Bike
tlj 24 heures sur 24
Villa San Francisco
1a. Avenida Sur n° 5
c'est la maison bleue au bout de la
6a. Calle Oriente
☎*832-3383*
mayabike1@guate.net
On peut aussi louer une bicyclette. Maya Mountain Bike loue des velos de montagne au jour, à la semaine ou au mois. On y organise des excursions dans les environs d'Antigua ainsi que le tour du Lago de Atitlán, entre autres.

De l'aéroport international à Antigua

Plusieurs agences de voyages font la navette entre l'aéroport Aurora et Antigua *(7-10US)* en taxi communautaire, c'est-à-dire un microbus à 12 passagers; un taxi privé vous coûtera *25$US*. Vous pouvez vous informer à votre arrivée au comptoirAntigua et ses environs d'Inguat à l'intérieur de l'aérogare.

Les noms anciens et leur correspondance numérique actuelle

1a. Calle Poniente :	Calle de la Real Aduana
1a. Calle Oriente :	Calle de Platerías
2a. Calle Poniente :	Calle de las Pilitas
2a. Calle Oriente :	Calle Santo Domingo
3a. Calle Poniente :	Calle de Don Pedro de Portocarrero
3a. Calle Oriente :	Calle de los Carros
4a. Calle Poniente :	Calle del Ayuntamiento
4a. Calle Oriente :	Calle de la Concepción
5a. Calle Poniente :	Calle de la Pólvora y Landívar
5a. Calle Oriente :	Calle de la Universidad
6a. Calle Poniente :	Calle de la Sangre de Cristo
6a. Calle Oriente :	Calle de los Peregrinos
7a. Calle Poniente :	Calle Santa Lucía
7a. Calle Oriente :	Calle de Chipilapa al Pensativo
8a. Calle Oriente :	Calejón de San José
1a. Avenida Sur :	Calle de la Nobleza
1a. Avenida Norte :	Calle de la Nobleza
2a. Avenida Sur :	Calle de Santa Clara
2a. Avenida Norte :	Calle de Capuchinas
3a. Avenida Sur :	Calle de las Campañas (au sud) et Calle del Carmen
3a. Avenida Norte :	Calle de la Ánimas (au nord) et Calle del Carmen
4a. Avenida Sur :	Calle del Conquistador
4a. Avenida Norte :	Calle del Obispo Marroquín
5a. Avenida Sur :	Calle de La Sin Ventura
5a. Avenida Norte :	Calle de la Santa Catalina
6a. Avenida Sur :	Calle Pedro Cortéz y Larraz
6a. Avenida Norte :	Calle de la Inquisición (au centre) et Calle del Manchén
7a. Avenida Sur :	Calle de Cristóbal Colón
7a. Avenida Norte :	Calle de San Sebastián
8a. Avenida Norte :	Alameda Santa Lucía

Ce même type de transport est disponible dans presque toutes les villes «touristiques» du Guatemala. Le coût est énorme lorsqu'on le compare au prix des autocars, mais le service est plus sécuritaire et beaucoup plus rapide.

Les autocars arrivent à Antigua Guatemala à la gare d'autocars (entre Avenida de la Recolección et Alameda Santa Lucía), un grand champ qu'on s'apprête à transformer en parking depuis quelques années, situé à l'arrière du marché (*Alameda Santa Lucía*), quatre avenues à l'ouest du Parque Central. La grande majorité des autocars desservant les villes et villages des environs partent de la gare comme telle, mais quelques-uns desservant la Ciudad de Guatemala et les villes éloignées partent de la rue Alameda de Santa Lucía, qui borde le Mercado.

Si vous arrivez à Antigua par la gare d'autocars, vous pouvez être accueilli par des guides parlant le français qui portent une carte de l'Instituto Guatemalteco de Tourismo d'Inguat et qui offrent leurs services pour vous orienter ou vous trouver une chambre d'hôtel. Sachez que ces guides prennent une commission de 5% du prix de la chambre et que le service n'est pas aussi gratuit qu'on pourrait le faire croire.

Vers Antigua :

De Chimaltenango, point de transfert pour les Hautes Terres de l'Ouest, c'est-à-dire Huehuetenango, Quetzaltenango, Totonicapán et El Quiche
un autocar part toutes les 20 min

De Panajachel
Un départ par jour à 10h45

D'Escuintla (point de transfert pour la côte du Pacifique)
Deux départs tous les jours: 6h30 et midi

Plusieurs autocars partent des villes et villages des environs pour se rendre à Antigua. Le nombre d'arrivées à Antigua

provenant des villes environnantes correspond au nombre de départs d'Antigua pour la ville. Vous trouverez la liste des départs plus bas.

De la Ciudad de Guatemala vers :
Antigua(40 km)
angle15 Calle et 3a. Avenida/4a. Avenida, Z.1
Départ toutes les 15 min de la station d'autocars spécifique à Antigua

D'Antigua vers les villes et les régions éloignées

D'Antigua, pour se rendre dans les régions à l'est de la capitale, c'est-à-dire sur la côte Caraïbe, dans l'Oriente ou à Cobán dans l'Alta Verapaz, il faut nécessairement passer par la Ciudad de Guatemala, à moins d'utiliser les services de transport privé offerts par les différentes agences de voyages d'Antigua (voir p). Leurs tarifs sont beaucoup plus élevés, mais le trajet est plus confortable et prend moins de temps.

Pour atteindre les Hautes Terres de l'Ouest (Lago de Atitlán, El Quiché, Totonicapán, Quetzaltenango, Huehuetenango), il vaut mieux se rendre à la croisée de l'Interaméricaine à Chimaltenango (40 min) et, de là, prendre un autocar 1ere classe vers les Hautes Terres.

D'Antigua vers :

Alotenango
Terminus d'Antigua
Départ toutes les heures, entre 8h et 20h

Chimaltenango
Gare d'autocars d'Antigua
Départ toutes les heures, entre 6h et 20h

Ciudad Vieja
Gare d'autocars d'Antigua
Départ toutes les demi-heures, entre 7h et 20h

Escuintla
América del Sur et Granadina
Gare d'autocars d'Antigua
Départ à 7h et 13h

Jocotenago
Terminus d'Antigua
Départ toutes les heures, entre 7h et 20h

Ciudad de Guatemala
Terminus d'Antigua
Départ toutes les 15 min, entre 6h et 20h

Magdelena Milpas Altas
Terminus d'Antigua
Départ toutes les heures, entre 8h et 20h

Pastores
Terminus d'Antigua
Départ toutes les heures, entre 7h et 20h

San Miguel Dueñas
Gare d'autocars d'Antigua
Départ toutes les demi-heures, entre 7h et 20h

San Antonio Aguas Calientes
Gare d'autocars d'Antigua
Départ toutes les demi-heures, entre 7h et 20h

Santa Catarina Barahona
Gare d'autocars d'Antigua
Départ toutes les heures entre 8h et 20h

San Mateo Milpas Altas
terminus d'Antigua
Départ toutes les heures, entre 8h et 20h

San Lorenzo El Cubo
Terminus d'Antigua
Départ toutes les heures,
entre 8h et 20h

San Felipe de Jesús
Terminus d'Antigua
Départ toutes les heures,
entre 7h et 20h

Santa María de Jesús
Terminus d'Antigua
Départ toutes les heures,
entre 7h et 20h

Santa Lucía Milpas Altas et San Lucas Sacatepéquez
Gare d'autocars d'Antigua
Les mêmes autocars que
ceux pour la capitale (voir
la Ciudad de Guatemala)

San Juan del Obispo
Terminus d'Antigua
Départ toutes les heures,
entre 7h et 20h

San Pedro Las Huertas
Terminus d'Antigua
Départ toutes les heures,
entre 7h et 20h

En taxi

Antigua, comme toutes les grandes villes du Guatemala, possède son parc de taxis. On les retrouve à la gare d'autocars, au marché ainsi qu'au Parque Central. Ici comme ailleurs, il faut négocier le prix avant de monter à bord. Pour un service à la porte : **Taxi Antigua**, ☎*832-0479* ou *832-2360*.

Vous pouvez aussi louer les services d'un taxi pour visiter les villages des environs; si vous êtes avec un groupe, les coûts seront moins élevés

qu'avec une agence de voyages.

À pied

Antigua est une ville pour piétons. Mis à part quelques rues achalandées (surtout la 3a. Calle et la 4a. Calle), la menace sur quatre roues n'est pas très dangereuse ici. On peut marcher d'un bout à l'autre de la ville en moins d'une heure. C'est un charme pour tous ceux qui s'habituent à marcher sur des pavés de galets.

Madame Elizabeth Bell
4a. Avenida Norte nº 25
☎*832-0228*
Madame Elizabeth Bell propose des promenades culturelles dans la cité les dimanches, lundis et mercredis. Les visites commentées en anglais et en espagnol font découvrir une ville dynamique et toujours en évolution.

Geovanny
Monarcas, 6a. Avenida Norte nº 34
☎*832-3343*
geotour@guanet
Geovanny propose des excursions à pied qui font découvrir la flore des environs d'Antigua tout en soulignant les influences mayas ou précolombiennes dans l'architecture de la ville.

Renseignements pratiques

Renseignements touristiques

Inguat
angle 5a. Calle Oriente et 4a. Avenida Sur
☎*832-0763*
L'office du tourisme du Guatemala, l'Inguat, est situé sur le côté sud du Parque Central dans le Palacio de los Capitanes Generales. On vous informera sur les prix et les nouveautés, et l'on vous donnera toutes les brochures touristiques que vous voulez. Un grand nombre de services vous sont proposés à travers la publicité que l'office met à votre disposition.

La ville dispose aussi d'un **bureau de tourisme,** situé immédiatement au nord de la cathédrale. On vous propose des guides, mais le bureau ressemble plutôt à une galerie d'art et d'artisanat de la ville.

Des tableaux d'affichage à l'entrée de plusieurs restaurants sont souvent une bonne source d'informations pratiques, entre autres celui du restaurant et lieu d'échange de livres, **Rainbow Cafe**, situé au 7a. Avenida Sur nº 8, et celui du restaurant **Doña Luisa**, au 4a. Calle Oriente nº 12. L'Alliance française est une autre bonne source d'informations.

Si vous ne trouvez pas l'information désirée, les agences de voyages sont habituellement très avenantes. L'agence Voyageur Tour Operators située dans le petit centre commercial et culturel La Fuente, est recommandée. On y parle le français et l'anglais.

Centre commercial et culturel La Fuente
tlj 9h à 20h
4a. Calle Oriente n° 14
☎*832-4237*

Agences de voyages

Antigua est probablement la ville où le nombre d'agences de voyages par tête d'habitant est le plus élevé de toute l'Amérique. Mais elles ne sont pas toutes égales.

La loi du Guatemala reconnaît trois catégories d'agences de voyages : a) les agences *operadora de turismo interno y receptivo* (organisatrices de voyages à l'intérieur du pays et qui peuvent recevoir des touristes venant de l'étranger), qui organisent des circuits et des excusions; b) les agences *emisor* (émissaires) qui agissent comme intermédiaires afin d'organiser, de faire la promotion et de vendre des circuits et des excursions à l'étranger; c) des agences *mayorista* (grossistes) qui sont des intermédiaires ou représentants d'agences étrangères et qui vendent unique-

ment par l'intermédiaire des agences des deux premières catégories.

Mais certaines agences ne sont pas reconnues et agissent comme des sous-agences; elles ne possèdent qu'un bureau et des téléphones, et elles vendent les excursions que les agences reconnues organisent. D'autres, comme celles reliées à certaines écoles de langues, proposent des sorties (à leurs étudiants); plusieurs n'ont pas de permis d'agences et surtout n'ont pas d'assurances voyage pour leurs passagers. Il est fortement recommandé de vous informer de la nature de ces agences tolérées mais douteuses en termes de sécurité. Nous proposons les suivantes tant pour leurs services que leur professionnalisme.

Voyageur Tour Operators
tlj 9h à 20h
dans le petit centre commercial et culturel La Fuente
4a. Calle Oriente n° 14
☎*832-4237*
☎*832-4238*
⊷*832-4247*
voyageur@conexion.com.gt
Voyageur Tour Operators, situé dans le petit centre commercial et culturel La Fuente, est un spécialiste des excursions vers les centres touristiques les plus en demande comme Tikal, Cobán dans l'Alta Verapaz, Copán au Honduras et Monterrico sur la côte du Pacifique, ainsi que des services de transport entre les différents points d'achalandage, entre autres Antigua et l'aéroport

ou la capitale, Antigua et Monterrico, Antigua et la côte du Pacifique. Pour des informations sur les écoles de langues et les sites archéologiques, André Cloutier, le propriétaire de l'agence, vous fournira toutes les informations pratiques. Nous vous le recommandons.

Sinfronteras
lun-sam 10h à 18h30
fermé dim
3a. Calle Poniente n° 12
☎*832-1017*
☎*832-1227*
⊷*832-2674*
sinfront@infovia.com.gt
Sinfronteras, spécialiste en voyages personnalisés, offre le «sur mesure au prix du prêt-à-porter». L'agence Sinfronteras possède un permis de l'IATA pour la billetterie aérienne nationale et internationale, et offre une gamme de services comme la location de voitures et les excursions de rafting au Guatemala, ainsi que la plongée sous-marine au Honduras ou au Belize. Claudia, qui gère l'agence, parle le français et saura trouver ce que vous cherchez.

Antigua Tours
12$US
3a. Calle n° 28
☎*832-0228*
elizbell@guate.net
Antigua Tours propose des excursions pédestres à Antigua. Auteur de plusieurs livres sur l'histoire, l'architecture et l'urbanisme de la ville, Elizabeth Bell, d'origine étasunienne, demeure à Antigua depuis plus de 15 ans.

Atitrans
tlj 6h à 20h
6a. Avenida Sur n° 7
☎*832-3371*
☎*832-1381*
≈832-0644
Atitrans se spécialise dans le transport en microbus faisant la navette entre Antigua et la capitale cinq fois par jour, vers Río Dulce quotidiennement et Panajachel (Lago de Atitlán) ainsi que Quetzaltenango trois fois par semaine.

Eco-Tour Chejo's
3a. Calle Poniente n° 24
Eco-Tour Chejo's organise des ascensions de volcan très sécuritaires (escalade du Pocaya avec police sur la route et six gardes de sécurité armés).

Maya Mountain Bike
tlj 24 heures sur 24
Villa San Francisco
1a. Avenida Sur n° 5
c'est la maison bleue au bout de la 6a. Calle Oriente
☎*832-3383*
mayabike1@guate.net
Maya Mountain Bike loue des vélos de montagne et organise des excursions en bicyclette présentant différents niveaux de difficulté. Une très bonne façon de découvrir les environs d'Antigua.

Banques

Presque toutes les banques sont situées près du Parque Central et offrent les services de change de dollars américains et de chèques de voyage en dollars américains seulement. Certaines banques limitent le montant que vous pouvez toucher ou encore exigent des frais

d'administration et une commission sur l'encaissement de chèques de voyage; d'autres, pas. Lorsque les banques sont fermées, vous pouvez toujours échanger votre argent ou vos chèques de voyage dans quelques grands hôtels. Jades S.A. (voir p 158) vous donnera des avances de fonds sur votre carte de crédit MasterCard.

Banco de Occidente S.A.
lun-ven 8h30 à 19h, sam 9h à 14h
4a. Calle Poniente n° 1
☎*832-3362*
Pour les avances de fonds sur cartes de crédit avec présentation du passeport.

Banco Industrial
lun-ven 8h à 19h, sam 8h à 17h
5a. Avenida Sur n° 4
☎*832-0958*
Guichet automatique pour retrait sur carte de crédit : Visa (sans commission).

Poste et communications

Oficina de Correos
lun-ven 8h à 18h
angle Alameda Santa Lucía et 4a. Calle Poniente L'Oficina de Correos se trouve près du marché.

Courrier privé
Plusieurs compagnies proposent des services de courrier national et international, entre autres :

Aéreo Systems
6a. Avenida Norte

Airborne Express
5a. Calle Poniente n° 6a
☎*832-1515*
www.ibccourier.com.gt

DHL
6a. Calle Poniente et 6a. Avenida Sur

Téléphone

Telgua
5a. Avenida Sur n° 2
☎*832-0498*
La plupart des hôtels et restaurants vous laisseront utiliser leur appareil pour l'envoi de fax et de téléphone PCV pour des frais minimes.

Depuis quelque temps, plusieurs cabines téléphoniques ont fait leur apparition dans les rues d'Antigua. Certaines fonctionnent avec des cartes à puce, d'autres avec des pièces de monnaie; il faut dans ce cas se munir de monnaie et être fin prêt à introduire les pièces avant le début de la conversation car le temps entre la sonnerie d'avertissement et la coupure de service est très court.

Fax, courriel, Internet

Les agences de courrier électronique sont très à la mode au Guatemala depuis quelques années, et de nombreux cafés et hôtels offrent les services d'Internet et de courriel, entre autres :

Antigua Guatemala

Hotel Villa San Francisco
1a. Avenida Sur n° 15
c'est la maison bleue au bout de la
6a. Calle Oriente
☎832-3383
mayabike1@guate.net

Conexion
4a. Calle Oriente n° 14
☎832-3768
✆832-0082
conex@ibm.net

Enlaces
*lun-ven 8h à 19h30, dim
8h à 13h*
6a. Avenida Norte n° 1
☎832-5560 ou 832-5561
✆832-1238
enlace@pobox.com
Enlaces propose les services de fax, de téléphone, de courriel et d'imprimerie.

Urgence

Ambulance
☎832-0234

Urgence hôpital
☎832-0301

Feu et ambulance
Los bomberos
☎832-0234

Police municipale de tourisme
☎832-0532 ou 832-0533
☎832-0536 ou 832-0577

Police nationale
☎832-0251

Médecins

Docteur Sergio Castañeda
6a. Avenida Norte n° 52

Docteur Julio Aceituno
2a. Calle Poniente n° 7
☎832-0512

Docteur José del Valle Monge
8a. Calle Oriente n° 5

Dentistes

Docteur Asturias
4a. Calle Oriente n° 9 ☎832-0826

Docteur De La Cruz
3a. Avenida Norte n° 2

Hôpitaux

Pedro de Betancour
tlj, 7h à 20h
6a. Calle Oriente n° 20
☎832-0883

Centro de Especialidades
Alameda Santa Lucía n° 35
Y travaillent plusieurs spécialistes.

Les écoles de langues

L'enseignement de l'espagnol est devenu une véritable petite industrie qui emploie des centaines d'enseignants, d'administrateurs et de familles d'accueil. Il existe des dizaines d'écoles de langues espagnoles (60 à Antigua) et, même si plusieurs ont une durée de vie éphémère, elles sont vite remplacées par d'autres qui tentent d'en faire un gagne-pain.

L'une des raisons de ce brassage dans l'industrie de l'enseignement de la langue est l'infime marge bénéficiaire que rapporte un étudiant. Les prix d'un cours d'espagnol n'ont pas changé depuis plus de 15 ans, tandis que le coût de la vie a presque doublé. On paye la famille d'accueil le même prix qu'il y a 10 ans, à peine 8$US par jour pour trois repas et une chambre avec eau chaude.

Comment fait-on pour payer 20 heures d'enseignement, des livres, des locaux et l'administration pour la modique somme de 70$US par semaine? Tour de force presque inexplicable! Tout ça pour vous dire que, si vous payez 120$US par semaine, vous aurez les services pour 120$US et que, si vous voulez une école avec des professeur(e)s attitré(e)s et une famille d'accueil pour vous seul, il vous faut payer le prix.

Mais le prix n'est pas nécessairement garant de la qualité, et il vous faut magasiner, rencontrer le directeur et si possible l'enseignant. Prenez votre temps avant de choisir car les prix varient. Sachez que, si vous voulez éviter l'atmosphère américano-internationale d'Antigua, il est préférable de vous inscrire aux écoles de langues de Quetzaltenango ou de Huehuetenango.

Certaines écoles comme Francisco Marroquín offrent l'enseignement de la langue maya. Nous vous recommandons de voir André Cloutier de l'agence Voyageur Tour Operators.

Voyageur Tour Operators
tlj 9h à 20h
dans le petit centre commercial et
culturel La Fuente
4a. Calle Oriente n° 14
☎*832-4237*
☎*832-4238*
↝*832-4247*
voyageur@conexion.com.gt
(pour des informations
récentes)

Les écoles suivantes sont
recommandées :

**Proyecto Bibliotecas
Guatemal**a
6a. Avenida Norte n° 41B
☎*832-3768*

**Proyecto Lingüístico
Francisco Marroquín**
7a. Calle Poniente n° 31
☎*832-3777*

**Academia de Español
Colonial**
Calzada Santa Lucía Sur Pasaje
Matheu n° 7

**Academia de Español
Guatemala**
3a. Avenida Sur n° 15
☎/↝*832-0344*

Alianza Lingüística Cano
2a. Avenida del Chajón n° 8A
ou Avenida Santa Lucía Norte n° 3A
Apartado Postal 366

Antigüeña
1a. Calle Poniente n° 33
☎*832-2682*

Centro Lingüístico Antigua
6a. Avenida Norte n° 36

Centro Lingüístico Atabasl
1a. Avenida Norte
☎*832-0791*

Centro Lingüístico Maya
5a. Calle Poniente n° 20
☎↝*832-0656*

Tecún Umán
6a. Calle Poniente n° 34
☎↝*832-2792*

**CSA Academia Cristiana de
Español**
5a. Avenida Norte n° 15, Apartado
Postal 320
☎↝*832-0367*

Don Pedro Alvarado
1a. Calle Poniente n° 24
☎*832-4180*

El Quetzal
7a. Calle Poniente n° 7
Apartado Postal 426
☎*832-3331*

Español Dinámico
6a. Avenida Norte n° 63
☎*832-2440*

Jiménez
1a. Calle Poniente n° 41

Latinoamérica Spanish Academy
3a. Avenida Poniente
↝*832-2657*

Popol Vuh Professional Language School
7a. Avenida Norte n° 82, Apartado
Postal 230

Quiché
3a. Avenida Sur n° 15A
☎*832-0575*
↝*832-2893*

**Sevilla Academia de
Español**
Apartado Postal 380, 1a. Avenida
Sur n° 8
☎*832-5101*
↝*832-0442*
sevilla@guatenet.net.gt

Cours de langues privés

Certains enseignants donnent des cours privés :

Amalia Jarquín
Avenida El Desengaño n° 11
☎*832-2377*

Julia Solis
5a. Calle Poniente n° 36

María Elena Esatrada
La Cenicienenta
5a. Avenida Norte n° 7

Sandra Rosales
7a. Calle Oriente n° 21

Rossalinda Rosal's
1a. Calle Poniente n° 17

Gladys de Porras
7a. Avenida Sur n° 8

**Attraits
touristiques**

Antigua Guatemala

Vous serez tôt ou tard
amené sur la **Plaza
Mayor ★★★**, le cœur de
la ville qui fut quadrillée
tel que le prescrit la tradition espagnole. Agissant
comme centre géographique, la Plaza Mayor ou
Parque Central divise la
ville en *avenidas* (nord-sud) et *calles* (est-ouest).
Au centre du parc, la
Fontaine des Sirènes ★★,
construite en 1739 par
Diego de Porres, demeure un symbole
d'identité pour les résidants d'Antigua.

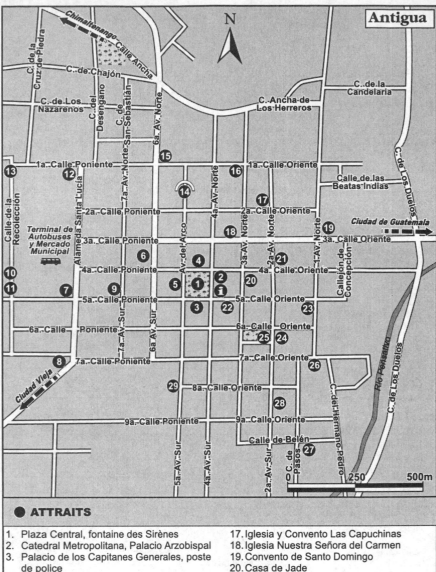

Antigua

N

← Chimaltenango · Calle Ancha
C. de la Cruz de Piedra
C. de la Piedra
C. de Chajón
C. de Los Nazarenos
C. del Desengaño
C. de San Sebastián
6a. Av. Norte
C. Ancha de Los Herreros
C. de la Candelaria
C. de Los Duelos
1a. Calle Poniente
1a. Calle Oriente
Calle de las Beatas Indias
7a. Av. Norte
Alameda Santa Lucía
4a. Av. Norte
2a. Calle Poniente
2a. Calle Oriente
Calle de la Recolección
Terminal de Autobuses y Mercado Municipal
3a. Calle Poniente
3a. Calle Oriente
Ciudad de Guatemala ■ ■ ■ ➤
Av. del Arco
3a. Av. Norte
2a. Av. Norte
1a. Av. Norte
Callejón de Concepción
4a. Calle Poniente
4a. Calle Oriente
7a. Av. Sur
6a. Av. Sur
5a. Calle Poniente
5a. Calle Oriente
6a. Calle Poniente
6a. Calle Oriente
Ciudad Vieja ←
7a. Calle Poniente
7a. Calle Oriente
Río Pensativa
C. de Los Duelos
8a. Calle Oriente
29
5a. Av. Sur
4a. Av. Sur
9a. Calle Poniente
9a. Calle Oriente
C. del Hermano Pedro
Calle de Belén
2a. Av. Sur
C. de Pasos
250   500m
© ULYSSE

● ATTRAITS

1. Plaza Central, fontaine des Sirènes
2. Catedral Metropolitana, Palacio Arzobispal
3. Palacio de los Capitanes Generales, poste de police
4. Palacio del Noble Ayuntamiento, Museo de Santiago, Museo del Libro Antiguo
5. Portal del Commercio
6. Couvent des Jésuites
7. Monumento a Landívar
8. Iglesia Santa Lucía
9. Iglesia San Agustín
10. Casa K'ojom
11. Cementerio San Lázaro
12. Monasterio de San Jerónimo
13. Iglesia y Convento San José de la Recolección
14. Arco de Santa Catalina Mártir
15. Iglesia y Convento de Nuestra Señora de La Merced
16. Convento Santa Teresa
17. Iglesia y Convento Las Capuchinas
18. Iglesia Nuestra Señora del Carmen
19. Convento de Santo Domingo
20. Casa de Jade
21. Jades
22. Museo del Arte Colonial, Centro de Investigaciones de Mesoamérica (CIRMA), Seminario Tridentino, Universidad Pontificia San Carlos Borromeo
23. Casa Popenoe
24. Iglesia y Convento Santa Clara
25. Tanque de la Unión
26. Iglesia y Convento San Francisco
27. Escuela de Cristo
28. Alliance française
29. Ermita San José el Viejo

Cathédrale d'Antigua

La Plaza Mayor est entourée de la cathédrale métropolitaine à l'est, de la capitainerie générale du Guatemala et l'Hôtel de la Monnaie au sud, de l'hôtel de ville au nord et des arcades dites Portal del Commercio à l'ouest. Ces arcades bordent un ensemble de maisons coloniales transformées en commerces.

À l'est du Parque Central, l'église paroissiale actuelle de San José utilise les trois premières travées de l'ancienne **Catedral Metropolitana** ★★★, qui fut construite entre 1543 et 1680 et reconstruite maintes fois. Les vestiges que vous voyez aujourd'hui sont ceux de la dernière reconstruction faisant suite au tremblement de terre de Santa Marta en 1773. L'église **San José** porte toujours dignement le nom de Metropolitana, que lui conféra le pape Benoît XIV en 1743. À l'intérieur se trouve une magnifique sculpture du Christ réalisée par Quirio

Cataño, le sculpteur du Christ noir d'Esquipulas (voir p 312).

On accède aux vestiges de l'ancienne cathédrale par la droite. Les ruines sont très imposantes. Les salles qui bordaient le fond et les côtés de l'ancien édifice étaient soit des chapelles particulières, soit le cloître ou la sacristie. Une pierre indique les sépultures du premier évêque d'Antigua, Francisco Marroquín, de Pedro de Alvarado, le conquérant espagnol, de sa femme, Doña Beatriz, et de sa fille, Doña Leonor.

On accède par les ruines aux vestiges du **Palacio Arzobispal**, l'ancien palais archiépiscopal qui fut construit entre 1706 et 1711. Pas moins d'une quinzaine de stucs décorent la majestueuse entrée principale, qui selon le dire de certains, daterait du début du XVIIᵉ siècle.

Faisant face au Parque Central et longeant son côté sud, le **Palacio de los Capitanes Generales** ★★ logeait jadis la résidence et les bureaux du capitaine général de même que l'Audience royale, l'Hôtel de la Monnaie, l'autorité militaire et la chapelle royale. Il fut construit par l'architecte Luis Diez Navarro, puis remanié et agrandi à plusieurs reprises, ce qui donne un véritable labyrinthe.

Complètement restauré au siècle dernier, l'édifice abrite aujourd'hui l'office de tourisme Inguat, le poste de police, le quartier général de l'armée et les bureaux administratifs du département de Sacatepéquez, dont Antigua est la *cabecera* (chef-lieu). L'édifice à double galerie arbore, au-dessus de la porte centrale, l'écusson des Bourbon accolé au nom de Charles II d'Espagne. La vue depuis le balcon vaut le détour.

Antigua Guatemala

La céramique

La céramique d'Antigua Guatemala tout comme celle de Totonicapán, est d'origine espagnole. Contrairement à la céramique préhispanique de Chinautla et de San Luis Jilopeteque, celle d'Antigua est fabriquée à l'aide d'un tour de potier et est cuite dans un four. Ses formes et ses ornements sont également d'origine espagnole; elle fut très répandue dans tout le Guatemala pendant l'époque coloniale. Ses couleurs habituelles sont le vert, le jaune orange, le blanc puis le noir pour les lignes. Il existe une grande profusion de formes, et même des carreaux de faïence ou azulejos.

Du côté nord du Parque Central se dresse le **Palacio del Noble Ayuntamiento** ★★ ou Palais municipal. La mairie, siège du pouvoir des Criollos, ces citoyens nés au Guatemala de parents espagnols, occupait ce bâtiment inauguré officiellement en 1743. Le bâtiment original, fortement endommagé par le tremblement de terre de 1717, fut rasé et reconstruit en 1740. Il comprenait de grandes salles de réunion, la prison municipale et une chapelle.

Aujourd'hui, l'édifice abrite le **Museo de Santiago** ★★. Fondé en 1956 par l'Institut d'anthropologie et d'histoire, le musée loge dans l'ancienne prison coloniale. On y trouve des armes espagnoles qui proviennent du Fuerte de San Felipe, des poteries peintes à la main, une petite collection de *macacos*, ces monnaies frappées par l'Hôtel de la Monnaie, des meubles coloniaux et une salle de torture. Le portrait de Pedro de Alvarado est du peintre Humberto Garavito.

Au premier étage du Palais municipal, le **Museo del Libro Antiguo** ★★ (*4a. Calle Poniente n° 6*) possède des collections d'imprimés qui s'étalent du XVIᵉ au XIXᵉ siècle. Au milieu de la salle d'entrée, une réplique de la première presse du Guatemala est exposée. Elle provient de la ville de Puebla de Los Angeles, au Mexique.

On y explique le processus d'impression de l'époque. C'est en 1660 que l'évêque Payo Enríquez de Rivera fonda la première imprimerie en Amérique centrale et la troisième sur le continent. Le premier livre imprimé dans l'atelier fut *Explicato Apologética*, écrit en latin par l'évêque fondateur.

Palacio del Ayuntamiento

Le côté ouest du parc est bordé par le **Portal del Commercio**, où les vendeurs proposent fruits, douceurs, objets d'art et souvenirs. Ces commerces sont fréquentés surtout par les touristes : pharmacie, librairie, laboratoire de photographie, etc.

Arco Santa Catalina

Une marche vers l'ouest sur la Calle del Ayuntamiento (ou 4a. Calle Poniente) vous mènera au marché municipal et à la station d'autocars.

En chemin, vous passerez devant les ruines du **couvent des jésuites** *(angle 6a. Avenida).* Le couvent et l'église occupaient un pâté de maisons où a habité Bernal Díaz del Castillo, l'historien conquistador, compagnon d'armes de Hernán Cortés et de Pedro de Alvaredo. Une partie de la façade conservée porte encore des traces de motifs floraux et géométriques peints.

Au sud du marché, le **Monumento a Landívar ★** *(Alameda Santa Lucía ou 8a. Avenida)* fut érigé à la mémoire du poète jésuite Rafael Landívar. Le plus grand poète guatémaltèque de la période coloniale est mort en Italie, où il rédigea la plus grande partie de son œuvre, 26 ans après l'expulsion des jésuites du Guatemala.

Située deux rues plus au sud, l'**Iglesia Santa Lucía** *(angle Almeda Santa Lucía et 7a. Calle Poniente)* servait de cathédrale au début de la ville, le temps de construire celle en face du Parque Central.

Les ruines de l'**Iglesia San Agustín ★** *(5a. Calle Poniente angle, 7a. Avenida)* se trouvent à une rue du marché. Construite en 1615, elle fut une des premières églises de la ville.

À l'ouest de la gare d'autocars, se trouve la **Casa K'ojom ★★** *(55 Avenida de la Recolleción, près de 5a. Calle Poniente),* un musée privé qui expose une très belle collection d'instruments de musique de différentes époques. De l'époque préhispanique, conques, sifflets, carapaces de tortues; de l'époque coloniale, des marimbas à caisses de résonance formées de calebasses

(tecomates) et d'autres en bois. Vous verrez aussi une reproduction du Maximón de Santiago Atitlán (voir p 172). Vous pourrez y entendre de la musique actuelle provenant de plusieurs villages du Guatemala.

Vers le sud, sur la même rue, s'étend le **Cementerio San Lázaro** *(angle Avenida de la Recolección et 5a. Calle Poniente).*

Au nord du marché et de la gare d'autocars, vous verrez les vestiges du **Monasterio de San Jerónimo ★** *(Almeda Santa Lucía, angle de Calle de la Recolección).* L'édifice construit par les mercédaires (ordre de Notre-Dame-de-la- Merci) entre 1739 et 1745 fut confisqué en 1761, car les frères n'avaient pas reçu l'autorisation royale au préalable. Le collège-monastère fut transformé en maison de la Douane royale puis en caserne. Le tremblement de terre de 1773 le détruisit.

Antigua Guatemala

Tout à fait à l'ouest de la Calle de la Recolección, l'**Iglesia y Convento San José de la Recolección** ★★, un ensemble conventuel élevé entre 1701 et 1708, fut inauguré en 1717 et détruit en grande partie la même année. Le monastère abritait la plus grande bibliothèque en Amérique centrale. Le tremblement de terre de 1773 la détruisit complètement. La vue sur les volcans qui entourent la ville est très impressionnante.

Si vous choisissez l'itinéraire à partir du Parque Central vers le nord en empruntant la 5a. Avenida Norte, vous passerez sous l'**Arco de Santa Catalina Mártir** ★★ *(5a. Avenida Norte, entre 2a. Calle Poniente et 1a. Calle Poniente)*. L'arc faisait partie du petit couvent pour femmes inauguré en 1613. Il fut construit en 1694 lorsqu'on voulut joindre le couvent à un terrain nouvellement acquis de l'autre côté de la rue. Il est probablement le monument le plus photographié, car il encadre bien la ville et le volcan Agua. Ce quartier de la ville est un des favoris des gens qui viennent étudier l'espagnol à Antigua.

Au bout de la 5a. Avenida Norte, tournez à gauche. À votre droite se dresse l'**Iglesia y Convento de Nuestra Señora de La Merced** ★★ *(1a. Calle Poniente)*. L'église coloniale est la plus imposante de l'ancienne capitale. Les mercédaires furent le premier ordre religieux à

construire un couvent après la Conquête. D'abord installés à Ciudad Vieja, la deuxième capitale du Guatemala, ils construisirent leur église et leur couvent à Antigua en 1548.

Les multiples séismes qu'a subis la région ont détruit tour à tour le couvent et l'église, reconstruits en 1767, pour être détruits de nouveau en 1773. De 1850 à 1855, on restaura l'église. La façade que vous voyez date de cette époque. La plus grande fontaine d'Amérique centrale s'élève parmi les ruines du couvent. À l'intérieur de l'église, vous pouvez contempler une énorme sculpture de la Vierge Marie et un haut relief en bois représentant Jésus de Nazareth qui fut sculpté par Alonzo de Paz en 1650. Cette dernière sculpture est promenée à travers la ville lors des processions de la Semaine sainte.

Sur le chemin de retour vers le Parque Central, vous trouverez le **Convento Santa Teresa** *(angle 1a. Calle Oriente et 4a. Avenida Norte)*. Ce couvent a été construit par un riche Péruvien pour loger les religieuses venues du Pérou. L'édifice a perdu sa vocation première; on l'utilise actuellement comme prison municipale.

Plus au sud vers le parc, l'**Iglesia y Convento Las Capuchinas** ★★, *(angle 2a. Avenida Norte et 2a. Calle Oriente)* est le dernier complexe religieux à

avoir été construit avant le séisme de 1773. Aménagé pour loger les religieuses de Madrid, il était aussi connu sous le nom de Convento de Zaragoza et considéré comme un convent moderne et luxueux.

Les murs de la Torre del Retro, constituée de 18 cellules avec son système d'eau courante, de salles de bain privées et d'égout, étaient destinés aux retraités et aux novices de l'ordre. Au temps de sa construction, le complexe était le plus vaste de la ville; c'est aussi celui qui s'est le mieux tiré du séisme de 1773. Un escalier mène à une pièce souterraine dont le pilier central, une merveille de l'architecture coloniale, retient le sol de la cour circulaire. On croit que la cave était utilisée comme entrepôt pour la conservation des aliments périssables. Ce sous-sol est le seul exemple connu, car il n'existait pas de caves à l'époque coloniale. Aujourd'hui, Las Capuchinas est un musée illustrant la vie religieuse de ce temps.

Entre Las Capuchinas et le Parque Central, la petite **Iglesia Nuestra Señora del Carmen** ★ *(3a. Avenida Norte, près de 3a. Calle Oriente)* fut construite vers 1686, détruite en 1713 puis reconstruite en 1728. La façade à deux niveaux et à nombreux ressauts est une des plus belles de la ville.

Au nord-est du Parque Central, le **Convento de**

Le jade

Le jade est une pierre fine, très dure dont la couleur varie du blanc olivâtre au vert sombre. On distingue habituellement deux types : la pierre néphrite et la jadéite. Plus commune, la néphrite est un silicate de calcium et de magnésium. Plus difficile à égratigner que la plupart des aciers, elle est réputée pour sa grande résistance; elle est la pierre la plus difficile à casser. La jadéite est un silicate de sodium et d'aluminium, plus dure que la néphrite mais plus cassable que cette dernière. Ce sont ces deux pierres qui légalement peuvent être classifiées sous le vocable de jade; les autres pierres vertes peuvent leur ressembler, mais ne peuvent pas être vendues comme du jade. Aujourd'hui, on différencie les pierres en utilisant un spectromètre, un instrument qui mesure la lumière réfléchie par la pierre. Chaque pierre possède une fréquence spécifique qui permet sa classification et même sa provenance. L'analyse spectrale est la méthode scientifique permettant de différencier les pierres précieuses.

La plupart des civilisations anciennes ont utilisé le jade comme symbole de pouvoir et de richesse. Au Guatemala comme partout dans la Méso-Amérique, on le trouve dans les sépultures royales. Les basreliefs nous montrent souvent les souverains mayas avec la poitrine décorée de colliers à multiples rangées et les oreilles percées par des boutons de jade. Le jade et l'obsidienne sont les deux pierres précieuses les plus en demande dans les civilisations préhispaniques. Les anciennes routes commerciales peuvent être retracées à partir de la présence de ces pierres précieuses.

Néanmoins, tout ce qui est vert et sculpté n'est pas en jade. Les bijoux en pierre verte que les archéologues mettent au jour ne sont pas toujours du jade; ils peuvent être fabriqués à partir de plusieurs autres pierres : la serpentine, la chrysoprase, la chrysolite ou l'aventurine. Mais les objets anciens ne perdent en rien leur signification ni leur beauté. Ces importations venues de lieux éloignés demeuraient, pour les anciens Mayas, des objets de valeur très recherchés pour leur dimension presque mystique.

Le jade du Guatemala a disparu de la bijouterie pendant plus de 450 ans. Heureusement, un important gisement de la pierre précieuse a été redécouvert dans les années cinquante. D'autres gisements trouvés depuis 20 ans nous permettent d'admirer les bijoux en jade vendus dans la plupart des marchés d'artisanat du pays.

Aujourd'hui, une pierre bien taillée vaut presque son pesant d'or. Elle se reconnaît à son aspect translucide, sa pureté, l'intensité de sa couleur et l'absence de défaut. L'épreuve ultime, la lame d'un couteau ne laisse pas de marque sur le jade; si elle marque la pierre, ce n'est pas du jade. À Antigua Guatemala, deux fabricants d'objets en jade proposent une visite de leurs ateliers. On peut aussi admirer de belles pièces dans plusieurs boutiques de la ville.

Antigua Guatemala

Santo Domingo ★ *(3a. Calle Oriente)* a été transformé en un hôtel-restaurant de prestige. Construit en 1642, l'opulent monastère était le centre intellectuel de la capitale.

À quelques pas à l'est du Parque Central, sur la 4a. Calle Oriente, se trouvent deux boutiques qui se spécialisent dans la fabrication d'objets et de bijoux en jade. La **Casa de Jade** ★★ *(4a. Calle Oriente n° 3)* et **Jades S. A.** ★★, *(4a. Calle Oriente n° 34)* vous feront découvrir la beauté de cette pierre qui fut si convoitée par les élites des civilisations anciennes.

Les grandes écoles de l'époque, les collèges et séminaires, et l'université furent construits à quelques pas au sud-est de la Plaza Central. L'ancien **Seminario Tridentino** *(5a. Calle Oriente)* est devenu une résidence familiale. La rue vers l'est qui longe la cathédrale mène à l'unique édifice de l'ancienne **Universidad Pontificia San Carlos Borromeo** *(5a. Calle Oriente),* laquelle fut fondée par l'évêque Francisco Marroquín en 1676.

Cette première université a été transférée à la Ciudad de Guatemala en 1777 avec toutes les autres institutions de haut savoir. L'édifice qui l'abritait loge aujourd'hui le **Museo de Arte Colonial** ★★ *(5a. Calle Oriente n° 5).* Vous y trouverez un très beau patio fleuri, entouré sur les quatre côtés d'une série d'arcades surmontées de clochetons baroques.

Les anciennes salles d'étude s'ouvrant jadis sur le patio renferment les trésors de l'époque coloniale : tableaux, statues de bois polychromes, travaux artisanaux en or et en argent tous remarquables, tel ce saint Pierre de bois brun vêtu de rouge.

Le **Centro de Investigaciones de Mesoamérica (CIRMA)** *(5a. Calle Oriente n° 5)* possède une excellente bibliothèque et une bonne collection de photos. La priorité est donnée à l'Amérique centrale. Le CIRMA est fréquenté par des chercheurs de divers pays.

Plus à l'est sur la même rue, qui porte aussi le nom très approprié de Calle de la Nobleza (rue de la noblesse), vous pouvez visiter la **Casa Popenoe** *(5a. Calle Oriente, angle 1a. Avenida Sur).* Construite en 1636 par Don Luis de las Infantas Mendoza y Venegas, cette maison privée incarnait le luxe des belles demeures des nobles de la ville. Tombée en ruine au cours du tremblement de terre de 1773, la maison fut achetée par un botaniste américain et sa femme (la famille Popenoe), qui entreprirent un restauration minutieuse de l'édifice, en plus de le garnir de mobilier d'époque.

La maison donne une bonne idée de la vie des nobles au XVIIᵉ siècle. Il faut voir le jardin pour ses fleurs, épices et condiments. Au grenier, vous trouverez une cage à pigeons voyageurs, porteurs de message qu'on attachait à leurs pattes.

Un peu plus au sud, l'**Iglesia y Convento Santa Clara** *(2a. Avenida Sur n° 27 angle 6a. Calle Oriente)* est un ensemble conventuel qui fut érigé par des religieux et des religieuses venus de Puebla de los Angeles, au Mexique. Les fonds nécessaires à la construction proviennent de José Hurtado de Arria et de Doña María Ventura Arrivillaga, qui firent don de leur fortune. Commencés en 1699, l'église et le couvent seront terminés en 1715.

Deux ans plus tard, tout le complexe est détruit par le tremblement de terre. Les religieuses doivent s'installer à Comalapa (voir p 206). Les ruines que vous voyez sont celles du deuxième ensemble terminé et consacré en 1734. Le cloître, situé dans la partie nord, renferme une grande fontaine, tandis que le jardin couvre la partie sud du couvent. L'église donne ne non pas, comme on s'y attend, sur la rue, mais plutôt sur le monastère. La belle façade ornée de sculptures est difficile à voir, car on a construit un auberge sur le parvis.

Devant l'église Santa Clara, dans un lavoir public, une scène de la vie de tous les jours se répète quotidiennement. Depuis toujours, les femmes lavent leur linge à la main, puis elles le font sécher sur la pelouse du parc. Depuis 1853, le lavoir porte le nom de **Tanque de la Unión** *(2a. Avenida Sur)* en hommage au mouvement syndical en l'Amérique centrale. L'eau qui coule dans les bassins du lavoir provient de la même source qui alimente les habitants d'Antigua depuis sa fondation. On dit qu'elle fut déterminante dans le choix d'Antigua pour réimplanter la capitale en 1542.

L'Iglesia y Convento San Francisco ★★ *(angle Calle de los Pasos et 7a. Calle Oriente)* est un ensemble conventuel qui occupe le même emplacement depuis 1543. L'église fut terminée avant 1600, et le monastère franciscain fut achevé en 1625. En 1684, les franciscains construisent un hôpital de deux étages et une magnifique chapelle dédiée à saint Antoine de Padoue. Mais le tremblement de terre de 1689 provoque de graves dégâts qui rendent les édifices inhabitables. Les franciscains reconstruisent plus grand encore. Un autre séisme en 1717 détruit un bonne partie des édifices. On renforce l'église au moyen d'énormes contreforts plaqués contre les murs. Au tremblement de terre de 1773, les contreforts résistent mais l'église s'effondre.

La façade de l'église actuelle, avec ses colonnes stuquées, est flanquée de deux clochers massifs. Le seul élément qui reste de la première église est la chapelle de Hermano Pedro, où reposait Hermano Pedro de San José Betancourt (1626-1667), une des figures religieuses les plus vénérées en Amérique centrale. Ce frère franciscain fonda un hôpital pour les pauvres, ce qui lui valut la reconnaissance de plusieurs générations de fidèles. Les malades sont encore nombreux à venir prier au pied de sa sépulture. Le frère a été béatifié en 1981. Un petit musée adjacent à la chapelle présente des objets ayant appartenu au saint frère.

Plus au sud, l'église de l'**Escuela de Cristo ★** *(angle Calle de los Pasos et Calle de Belén)* est le théâtre de plusieurs célébrations durant la Semaine sainte.

En retournant vers le Parque Central, vous verrez l'**Alliance française** *(2a. Avenida Sur, entre 8a. Calle Oriente et 9a. Calle Oriente)*.

Située directement au sud du Parque Central, l'**Ermita San José el Viejo** *(5a. Avenida Sur en face de la 8a. Calle)*, construite en 1761, est un bel exemple du style baroque. Les murs sont bas et étayés par des contreforts imposants. Les petites tours sont bien intégrées à la façade.

Les environs d'Antigua Guatemala

À 3 km au nord d'Antigua, sur la route de Chimaltenango le village de **Jocotenango**, renferme, selon certains, la plus ancienne église de l'Amérique centrale, l'**Iglesia Nuestra Señora de la Asunción de Jocotenango** qui impressionne avec sa façade baroque et ses colonnes doubles.

À quelques kilomètres au nord d'Antigua, le village de **San Felipe de Jesús ★** est renommé pour son église néogothique construite à partir des pierres récupérées des ruines de l'église de La Merced. Le premier vendredi du carême et pendant la Semaine sainte, les pèlerins de toute l'Amérique centrale viennent prier au pied du Christ gisant.

La deuxième capitale du Guatemala était située à 5 km au sud-est d'Antigua sur la route d'Escuintla. **Ciudad Vieja**, fondée par Jorge Alvarado, le frère du conquérant Pedro, a été la capitale de la colonie de 1527 à 1541. Le 11 septembre 1541, à la suite des pluies torrentielles, une avalanche de boue a enseveli la ville. La veuve de Pedro Alvarado, Doña Beatriz de la Cueva, qui avait été récemment nommée gouverneur de la colonie, était parmi les noyés. L'âge de l'église située sur la Plaza central est source de controverse parmi les historiens de l'art.

Antigua Guatemala

Sur une route secondaire dont l'embranchement se trouve à Ciudad Vieja, à environ 12 km au sud-est d'Antigua, le village de **San Antonio Aguas Calientes** ★★ est réputé pour la qualité de ses tissus. Les motifs géométriques floraux et animaliers des *huipiles* (blouses) ornent l'envers comme l'endroit du tissu. Les femmes du village donnent des cours de tissage.

Quelques kilomètres plus loin, se trouve **Santa Catarina Barahona** ★, dont l'*encomendero* (tuteur des Indiens regroupés dans une *encomienda*) fut le Capitán Sancho de Barahona. C'est en fait un village préhispanique dont les habitants sont de culture Kaqchikel.

Le village d'**Alotenango** est situé sur la route d'Escuintla à 9 km d'Antigua. Selon certains historiens, le village, dont le nom signifie «le lieu du maïs tendre» est habité par les descendants des Pipiles qui parlent le nahua, une ancienne langue du Mexique. Alotenango est aussi un point de départ pour l'ascension de l'Agua.

Au pied du volcan Agua, **San Juan del Obispo** ★ s'est développé autour du palais construit au XVIᵉ siècle pour le premier évêque du Guatemala, Francisco Marroquín. L'église et le couvent ont été minutieusement restaurés, et ils conservent leur aspect original.

Plus loin sur la route de Palín (voir p 257), situé à quelques kilomètres sur la pente du volcan Agua et derrière le village de San Juan del Obispo, le petit village de **Santa María de Jesús** ★★ est réputé pour ses tissus très colorés. Ce village fut fondé à la fin du XVIᵉ siècle par des K'iche' amenés de force de Quetzaltenango. L'église de la Plaza Central, construite au XVIIᵉ siècle, nous rappelle par ses jambages en pierre taillée l'influence du style roman, prédécesseur du gothique.

Durant la période coloniale, l'activité la plus lucrative pour les habitants du village était l'extraction, le transport et la vente de blocs de glace aux citadins de la capitale, Santiago de los Caballeros (Antigua). Cette glace provenait des neiges qui bordent le contour du cratère de l'Agua. D'ailleurs, c'est à partir de ce village que débute l'ascension du volcan Agua où la lumière du matin permet d'avoir une vue resplendissante sur Antigua et les quatre volcans qui l'entourent.

L'ascension des volcans

Les quatre volcans qui entourent Antigua offrent des vues incomparables sur toute la région, et rien ne vaut une ascension par une belle nuit claire à la pleine lune pour contempler le lever du soleil depuis le sommet.

Les trois premiers volcans, à savoir l'Agua, l'Acatenango et le Fuego, sont situés à environ 5 km d'Antigua. Le plus éloigné, le Pacaya, est encore actif. Il attire les touristes, mais malheureusement les bandits aussi. Pour éviter les vols, nous vous recommandons de louer les services d'un guide.

Le **Volcán Agua** (3 766 m), situé au sud d'Antigua, est le plus facile à escalader. On y accède par Santa María de Jesús. Comptez entre trois et quatre heures d'escalade.

Le **Volcán Acatenango** (3 976 m) est situé au sud-ouest d'Antigua. C'est le plus difficile à escalader. Le meilleur circuit débute au sud de La Soledad, une plantation de café à 15 km à l'ouest de Ciudad Vieja. Vous atteindrez un petit plateau, La Meseta (connu localement comme El Conejón), après quatre heures d'escalade. Il vous en faudra autant pour atteindre le sommet. Un autre circuit commence au village d'Alotenango et offre une excellente vue sur le cratère actif du volcan Fuego.

Le **Volcán Fuego** (3 763 m), sis au sud du volcan Acatenango, s'avère lui aussi difficile d'accès. L'ascension commence aux mêmes endroits que pour l'ascension du volcan Acatenango. Il faut être en bonne condition physique pour la montée.

Le **Volcán Pacaya**

(2 580 m) se trouve à une vingtaine de kilomètres d'Antigua. La montée se fait en trois ou quatre heures et les derniers 500 mètres sont épuisants. Le spectacle est impressionnant à cause des fumerolles, des exhalaisons sulfureuses, de la chaleur dégagée par la lave et du sol qui tremble sous nos pieds. Encore plus beau la nuit, mais il faut alors être bien équipé car il fait froid.

Hébergement

Poste d'essence Texaco

angle 9a. Calle Poniente et Carretera Ciudad Vieja

Le poste d'essence Texaco, près du Ramada Inn, accepte les véhicules récréatifs.

Angélica Jiménez

1a. Calle Poniente nº 14A

Angélica Jiménez propose chambre et pension à la semaine seulement.

Posada Ruiz 2

$

bc

2a. Calle Poniente nº 25

La Posada Ruiz 2 est un lieu de rencontre pour les voyageurs à petit budget. Les chambres sont petites mais propres, et l'endroit se trouve près de la gare d'autocars.

Casas de Santa Lucía #1, #2 et #3

$ camping; *$$ chambre double*

Alameda de Santa Lucía no 5 ou nº 9 et nº 21 et au 6a. Avenida Norte nº 43A

près de l'église La Merced

Les Casas de Santa Lucía #1, #2 et #3, situées près de la gare d'autocars, louent trois maisons et constitue le seul endroit pour le camping à Antigua. Les chambres sont propres et peu chères; il y a de l'eau chaude toute la journée et l'on peut laisser ses bagages en sécurité à l'administration. C'est un point de rencontre de plusieurs jeunes voyageurs. Il faut sonner car il n'y a aucune indication sur la rue.

Posada Landivar

$-$$

5a Calle Poniente nº 23

☎832-2962

L'auberge Posada Landivar est située tout près du Mercado Municipal. Un peu exiguës mais propres, les chambres avec salle de bain privée ont l'avantage d'avoir de l'eau chaude courante. Le bâtiment est visible depuis l'Alameda Santa Lucía.

Hotel Bugambilia

$$ pdj

bp, S

3a. Calle Oriente nº 19

☎832-5780

L'Hotel Bugambilia s'avère tranquille et les propriétaires sont avenants.

Hotel Cristal

$$

bp,

Avenida El Desengaño nº 25

☎832-4177

L'Hotel Cristal, propre et tout fleuri, géré par une famille sympathique, n'a que sa localisation comme désavantage; il est situé sur la route des autocars. On peut utiliser la cuisine. Chambre double ou triple.

Hotel Santa Clara

$$

bp, S

2a. Avenida Sur nº 20

☎ ⇔ *832-0342*

L'Hotel Santa Clara est bien situé et propose d'excellents prix.

Posada las Palmas

$$

bc/bp

6a. Avenida Norte nº 14

☎832-0376

hvangogh@infovia.com.gt

La charmante petite Posada las Palmas, à un coin de rue du Parque Central, propose des chambres décorées avec un évident souci du détail. Cet établissement anciennement appelé Posada Van Gogh affiche les couleurs du célèbre peintre hollandais. On y a aussi ajouté des ornements de style Santa Fe (Nouveau-Mexique).

Bien que certaines chambres ne disposent pas de fenêtres, d'autres possèdent toutefois un puits de lumière. Il s'agit d'un établissement paisible et inspirant. Les hôtes ont accès à un salon de détente où se trouvent un bar, un téléviseur et une connexion permettant l'accès à l'Internet.

Antigua Guatemala

Dans le patio intérieur se trouve le restaurant Starry Night Cafe (voir p 153).

Villa San Francisco
$$
bc/bp
1a. Avenida Sur n° 15
☎*832-3383*
La Villa San Francisco possède une terrasse avec vue sur la ville. Les portes de bois de style colonial et les tapisseries que l'on retrouve dans certaines chambres possèdentt, sans contredit, un charme certain. L'hôtel offre, de plus, un service de télé-communication très pratique : fax, appels interna-tionaux, courriel. Vous pourrez même louer des bicyclettes sur place.

Hotel Antigua
$$$
angle 8a. Calle Poniente et 5a. Avenida Sur n °8
☎*832-0288*
Sans doute un des plus vieuxl hôtels d'Antigua, le luxueux Hotel Antigua loge dans les ruines d'une ancienne église entourée de superbes jardins. Les chambres, bien que vieil-lottes, disposent toutefois d'un foyer très utile quand l'humidité sévit à la tombée de la nuit. Un classique.

Hotel Aurora
$$$ *pdj*
bp, S
4a. Calle Oriente n °16
☎*832-0217*
⊷*832-5155*
La cour de l'Hôtel Aurora est un petit bijou! La fon-taine et la luxuriante vé-gétation dans la cour à l'entrée vous font un ac-cueil rafraichissant et fort agréable.

Ses 17 chambres de style antique s'avèrent confor-tables et leur prix inclut le petit déjeuner.

Hotel Casa Azul
$$$
tv, ≈, ⌂, ⊛, S
4a. Avenida Norte n° 5
☎*832-0961*
⊷*832-0944*
L'Hotel Casa Azul, aux chambres immenses, est situé tout près du Parque Central.

Hotel Casa Santo Domingo
$$$
bp, ≈
3a. Calle Oriente n° 28
☎*832-0140*
⊷*832-0102*
L'Hotel Casa Santo Do-mingo propose à ses convives des chambres luxueuses de catégorie supérieure. Les propriétai-res de l'hôtel ont établi leurs quartiers dans un ancien couvent domini-cain en partie rénové. Il va sans dire que les lieux ne manquent pas de cachet.

Les jardins coloniaux abritent, en plus des aires de repos, une piscine fort appréciée les jours de grande chaleur. L'établissement offre aussi deux plus petites cham-bres plus abordables..

El Refugio
$
bc/bp
4a .Calle Poniente n° 30
El Refugio propose des chambres de qualité très variables. Visitez avant d'en choisir une. Elles sont parfois minus-cules et dotées de lit de confort douteux. Mais la cour et la vue imprenable

sur la ville qu'offre la terrasse compensent assu-rément pour ces inconvé-nients. L'hôtel met sa cuisine à la disposition des voyageurs.

Hotel El Carmen
$$$ pdj
bp, , tv
3a. Avenida Norte n° 9
☎*832-3850*
⊷*832-3847*
Pour un séjour paisible dans un établissement soigné,vous choisirez l'Hotel El Carmen. L'établissement compte 12 chambres avec télévi-sion et téléphone privé. De plus, la cour vous offrira de délicieux mo-ments de détente.

Hotel el Claustro
$$$
5a. Avenida Norte n° 32
☎*832-2701*
Près de l'arche Santa Ca-tarina, vous trouverez l'Hotel el Claustro. L'endroit est propre, petit et fort sympathique. Le seul ennui est probable-ment le tintamarre causé par les fêtards les vendre-dis et les samedis à La Casbah, située tout près. À moins que vous n'alliez vous joindre à eux...

Hotel La Sin Ventura
$$$
bp, ℜ
5a. Avenida Sur n° 8
☎*832-0581*
⊷*202-3729*
L'Hotel La Sin Ventura loge dans une maison coloniale de belle facture. Les 28 chambres de cet établissement, décorées avec soin, sont mainte-nues dans un état impec-cable. Le personnel cour-tois répondra à toutes vos

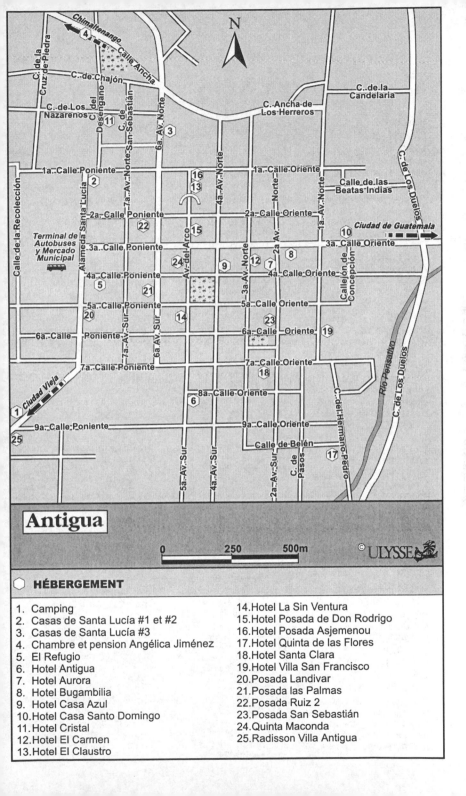

Antigua

0   250   500m

© ULYSSE

HÉBERGEMENT

1. Camping
2. Casas de Santa Lucía #1 et #2
3. Casas de Santa Lucía #3
4. Chambre et pension Angélica Jiménez
5. El Refugio
6. Hotel Antigua
7. Hotel Aurora
8. Hotel Bugambilia
9. Hotel Casa Azul
10. Hotel Casa Santo Domingo
11. Hotel Cristal
12. Hotel El Carmen
13. Hotel El Claustro
14. Hotel La Sin Ventura
15. Hotel Posada de Don Rodrigo
16. Hotel Posada Asjemenou
17. Hotel Quinta de las Flores
18. Hotel Santa Clara
19. Hotel Villa San Francisco
20. Posada Landivar
21. Posada las Palmas
22. Posada Ruiz 2
23. Posada San Sebastián
24. Quinta Maconda
25. Radisson Villa Antigua

questions concernant votre séjour au pays.

Hotel Posada Asjemenou
$$$ pdj
bc/bp, ℜ
5a. Avenida Norte n° 31
☎*832-2670*
L'Hotel Posada Asjemenou propose des chambres à l'atmosphère coloniale autour d'une belle cour intérieure.

Hotel Posada de Don Rodrigo
$$$
bp, tv
5a. Avenida Norte n° 19
☎*832-0291*
L'Hotel Posada de Don Rodrigo se trouve dans une des plus belles maisons coloniales de la ville. Les chambres ont maintenu leur cachet d'époque, bien que on y trouve la télévision câblée et des salles de bain modernes.

La grande cour intérieure, toujours bien décorée, est cependant prise d'assaut par des groupes de joueurs qui commencent leur spectacle dès la première heure et recommencent à la brunante. Il est donc préférable de choisir une chambre à l'étage.

Hotel Quinta de las Flores
$$$
bp, ℜ, ≈, ℂ
Calle de Belén n° 6
☎*832-3721*
⇌*832-3726*
Plus luxueux, l'Hotel Quinta de las Flores est remarquable pour ses jardins, vastes et parsemés de fontaines; l'un d'eux abrite une aire de jeux pour les enfants. Le bâtiment principal dis-

pose de huit chambres luxueuses, la plupart avec foyer. De plus, les cinq maisons secondaires proposent un hébergement familial des plus confortables. Chacune de ces maisons comprend deux chambres, une cuisine, une salle de séjour et une salle de bain. La direction de l'établissement vous offrira un rabais appréciable si vous louez une maison pour un séjour d'une semaine ou plus. L'hôtel possède également son propre restaurant et une piscine privée.

Posada San Sebastián
$$$ pdj
bp
2a. Avenida Sur n° 36
☎*832-3282*
La Posada San Sebastián est un hôtel familial à l'ambiance coloniale.

Quinta Maconda
$$$
Avenida Norte n° 11
☎/⇌*832-0821*
Les trois chambres proposées par la Quinta Maconda frôlent le paradisiaque. En effet, cette maison coloniale en superbe état les révèle, toutes munies d'un foyer. Quoique un peu cher, cet établissement vaut tout son pesant d'or, si votre bourse vous le permet.

Radisson Villa Antigua
$$$
bp,
9a. Calle Poniente et Carretera a Ciudad Vieja
☎*832-0011*
⇌*832-0237*
L'hôtel Radisson Villa Antigua est le plus grand et le plus moderne établissement d'héber-

gement de la ville. Il compte 139 chambres et 45 suites toutes dotées de balcons, de foyers et de salles de bain modernes.

Restaurants

La diversité des cuisines qu'Antigua propose est surprenante et les prix, somme toute, sont abordables. Vous pouvez choisir dans une gamme impressionnante de très bonnes cuisines : française, chinoise, italienne, japonaise, mexicaine etc. La cuisine guatémaltèque d'Antigua est aussi très variée, car les habitants sont originaires de plusieurs régions du pays. Il y plus de 50 cafés et restaurants à Antigua.

Café Flor
$
4a. Avenida Sur n° 1
Le Café Flor sert une délicieuse cuisine aux parfums d'Orient. Le menu propose une panoplie de plats chinois, indonésiens, indiens et thaïlandais tous plus savoureux les uns que les autres. Et, avis aux affamés, la maison est généreuse! Ouvert du mardi au samedi de 12h à 14h30 et de 18h à 21h.

Posada Asjemenou
$
tlj
5a. Avenida Norte n° 31
☎*832-2670*
Le restaurant de la Posada Asjemenou, autour d'une belle cour intérieure, est agréable et propose une bonne cuisine.

Rainbow Cafe
$
7a. Avenida Sur n° 8

Le Rainbow Cafe se présente comme le point de rendez-vous de la gent intellectuelle et littéraire. Menu végétarien (assiette de *falafel* ou de pâtes), lectures de poésie les mardis, musiciens locaux les vendredsi. Le parfait endroit où rêver, lire et philosopher. Vous pouvez même en profiter pour échanger les livres que vous tranportez avec vous contre d'autres. La bibliothèque compte plus d'un millier de livres d'occasion que vous pouvez emprunter, acheter ou échanger. Ouvert du jeudi au mardi de 9h à 23h.

Su Chow
$
5a. Avenida Norte n° 36
☎832-1344

Le restaurant Su Chow, tenu par un couple de Puerto Barrios, sert de bons mets chinois en copieuses portions.

La Fonda de la Calle Real
$-$$
5a. Avenida Norte n° 5

La Fonda de la Calle Real propose un menu parfait pour partir à la découverte des saveurs locales. *Caldo real, queso fundido, chiles rellenos* et *nachos* sont les spécialités du chef. Ouvert tous les jours de 7h à 22h. Petits déjeuners copieux.

Starry Night Cafe
$-$$
6a . Avenida Norte 14

Situé à l'entrée de la Posada las Palmas, le Starry Night Cafe bénéficie d'une ambiance relâchée. On y sert trois différents plats du jour.

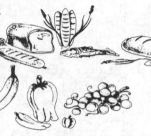

Sa cuisine recherchée ainsi que sa présentation originale font dans la haute voltige, ce qui fait de ce sympathique resto un endroit privilégié pour passer une belle soirée en bonne compagnie.

Asados de la Calle del Arco
$$
5a. Avenida Norte

Une balade le long de la 5a. Avenida Norte, au nord du Parque Central, vous permettra probablement de trouver un resto à votre goût. Parmi les nombreux établissements qui bordent cette avenue, essayez Asados de la Calle del Arco. Entre tout, c'est l'ambiance feutrée de sa salle à manger éclairée à la lueur des chandelles qui séduit. Vous trouverez sur le menu un choix de viandes grillées et de plats Tex-Mex, toujours à peu de frais toujours. Ouvert quotidiennement de 7h à 22h.

Café Masala
$$
6a. Avenida Norte n° 14A
☎832-4969

Le Café Masala sert de la cuisine thaïlandaise etjaponaise. Une dizaine de tables dont certaines comportent les pieds d'anciens moulins à coudre de marque Singer donnent au lieu un cachet unique et très japonais. Les *teriyakis* et les *tempuras* sont excellents, mais les portions sont petites. Bières chinoises, japonaises et saké figurent au menu. Le dimanche, on sert le spécial déjeuner japonais (18Q) de 8h30 à 11h30.

Caffe Opera
$$
6a. Avenida Norte n° 17
☎832-0727

Le Caffe Opera est unique : une grande maison coloniale transformée en deux grandes salles dont les murs sont décorés de partitions d'opéras et d'affiches allant de Serge Gainsbourg à Sofia Loren. La carte, aux très nombreux cafés, thés, tisanes, chocolats, bières importées, yogourts, tartes et croissants maison, saura vous tenter.

Donã Luisa Xicotencatl
$$
4a. Calle Oriente n° 12

Le restaurant le plus connu de la ville est sans doute le Donã Luisa Xicotencatl. Son menu se compose principalement de sandwichs variés, de hamburgers, de chili et de pommes de terre farcies.

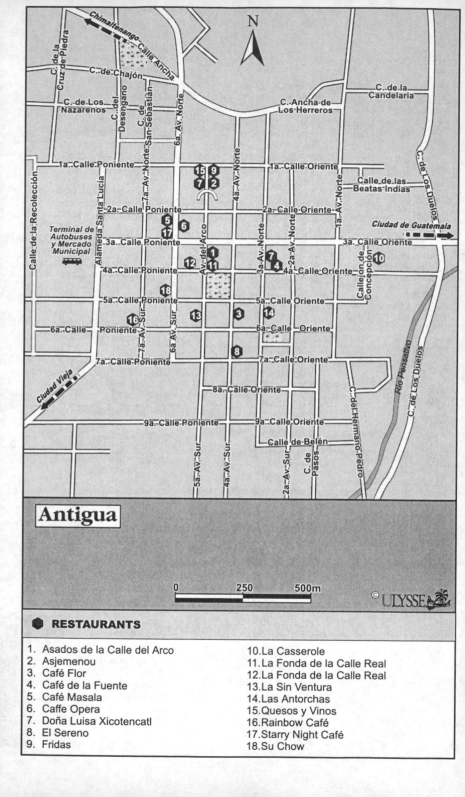

Antigua

RESTAURANTS

1. Asados de la Calle del Arco
2. Asjemenou
3. Café Flor
4. Café de la Fuente
5. Café Masala
6. Caffe Opera
7. Doña Luisa Xicotencatl
8. El Sereno
9. Fridas
10. La Casserole
11. La Fonda de la Calle Real
12. La Fonda de la Calle Real
13. La Sin Ventura
14. Las Antorchas
15. Quesos y Vinos
16. Rainbow Café
17. Starry Night Café
18. Su Chow

© ULYSSE

C'est simple, c'est co-pieux et c'est couronné d'un excellent café. Le restaurant est ouvert tous les jours de 7h à 21h30.

Fridas
$$
Avenida Norte nº 29
Sans aucun doute un des restaurants les plus ani-més d'Antigua, Fridas se présente comme une *taquería mejicana* qui propose d'excellents *ta-cos* et *fajitas*. Parmi les plats, toujours servis en portions généreuses, ne manquez pas d'essayer les *tacos mixtos*, soit une sélection des différents tacos servis par la maison. Les deux sympatiques propriétaires, Maggy, une Mexicaine, et María Dolo-res, une Guatémaltèque,-créent toujours une am-biance propice pour prendre l'apéro ou le digestif à leur bar.

Quesos y Vinos
$$
5a. Avenida Norte nº 32
On va au restaurant Que-sos y Vinos pour la pizza et les pâtes.

Las Antorchas
$$-$$$
3a. Avenida Sur nº 1
☎=832-0806
Le restaurant Las Antor-chas est tenu par deux Toulousains, Christophe et Philippe, qui ont trans-formé une grande maison coloniale en un restaurant immense et accueillant. Les spécialités sont les viandes et les poissons grillés mais, à ceux et celles qui ont le mal du pays (du sud de la France, il va sans dire), ils servent du cassoulet et un Ricard. On y trouve une

carte de vins internatio-nale et même quelques vins du Sud-Ouest Fran-çais.

El Sereno
$$$
4a. Avenida Norte nº 16
☎832-0501
Une magnifique maison coloniale admirablement rénovée abrite le restau-rant El Sereno. On y sert une cuisine internatio-nale, quoique le chef semble avoir une préfé-rence pour les plats fran-çais. La décoration inté-rieure est charmante : des plantes tropicales et des peintures à l'huile ornent les nombreuses petites salles à manger. La mai-son propose une courte carte des vins, biens choi-sis mais plutôt chers. Ou-vert de 12h à 22h tous les jours sauf le mardi.

La Casserole
$$$
Callejón de la Concepción nº 7
☎832-0219
La Casserole, située près de l'Hotel Santo Domin-go, est un rendez-vous à ne pas manquer. L'ambiance feutrée de l'ancienne villa coloniale décorée de couleurs mé-diterranéennes vous char-mera. On sert sur la ter-rasse, dans le patio ou en salle une cuisine prove-nant de diverses régions de la France. La carte des vins français est bien garnie. Tenu par Gilbert Martínez et sa compagne Tezet, la seule proprié-taire de restaurant d'origine éthiopienne au Guatemala, l'endroit vous enchantera.

La Sin Ventura
$$$
5a. Avenida Sur nº 8
☎832-0581
Le restaurant au concept stylisé La Sin Ventura possède une décoration intérieure qui marie l'architecture coloniale à un mobilier moderne. À l'entrée, un bar et un bistro donnent le ton à cet endroit populaire et branché de la région. On y sert une sélection de plats typiques d'Antigua, dont le *pepian*, à base de poulet, de porc ou de bœuf et préparé avec deux types de piments forts, du sésame, des tomates et des oignons.

Malheureusement, le pain est réchauffé au micro-ondes, ce qui lui donne un effet douteux et un goût plutôt caoutchou-teux. Le service attention-né sauve toutefois la mise.

Sorties

Antigua n'est ni Paris ni Montréal. La vie nocturne est quelque peu écourtée par les lois municipales interdisant la vente d'alcool après une heure du matin. Même si plu-sieurs estaminets font fi de ces lois, l'atmosphère reste somme toute très civilisée. La plupart des bars pour touristes sont situés au nord de la Plaza Mayor, sur les 4a., 5a. et 7a. Avenidas, tandis que ceux plus guatémaltèques se trouvent sur l'Alame-da Santa Lucía.

Bars et discothèques

Quelques petits bars sont regroupés aux abords de la 7a. Avenida Norte, qui commence a s'animer vers 22h.

Macondo
5a. Calle Poniente n° 28
Pour se dégourdir et se trémousser, choisissez l'atmosphère et le style musical qui vous convient le mieux : Le Macondo est l'endroit bon chic bon genre de la ville. Le plaisir version sérieuse. Grands espaces, musique de jazz, photos de Charlie Chaplin et des Blues Brothers encadrées, bar bien garni et prix somme toute raisonnables. Ouvert de 18h à 1h.

La Casbah
5a. Avenida Norte n° 30
Tout près de là, La Casbah rallie la jeunesse de tous les genres. La foule se défoule aux accents de musique latine et des grands succès pop de l'heure. Prix d'entrée les vendredis et les samedis.

Rikki's Bar
4a. Avenida Norte n° 4
Le Rikki's Bar est présentement le bar le plus swinguant en ville. Situé dans le même édifice que le restaurant La Escudilla, Rikki's sait plaire à plusieurs amateurs de jazz. L'ambiance et la musique attirent une foule chaque soir.

The Gator Grill
2a. Avenida Norte n° 6B
☎832-3228
The Gator Grill, muni d'un écran géant et de tables de billard, propose une cuisine Tex-Mex.

Cinémas

Un bon film (environ 10Q) pour se reposer un peu? Les établissements suivants organisent des séances de visionnement de films sur vidéocassettes. Chacun affiche, a l'entrée, son horaire et sa programmation. Les films sont diversifiés et les projections, fréquentes. Apportez votre pop-corn!

Antigua Cinemas
2a. Calle Oriente n° 2
angle 4a. Avenida Norte

Cinemala
2a. Calle Oriente n° 4

Cinema Bistro
5a. Avenida Norte n° 28

Comfort Home Theater
1a. Avenida Norte n° 2
Mistral
2a. Avenida Norte n° 6-B

Arts de la scène

Proyecto Cultural el Sitio
5a. Calle Poniente
☎832-3037
Le Proyecto Cultural el Sitio propose des concerts ainsi que des productions théatrales (certaines pièces sont présentées en anglais). Le prix des billets varient entre 10Q et 30Q. Ses locaux abritent également des expositions présentant les œuvres d'artistes visuels locaux. Ouvert du mardi au dimanche de 11h a 19h.

Centres culturels

CIRMA
5a. Calle Oriente n° 2E

Casa de la Cultura
à côté de la cathédrale

Alliance française
3a. Calle Oriente n° 19A ou 2a. Avenida Sur
entre 8a. Calle Oriente et 9a. Calle Oriente

Instituto Italiano
4a. Calle Oriente n° 21

Biblioteca Internacional de Antigua
5a. Calle Poniente n° 15
À noter que la Biblioteca Internacional de Antigua, dans le Proyecto Cultural el Sitio, possède une riche collection de livres d'auteurs guatémaltèques et internationaux. La bibliothèque offre la possibilité de s'abonner pour la durée de votre séjour.

Danse

Les célébrations de la Semaine sainte à Antigua sont reconnues comme les cérémonies les plus élaborées de cette grande manifestation religieuse au Guatemala (voir p 53). Néanmoins, depuis les temps coloniaux, tout le département de Sacatepéquez est réputé pour être un centre de danses folkloriques important, particulièrement la ville de Ciudad Vieja, où plusieurs groupes de danses traditionnelles exécutent leur propre variante.

Ainsi, la danse du Venado se pratique à Santa María de Jesús; la danse De Toritos dans les *municipios* de Sumpango, Santo Domingo Xenacoj, Santiago Sacatepéquez, San Miguel Dueñas et San Lucas Sacatepéquez; la danse de Moros y Cristianos à Antigua Guatemala, dans le quartier de Santa Ana et à San Lucas Sacatepéquez avec sa variante espagnole. D'autres variantes, comme celles de Los Siete Pares de Francia, Los Doce Pares de Francia, Los Reyes Argelinos, La Reina Catalina et Carlo Magno y Napoleón, sont exécutées à Ciudad Vieja; Don Fernando à San Miguel Dueñas et El Rosario à Sumpango; El Rey Salinas à Jocotenango et El Rey Solín Contra El Rey Clarión à Antigua. Plusieurs autres danses sont exécutées ailleurs dans le département.

Ces nombreuses manifestations consacrent le département de Sacatepéquez comme le berceau des nouvelles formes de danses qui sont apparues dans cette région centraméricaine depuis le début de la colonisation par le biais de la culture hispano-europénne.

Les fêtes patronales (voir l'encadré à la fin du chapitre) sont habituellement l'occasion d'exécuter ces danses.

Fêtes patronales et festivals

Janvier

Santa María Jesús commence sa fête patronale le 1er janvier et la poursuit jusqu'au 6. Les jours principaux sont le 1er et le 2 janvier.

Santa Catarina Barahona célèbre le 15 janvier la fête du Christ noir d'Esquipulas.

San Antonio Aguas Calientes célèbre sa fête patronale le 20 janvier.

Mars á Avril

La Semaine sainte

Antigua Guatemala célèbre la Semaine sainte de façon spectaculaire.

Juin

San Antonio Aguas Callentes célèbre la fête du Corpus Christi (fête mobile) et **saint Antoine de Padoue** le 13 juin. Les célébrations commencent le 10 et se poursuivent jusqu'au 15.

San Juan Alotenango célèbre saint Jean-Baptiste du 22 au 26 juin, le jour principal étant le 24.

Juillet

Antigua Guatemala et **Santiago Sacatepéquez** célèbrent l'apôtre saint Paul, leur fête patronale étant le 25 juillet.

Magdalena Milpas Altas célèbre sainte Marie Madeleine le 22 juillet.

Août

Santo Domingo Xencoj célèbre sa fête patronale les 4 et 5 août, le jour principale étant le 4.

Jocotenango, situé à 3 km au nord d'Antigua sur la route de Chimaltenango, célèbre sa fête patronale le 15 août. À cette occasion, on exécute de nombreuses danses folkloriques.

San Bartolomé Milpas Altas célèbre saint Barthélemy le 24 août.

Sumpango célèbre saint Augustin, sa fête patronale étant du 27 au 29 août, et le jour principal, le 28.

Septembre

San Miguel Dueñas célèbre saint Michel archange, sa fête patronale étant du 25 au 29 septembre, et le jour principal, le 29.

Octobre

Pastores célèbre sa fête patronale du 8 au 11 octobre, le jour principal étant le 9.

San Lucas Sacatepéquez célèbre saint Luc, sa fête patronale étant du 16 au 19 octobre, et le jour principal, le 18.

Décembre

Ciudad Vieja célèbre l'Immaculée Conception le 8 décembre; la fête patronale commence le 5 et finit le 9 décembre.

Santa Lucía Milpas Altas célèbre sa fête patronale du 12 au 16 décembre, le jour principal étant le 12.

Achats

Marchés

Coloré et mouvementé à souhait, le **Mercado Municipal** se trouve du côté ouest de l'Alameda Santa Lucía. Les petits matins y sont particulièrement animés. Lève-tôt, vous serez heureux! *Heures d'ouverture: 7h a 18h.* La *4a. Calle Poniente entre le Parque Central* et le Mercado Municipal est une artère commerciale. Vous trouverez également deux petits marchés au coin de la 6a. *Calle Oriente et de la 2a. Avenida Sur, et à l'angle de la*

4a. Calle Poniente et de la 7a. Avenida Norte.

Artisanat

Nim Po't
5a. Avenida entre l'arche et La Merced
☎‒*832-2681*
Nim Po't, un centre dédié aux tissus traditionnels, est la plus importante coopérative regroupant les artisanes non seulement d'Antigua mais aussi de plusieurs régions du Guatemala. Le centre est un musée vivant qui expose et vend de nombreux vêtements traditionnels et autre artisanat (il y a même un *cayuca* du Lago de Atitlán en montre). On prend le temps de vous expliquer comment les artisanes confectionnent les différents *trajes*. Le «hangar musée», un immense local où chaque région dispose d'un vaste espace, vaut la peine d'être visité même si vous ne voulez rien acheter.

Poterie

Montiel est une manufacture de poterie qui utilise les techniques traditionnelles pour fabriquer une céramique blanche dans le style *mayólica* spécifique à Antigua. Pour se rendre à l'atelier, il faut emprunter la 6a.Avenida Norte jusqu'à la rue diagonale (à six rues du Parque Central); puis il faut tourner à gauche un coin de rue plus loin, ensuite à droite et enfin marcher jusqu'au n° 20.

Faites-vous indiquer la *fabrica de loza Montiel*.

La **Ródenas Fábrica** produit des oiseaux en céramique et se trouve sur la Calle del Chajón au n° 21 (au nord du marché).

Argenterie

Pour les bijoux en argent, il faut se rendre au village de San Felipe de Jesús (on peut s'y rendre à pied). **La Platería Típica La Antigüeña** est connue de tous les villageois.

Peinture

La Antigua
(BM Johnston Galleries)
4a. Calle Oriente n° 15
☎*832-2124*
‒*832-2866*
artantigua@guate.net
La galerie d'art La Antigua (BM Johnston Galleries) expose et vend des toiles de nombreux artistes provenant des trois Amériques. La galerie, qui loge dans une belle maison coloniale, est tenue par Estela Vásquez de Johnston.

Jades S.A.
tlj
4a. Calle Oriente n° 34
☎*832-0109*
‒*832-0752*
Chez Jades S.A., on vous expliquera tout sur le jade et l'on vous montrera la nouveauté, un jade teinté de rose. On vous invitera à visiter l'atelier situé à 150 m de la bijouterie : allez-y, vous comprendrez pourquoi cette pierre est si recherchée.

Tabac à pipe, cigares et cigarettes

El Inicorno, International Smoke Shop
4a. Calle Poniente n° 38B
☎*832-4938*
El Inicorno, International Smoke Shop stocke une grande variété de cigarettes, de cigares et de tabac à pipe provenant d'une trentaine de pays.

Libraires

Un poco de Todo et la **Librería Casa del Conde**, situées toutes deux du côté ouest du Parque Central ainsi que la **Casa Andinista**, (4a. Calle Oriente n° 5), sont d'excellentes librairies. Elles ont en stock un grand nombre de livres neufs et d'occasion en plusieurs langues. Toutes les trois sont ouvertes sept jours par semaine.

Hamlin y White
tlj
4a. Calle Oriente n° 12A
☎*832-2613*
Hamlin y White vend plusieurs revues étrangères (américaines), les derniers best-sellers américains et des livres d'occasion dont quelques-uns sont écrits dans une langue autre que l'anglais.

Comment
dépeindre
en mots
l'imposante
majesté des
ruines de Tikal?
- *Inguat,*
David M. Barron

Les paysages
montagneux des
Hautes Terres
dégagent une
atmosphère
poignante,
presque
mystique.
- *Carlos Pineda*

Des enfants se rendent à la foire de San Francisco el Alto pour y vendre leurs cochonnets.
- *Carlos Pineda*

Quoi de plus agréable en voyage que de s'arrêter pour parler aux gens sur la place du village?
- *Carlos Pineda*

Lago de Atitlán

L e célèbre biologiste Alexander von Humboldt ne s'est sans doute pas trompé lorsqu'il écrivit que le Lago de Atitlán est *«le plus beau lac du monde»*.

L'écrivain anglais Aldous Huxley, quant à lui, se laissa tenter par cette phrase : *«N'importe qui sera contaminé par ce paysage si beau qu'il délirera.»*

Le Lago de Atitlán, perché à 1 560 m au-dessus du niveau de la mer, est entouré de quatre volcans, soit les volcans San Pedro, Tolimán, Atitlán, et le Cerro de Oro. Le lac lui-même repose dans un énorme bassin volcanique, et ses eaux recouvrent une superficie de 150 km² du bassin. Le lac a une profondeur géologique de 900 m, dont 300 m de résidus d'explosions volcaniques, 300 m recouverts d'eau, et les 300 m restants formant les parois qui entourent le lac au-delà de sa superficie.

La température moyenne de la région est de 19,4°C et oscille entre 12,4°C et 24,4°C. Toute la région du lac dispose d'un climat tempéré humide et d'un hiver doux et sec.

La végétation entourant le Lago de Atitlán, à l'est, au nord et à l'ouest, se compose principalement de conifères et de quelques forêts mixtes. Au sud, et dans les aires habitées, on retrouve principalement des feuillus.

Le Lago de Atitlán se trouve dans le département de Sololá, qui a une population d'environ 250 000 personnes. Ce département est composé à 95% de Mayas, et plus de 60% de sa population vit de l'agriculture. Malheureusement, le département se présente comme l'un de ceux qui ont le plus haut taux de pauvreté au pays.

Habité par les Mayas Cakchiquel et Tz'utujil, le Lago de Atitlán, au-delà de ses caractéristiques naturelles, demeure sans nul doute l'un des endroits les plus magiques de la planète.

Il semble que personne n'y arrive simplement par hasard. Les mystiques, les vagabonds devant l'éternel, les ex-hippies nostalgiques et les jeunes randonneurs vivent, autour du lac et au pied des volcans, des expériences uniques qui, pour plusieurs, transformeront leur vie. Si le voyage initiatique a un royaume, le Lago de Atitlán l'est sûrement.

Le paysage est certes d'un pittoresque à faire saliver les créateurs de brochures touristiques et les agences de voyages. Mais une photo en couleurs, même sur le plus stylisé des papiers glacés, ne saura rendre la profondeur du regard d'un Maya Tz'utujil observant l'opacité des eaux du lac, la dureté de la plante des pieds lacérés d'un Cakchiquel qui laboure les versants des montagnes, ou la légèreté de la fumée émanant d'un feu cérémoniel.

Le Lago de Atitlán est le temple vivant des Mayas, qui, de tout temps, ont habité la région. Les Mayas sillonnent encore les eaux du lac dans leurs *cayucos*, leurs canots traditionnels, et franchissent de sinueux sentiers de terre qui mènent on ne sait où.

Mais le développement touristique et la spéculation foncière repoussent peu à peu les anciens maîtres du lac. Des Ladinos et des étrangers achètent les terres en bordure du lac pour y construire de somptueuses résidences secondaires ou des auberges à l'intention des randonneurs. Ils s'emparent dès lors des terres les plus fertiles, là ou les Mayas cultivaient le maïs et les fèves, à la base de leur alimentation.

Vous aurez compris qu'on ne fait pas du tourisme au Lago de Atitlán comme on en fait en d'autres endroits du monde. Von Humboldt a dit avec raison qu'il s'agit du plus beau lac du monde, mais encore faut-il que la civilisation maya puisse s'épanouir à l'ombre de ces majestueux volcans.

Sololá, la ville au sommet de la vallée; Panajachel, la grouillante bourgade touristique et véritable porte d'entrée du lac; Santa Cruz, le petit village perché à flanc de montagne qui semble s'agripper pour ne pas sombrer dans les eaux profondes du lac; San Marcos, le village agricole récupéré par des mystiques et des ermites dans l'âme; San Pedro, le refuge des vagabonds de tous les pays; Santiago Atitlán, la ville maya, à la fois la plus dure pour l'étranger mais aussi la plus véritable d'entre toutes : voilà autant de villes et de villages qui vous attendent, près du lac, pour que vous y perdiez toute certitude.

Combien de temps faut-il rester au Lago de Atitlán? Vous pourrez bien sûr y passer deux ou trois journées et repartir avec un excellent souvenir de la région. Mais si vous pouvez y demeurer une bonne semaine, vous ne le regretterez pas. On quitte toujours le Lago de Atitlán avec l'impression qu'on commence à peine à le découvrir.

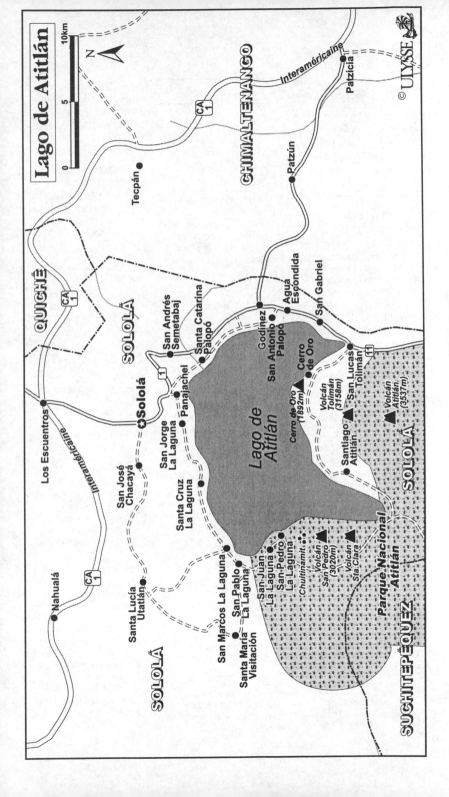

Lago de Atitlán

© ULYSSE

Pour s'y retrouver sans mal

Sololá

En voiture

De la capitale Ciudad de Guatemala, prenez l'Interaméricaine CA1 jusqu'au rond-point de La Cuchilla. Ici, empruntez la National 1, qui mène directement à la ville de Sololá.

En autocar

Pour vous rendre à Sololá à partir des différentes villes importantes du pays, rendez-vous au chapitre correspondant pour connaître les horaires, les tarifs et la durée des trajets jusqu'à Sololá.

Des autocars partent du *parque central* de Sololá aux 10 min en direction du rond-point de Los Encuentros *(1,5Q)*. À Los Encuentros, des *chicken bus* quittent régulièrement la gare pour toutes les régions du pays.

Pour vous rendre directement à la Ciudad de Guatemala, prenez le car de 10h à Panajachel ou celui de 10h30 à Sololá *(11Q)*.

Panajachel

En voiture

Une fois arrivé à Sololá, empruntez la route, bien indiquée, qui couvre 8 km jusqu'à Panajachel. Ne manquez pas de vous arrêter en route à l'un des deux belvédères (voir p 168) qui se trouvent aux abords de la grande côte qui descend jusqu'au lac.

En autocar

La plupart des cars menant à Panajachel passent par Los Encuentros et Sololá.

Pour quitter Panajachel en autocar, rendez-vous sur la route de Sololá à l'angle de la Calle Real.

Vers Antigua :
durée : *3 heures*
coût : *10Q*
Un seul bus par jour fait le trajet sans escale. Sinon prenez un car en direction de la Ciudad de Guatemala et prenez une correspondance à Chimaltenango.

Vers la Ciudad de Guatemala :
durée : *3 heures*
coût : *10Q*
Il y a des départs aux heures à partir de 5h30 jusqu'à 15h. Si vous manquez le dernier départ, prenez un car qui se rend au rond-point de Los Encuentros et prenez une correspondance sur place vers la capitale.

Vers Chichicastenango :
durée : *1 heure 30 min*
coût : *7Q*
Il y a des départs aux heures à partir de 7h du matin jusqu'à 16h.

Vers Quetzaltenango :
durée : *2 heures*
coût : *10Q*
Quatre ou cinq départs par jour à partir de 5h jusqu'en début d'après-midi.

Vers San Lucas Tolimán :
durée : *1 heure 15 min*
coût : *5Q*
Nombreux départs quotidiens.

Vers la frontière mexicaine (Cocales-El Carmen).
durée : 2 heures
coût : *5Q*
Pour vous rendre à la frontière mexicaine via la route du Pacifique, prenez un autocar jusqu'à Cocales. De là, prenez un autre car jusqu'à El Carmen. Vous pouvez aussi passer par l'Altiplano, via Quetzaltenango, pour atteindre El Carmen.

En bateau

Panajachel dispose de deux quais pour les départs des bateaux en direction des villages environnants. Au pied de la côte vers Sololá, un petit chemin de terre mène au premier quai. Voilà le point de départ pour les villages de Santa Cruz (*20 min*), San Marcos (*50 min*) et San Pedro (*1 heure 10 min*).

Tous les bateaux partent une fois qu'ils sont pleins et proposent un tarif de 10Q par personne pour les touristes étrangers.

À l'autre bout du village de Panajachel, le second quai est le point de départ pour Santiago Atitlán (*durée : 1 heure; coût : 10Q*).

Inguat
Edificio Rincón Sai
☎*762-1392*
De nombreux voyageurs qui n'ont que peu de temps à leur disposition choisissent des excursions d'une journée pour visiter en bateau les différents villages du lac. Les bureaux d'INGUAT proposent ce type d'excursion quittant Panajachel à 8h30. Cette excursion vous permet de demeurer au moins une heure dans les principaux villages, entre autres ceux de Santiago Atitlán et de San Pedro. Retour vers 16h; coût : 35Q.

En minibus

Plusieurs agences de tourisme proposent des correspondances directes depuis Panajachel vers les principales villes du pays. Bien qu'il soit un peu plus cher qu'en autocar, ce service s'avère beaucoup plus rapide et sécuritaire. Parmi les agences ci-dessous mentionnées, les prix ne varient que très peu d'une à l'autre.

Americo's Tours
3-45 Avenida 3, angle Calle Santander
☎/⇄*762-2021*
Americo's Tours propose des départs en minibus confortables vers Antigua, Chichicastenango, La Messilla, Cobán, Puerto Barrios et Tikal. Prix un peu plus élevés que ceux de **Panatours**, situé juste en face. Panatours accepte les différentes cartes de crédit et permet d'effectuer des avances de fonds sur votre carte.

Servicios Turísticos Atitlán
3-47 Avenida 3, Zona 2
Calle Santander, adjacent à l'Hotel Regis
☎*762-2075*
⇄*762-2246*

San Pedro de la Laguna

En voiture

Il est possible de vous rendre en voiture à San Pedro de deux façons. La première route passe par le village de Santiago Atitlán, puis grimpe sur les versants des volcans jusqu'à San Pedro. Cette route, très difficile d'accès – si ce n'est en véhicule tout-terrain – s'avère dangereuse, puisque de nombreux cas d'assauts ont été signalés au fil des ans entre Santiago Atitlán et San Pedro. La montée est si à pic, et dans une région si isolée, que vous ne pourrez jamais rouler très vite, ce qui facilite par le fait même la tâche des assaillants.

Autrement vous pouvez aussi vous y rendre en passant par Sololá.

Cela dit, il est fortement recommandé de laisser la voiture soit à Panajachel, soit à Santiago Atitlán, et de partir à la découverte de San Pedro en bateau.

En bateau

Pour vous rendre à San Pedro, il est préférable de passer par Panajachel, où l'on propose des départs aux heures vers les différents villages du lac.

Vers Panajachel, San Marcos et Santa Cruz :
les bateaux quittent le quai de San Pedro à 5h, 6h, 7h, 8h, 10h, 12h, 14h, 15h, 15h45 et 17h.
durée : *1 heure*
coût : *15Q*

Vers Santiago Atitlán :
les bateaux de l'entreprise Lancheros de Santiago quittent le quai de San Pedro toutes les deux heures (*10Q aller, 20Q aller-retour; durée 30 min*).

Santiago Atitlán

En autocar

Pour atteindre la Ciudad de Guatemala (*12Q; départs 3h, 4h, 5h, 7h, 11h, 12h et 14h; durée : 4 heures*), rendez-vous au centre du village, où deux cars partent en même temps, mais empruntent des routes différentes. L'un passe par la côte et fait escale à Patulul, Santa Lucía, Esquintla,

Palín et Amatitlán, tandis que l'autre emprunte la route des montagnes et fait escale à Godínez, Agua Escondida, Tecpán et Chimaltenango.

En bateau

Lancheros de Santiago
10Q aller; 20Q aller-retour
départs 6h15, 7h15, 11h30, 11h45, 14h, 15h et 16h30
durée : 1 heure
L'entreprise Lancheros de Santiago propose plusieurs départs quotidiens en direction de Panajachel. Contrairement aux autres villages du lac, il n'y a pas d'escale jusqu'à Santiago Atitlán.

Si vous voulez vous rendre à San Pedro, les départs s'effectuent à 7h, 9h, 10h30, 12h, 13h, 15h et 17h30 *(aller 10Q aller-retour 20Q; durée : 30 min)*.

Renseignements pratiques

Panajachel

Renseignements touristiques

Inguat
Edificio Rincón Sai
☎762-1392
Le personnel des bureaux d'INGUAT de Panajachel est particulièrement efficace. Vous y trouverez toute l'information nécessaire pour planifier votre visite des différents villages du lac.

Banque

Banco Immobiliario
Calle Santander, angle Calle Real
Pour changer vos devises, effectuer des avances de fonds sur votre carte de crédit VISA et profiter d'un service de guichet automatique ouvert 24 heures sur 24, rendez-vous aux bureaux du Banco Immobiliario.

Malheureusement, pour les détenteurs de la carte MasterCard, les banques de Panajachel ne permettent pas d'avance de fonds.

Pour changer des devises ailleurs que dans les banques, de nombreux hôtels et restaurants changent la devise américaine à des taux très compétitifs.

Téléphone

Les bureaux de Telgua se trouvent sur la Calle Santander.

Internet

Cafénet Panajachel
10Q
Calle Santander
adjacent au Banco Industrial
Le Cafénet Panajachel vous permet de vous brancher tant au courrier électronique qu'à Internet.

Santiago Atitlán

Visites guidées

Dolores Tz'utujil, une Maya de la région qui a vécu aux États-Unis et qui connaît le village sur le bout de ses doigts, propose une visite guidée pour 100Q l'heure. Vous la trouverez à la Posada Santiaguito (voir p 177), et il est préférable de l'en aviser la journée qui précède votre excursion.

Attraits touristiques

★★

Sololá

La ville de Sololá, perchée dans les montagnes, est le point de passage de la plupart des voyageurs qui se dirigent vers le lac en provenance des Hautes-Terres. Sololá se trouve à 135 km de la Ciudad de Guatemala et est devenu un important rond-point commercial pour les habitants de l'Altiplano occidental du Guatemala.

Sololá fut fondée en 1547 par Juan Rogel tout près d'un village précolombien du nom de Tzoloyá. Au fil des ans, Sololá a pris de l'importance et se présente aujourd'hui comme la capitale du département du même nom, qui englobe toute la région du Lago de Atitlán.

Lago de Atitlán

L'environnement menacé du Lago de Atitlán

Selon Henrique Rios et Ricardo Matos, membres du groupe écologiste Los Autóctonos, la croissance de la population autour du Lago Atitlán menace la survie des *cangrejos* (crabes d'eau douce). Les *cangrejos*, qui agissent en tant que «nettoyeurs marins», font en effet l'objet d'une pêche excessive. Los Autóctonos ont donc pris les «crabes par les pinces» et ont décidé de repeupler le lac de ce crustacé si essentiel à son équilibre.

En octobre 1997, ce groupe écologiste de Panajachel a en outre participé à une corvée collective de nettoyage qui a conduit à l'extraction de plus de 8 000 kg de déchets et à la découverte de 13 dépotoirs clandestins aux abords du lac.

Il n'y a toutefois pas que les crabes qui souffrent de la négligence des humains : le *tul*, une plante sous-marine dont se nourrit le *pato poc*, un canard unique au monde, fait l'objet d'une surutilisation de la part des Tz'utujili, qui s'en servent pour tisser des tapis rigides utilisés comme lits ou pour fabriquer des selles de chevaux. Toujours selon les écologistes, il faudrait instaurer une politique destinée à favoriser l'épanouissement de cette plante au fond du Lago de Atitlán. Le *pato poc*, à toute fin pratique disparu, n'est d'ailleurs pas le seul oiseau en danger, puisque la *gallareta*, un canard migrateur gris qui se nourrit lui aussi de *tul*, se voit également menacé.

Heureusement, il n'y a pas que les *cangrejos* qui s'occupent de nettoyer le lac. Le *xocomil*, un mot tz'utujili qui signifie «grande vague», est un vent du nord qui souffle tous les jours vers 16h. Il provient des hautes montagnes, et son action purifie et oxygène les eaux du lac.

Vous pouvez rencontrer Ricardo Matos et Henrique Rios du groupe Los Autóctonos au Sunset Café, car ces joyeux écologistes se dédient tout autant à la défense de l'environnement qu'à l'abandon frénétique aux rythmes de la musique latine.

Cette petite ville est surtout prisée pour son marché, qui se tient les mardis et vendredis. Il a la particularité de ne pas s'adresser aux touristes, mais bien à la population et producteurs de l'Altiplano. Le marché dévoile ses attraits typiques sur la place du *parque central*. Au milieu de ce parc plutôt sympathique s'élève une pergola à l'ombre de nombreux arbres. Malheureusement, le parc sert aussi de gare routière pour les dizaines de *chicken bus*.

La **Catedral Nuestra Señora de la Asunción** mérite qu'on s'y arrête. Dans son enceinte, vous pourrez découvrir quelques œuvres religieuses en argent et une baignoire en pierre pour les baptêmes datant des débuts de la colonie espagnole.

Sololá se trouve à seulement 8 km de Panajachel et du Lago de Atitlán, et c'est pourquoi très peu de voyageurs s'y arrêtent pour plus de quelques heures, voire quelques minutes, et très rarement pour s'y loger.

De Sololá à Panajachel, la route descend abruptement vers le lac, offrant de superbes points de vue sur la région. En chemin, on découvre deux belvédères, d'où vous vous laisserez sans peine ensorceler par les merveilles du «plus beau lac du monde».

Si vous voyagez en autocar, vous pouvez demander au chauffeur de vous laisser au second belvédère et effectuer la descente des quatre derniers kilomètres à pied. Soyez vigilant puisque cette route, où la circulation peut abonder, n'est pas de tout repos pour les piétons.

Panajachel

Panajachel se présente comme la porte d'entrée pour la majorité des voyageurs qui viennent s'aventurer dans la région du Lago de Atitlán. Cette petite ville, située aux abords du lac, grandit à vue d'œil.

Avec ses nombreuses boutiques d'artisanat, Panajachel fera la joie des chasseurs de bonnes occasions. Sur la Calle Santander, vous découvrirez la plus grande sélec-tion de produits artisanaux guatémaltèques et de nombreux restaurants et terrasses.

Mais Panajachel n'est pas une ville typique du Guatemala, puisqu'on n'y trouve que très peu de maisons de style colonial et qu'on y voit plutôt toute une série de petites maisons basses conçues pour le tourisme.

Pour connaître véritablement Panajachel, vous devrez emprunter les rues perpendiculaires à la Calle Santander. Ici, vous pourrez vous promener tranquillement à l'ombre des hibiscus et loin des regards des touristes qui s'agglutinent sur l'artère principale.

Au bout de la Calle Santander s'étend le Lago de Atitlán, où vous découvrirez une jolie promenade en bordure du lac. Empruntez ce sentier sur votre gauche pour vous rendre jusqu'au quai principal. Un parc revêtu de pierres des champs y fait face, et tout autour se dressent de nombreux restaurants.

Panajachel se présente aussi comme une ville qui a sa place dans l'histoire du Guatemala, puisque c'est ici que le conquistador Pedro de Alvarado remporta ce qui fut la bataille décisive dans la guerre qui l'opposait aux Tzu'tujil.

Mais il ne reste rien de cette présence précolombienne à Panajachel, ou si peu, et la ville est considérée comme l'une des moins Mayas de la région.

La présence coloniale à Panajachel ne tarda pas à se faire sentir, puisque des missionnaires franciscains vinrent s'y établir pour la qualité de ses terres. Parmi les nombreux chroniqueurs qui ont visité Panajachel du XVIIe au XXe siècle, John Lloyd Stephens écrit en 1839 que l'on trouvait à Panajachel les meilleurs fruits de toute l'Amérique centrale. Vous pourrez ainsi à votre tour savourer les ananas, les avocats, les pommes, les citrons et les oranges. Encore aujourd'hui on ne peut que rester ébloui par les nombreux arbres en fleurs dans les cours des maisons de la bourgade.

Saint François d'Assise est le patron de Panajachel, et les fêtes en son honneur se déroulent tous les ans du 1er au 7 octobre. Le marché de Panajachel, où vous pourrez trouver tout autant des fruits que de l'artisanat provenant de tout le pays, se tient tous les jours.

Santa Catarina Palopó

À 5 km au sud-est de Panajachel se dresse le petit village de Santa **Catarina Palopó** ★. Les femmes tisserandes de ce village, reconnu pour la qualité de ses tissus brodés à la main, ouvrent gentiment les portes de leurs ateliers aux voyageurs.

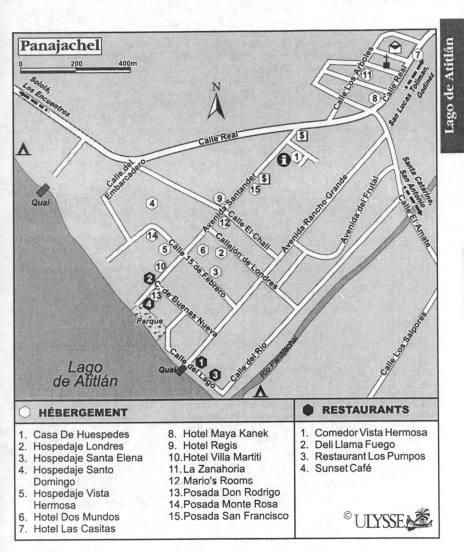

Panajachel

0   200   400m

Lago de Atitlán

○ **HÉBERGEMENT**

1. Casa De Huespedes
2. Hospedaje Londres
3. Hospedaje Santa Elena
4. Hospedaje Santo Domingo
5. Hospedaje Vista Hermosa
6. Hotel Dos Mundos
7. Hotel Las Casitas

8. Hotel Maya Kanek
9. Hotel Regis
10. Hotel Villa Martiti
11. La Zanahoria
12. Mario's Rooms
13. Posada Don Rodrigo
14. Posada Monte Rosa
15. Posada San Francisco

● **RESTAURANTS**

1. Comedor Vista Hermosa
2. Deli Llama Fuego
3. Restaurant Los Pumpos
4. Sunset Café

© ULYSSE

De Panajachel, il faut une bonne heure de marche pour se rendre jusqu'à Santa Catarina Palopó, ce qui constitue une excellente excursion d'une demi-journée.

Ici, vous découvrirez les superbes habits traditionnels des femmes de ce village, que vous reconnaîtrez facilement puisqu'ils sont de couleur turquoise. Ces habits, de trois pièces, sont bordés de figures géométriques.

Le village de Santa Catarina Palopó, densément peuplé, est perché à flanc de montagne, et quelques maisons se trouvent sur l'unique petite plage du coin.

Une légende raconte que la patronne du village, la Virgen Santa Catarina de Alejandria, est apparue flottant sur les eaux du lac, après que la population fut emportée par de forts courants marins et de grands vents.

Une autre légende raconte que San Andrés, un membre de la famille de Santa Catarina, décida d'aller habiter dans la montagne plutôt qu'aux abords du lac et s'établit à San Andrés Sematabaj. Santa Catarina, quant à elle, décida de demeurer près du lac pour pouvoir laver les vêtements, cueillir de l'eau, et ainsi s'occuper des villageois dont elle est aujourd'hui la patronne.

Les *Catarinecos*, les habitants de Santa Catarina, étaient autrefois d'ailleurs presque les seuls à pratiquer la pêche dans le Lago de Atitlán. On croit que cela est dû au fait que les terres autour du village sont peu fertiles et que, d'autre part, des sources d'eau chaude se jettent dans le lac tout près du village. Mais la pêche n'est plus ce qu'elle était! Malheureusement, le gouvernement introduisit le *black bass*, un poisson provenant d'Amérique du Nord, dans le Lago de Atitlán. Ce poisson trouva dans les eaux du lac un endroit propice à son développement, mais il se nourrit de toutes les autres petites espèces de poissons, privant ainsi les pêcheurs de leurs prises préférées.

Le black bass ne pouvant être attrapé avec les méthodes traditionnelles et rudimentaires des pêcheurs de Santa Catarina, les villageois ne peuvent ainsi plus vivre de la pêche, qu'ils pratiquaient à l'aide d'un panier, mais plutôt du tourisme, de l'agriculture et du tissage de vêtements, de paniers et de *petates*, ces tapis fabriqués avec le *tul*, une plante marine.

Santa Cruz de la Laguna

Santa Cruz de la Laguna est le premier village à l'ouest de Panajachel dans les environs du lac. C'est ainsi d'ailleurs le premier arrêt des différentes embarcations quittant Panajachel pour San Pedro. Ce petit village, à flanc de montagne, est surtout prisé pour sa tranquillité et pour les activités de plein air qu'on y propose.

C'est que Santa Cruz, qui n'a pourtant que quatre petits hôtels et autant de restaurants (ils se trouvent tous à l'entrée du village près du quai), dispose toutefois de la seule école de plongée du lac, celle de **La Iguana Perdida** (voir p 172), où vous pourrez de plus pratiquer le ski nautique.

Autrement vous pourrez gravir la montée abrupte jusqu'au village. Bien qu'il n'ait rien qui le démarque de ses voisins, ce sera l'occasion d'y rencontrer la population locale!

San Marcos de la Laguna

San Marcos fut fondé par un franciscain en 1584, bien que la légende raconte que les premiers colons vinrent s'y établir en 1666, fuyant un village, abandonné depuis, où nichaient apparemment des milliers de chauves-souris.

Le village dispose de terres fertiles aux abords du lac où sont plantés de nombreux arbres fruitiers. Ces terres agricoles sont sillonnées de nombreux sentiers de terre menant à des lieux d'hébergement pour les voyageurs, qui se font de plus en plus nombreux.

Dans ce village enchanteur, d'une tranquillité renversante, les voyageurs s'y établissant découvriront un environnement champêtre propice au relâchement.

Il n'est donc pas étonnant qu'un centre de méditation, **Las Pirámides** (voir p 176), y soit établi. Cet endroit mérite d'ailleurs un arrêt, ne serait-ce que pour visiter sa pyramide principale.

Pour profiter pleinement des beautés du lac, assurez-vous d'emprunter le sentier de terre longeant le lac vers l'ouest, en direction de San Pedro. Ce sentier mène à des points de baignade isolés.

Le village de San Marcos lui-même se trouve plus haut sur les flancs de la montagne. Le soir venu, les échos des évangélistes résonnent dans la vallée dans un étrange mysticisme bon marché. Il semble que, pour s'assurer de la fidélité de leurs paroissiens, ou pour en convaincre d'autres de se joindre à eux, deux missions jouent à celle qui saura porter le plus loin la «bonne parole». Branchés sur des chaînes stéréo, les évangélistes entonnent au micro des ballades conçues pour convertir les plus réfractaires, tout en laissant perplexes et amusés les étrangers logeant en bordure du lac.

San Pedro de la Laguna

San Pedro de la Laguna est sans doute le village le plus populaire auprès des randonneurs de tous les pays.

Jeunes filles mayas

Bien qu'il connaisse un essor moindre que celui de Panajachel, San Pedro dispose davantage de restaurants et d'hôtels que par le passé, mais l'endroit a su garder ses attraits et sa tranquillité relative.

San Pedro s'étend au pied du volcan du même nom et aux abords du lac Atitlán. Le paysage est magnifique, et les points de vue sur le lac, où que l'on soit dans le village, sauront charmer les plus contemplatifs.

Les habitants du village de San Pedro ne portent plus leurs habits traditionnels, se conformant ainsi avec la mode occidentale du jour.

San Pedro fut habité pendant la période précolombienne par les Tz'utujil. On dit que le village actuel fut fondé par un missionnaire franciscain vers 1550.

Aujourd'hui, San Pedro est un centre de production textile et de *cayucos*, ces embarcations traditionnelles du lac que l'on peut d'ailleurs louer à des particuliers aux deux quais du village.

San Pedro est à bien des égards un village sans foi ni loi, surtout depuis qu'il est devenu l'un des endroits privilégiés, voire un sanctuaire pour les néo-hippies, ou pour les randonneurs à la recherche de bonnes sensations. Il ne faudra donc pas se surprendre si la première chose que l'on vous propose à votre arrivée ne soit pas de l'artisanat, mais plutôt certaines herbes connues dans le monde entier pour leurs propriétés jubilatoires...

Outre la bourlingue existentielle, San Pedro est le point de départ des excursions menant au sommet du **volcan San Pedro**, d'une altitude de 3 020 m au-dessus du niveau de la mer.

Les plus aventuriers peuvent se rendre au sommet du volcan San Pedro sans guide. Pour cela, empruntez le sentier à la sortie du village. Vous n'y rencontrerez qu'une seule fourche : prenez alors le chemin de gauche. La montée demande entre trois et quatre heures en ligne droite.

Malheureusement, il n'y a pas de sentier balisé indiquant le chemin à suivre; il est donc préférable de demander des indications en chemin ou d'être accompagné par quelqu'un connaissant bien le sentier.

Sachez que le volcan a deux sommets puisqu'il prend la forme «d'une paire de fesses» (!), selon les dires d'un compagnon d'infortune qui est resté au premier sommet sans voir le cratère. Pour être plus précis, disons d'emblée que le volcan San Pedro a la forme d'un double cône symétrique.

Une fois le premier sommet atteint, assurez-vous donc de le franchir et de redescendre jusqu'au cratère. Plus d'un randonneur s'est arrêté au premier sommet. Contrairement au premier, le second propose d'excellents points de vue sur le lac et la région.

Santiago Atitlán

Santiago Atitlán est le village tz'utujil le plus important aux abords du Lago de Atitlán. Il s'étend sur les flancs des volcans Tolimán et Atitlán sur une ancienne coulée de lave. De l'autre côté de la baie, face au village, s'élève le volcan San Pedro. Autant les hommes que les femmes portent leurs habits traditionnels. Les femmes sont vêtues de *huipiles* blancs avec

quelques lignes de couleur rouge et des oiseaux brodés. Elles portent aussi un chapeau fait d'une longue ceinture de tissu rougequ'elles enroulent autour de leur tête.

De tout temps, Santiago Atitlán fut une bourgade importante, avant même l'arrivée du conquistador Pedro de Alvarado en 1524, puisque déjà le royaume des Tz'utujil se trouvait non loin de là.

Aujourd'hui, ce village poussiéreux cache de nombreux trésors et s'anime particulièrement pendant la Semaine sainte. C'est alors que les processions envahissent la ville. Mais c'est le **Maximón** qui retiendra l'attention de tous les voyageurs qui s'aventureront dans ce village. Le Maximón est sans contredit l'un des saints les plus étranges du Guatemala. Ce saint, représenté par une sculpture sur bois, fume le cigare et porte un chapeau.

Le Maximón fait l'objet d'un culte sans retenue de la part des Tz'utujil, qui le transportent dans les rues de la ville pendant la Semaine sainte aux côtés des figures traditionnelles du catholicisme.

Vous pourrez l'apercevoir à l'église du village, et l'on vous demandera quelques quetzals si vous voulez prendre une photo de ce saint pour le moins particulier.

Santiago Atitlán est la proie de nombreux vendeurs d'artisanat qui se regroupent autour du quai et de la rue principale qui mène au village. Le quai, parfois bondé, peut devenir dangereux. Il est donc préférable d'attendre et de faire vos emplettes au village même, qui se trouve sur une colline.

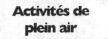
Activités de plein air

Le village est d'ailleurs un bon endroit pour effectuer des achats de souvenirs et de peintures, puisque de nombreux artistes ont choisi cette petite ville pour s'établir.

Plongée sous-marine

Santa Cruz de la Laguna

Vous trouverez le seul centre de plongée sous-marine à Santa Cruz de la Laguna. Les joyeux propriétaires de **La Iguana Perdida** tiennent une école de plongée qui permet de faire découvrir les fonds marins du Lago de Atitlán. Vous pourrez y suivre un cours de cinq jours pour 150$US, grâce auquel vous obtiendrez un certificat PADI. Si vous n'avez pas de certificat pour la plongée, ils proposent des *funs dives* pour 25$US.

Ski nautique

Santa Cruz de la Laguna

La Iguana Perdida (voir p 175) propose des sorties de ski nautique pour 200Q l'heure. Vous pouvez diviser ce tarif à la minute.

Randonnée pédestre

Santa Cruz de la Laguna

À partir de Santa Cruz, vous pouvez vous rendre à pied jusqu'à la ville de Sololá. Un sentier passe par le village de San José, qui ne se trouve plus qu'à 8 km de Santa Cruz. La plus belle partie du sentier sillonne les montagnes entre ces deux villes. Il est donc préférable de prendre un autocar ou un taxi entre Sololá et San José.

Si vous comptez vous rendre à pied à Santa Cruz à partir de Sololá, prenez l'autocar près de l'hôtel Belén, au nordouest du *parque central* de Sololá. Vous pouvez vous procurer un plan du sentier à **La Iguana Perdida**. Si vous comptez vous rendre à Sololá, n'oubliez pas que le coloré marché de cette ville se tient les mardis et vendredis.

San Pedro de la Laguna

À l'entrée du village de San Pedro, au restaurant **Fondeadero**, José García et son fils Sebastián proposent des excursions jusqu'au sommet du volcan San Pedro *(100Q pour groupe de 3 personnes et moins, 35Q par personne additionnelle)*.

Au quai numéro 2, José et Pedro proposent une excursion *(15Q l'heure)* au sommet du volcan de San Pedro. La première portion du sentier s'effectue à cheval, et le restant du parcours, à pied.

Canot

Santiago Atitlán

Vous pouvez louer des *cayucos*, ces canots traditionnel des Mayas de la région, dans la plupart des villages du Lago de Atitlán. À Santiago Atitlán et à San Pedro, rendezvous au quai *(10Q l'heure)*.

Équitation

Santiago Atitlán

Sur la route entre Santiago Atitlán et San Pedro, à 6 km de Santiago, Jim, un Étasunien, propose d'excellentes excursions à cheval sur les flancs du

volcan Atitlán. Si vous réservez à partir d'un des villages du lac, on viendra vous chercher en bateau à 6h. Une excursion d'une journée incluant le déjeuner coûte 290Q, et une excursion comprenant le déjeuner et le dîner coûte 500Q *(☎201-5527)*. Bien qu'elle figure parmi les plus chères, cette excursion est fortement recommandée.

Hébergement

Sololá

El Paisaje
$
près du Parque Central
Très peu de voyageurs étrangers choisissent un lieu d'hébergement à Sololá, pour plutôt coucher à Panajachel. L'hôtel El Paisaje est le plus convenable et est aménagé dans une maison coloniale possédant une cour intérieure. Bien que le confort soit basique, vous bénéficierez somme toute d'un accueil chaleureux.

Panajachel

Ce ne sont pas les établissements hôteliers proposant des tarifs économiques qui manquent à Panajachel! À votre arrivée, commencez par parcourir la Calle Santander, où se trouvent une

Casa de Huespedes
$
bp
Calle Santander
☎762-1304
Moins bruyante que les autres établissements situés sur la rue Santander, la Casa de Huespedes propose un hébergement simple mais charmant et dispose d'une jolie cour intérieure où vous pouvez préparer des sandwichs et profiter des quelques tables qui s'y trouvent. Les chambres sont propres et sécuritaires. Ambiance familiale.

Hospedaje Londres
$
Callejon de Londres
angle Calle Santander
L'Hospedaje Londres propose sans doute les chambres les plus économiques. Il s'agit d'une maison typique, avec une cour intérieure au centre. Les chambres offrent un confort basique.

Hospedaje Santa Elena
$
Calle 15 de Febrero 3-06, près de la Calle Santander
L'Hospedaje Santa Elena dispose de quelques chambres propres et au confort de base. Comme dans la majorité des établissements de cette catégorie, vous devrez payer un supplément si vous avez l'intention de prendre une douche à l'eau chaude.

Hospedaje Vista Hermosa
$
3-35 Calle Monterey
Géré par une famille cakchiquel, l'Hospedaje Vista Hermosa propose de petites chambres rudimentaires mais généralement propres. Moins fréquentée que les autres auberges de cette catégorie de prix, l'Hospedaje offre une bonne occasion de rencontrer une famille Maya. Les toilettes et les douches sont situées dans la cour intérieure, et il en coûte 2Q pour une douche à l'eau chaude.

Las Casitas
$
bp
près du marché
☎762-1224
Si vous préférez de petits bungalows en brique, rendez-vous à l'hôtel Las Casitas. Personnel serviable. Bien situé au centre de Panajachel.

La Zanahoria Chic
$
Avenida Los Arboles 0-46
☎762-1249
Pour à peine quelques quetzals de plus, pourquoi ne pas essayer La Zanahoria Chic? L'ambiance relâchée et chaleureuse incite à la rêverie et au repos, si vous en sentez le besoin. À l'étage, vous trouverez une salle commune des plus agréables.

Maya Kanek
$
bp, S
Calle Real, en face de l'église
☎762-1104
Pour un établissement de style motel, le Maya Kanek saura vous plaire. Bien que les chambres

n'aient rien de particulier à offrir, elles s'avèrent somme toute confortables. Le stationnement privé, sous surveillance, s'avère un atout certain pour ceux qui voyagent en voiture.

Mario's Rooms
$
Calle Santander
en face du guichet automatique du Banco Industrial et du cybercafé
Un classique pour randonneurs, les Mario's Rooms offrent un confort basique. Situé en plein centre-ville, cet endroit populaire vous fera vivre au rythme de cette cité animée qu'est Panajachel.

Posada San Francisco
$
bp/bc
Calle Santander
La Posada San Francisco propose un hébergement de base correct. Les meilleures chambres, bien que petites, se trouvent à l'étage. Certaines chambres sont louées avec salle de bain privée.

Villa Martita
$
Calle Santander, près du lac
L'hôtel Villa Martita propose une ambiance familiale et des chambres sans reproche.

Hospedaje Santo Domingo
$-$$
bp
Calle Monterey
☎762-0236
Vous trouverez le meilleur rapport qualité/prix à l'Hospedaje Santo Domingo. Cette charmante maison jaune aux portes rouges est l'endroit idéal pour passer un après-midi sur la terrasse de la

cour intérieure. Les chambres, assez grandes, disposent de lits confortables. L'ambiance champêtre vous rappellera ce que Panajachel était avant l'important développement touristique qu'elle a connu depuis une dizaine d'années.

Posada Monte Rosa
$$
bp, S
Calle Monterey

La petite Posada Monte Rosa ne dispose que de cinq chambres. Elles sont cependant grandes, modernes et sécuritaires. Leur confort comblera votre besoin pressant de sommeil. Très populaire, cet établissement offre un bon rapport qualité/prix.

Regis
$$$
bp, tvc, S,
3-47 Avenida, Zona 2
☎762-1149
⊶762-1152

Fondé par des Allemands il y a une soixantaine d'années, l'hôtel Regis est entouré de nombreux jardins extérieurs. On y trouve un bain d'eau volcanique et un bassin à remous. Même si l'établissement se trouve en plein centre de Panajachel, l'endroit est si tranquille que vous aurez l'impression d'être au pied de la montagne. La maison de style espagnol au toit de tuiles rouges est décorée de nombreuses arches. Les chambres sont grandes et très bien entretenues. Service courtois.

Hotel Dos Mundos
$$$
bp, tvc, ≈
4-72 Calle Santander, Zona 2
☎/⊶762-2078

Le luxueux Hotel Dos Mundos propose de très grandes chambres disposant de toutes les commodités modernes. Bien qu'il se situe en plein centre de Panajachel, les jardins à l'arrière assurent la tranquillité. Sa piscine s'avère fort agréable.

Posada Don Rodrigo
$$$
bp, S,
Calle del Lago

La Posada Don Rodrigo se présente comme l'un des plus luxueux établissements du Lago de Atitlán. Suivant la même philosophie qui anime les autres auberges de la chaîne d'hôtels Don Rodrigo au pays, ce lieu d'hébergement marie la tradition et le charme de l'architecture locale au confort moderne.

Donnant sur les rives du Lago de Atitlán, la plupart des chambres offrent un superbe point de vue sur le lac. Cette maison centenaire dispose d'une piscine extérieure et d'un centre sportif où vous pourrez pratiquer, entre autres, le squash. Musiciens de *marimba* sur place.

Santa Cruz de la Laguna

La Iguana Perdida
$
☎762-119
apidiver@quetzal.net
panamail@guate.net

L'ambiance relâchée de La Iguana Perdida et l'esprit de fête sont assurés par un ex-champion de ski du Groenland et son épouse britannique. Ces deux joyeux lurons ont mis sur pied l'un des plus agréables établissements hôteliers du Lago de Atitlán. On y trouve des maisons de bois dont certaines sont perchées dans les arbres.

Les chambres, plutôt petites, font face au lac. Choisissez celles à l'étage. L'établissement organise des excursions de plongée dans le lac, du ski nautique et de la plongée-tuba, et dispose d'un excellent restaurant (voir p 178); le bar est le lieu de rencontre pour les voyageurs qui logent à Santa Cruz. Excellent rapport qualité/prix.

La Arca de Noé
$-$$
bp
☎762-1196

Premier établissement à s'être installé à Santa Cruz, La Arca de Noé propose deux types d'hébergement en face du lac. Des chambres sont disponibles pour 60Q avec salle de bain partagée. De plus, il dispose de deux bungalows en pierre (*120Q*) avec salles de bain privées et une vue superbe sur le lac. Très propre et tranquille.

Abaj
$$-$$$
bp
☎762-2196

L'hôtel Abaj propose différents types d'hébergement sur le site qui surplombe le Lago de Atitlán. Très bien entretenus, les jardins et l'intérieur des différentes petites maisons et chambrettes vous assurent un séjour sans souci. Toutefois, les chambres du premier étage qui se trouvent à l'arrière de la maison principale sont de moins bonne qualité que celles situées en face du lac.

Si vous choisissez l'hébergement à 70Q, prévoyez partager la salle de bain. Deux bungalows en pierre *(200Q)*, avec salles de bain privées, sont aussi proposés. La salle commune (et le restaurant (voir p 176) ont un charme et un luxe peu communs pour un si petit village.

San Marcos de la Laguna

La Paz
$
bp

L'un des rares établissements de la région dont le propriétaire est guatémaltèque, l'hôtel La Paz dispose de trois bungalows avec mezzanine pouvant accueillir jusqu'à quatre personnes chacun. Ceux-ci sont construits selon une technique traditionnelle qui consiste

à aligner des troncs de palmiers à la verticale, avant de les recouvrir de boue.

Chaque maisonnette est dotée d'un petit jardin privé. Les chambres s'avèrent chaleureuses et rustiques. Cet endroit très tranquille fait dire à son propriétaire, Benjamin, qu'*«ici, il suffit d'être bien dans sa peau. Il n'y a rien d'autre à faire»*. S'y trouve un très bon petit restaurant.

Paco Real
$

L'auberge Paco Real propose soit des *cabañas (60Q)* ou un dortoir *(15Q)*. Les *cabañas* de bois ont toutes deux étages, et les chambres du haut constituent un excellent choix. Le propriétaire suisse, Alain, a construit de ses propres mains toutes les installations rustiques sur un ancien *cafetal*, une terre où l'on cultive le café. Vous y trouverez l'un des meilleurs restaurants de San Marcos (voir p 179). Accueil sympathique.

Posada del Unicornio
$
bp/bc

La Posada del Unicornio offre les bungalows les moins chers de San Marcos. Leur prix est toujours fixe, indépendamment du nombre de personnes qui y logent. Chacun d'entre eux dispose de deux lits double. Premier hôtel construit à San Marcos en 1993, il est installé parmi de superbes jardins d'avocatiers, d'orangers, de citronniers et de bana-

niers. Certains bungalows possèdent une salle de bain privée ainsi qu'une cuisinette. Laverie sur place.

Las Pirámides
$$
☎762-0807

L'auberge Las Pirámides accueille les étudiants de son centre spirituel. Le prix d'une nuit inclu donc un cours de yoga matinal et de méditation au crépuscule.

Posada Schumann
$$
bp
À la Ciudad de Guatemala :
☎360-4049
📠473-1326

La Posada Schumann est constituée de plusieurs jolies petites maisons en pierre. Situé aux abords du lac, l'établissement profite d'un beau point de vue sur le lac. On y propose deux types d'hébergement : les chambres régulières et les bungalows privés. L'établissement est géré avec soin et fait montre d'une propreté exemplaire.

San Pedro de la Laguna

Familia Peneleu
$

Vous pouvez demeurer chez la Familia Peneleu. Elle possède de petites maisons adjacentes à la leur et relativement propres. Il est possible de cuisiner sur place. Son accueil chaleureux rendra votre séjour fort agréable.

Hospedaje Ti-Kaaj

$

sur le petit sentier de terre parallèle au lac près du quai n° 2

Très prisé des randonneurs, l'Hospedaje Ti-Kaaj compte de nombreux jardins tropicaux parsemés de hamacs où vous pouvez dormir sans payer. Les petites cabanes proposent un confort basique, mais elles sont proprement maintenues.

San Francisco

$
bp
Calle Principal
dans la côte qui mène au quai Chabajay

Vous trouverez le meilleur point de vue sur la région depuis le *mirador* de l'hôtel San Francisco. En effet, en plein centre de San Pedro, le sympathique propriétaire guatémaltèque a aménagé une terrasse sur le toit de l'hôtel San Francisco. Bien que les chambres soient rudimentaires, le service est sans reproches et l'accueil toujours souriant. Laverie sur place.

San Pedro

$
bp
Calle Chuasanahi

L'hôtel San Pedro propose des chambres avec vue sur le volcan mais pas sur le lac. Les chambres, plutôt petites, disposent cependant de hamacs. L'établissement est surtout prisé pour son terrain de basket-ball à l'arrière et ses tables de ping-pong.

Valle Azul

$
bp

L'hôtel Valle Azul a vue sur le lac et est très populaire auprès des randonneurs. Les chambres de base sont confortables et propres. Bonne ambiance. Vous le reconnaîtrez facilement puisqu'il est un des rares édifices en béton du village et qu'il est peint en bleu. Jetez un coup d'œil sur le menu de son restaurant (voir p 179).

Hotel Villa Sol

$
bp
Calle 1A

Grand hôtel composé de deux bâtiments en béton, l'Hotel Villa Sol propose des chambres assez propres et un service attentionné. Bien qu'il soit moins populaire que les autres établissements du village, vous y trouverez quand même quelques jardins agréables pour passer les fins d'après-midi.

Santiago Atitlán

Il est possible de loger chez l'habitant à peu de frais. Pour obtenir de plus amples renseignements, rendez-vous au **Boatwatch Cafe** (voir p 179). Son propriétaire, Dave Robinston, pourra vous indiquer les familles qui accueillent les voyageurs.

Pensión Rosita

$
Cantón Xechivoy, derrière le marché

La petite Pensión Rosita dispose de trois chambres (n°ˢ 14-15-16) qui font face au volcan San Pedro.

L'ensemble de l'établissement, propret, possède une petite cour intérieure. On y sert les trois repas.

Tzutuhil

$
bp
angle Calle Principal
et Calle San Pedro

Pour sensiblement le même tarif que la Pensión Rosita, l'hôtel Tzutuhil propose de grandes chambres confortables.

Bambú

$-$$$
☎201-8913

L'hôtel Bambú, se situe à l'entrée du village et au bord du lac, à 15 min à pied par la route principale. Cet endroit privilégié offre une vue sur le lac et les volcans, et bénéficie d'une petite plage privée. Le propriétaire, un espagnol nommé José Ramón, éternel bourlingueur des Amériques, a construit de très belles et confortables *cabañas* typiques. Excellent restaurant de cuisine italienne et espagnole (voir p 180). Ambiance très sympathique et relâchée. Meilleur rapport qualité/prix de Santiago.

Posada Santiaguito

$$$
bp, S , ℜ
route de San Pedro
à 2 km de Santiago Atitlán

L'incontournable Posada Santiaguito se présente comme le meilleur établissement hôtelier du village. Elle compte plusieurs maisons en pierre, au confort impeccable et à l'allure rustique. Tout autour, vous trouverez de superbes terrains bien aménagés. Très prisé pour son restaurant et pour l'ambiance chaleureuse qui s'en dégage. Dolores Tz'utujil propose un tour guidé du village (voir p 166).

Restaurants

Panajachel

Comedor Vista Hermosa
$
en face du quai principal
Le Comedor Vista Hermosa, comme son nom espagnol l'indique, offre un excellent point de vue sur le lac. On y sert le poisson dans une ambiance toute tropicale. Pour le prix demandé, ce petit resto n'est pas mal du tout.

Deli Llama de Fuego
$
Calle Santader
adjacent à l'Americo's Export
Le Deli Llama de Fuego est un très bon petit café-terrasse qui sert d'excellents sandwichs végétariens (avocat, germes luzerne, salade, tomate, oignon) ou jambon-fromage. Tous les sandwichs sont faits avec du pain de blé entier et servis avec du fromage Monterey.

Aussi, bonne sélection de jus de fruits. Le jus orange-carotte s'avère particulièrement savoureux. Bonne salade de fruits. Café expresso. On y sert aussi des thés d'hibiscus et de rose de Jamaïque.

Pizzería Florencia
$
Calle Santander
Le petit comptoir Pizzería Florencia dispose d'une petite et agréable terrasse. Essayez la pizza au *chorizo* (saucisson). On y propose une quinzaine de choix de garnitures, et vous pouvez acheter les pizzas à la pointe. De plus, on y sert des hamburgers, des sandwichs et des *empanadas*.

Rainboy Cafe
$
Calle Monterey
Le Rainboy Cafe se présente comme un petit restaurant végétarien qui appartient à une Étasunienne. Le menu varie quotidiennement, et vous y savourerez autant des plats aux arômes de Provence que du Mexique. Les petits déjeuners, copieux, sont à base de muesli, de yogourt et de fruits.

Sunset Cafe
$$
Calle Santander Final
☎762-1182
www.panajachel.com
riddlej@guate.net
Vous ferez la découverte du plus beau point de vue sur le lac au Sunset Cafe. Une superbe terrasse faisant face au lac est divisée en deux parties; l'une dispose d'un toit de palmes et l'autre plaira aux voyageurs avides de bains de soleil.

On y sert des plats mexicains, entre autres d'excellents *chiles rellenos*, ces piments farcis avec du bœuf, du poulet ou du tofu ainsi que de fromage Monterey. Vous pourrez aussi essayer les *fajitas* au bœuf ou végétariens. Par ailleurs, on y présente des spectacles de musique latino-américaine les vendredis et samedis (voir p 180).

Restaurante Los Pumpos
$$$
en face du quai principal
Le Los Pumpos sert le traditionnel poisson à l'ail et des crevettes au vin. Parmi les multiples restaurants qui se trouvent devant le quai, celui-ci se distingue par la grande variété des plats proposés et son bon café expresso.

Santa Cruz de la Laguna

La Iguana Perdida
$-$$
Pour le dîner, le restaurant de La Iguana Perdida propose un seul menu de trois services débutant à 19h30 sur une grande table pour tous les hôtes de l'établissement. Pour le petit déjeuner et le déjeuner, un menu à la carte est proposé. Ne manquez pas de goûter au spécial Iguana, ce repas traditionnel danois à base de pommes de terre, d'oignons, d'œufs et de jambon. Succulent. De loin le restaurant le plus sympathique du coin.

Abaj
$$
☎762-2196
Dans la superbe salle à manger du restaurant de l'hôtel Abaj, qui dispose d'un foyer, vous pourrez

goûter aux spécialités guatémaltèques préférées des sympathiques propriétaires. Ceux-ci réinventent leur menu tous les jours en tenant compte des fruits et des légumes disponibles selon la saison. Les petits déjeuners s'avèrent particulièrement copieux.

San Marcos de la Laguna

Las Pirámides
$$
Pour les amants de la cuisine végétarienne qui se plaisent à laisser voguer leur esprit dans des vapeurs méditatives et ésotériques, le restaurant de Las Pirámides s'avère idéal. Contrairement à l'auberge, le restaurant est ouvert à tous.

Paco Real
$$
Le restaurant de l'auberge Paco Real propose un menu à la carte seulement. On y sert d'excellents petits déjeuners à base de fruits et de yogourt. Il est surtout populaire parce qu'il est le seul qui demeure ouvert à la tombée de la nuit. Essayez le cari de poulet et profitez de l'ambiance festive du bar!

San Pedro de la Laguna

Comedor La Última Cena
$
Calle Principal, en face du marché
L'un des établissements les moins chers de San Pedro est certes le Comedor La Última Cena, qui,

pourtant, propose de copieuses portions. On y sert de la cuisine traditionnelle guatémaltèque, entre autres le riz et les fèves accompagnés de poulet ou de poisson.

La Cuesta
$
Calle Chuasanahi
Le restaurant La Cuesta se présente comme un excellent établissement pour les repas du midi. On y propose un plat à base de légumes, de poisson ou de viande, servi avec une sauce au fromage et à l'ail. On y sert aussi de savoureux spaghettis à l'ail *(pastas al ajillo)*. Le restaurant loge dans une maison de bambou surmontée d'un toit de palmes et se trouve au bas de la côte, près du quai n° 1.

Valle Azul
$
La terrasse au bord du lac du restaurant de l'hôtel Valle Azul attire une clientèle enjouée. On y propose un menu de cafétéria, par exemple des spaghettis et du poulet frit. Excellent petit déjeuner composé de pain de blé entier, de yogourt et de muesli avec, en prime, un excellent café expresso.

Nick's Place
$-$$
à l'entrée du quai n° 1
De loin le meilleur et le plus populaire des restaurants de San Pedro, Nick's Place offre une énorme terrasse autour du lac. Le proprio hollandais sert les meilleurs petits déjeuners. Pour le déjeuner ou le dîner, le menu très varié

offre de généreuses assiettes de spaghettis, des hamburgers, des sandwichs, du poisson, etc. Essayez le délicieux poisson à l'ail servi avec des fruits.

Upstairs Cafe
$-$$
À l'étage, l'Upstairs Cafe propose un menu végétarien dans une ambiance relâchée. L'endroit, bondé le soir et complètement enfumé, projette des films gratuitement à la clientèle vagabonde qui s'y détend.

Santiago Atitlán

Boatwatch Cafe
$-$$$
Vous trouverez de sympathiques restaurants sur une petite plage qui se trouve près du quai. Le Boatwatch Cafe dispose d'une très agréable terrasse avec des chaises en osier.

Le propriétaire, un musicien de Boston qui habite le Guatemala depuis 12 ans, sert des petits déjeuners santé à base de fruits et d'œufs à partir de 8h. Le midi, il propose d'excellents sandwichs végétariens et des hamburgers au tofu, ainsi qu'une grande variété de plats végétariens, entre autres du riz aux légumes. Ne manquez pas d'essayer les *nachos* servis avec du *guacamole*.

Lago de Atitlán

Bambú
$$

Le restaurant de l'hôtel Bambú propose de la cuisine italienne et espagnole, et la plupart des légumes proviennent d'un potager de culture biologique voisin de l'établissement. Essayez l'excellente *paella*.

Sorties

Santiago Atitlán

Sunset Cafe
Calle Santander Final
☎762-1182
riddlej@guate.net

Non seulement le Sunset Cafe propose-t-il la plus belle terrasse de la ville en bordure du Lago de Atitlán, mais aussi d'excellents concerts de musique latine tous les vendredis et samedis soir.

Les Hautes Terres de l'Ouest

Ponctuées de volcans qui sporadiquement crachent des nuages de cendres, les montagneuses Hautes Terres du Guatemala se distinguent nettement de la plaine côtière du Pacifique ou des Basses Terres du Petén.

La topographie accidentée de la région oppose montagnes et vallées drainées par des rivières qui se déversent soit dans l'Atlantique, soit dans le Pacifique, ou encore dans le golfe du Mexique. Pour les nombreuses nations mayas qui cultivent les flancs des montagnes et les vallées fertiles qui les séparent, le «Monde» se dit dans leur parler : «Montagne-Vallée». Enfermée dans un printemps éternel, la région des Hautes Terres du Guatemala est certainement l'un

des plus beaux endroits du monde.

De la frontière mexicaine à la banlieue de la Ciudad de Guatemala, la ligne de volcans majestueux au sud et les chaînes de montagnes au nord, dont la plus haute est la Cordillera de los

Cuchumatanes, constituent ses limites naturelles. Entre les deux, une série de faîtes, tous plus impressionnants les uns que les autres, sont entrecoupés de vallées somptueuses où coulent des ruisseaux violents.

Au pays des K'iche'

Selon l'historien Fray Francisco Ximénez, le mot *k'iche'* vient de deux mots, à savoir *qui* et *che*, qui signifient respectivement «beaucoup» et «arbre», à moins que ce ne soit du mot *queché* ou *quechelau*, qui désigne la forêt. Cœur des Hautes Terres de l'Ouest, le département du Quiché compte parmi les régions guatémaltèques qui renferment autant de beautés naturelles que de richesses culturelles.

Ce paysage féerique où la terre fertile nourrit ses occupants depuis des millénaires subit malheureusement les secousses sismiques que provoque le jeu des deux plaques tectoniques qui le traversent. Le dernier grand séisme, dont l'épicentre se situait près de la ville de Chimaltenango, eut lieu en 1976, faisant 25 000 morts, 1 000 000 de sans-abri, et causant la destruction de milliers d'édifices, voire de villages complets.

Facteur déterminant dans l'apparence de ce paysage majestueux, l'altitude crée dans les bas-fonds des vallées une zone tropicale propice à la culture du café, du coton, des bananes et du cacao, tandis que, plus haut dans les nuages, le maïs et les patates pous-sent parmi les forêts de pins, de cèdres et de chênes. La saison des pluies, qui survient de mai à octobre, colore d'un vert printanier les jeunes semences, alors que les longs mois secs d'hiver font graduellement jaunir monts et vallées.

Les Hautes Terres de l'Ouest accueillent depuis plus de 3 000 ans plusieurs nations mayas. Toujours majoritaires malgré la panoplie de tragédies qu'ils ont subies, les premiers habitants ont su conserver plusieurs traits culturels légués par des ancêtres dont la créativité dépasse souvent l'entendement de notre civilisation judéo-chrétienne.

Les nombreuses langues mayas qui définissent l'appartenance ethnique sont toujours parlées mal-gré une confrontation assimilatrice quotidienne, vieille de près de 500 ans et qui refuse toujours de reconnaître officiellement leur existence. Confrontées à une civilisation centrée sur la technique, les langues mayas se sont enrichies de néologismes démontrant une flexibilité qui favorise leur pérennité.

Les découvertes archéologiques démontrent que la région est occupée depuis plus de 10 000 ans. Mais pour certains archéologues, la région des Hautes Terres était plutôt périphérique à la culture dominante qui se créait dans les Basses Terres du Petén durant les périodes préclassique et classique, c'est-à-dire entre l'an 2000 av. J.-C. et l'an 900 ap. J.-C.

Selon ces archéologues, avant la venue des Toltèques, au Xe siècle, exception faite de Kaminal Juyú, aucun grand centre urbain existait et aucun a été mis au jour jusqu'à présent. Pourtant, plusieurs villes de moindre envergure que Kaminal Juyú et des centaines d'anciens villages de l'époque classique ont été découvertes depuis les 20 dernières années. L'absence d'«attributs idio syncratiques» de ces villes ne devrait pas mettre à l'écart les populations qui, par monts et par vaux, participaient aux œuvres d'une civilisation unique.

C'est dans ce contexte rural et villageois que les immigrants venus du nord, c'est-à-dire du Mexique actuel, et qu'on appelle les Toltèques, ont imposé une nouvelle religion avec de nouveaux dieux, une nouvelle idéologie et une nouvelle distribution des richesses de la terre. Ils ont amené avec eux une façon de voir la vie en société, de nouveaux schémas d'aménagement des villes et du territoire qui ont révolutionné la manière de vivre des habitants et leurs relations avec l'élite dominante.

Cette époque, qui a duré plus ou moins cinq siècles, a connu ses hauts et ses bas. Vers 1250, les K'iche' commencèrent à imposer leur vision et leur autorité sur une grande partie du territoire. À leur apogée, vers 1475, ils contrôlaient le territoire entre Cobán et le Pacifique, où habitaient plus d'un million de personnes.

Mais comme tous les empires du monde, celui des K'iche' connut son déclin.

L'arrivée des Espagnols mit un terme à toutes les luttes pour la libération des peuples des Hautes Terres de l'Ouest. Malgré leur petit nombre, les Espagnols devinrent les maîtres de tous les Mayas, quelle que soit leur ethnie. Certes, il y a eu des difficultés, mais les Espagnols et leurs descendants ont vite fait d'écraser toute velléité d'autonomie ou d'indépendance.

Aujourd'hui, les Hautes Terres de l'Ouest sont divisées sur différentes bases, chacune pour satisfaire certains besoins. En termes administratifs, neuf départements partagent les Hautes Terres. En termes linguistiques, les différents groupes sont identifiés comme ethnies guatémaltèques, peuples ou nations mayas. Par contre, ceux qui s'identifient comme non amérindiens se nomment Ladinos, Ladinas ou Guatemaltecos, Guatemaltecas.

Divisions administratives des Hautes Terres de l'Ouest

Les départements des Hautes Terres de l'Ouest

Les Hautes Terres de l'Ouest comprennent le département de Guatemala, qu'il ne faut pas confondre avec la ville, la Ciudad de Guatemala, et ceux de Sacatepéquez, Chimaltenango, Sololá, Quiché, Totonicapán, Quetzaltenango, San Marcos et Huehuetenango. Le département de Guatemala est compris dans le chapitre sur la Ciudad de Guatemala, mais nous décrivons brièvement ici le département de Sacatepéquez, dont la capitale est Antigua Guatemala, ainsi que le Sololá, dont l'attrait touristique principal est le Lago de Atitlán. La ville d'Antigua Guatemala et le Lago de Atitlán font l'objet de deux chapitres distincts.

Le département de Sacatepéquez

Sacatepéquez est fort probablement le département qui reflète avec la plus grande force le métissage qui distingue le Guatemala des autres pays de l'Amérique centrale. C'est dans l'union des racines autochtones et espagnoles que les Guatémaltèques veulent se reconnaître et affirmer

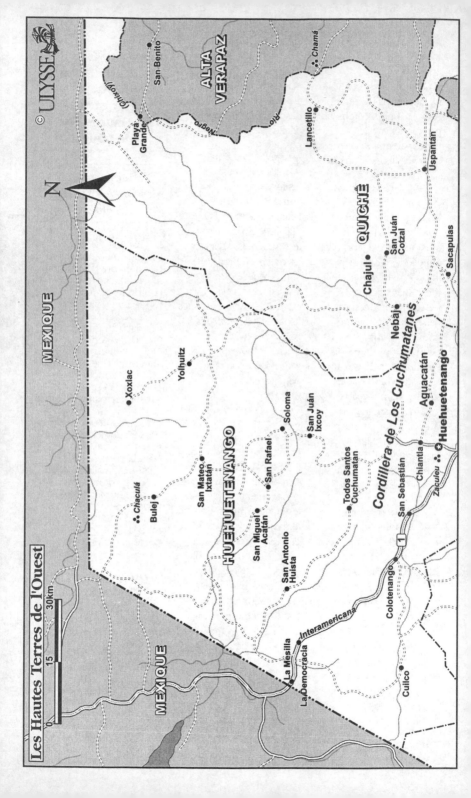

Les Hautes Terres de l'Ouest

© ULYSSE

N

MEXIQUE

MEXIQUE

ALTA VERAPAZ

QUICHÉ

HUEHUETENANGO

Cordillera de Los Cuchumatanes

0   15   30km

San Benito

Chamá

Playa Grande

(Chixoy)

Río Negro

Lancetillo

Uspantán

Chajul

San Juán Cotzal

Sacapulas

Nebaj

Xoxlac

Yolhuitz

Soloma

San Juán Ixcoy

San Mateo Ixtatán

Chaculá

Bulej

San Rafael

San Antonio

Todos Santos Cuchumatan

San Miguel Acatán

San Antonio Huista

Aguacatán

Huehuetenango

Chiantla

San Sebastián

Zaculeu

Interamericana

Colotenango

La Mesilla

La Democracia

Cuilco

1

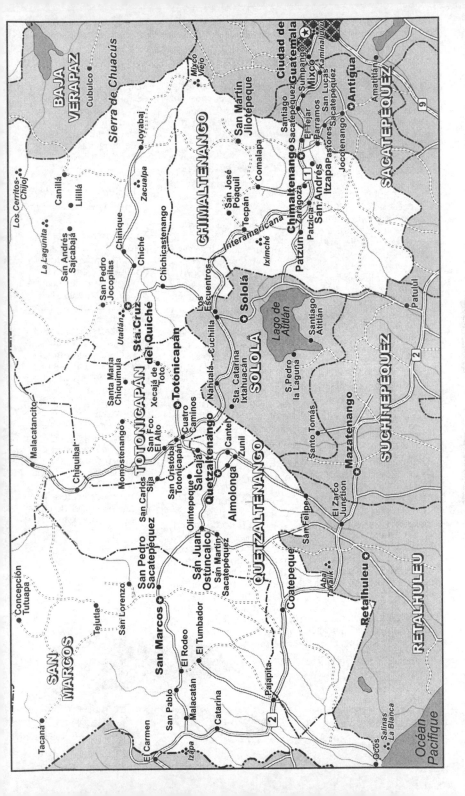

la richesse de leur culture. Les 16 *municipios* (municipalités régionales) qu'intègre le département ont tous une population *ladina* et plusieurs sont habités par une majorité de Kaqchikel.

Bénéficiant d'un agréable climat tempéré, Sacatepéquez compte trois importants volcans qui occupent son territoire et dont la beauté s'est payée très chère en plusieurs occasions. En plus de l'agriculture, la principale source de revenus de ses habitants est le tourisme, dont la ville d'Antigua Guatemala (voir p 139) est sans conteste la «capitale». Sacatepéquez signifie «mont vert» en nahua, langue des Pipil.

Le département de Chimaltenango

Chimaltenango est un nom dérivé de deux mots nahuatl, la langue des Aztèques : *chimal* (écusson) et *tenango* (lieu muré). Ce nom fait référence à l'ancienne ville d'Iximché, capitale des Kaqchikel, dont les murs peints étaient décorés d'écussons. Berceau de l'Empire kaqchikel et premier siège de la capitale des Espagnols du Guatemala, le département de Chimaltenango présente une facette historique sans égale qui fait de ce terroir un lieu unique.

Sa population, en grande partie kaqchikel, vit de la production agroalimentaire, de l'élevage, de l'industrie, de l'artisanat et du tourisme. Le département, dont la *cabecera* est la ville de Chimaltenango, est divisé en 16 *municipios*.

Le département de Sololá

Le département de Sololá est divisé en 19 *municipios* et sa *cabecera* porte le même nom. Il a été béni par la nature et doté d'un lac célèbre pour la beauté de ses eaux et pour les volcans qui l'entourent. Les plages, les vues panoramiques et surtout les habitants des petites villes qui le bordent font du Lago de Atitlán (voir p 161) l'attrait touristique préféré des visiteurs étrangers. Sa faune ailée originale, comme les canards *zambullidores,* ou les oiseaux migrateurs tels que le *chemo* et le *rojizo* caractérisent son milieu naturel.

Berceau de la nation Tz'utujiil, les rives sud et ouest du Lago de Atitlán sont aujourd'hui habitées par une population où se côtoient quotidiennement cultures anciennes et modernité. Pour leur part, les Kaqchikel qui habitent les rives nord et est sont quasi submergés par le nombre croissant de visiteurs.

Malgré le choc quotidien de l'afflux touristique, les habitants du département ont su garder une partie des anciennes traditions de leurs racines tz'utujiil et kaqchikel.

Le département du Quiché

Troisième plus étendu après le Petén et l'Alta Verapaz, le département du Quiché est traversé par trois systèmes orographiques différents : la Sierra de Chamá au nord, la Cordillera de los Cuchumatanes au centre et celle des Chuacús au sud. Ces chaînes déterminent les différents climats depuis le froid hivernal jusqu'au plus chaud. Les zones dépeuplées abondent d'essences précieuses et le sous-sol, riche en minerais d'argent, plomb, de marbre et d'autres métaux, demeure inexploité. Sa population vit en majorité de l'agriculture, dont les récoltes de café, de riz et de tabac sont en grande partie

Caféier

L'histoire des Kaqchikel

Après la conquête espagnole, les Kaqchikel ont raconté leur histoire dans un livre appelé *Annales des Kaqchikel*. Utilisant l'alphabet que leur avaient enseigné les prêtres espagnols, mais écrivant dans leur langue propre, ils y retracent leurs origines, leurs liens avec les autres Mayas et leur rencontre tragique avec les Espagnols.

Les textes des Kaqchikel font état de quatre Tulán et affirment que ce peuple est originaire de la Tulán de l'Ouest, où il s'est par ailleurs vu conférer ses dieux titulaires et protecteurs, son trône et les autres insignes de son pouvoir magique et de son autorité politique. Il ne faut pas non plus oublier son sceptre sculpté dans le bois du *kaqa ché* (arbre rouge), dont il tire d'ailleurs son nom.

Conduits par les grands nobles Q'aq'awitz et Saqtekauh, les Kaqchikel quittent Tulán et traversent une étendue d'eau pour se rendre à Suywa, située dans la région du Tabasco ou du Veracruz sur le golfe du Mexique. Ensuite, les peuples k'iche' et kaqchikel visitent plusieurs endroits, tantôt pour faire la guerre tantôt pour prendre femme, mais sans jamais s'y établir. Leurs migrations furent d'ailleurs si longues qu'elles entraînèrent un changement dans leur élocution. Les écrits disent : «*Nous n'avions qu'une seule langue quand nous sommes partis de Tulán; nous avions été créés et éduqués de la même façon.*» C'est donc durant leur migration que les peuples k'iche' se distinguent et acquièrent des langues différentes. Malheureusement, aucun indice temporel ne permet de situer l'époque où ces événements se sont produits.

Une autre section des *Annales des Kaqchikel* relate l'histoire de la fondation d'Iximché. Alliés des K'iche', les Kaqchikel arrivent au pays des Tz'utujili (Lago de Atitlán), sans femmes et sans familles, sous la gouverne de leur chef Q'aq'awitz. Celuici plonge alors dans le lac Atitlán et se transforme en serpent à plumes; ce geste intimide les Tz'utujili, qui cèdent aussitôt la moitié des terres et du lac Atitlán aux Kaqchikel.

Durant plusieurs années, les Kaqchikel servent les K'iche' et aident le souverain Q'uq'umatz à fonder une nouvelle capitale à K'umarcaaj (Utatlán). C'est alors que les K'iche' entreprennent leur conquête et, sous Q'uq'umatz, étendent leur empire jusqu'au Suconosco, sur la côte du Chiapas. L'empire des K'iche' connaîtra son apogée sous K'iq'ab, fils héritier de Q'uq'umatz.

Sous K'iq'ab, l'empire des K'iche' compte un million d'habitants et s'étend sur un vaste territoire triangulaire compris entre l'Alta Verapaz à l'est, l'isthme de Tehuantepec au nord et l'océan Pacifique au sudouest. Son pouvoir est cependant déstabilisé par les fils mêmes de K'iq'ab, qui fomentent avec des nobles insatisfaits une conspiration visant à humilier publiquement leur souverain.

La révolte des Kaqchikel commença, peu après l'humiliation de K'iq'ab, par un incident trivial. K'iq'ab ne pouvant rien contre ses propres nobles, il alerta ses amis kaqchikel du danger qui les guettait et leur conseilla de quitter K'umarcaaj (Utatlán) avec leur peuple pour fonder leur propre royaume. C'est ainsi que les quatre grands nobles kaqchikel quittèrent K'umarcaaj entre les années 1470 et 1485.

K'iq'ab fit même davantage pour ses amis kaqchikel en empêchant ses nobles de leur faire la guerre, ce qui permit aux Kaqchikel d'établir leur propre empire en rassemblant tous ceux qui demandaient protection contre les K'iche'. Les événements de cette décennie se précipitent.

OxlahuhTzi consolide le pouvoir des Kaqchikel en attaquant certaines villes k'iche'. La guerre contre les K'iche' culmine en 1491 quand OxlahuhTzi et KablahuhTihax capturent les deux rois k'iche', Tepepul et Itzayul, ainsi que leur dieu Tohil. Les Kaqchikel sacrifient les deux monarques ainsi que d'autres nobles capturés lors des batailles, et, à la suite de ces victoires, les K'iche' se voient contraints de verser des tributs aux Kaqchikel.

Néanmoins, les rois kaqchikel devaient faire face aux rébellions de leurs propres clans, les Akahal et les Tukuches. Le jour de la victoire contre les rebelles, le 20 mai 1493, fut donc une date mémorable dans l'histoire des rois kaqchikel, et devint le point de référence de toute l'histoire subséquente de leur peuple. OxlahuhTzi continua de consolider le pouvoir des Kaqchikel sur les K'iche' jusqu'à sa mort, en 1508. La période qui suivit fut toutefois difficile pour les Kaqchikel car, en plus des désastres naturels qui les frappèrent, les guerres contre les K'iche' continuèrent pendant 11 ans.

Moctezuma, l'empereur des Aztèques, envoie des émissaires aux K'iche' et aux Kaqchikel en 1510 et en 1512 afin de les informer de la présence des Espagnols, qui, à ce moment-là, faisaient leurs premières incursions sur les côtes du Veracruz et du Yucatán. Après la chute de Tenochticlán (capitale des Aztèques, l'actuelle México), les Kaqchikel délèguent un ambassadeur chargé d'offrir une alliance à Cortés et aux conquérants des Aztèques.

Lorsque Pedro de Alvarado arrive au Guatemala en 1524, il trouve des peuples épuisés par deux décennies de guerres et décimés par les premières épidémies de maladies européennes. La première armée que les Espagnols affrontent est celle des K'iche', et la bataille de Xelahuh, en février 1524, se solde par une cuisante défaite des autochtones. Alvarado envoie les rois k'iche' au bûcher et détruit leur capitale, K'umarcaaj (Utatlán).

Les soldats kaqchikel ont participé aux combats contre leurs ennemis, les K'iche' et les Tz'utujili. Ils ont même célébré l'arrivée des Espagnols dans leur capitale, Iximché.

Après une courte visite, Alvarado continue cependant sa conquête des Hautes Terres puis, le 27 juillet 1524, déclare que la capitale des Kaqchikel sera dorénavant Santiago de los Caballeros de Guatemala.

L'illusion d'amitié entre les Kaqchikel et les Espagnols connaît une fin abrupte lorsque Alvarado demande de l'or en tribut. Le 28 août 1524, à l'instigation d'un prêtre maya, les Kaqchikel abandonnent leur ville et se retirent dans la forêt, comptant sur leur dieu pour détruire les Espagnols. La destruction n'a cependant pas lieu, et les Espagnols ne tardent pas à déclarer la guerre aux Kaqchikel.

Les rebelles kaqchikel n'ont pas plus de chance que les K'iche', les Mams ou les Tz'utujili dans leur lutte contre les Espagnols. Ils tiennent le coup pendant quatre ans, mais, en 1530, les souverains des deux principales lignées sortent de la forêt. Le lendemain, les chefs, leurs familles et un grand nombre de personnes se livrent aux Espagnols à Panchoy, le nom kaqchikel de la nouvelle capitale du Guatemala aujourd'hui devenue Ciudad Vieja.

La résistance kaqchikel s'éteint, et les Espagnols fondent la ville de Tecpán Guatemala près d'Iximché. La population de l'ancienne forteresse déménage en partie à Tecpán, en partie à Sololá, de même que sur la rive nord du Lago de Atitlán. Alvarado attend 10 ans, soit jusqu'en 1540, avant de pendre l'Ahpo Sotz'il (souverain) Kahilmox et, durant l'année qui suit, plusieurs autres nobles kaqchikel subissent le même sort.

Les dieux mayas ont toutefois dû éprouver un sentiment de revanche à la suite de la destruction des grandes villes d'Iximché, K'umarcaaj et Zaculeu car, le 10 septembre 1541, après trois jours de pluies torrentielles, la paroi du volcan Hunahpu de son nom maya (Agua pour les Espagnols) cède, et une coulée de boue détruit la ville, forçant le déménagement de la capitale vers la ville qu'on appelle aujourd'hui Antigua Guatemala.

exportées dans d'autres départements.

Quelques industries, entre autres l'extraction du sel de Sacapulas, assurent le gagne-pain à un nombre restreint de travailleurs, tandis que l'artisanat et le tourisme constituent des domaines plus importants.

Les rivières principales sont le Río Xalbal, qui, dans la zone orientale du pays, prend le nom de Río Motagua, et El Grande, qui devient El Negro et plus loin le Río Chixoy. Aujourd'hui, le département du Quiché abrite différents groupes linguistiques mayas; les K'iche' sont présents dans la partie sud et centrale du département, les Ixil habitent le nord, tandis que les Sacapultèques, les Chiquimulas et les Uspantèques occupent leur *municipio* respectif. Le département, dont la *cabecera* est Santa Cruz del Quiché, est divisé en 21 *municipios*.

Le département de Totonicapán

Situé dans la Sierra Madre, au cœur des Hautes Terres de l'Ouest, Totonicapán est un département montagneux où prévalent des climats froids et tempérés. Plusieurs monts et pics se transforment en «belvédères» d'où le paysage de tout le département peut être admiré. Situé près de la ville de Momostenango, l'attrait naturel le plus particulier est certainement *los riscos*, des colonnes de silice érodées par le vent et la pluie qui forment des sculptures fantaisistes. Le département est divisé en huit *municipios*, dont la grande majorité des habitants sont des Mayas qui parlent le k'iche'.

Dans ce centre artisanal très actif, on produit une variété de céramiques de styles et couleurs différentes en utilisant des techniques anciennes et modernes. La production de laine, de textiles, d'objets en bois et l'orfèvrerie font vivre une bonne partie de la population. Les *morerías* (voir «Masques et danses», p 51) du Totonicapán confectionnent une partie des costumes de danse utilisés un peu partout dans les Hautes Terres de l'Ouest.

Son histoire, riche et bouleversante, se présente comme une tapisserie où se dessinent de tragiques révoltes autochtones que les élites dominantes, extérieures à la région,

matent par une violence extrême. La découverte d'une pointe Clovis par le professeur Alan Bryan de l'université de l'Alberta démontre que l'occupation du Totonicapán remonte à 8 700 ans av. J.-C. Le site de Sajcabajá montre que l'occupation s'intensifie dans le Quiché vers 500 av. J.-C., tandis que les nombreux sites, comme La Estancia ou Xuabaj dans le Totonicapán, témoignent de la présence maya partout dans la région durant l'époque classique, soit de 300 à 900 ap. J.-C. Selon les ethnolinguistes, les premiers habitants du Totonicapán parlaient fort probablement le mam.

Les sites construits à l'époque suivante, le postclassique, démontrant des traits spécifiques comme le jeu de balle en forme de *I*, les édifices ronds et les autels

construits au centre d'une *plaza* ou «cour intérieure», attestent la venue des Toltèques. La révolution du XIVe siècle força les habitants à se soumettre à l'autorité k'iche', payant les tributs, participant à l'armée et adorant les dieux des conquérants. Pour la première fois, les habitants participaient à un système politique qu'on peut qualifier d'État. Durant le XVe siècle, à l'apogée du royaume des K'iche', le territoire bénéficiait d'une relative indépendance.

On peut dire que, dans un premier temps, les Mayas du département de Totonicapán participent au développement de traditions venant de l'extérieur. Plus tard, l'influence étrangère des occupants k'iche' créa un patron à la fois de rejet et d'accoutumance à la subordination qui trouva son expression dans une lutte politique constante entre Mam et K'iche'. Le patron d'acceptation et de rejet se prolongea dans la solution des conflits engendrés par la Conquête et la colonisation espagnole de la région.

Le département de Quetzaltenango

Le département de Quetzaltenango est divisé en 24 *municipios* et compte plus d'un demi-million d'habitants. Les volcans Santa María, Santiaguito, Cerro Quemado, Siete Orejas, Chicabal et Lancandón ainsi que des pics qu'on appelle «dômes volcaniques», se trouvent sur son territoire; il compte plusieurs «belvédères» : le Zunilito, le Cerro del Baúl, La Pradera et le Galápago. Plusieurs plaines affichent une fertilité exceptionnelle, entre autres La Ciénaga, El Chirries, Los Llanos de Urbina, Chiquilajá et La Floresta.

L'industrie agroalimentaire comprend la transformation du blé, la production de café au sud et d'une grande variété de légumes au nord.

Depuis l'époque libérale, qui donna le coup d'envoi à l'industrie du textile, la production industrielle de vêtements en laine, en coton, en soie et en cachemire est concentrée dans le Quetzaltenango. Le village de Cantel est le plus gros employeurs de tisserands au Guatemala. Quant aux artisans, ils produisent de la céramique, des vêtements en laine et des ceinturons fabriqués sur des métiers à tisser, d'une diversité et d'une originalité remarquable. La scolarité élevée de sa main- d'œuvre et l'élitisme de sa classe professionnelle font de sa capitale un haut lieu culturel moderne.

En termes linguistiques, Quetzaltenango comprend une population parlant le k'iche' à l'est, tandis que les Mam occupent l'ouest du département.

Situé à l'ouest du Lago de Atitlán, le département de Quetzaltenan-

go a les pieds dans la plaine du Pacifique et la tête dans la Sierra Madre. Au centre, un grand bassin plat, caractérisé par une vallée fertile, fort probablement la plus accueillante des Hautes Terres de l'Ouest, compte depuis longtemps une population importante.

Occupée depuis des temps anciens par les Mam, dont la capitale était Zaculeu (près de l'actuelle Huehuetenango), la région tomba aux mains des K'iche' entre 1400 et 1475, jusqu'à l'arrivée des Espagnols en 1523. Aujourd'hui, on parle le k'iche' à l'est de la vallée et le mam à l'ouest.

Après une première confrontation avec les K'iche' sur la côte, Pedro de Alvarado conquit une deuxième armée k'iche' à l'entrée de la vallée, puis

Quetzal

marcha sur la ville abandonnée de Xelajú, près de Quetzaltenango. Quelques jours plus tard, les soldats espagnols remportèrent une bataille décisive. La légende veut qu'Alvarado, dans un corps à corps, tua le grand chef militaire Tecún Umán, petit-fils du souverain k'iche'. Selon cette même légende, le *nahua* («vie associée» ou l'âme) de Tecún Umán était le quetzal. L'oiseau tomba mort à l'instant du trépas du guerrier, et la poitrine rouge de l'oiseau proviendrait du sang de Tecún Umán. La ville k'iche' fut abandonnée et les Espagnols et leurs alliés fondèrent Quetzaltenango, qui signifie le «lieu du quetzal» en nahuatl, la langue des alliés d'Alvarado. Cet oiseau dut habiter la région, mais il est possible que les panaches de plumes de quetzal qui ornaient la tête des chefs k'iche' aient inspiré le nom de la deuxième plus grande ville du pays, Quetzaltenango, qu'on appelle communément Xela (prononcer Chel-ha) en souvenir de l'ancienne ville de Xelajú.

Le département fut créé par décret de l'Assemblée constituante du 16 septembre 1845. Son importance historique durant l'époque de l'indépendance s'affirme principalement pour deux raisons : premièrement, les mouvements séparatistes du nouvel État du Guatemala proposèrent, le 19 janvier 1822, l'annexion de la région à l'Empire mexicain de l'empereur Iturbide; deuxièmement, son appartenance à la région, qui a formé, pendant quelque temps, le sixième État de la Fédération centraméricaine.

Le département de San Marcos

Une géographie accidentée caractérise le département de San Marcos avec deux énormes colosses dénommés Tacaná et Tejumulco, les plus hauts volcans de l'Amérique centrale. Son territoire s'étend de la Cordillera de los Andes, comme se nomment les sommets de la Sierra Madre au nord, à la plaine tropicale bordant l'océan Pacifique au sud. Les *municipios* d'Ixchiguán et de San José Ojenam, juchés entre 2 000 et 3 000 m d'altitude, connaissent des températures «arctiques» de -5°C durant les mois de novembre à février; Pajapita, Ocós et Ayutla, au contraire, suffoquent sous une chaleur tropicale.

Les villes du piedmont connaissent un climat tempéré. Les climats variés et une terre riche où coulent de nombreuses rivières permettent la culture d'une grande variété de produits agricoles. Le nord produit des légumes et autres denrées (fèves, patates, maïs, ail, avoine, orge, pommes, poires, prunes, noix), tandis que la zone côtière se consacre à la culture du café, du cacao, du coton, du riz, de la carda-

mome, des bananes et d'autres fruits tropicaux. L'élevage de plusieurs espèces d'animaux occupe aussi la côte, alors que le nord est un grand producteur de laine. Les villages côtiers vivent de la pêche. La moitié de la population est maya et parle le mam.

Le département de Huehuetenango

Limitrophe du Mexique, le département de Huehuetenango se distingue par la diversité ethnique de sa population et la beauté de sa géographie. La Sierra Madre s'étend d'ouest en est, s'élargissant au centre du département où des cimes atteignent 4 000 m au-dessus du niveau de la mer, les plus élevées de l'Amérique centrale. Ce système orogénique, connu comme la Cordillera de los Cuchumatanes, s'étend vers le nord, où un contrefort atteint son plus haut niveau à San Mateo Ixtatán. Le Río Selegua et le Río Cuilco drainent les eaux occidentales du département, tandis que le grand fleuve Usumacinta prend naissance près de Malacalancito, où on le connaît sous le nom de Río Salinas.

Même si l'agriculture, l'élevage de moutons et l'artisanat sont les principales bases de l'économie de la région, on retrouve dans la capitale un nombre impressionnant de petites industries.

Le département de Huehuetenango est divisé en 31 *municipios*. Cette multitude de divisions administratives rend compte non seulement d'une géographie accidentée qui multiplie les difficultés de communication, mais aussi de la grande diversité de la population.

Le patrimoine culturel de Huehuetenango comprend de nombreux sites archéologiques, des églises coloniales, des villages pittoresques ainsi que des coutumes et traditions anciennes. Les Mayas forment 64% de la population totale qui dépasse 600 000 habitants. Si les Mam prédominent par leur nombre, Huehuetenango demeure néanmoins le pays de sept autres peuples mayas. Somme toute, on retrouve dans ce département tous les facteurs essentiels à une histoire territoriale de conflits et de réconciliation.

Pour s'y retrouver sans mal

Les Hautes Terres sont traversées d'est en ouest par l'Interaméricaine (CA1), l'axe principal qui relie la Ciudad de Guatemala à la frontière du Mexique. De nombreuses routes goudronnées ou de terre mènent à l'intérieur de cette vaste région où une diversité d'attraits touristiques vous attend.

En voiture

De la Ciudad de Guatemala, on rejoint l'Interaméricaine en empruntant la Calzada Roosevelt, une autoroute à quatre voies qui relie la capitale et les villes et villages des Hautes Terres de l'Ouest. L'Interaméricaine passe par le belvédère (25 km) situé à 1 800 m d'altitude et par San Lucas Sacatepéquez, où elle bifurque vers l'ouest et devient une route à deux voies alors que l'embranchement sud mène à Antigua Guatemala. Passé Sumpango, la première grande ville que vous atteindrez est Chimaltenango. Ici, une route vers le sud mène à Antigua Guatemala, tandis qu'une autre, vers le nord, rejoint San Martín Jilotepéque.

À 12 km de Chimaltenango, une route vers le nord, récemment goudronnée, mène à Comalapa. Pour sa part, l'Interaméricaine se dirige vers le nord jusqu'à Tecpán (km 85) et s'élève jusqu'au du col de Ponchoy pour rejoindre Los Encuentros, la jonction avec la route de Chichicastenango, Santa Cruz del Quiche et le nord du département du Quiché. À l'ouest de Los Encuentros, une autre route, vers le sud, mène au Lago de Atitlán.

Après Los Encuentros, l'Interaméricaine monte et descend sur 60 km jusqu'à Cuatro Caminos, à 185 km de la capitale. Cuatro Caminos est le plus important carrefour des Hautes Terres de l'Ouest, où l'Interaméricaine rencontre la route en direction de Quetzaltenango à l'ouest et celle de San Miguel Totonicapán, située à 12 km vers le nord-est. Poursuivant en direction du nord-ouest, l'Interaméricaine mène à Huehuetenango et, plus loin encore, au poste-frontière de La Mesilla.

Pour se rendre dans la partie nord-ouest des Hautes Terres, il faut suivre la route principale qui passe par Huehuetenango et Chiantla. Cette dernière est le carrefour des routes vers les hauteurs de la Cordillera de los Cuchumatanes ou vers l'est et l'Alta Verapaz.

Conduire une voiture dans la ville de Quetzaltenango (Xela)

En voiture, la circulation dans la ville est facile, car le tracé des rues de Xela forme un damier, comme dans la plupart des villes du Guatemala; les *avenidas* vont du nord au sud, tandis que les *calles* vont d'est en ouest. La vieille ville, centrée autour du Parque Centroamérica, est sillonnée de petites rues sinueuses, alors que la partie la plus récente, celle au nord et près de la gare d'autocars Minerva, est formée de quadrilatères beaucoup plus grands. Les zones 1 et 3 sont les plus fréquentées.

Les déplacements à l'intérieur de la ville se font aisément à pied, sauf pour la gare d'autocars Minerva et les édifices publics qui l'entourent : l'Universidad Rafael Landívar, le Parque Zoológico, le Mercado del Terminal et l'*hipódromo*.

Il faut noter que, dans la zone 1, il y a une 14 Avenida A et une 14 Avenida B.

Location de voitures

Quetzaltenango

Il n'y a qu'un seul centre de location de voitures :

Tabarini
9a. Calle 9-13, Z.1
☎763-0418

Huehuetenango

Si vous devez louer une voiture, vous devez vous adresser à la firme Tabarini.

Tabarini
Sector Brasilia, Z.7
☎764-9356

En autocar

Il est relativement facile de voyager en autocar partout dans les Hautes Terres de l'Ouest. Le flot continue d'autocars qui traversent cette région et qui empruntent l'Interaméricaine vous évitera de longues attentes. Si le temps presse, il est toujours plus rapide de prendre un autocar de 1ʳᵉ classe, mais l'expérience des autocars de 2ᵉ classe vous restera en mémoire à tout jamais.

Parce que **Chichicastenango** est une destination touristique des plus prisées, s'y rendre en autocar est très facile. Plusieurs entreprises possèdent des minibus et font le trajet pendant les jours de marché à partir de la Ciudad de Guatemala, Antigua Guatemala, Panajachel et Quetzaltenango; le coût est beaucoup plus élevé et vous pouvez réserver votre billet dans les agences de voyages.

Si vous préférez le transport public, des autocars de 2e classe partent de toutes les villes des Hautes Terres, mais il est plus facile de prendre les autocars de 1re classe jusqu'à Los Encuentros puis un autre autocar pour Chichicastenango. Il n'y a pas de gare d'autocars à Chichicastenango; les autocars se trouvent dans les parages de la 5a. Calle et de la 5a. Avenida. Tous les autocars qui se dirigent vers le nord du département du Quiché passent par Chichi.

La gare d'autocars de **Santa Cruz del Quiché** se trouve à 5 min de marche de la Plaza Central. Santa Cruz del Quiché est la plaque tournante des destinations de l'ouest (Joyabaj) et du nord du département. La très grande majorité des autocars en provenance de la capitale pour ces destinations passent par ici. On ne trouve pas de service pullman, seuls les autocars de 2e classe desservant Santa Cruz del Quiché; pour les longues distances, il est plus facile de prendre les autocars

de 1re classes jusqu'à Los Encuentros puis un autre autocar pour Santa Cruz del Quiché.

Il y a des compagnies de transport pour touristes qui possèdent des minibus et font le trajet à partir de certaines villes des Hautes Terres de l'Ouest. Il faut s'informer auprès des agences de voyages pour connaître l'horaire.

S'il n'y a pas de service direct de l'endroit où vous partez, il faut vous rendre à Cuatro Caminos puis prendre un camionnette ou un autocar jusqu'à la ville de Totonicapán. Il n'y a pas de gare d'autocars à Totonicapán. Les autocars, camionnettes, pick-up et taxis se trouvent autour de la Plaza Central en face du théâtre et de l'église. Les petits villages sont accessibles en camionnette ou en pick-up.

Point focal des Hautes Terres de l'Ouest, **Quetzaltenango (Xela)** est desservie par les autocars. Venir à Xela est simple : il y a des autocars qui font le trajet direct entre la Ciudad de Guatemala et Quetzaltenango. De n'importe quel point sur l'Interaméricaine, les autocars mènent au carrefour des Cuatro Caminos, où d'autres autocars font la navette pour Xela aux 20 min. De la côte du Pacifique, on rejoint Xela par un des autocars venant du carrefour d'El Zarco ou directement de Mazatenango et Retalhuleu (à la Galera). Pour vous assurer d'une place assise, il est préférable de partir

de Mazatenango ou Retalhuleu, car, à partir d'El Zarco, les chances d'obtenir un siège sont minces.

Quetzaltenango est la deuxième ville en importance du Guatemala et compte plusieurs gares d'autocars. La plus importante est le Terminal Minerva *(6a. Calle, Zona 3)*, situé aux confins ouest de la ville. C'est le point de départ et d'arrivée de tous les autocars de 2e classe. Cette gare étant très éloignée du centre-ville, il faut prendre l'autobus n° 2 ou n° 6 qui fait la navette entre la gare Minerva et la Plaza Central, qui, à Quetzaltenango, s'appelle le Parque Centroamérica. Pour prendre l'autobus à la gare Minerva, il faut marcher jusqu'à la 4a. Calle en traversant le marché et le parc. Les autobus affichant PARQUE se dirigent vers le centre-ville.

Depuis le centre-ville, on se rend à la gare Minerva, d'où partent tous les autocars de 2e classe, en prenant un des autobus qui passent sur la 13 Avenida entre la 8a. Calle. et la 4a. Calle, dans la zone 1.

Néanmoins, il est possible de prendre les autocars qui se dirigent vers les Hautes Terres par l'Interaméricaine au monument à La Marimba, situé à l'angle de la 7a. Avenida (Calzada Independente) et de la 8a. Calle (Calle Cuesta Blanca).

Les compagnies d'autocars de 1re classe qui font le trajet entre la

Ciudad de Guatemala et Quetzaltenango ont leur propre gare :

La gare d'autocars de **Huehuetenango** est située à mi-chemin entre le centre-ville et l'Interaméricaine, un peu à l'écart de la 6a. Calle dans la zone 4. De nombreux minibus font la navette jour et nuit entre la gare et la Plaza Central. Les autocars pour Chiantla et les villages situés au nord passent par la 4a. Calle et s'arrêtent entre la 3a. Avenida et la 4a. Avenida. Les départs des compagnies d'autocars de 2ᵉ classe se font de la gare.

Les camionnettes pour Zaculeu partent aux demi-heures de la 2a. Calle, en face de l'école située à l'angle de la 7a. Avenida. On peut aussi s'y rendre en taxi depuis la Plaza Central.

Les autocars de 1ʳᵉ classe

Depuis la Ciudad de Guatemala vers :

La très grande majorité des autocars de 1ʳᵉ classe et les autocars de 2ᵉ classe de quelques compagnies partent de leur propre gare ou bureau. Il vaut la peine de téléphoner pour confirmer les heures de départ et surtout pour réserver un siège. La liste qui suit n'est pas exhaustive, mais comprend la majorité des destinations desservies par les nombreuses compagnies d'autocars.

Quetzaltenango
(203 km, 4 heures)

Transporte Marquensita
1a. Avenida 21-31, Z.1
☎*230-0067*
Départs à 6h, 6h30, 8h40, 11h, 15h30, 16h et 17h

Transportes Alamo
21 Calle et 1a. Avenida, Z.1
☎*253-2105*
Départs à 8h, 10h, 12h45, 15h et 5h45

Líneas América
Angle 2a. Avenida et 18 Calle, Z.1
☎*232-1432*
Départs à 5h15, 9h15, 12h, 15h15, 16h40 et 19h30

Transportes Galgos
7a. Avenida 19-44, Z.1
☎*253-4868*
Départs à 5h30, 8h30, 11h, 14h30, 15h et 19h

Rápidos del Sur
20 Calle 8-55, Z.1
☎*232-7025 ou 232-2771*
☎*251-6678 ou 220-6735*
Départs aux heures de 2h30 à 18h
Les autocars passent par la côte du Pacifique.

Coatepeque
(261 km)

Transportes Galgos
7a. Avenida 19-44, Z.1
☎*253-4868*
Départs à 5h30, 8h30, 11h, 14h30, 15h et 19h

San Marcos
(5 heures 30 min)

Rápidos del Sur
20 Calle 8-55, Z.1
☎*232-7025 ou 232-2771*
☎*251-6678 ou 220-6735*
Départs aux heures de 2h30 à 18h

Fortaleza del Sur
19 Calle 8-70, Z.1
☎*230-3390 ou 220-6730*
Départs aux heures de 2h30 à 18h

Transporte Marquensita
1a. Avenida 21-31, Z.1
☎*230-0067*
Départs à 6h, 6h30, 8h40, 11h, 15h30, 16h et 17h

Malacatán
(300 km)

Transportes Galgos
7a. Avenida 19-44, Z.1
☎*253-4868*
Départs à 5h30, 10h et 15h

Malacatán Huehuetenango en passant par Los Encuentros et Quatro Caminos (5 heures)

Transportes Velásquez
20 Calle et 1a. Avenida, Z.1
Départs aux heures de 8h à 17h

Los Halcones
7a. Avenida 15-27, Z.1
☎*238-1929*
Départs à 7h, 14h et 17h

La Mesilla (frontière mexicaine) en passant par Los Encuentros et Huehuetenango (7 heures)

Transportes Velásquez
angle 20 Calle et 1a. Avenida, Z.1
☎*473-6005*
Départs aux heures de 7h30 et 17h30

El Carmen (Talismán) (frontière mexicaine) en passant par Escuintla, Mazatenango, Retalhuleu, Coatepeque, Tecún Umán, Malacatán (5 heures)

Hautes Terres de l'Ouest

Transportes Galgos
7a. Avenida 19-44, Z.1
☎*253-4868*
Départs à 5h30, 10h,
13h30 et 16h30

Transportes Fortaleza
19 Calle 8-70, Z.1
☎*220-6730*
☎*230-3390*

Transportes Fortaleza del Sur

19 Calle 8-70, Z.1
☎*220-6730 ou 232-3643*
☎*251-7994*
Départs à 1h30, 3h, 3h30
et 17h30

Rápidos del Sur
20 Calle 8-55, Z.1
☎*232-7025 ou 232-2771*
☎*251-6678 ou 220-6735*
Départs à 9h, 11h, 12h45
et 15h

Rodeo (287 km)

Rápidos del Sur
20 Calle 8-55, Z.1
☎*232-7025 ou 232-2771*
☎*251-6678 ou 220-6735*
Départs à 10h30 et 17h30

Les autocars
de 2ᵉ classe

La gare principale de la
capitale, située dans la
zone 4 *(angle 7a. Calle et*
4a. Avenida), est un
point de départ et
d'arrivée des autocars de
2ᵉ classe (les *chicken bus*)
desservant les Hautes
Terres de l'Ouest. Offi-
ciellement, son appella-
tion est le **Mercado y Termi-**
nal de Buses Extraurbanos,
mais on s'y réfère par le
terme **Terminal Zona 4** .

Les autres points de dé-
part sont situés plus près
du centre historique :

angle 20 Calle et 4a. Avenida, Z.1
(pour les destinations du
département de Chimalte-
nango)

angle 9a. Avenida et 19 Calle, Z.1
(pour les destinations du
département de San Mar-
cos)

Depuis la Ciudad de
Guatemala vers :

Acatenango
(85 km)
angle 20 Calle et 4a. Avenida, Z.1
Départs aux 30 min de
6h à 15h

Acatenango (85 km)
Terminal Zona 4
Départs aux 30 min de
6h à 15h

Aguacatán (291 km)
Terminal Zona 4
Départs à 8h45, 10h,
11h45 et 13h

Chiantla (272 km)
Terminal Zone 4
Départs à 6h30, 11h30,
13h30 et 16h

Chichicastenango
(146 km)
en passant par San Lucas,
Chimaltenango, et Los
Encuentros, Terminal
Zona 4
Départs aux heures de 5h
à 18h

Chimaltenango -
San Martín Jilotepeque
(71 km)
Terminal Zona 4
Départs aux 30 min de
4h à 20h

Coatepeque (261 km)
7a. Avenida 19-44, Z.1

Départs à 5h30, 10h,
11h30, 13h30, 14h30,
15h30, 16h et 17h15

Colomba (244 km)
9a. Avenida et 19 Calle, Z.1
Départs à 4h30 et 5h45

Comalapa (80 km)
20 Calle et 4a. Avenida, Z.1
Départs à 10h30, 13h15,
15h30 et 18h15

Terminal Zona 4
Départs aux 30 min de 6h
à 18h

Comalapa - Panajabal
(80 km)
20 Calle et 4a. Avenida, Z.1
Départs aux 30 min de 6h
à 15h

Concepción Tutuapa
(310 km)
Terminal Zona 4.
Départs à 5h30 et 14h

Joyabaj (216 km)
Terminal Zona 4
Départs aux demi-heures
de 2h30 à 16h
Vingt-six autocars font le
trajet en passant par San-
ta Cruz del Quiché, Chi-
ché, Chinique et Zacual-
pa.

La Democracia -
Mesilla (345 km)
Terminal Zona 4
Départs à 4h30, 8h, 9h,
11h, 12h et 13h

Malacatán
(301 km)
angle 9a. Avenida et 19 Calle, Z.1
Départs à 2h, 4h, 6h, 7h,
8h, 12h, 13h45, 14h20,
14h30 et 17h

Malacatán - Talisman
(300 km)
angle 9a. Avenida et 19 Calle, Z.1
Départs aux 30 min

María Chiquimula (213 km)

2a. Avenida 1-33, Z.9
*Départs à 5h, 6h, 14h45,
15h45 et 16h45*
Terminal Zona 4
*Départs à 8h30, 8h50 et
12h*

Momostenango (208 km)

2a. Avenida 1-33, Z.9
*Départs à 3h45, 8h, 9h45,
11h45, 12h, 14h et 16h30*
Terminal Zona 4
*Départs à 4h15, 6h, 9h30,
10h15, 10h45, 12h30,
13h15 et 15h30*

Nebaj (251 km)
Terminal Zona 4
Départs à 6h30

Ocos (356 km)
angle 9a. Avenida et 19 Calle, Z.1
*Départs à 11h, 12h, 14h
et 18h*

Ocos/Aldea Tilapa (356 km)
angle 9a. Avenida et 19 Calle, Z.1
Départs à 14h40

Pachalum (en passant par Santa Cruz del Quiché) (245 km)
Terminal Zona 4
*Départs à 8h, 8h45, 10h,
11h30, 12h, 13h, 13h45,
16h, 16h10 et 18h15*

Parramos (60 km)
Terminal Zona 4
Départs à 12h et 17h

Patzicia (70 km)
Terminal Zona 4
Départs aux 30 min

Patzun (83 km)
angle 20 Calle et 4a. Avenida, Z.1
*Départs aux 30 min de
6h à 15h*
Terminal Zona 4

*Départs de 6h à 15h aux
30 min*

Quetzaltenango (4 heures) en passant par Los Encuentros et Quatro Caminos

Transportes Esmeralda
7a. Avenida 19-44, Z.1
☎232-3661
*Départs à 5h30, 8h30,
11h, 14h30, 17h et 19h*

San Andrés Itzapa (59 km)
Terminal Zona 4
*Départs aux 30 min de
4h et 20h*

San José Poaquil (103 km)
Terminal Zona 4
*Départs lun-ven à 5h,
14h, 15h, 16h30, 17h et
18h Sam-dim : 6h, 9h et
20h*

San Lucas Sacatepéquez (27 km)
Terminal Zona 4
Départs aux 15 min

San Marcos (252 km)
*Départs à 3h30, 4h50, 6h,
10h, 11h, 12h, 13h30,
17h15 et 17h45*
La compagnie **Marquensita**
possède des autocars de
1re et de 2e classe.

San Pablo (292 km)
angle 9a. Avenida et 19 Calle, Z.1.
*Départs à 6h30, 8h45,
11h45, 13h15, 18h15 et
18h30*

San Pedro Sacatepéquez (250 km)
Terminal Zona 4
*Départs à 3h45, 10h30,
14h45 et 17h45*

San Pedro Yepocapa (88 km)
Terminal Zona 4

Plusieurs départs

Santa Apolonia (92 km)
Terminal Zona 4
*Départs à 9h30, 13h10 et
15h45.*

Santa Cruz Balanya (81 km)
Terminal Zona 4
*Départs à 5h, 7h45, 8h45,
9h, 10h, 13h30, 16h et
17h45*

Santa Cruz del Quiché (164 km)
Terminal Zona 4
Une cinquantaine
d'autocars font le trajet
aux 15 min de 2h30 à
17h. Certains autocars
passent par les villes de
Chimaltenango, Patzicia,
Tecpán et Xepol, et tous
passent par Chichicaste-
nango.

Santiago Sacatepéquez (31 km)
2a. Avenida 1-33, Z.9
Départs aux 15 min

Sumpango (41 km)
Terminal Zona 4
Départs aux 15 min

Tecpán Guatemala (89 km)
20 Calle 1-33, Z.9
Départs aux 30 min

Tecpán Guatemala (89 km)
Terminal Zona 4
Départs aux 30 min

Tecpán Guatemala Paca- ca (92 km)
Tecún Umán (335 km)
angle 9a. Avenida et 19 Calle, Z.1
Départs aux 30 min

Totonicapán (201 km)
Terminal Zona 4

Trente-cinq autocars de 2ᵉ classe font le trajet aux 15 min de 5h30 à 19h

Depuis Santa Cruz del Quiché vers :

Ciudad de Guatemala
Départs aux 15 min de 2h30 à 17h
Certains autocars passent par les villes de Chimaltenango, Patzicia, Tecpán et Xepol, et tous passent par Chichicastenango.

Uspantán

Les compagnies Transporte Tres Estrellas del Norte et Transporte Reina Uspantanese passent par San Pedro Jocopilas, Sacapulas et Cunén et se rendent à Uspantán. Six autocars par jour font le trajet aux heures de 9h à 14h. À Uspantán, vous pouvez prendre un autre autocar pour Cobán et les autres destinations situées dans les Verapaz.
Nebaj, San Juan Cotzal, Chajul (triangle Ixil). Les autocars des compagnies Transporte Blanca Estela, Clavinas de Nebaj et Transporte Veloz Nebajense font le trajet tous les jours de 8h à 17h.

Joyabaj
en passant par Chiche, Chinique et Zacualpa
Vingt-six autocars font le trajets aux demi-heures de 2h à 16h.

San Andrés Sajcabajá et Canilla
Quatre autocars font le trajet de 2h à 16h.
L'horaire est variable.

Huehuetenango
Il est possible de se rendre à Huehuetenango en passant par Sacapulas, Aguacatán et Chiantla. L'horaire est variable. On se rend à Los Encuentros pour rejoindre Huehuetenango par l'Interaméricaine.

Depuis Totonicapán vers :

Ciudad de Guatemala
Départs à 3h, 7h, 13h, 14h et 15h. Il est recommandé de se rendre à Cuatro Caminos pour prendre un autocar de 1ʳᵉ classe.

Quetzaltenango
Plusieurs autocars et minibus font le trajet aux 20 min de 6h à 19h.

Retalhuleu
Départs à 5h30, 8h et 15h

Líneas América
7a. Avenida 13-33, Z.2
☎ *761-2063 ou 761-4587*
Départs à 5h, 9h45, 11h, 13h, 15h30 et 20h

Transportes Alamo
14 Avenida 3-60, Z.3
☎ *761-2964*
Départs à 4h30, 5h15, 8h, 9h45, 13h15, 14h30 et 20h. La compagnie Alamo offre le meilleur service, mais ses bureaux sont situés dans un quartier peu sûr de la zone 1 de la capitale.

Transportes Galgos
Calle Rodolfo Robles 17-83, Z.1
☎ *761-2248*
Départs à 4h30, 8h30, 14h30 et 16h30 (vieux autocars)

Depuis Quetzaltenango vers :

Almolonga
(les bains thermaux)
(10 min)
Plusieurs compagnies font le trajet aux demi-heures.

Cantel (35 min)
Plusieurs compagnies font le trajet aux heures et demie.

Chichicastenango
(3 heures 30 min)
Les compagnies Transportes Veloz Quichelense et Rutas Hilda Esperanza font le trajet.
Départs à 5h, 6h, 9h30, 10h45, 11h, 13h, 14h et 15h30.

Coatepeque
(2 heures 30)
Plusieurs compagnies font le trajet aux demi-heures.

Ciudad de Guatemala
(4 heures)
Plusieurs compagnies font le trajet aux demi-heures de 3h à 16h30.

Huehuetenango
(2 heures)
Plusieurs compagnies Départs aux demi-heures de 5h à 17h30

La Mesilla (frontière mexicaine - San Cristóbal) (4 heures)

Transportes Unión Fronteriza Aguas Calientes
Départs à 5h, 6h, 7h, 8h, 13h et 14h
Service de 1ʳᵉ classe

Mazatenango
(1 heure 30 min)
Plusieurs compagnies font le trajet aux demi-heures.

**Momostenango
(1 heure 15 min)**
*Plusieurs compagnies font
le trajet aux deux heures.*

Panajachel (3 heures)
*Transportes Morales. Départs à 5h, 6h, 8h, 10h,
12h et 15h*

Retalhuleu (1 heure)
*Plusieurs compagnies font
le trajet aux demi-heure.*

Salcaja (15 min)
*Plusieurs compagnies font
le trajet aux demi-heures.*

**San Andrés Xecul
(35 min)**
*Plusieurs compagnies font
le trajet aux deux heures.*

San Cristóbal Totonicapán (20 min)
*Plusieurs compagnies font
le trajet aux demi-heures.*

**San Francisco El Alto
(45 min)**
*Plusieurs compagnies font
le trajet aux heures.*

San Marcos (2 heures)
*Plusieurs compagnies font
le trajet aux demi-heures.*

**San Martín Chile Verde
ou San Martín Sacatepéquez (1 heure)**
*Plusieurs compagnies font
le trajet et le départ se fait
lorsque l'autocar est plein.*

**Tecún Umán
(frontière mexicaine -
Tapachula) (4 heures)**
*Plusieurs compagnies font
le trajet aux heures de 5h
à 14h.*

**Totonicapán
(1 heure)**
*Plusieurs compagnies font
le trajet aux 20 min.*

Zunil (15 min)
*Plusieurs compagnies font
le trajet aux demi-heures.*

**Depuis Huehuetenango
vers :**

**Barillas en passant par
Soloma, San Mateo et
Ixtatán (7 heures)
Rutas Cifuentes**
*Aller- retour tous les jours
Départ à 14h*

Chiantla
*Les autobus font le trajet
entre Huehuetenango et
Chiantla aux 15 min.*

Ciudad de Guatemala.
Plusieurs compagnies de
2e classe font le trajet
(voir plus haut pour les
autocars de 1re classe).

**Nentón en passant par
San Antonio Huista et
Jacaltenango**
Des autocars empruntent
l'Interaméricaine, bifurquent à Tabal et passent
par San Antonio Huista et
Jacaltenango.

De plus, un autocar emprunte quotidiennement
l'Interaméricaine et passe
par Camoyá Grande.

**Quetzaltenango
(2 heures)**
*Plusieurs compagnies font
le trajet depuis Huehuetenango. Départs aux demi-heures de 5h à 17h30.*

San Mateo Ixtatán
*Départs à 1h, 2h, 3h, 4h,
11h, 14h, 15 et 23h*

**Santa Cruz del Quiché
en passant par Chiantla,
Aguacatán et Sacapulas**
L'horaire est variable.

Todos Santos Cuchumatán
*Trois compagnies
d'autocars font le trajet à
4h, 7h et 15h.*

Quelques compagnies
d'autocars de 1re classe
font le trajet entre Huehuetenango et la Ciudad
de Guatemala (266 km, 5
heures), en passant par
Los Encuentros et Cuatro
Caminos.

Los Halcones
7a. Avenida 3-62, Z.1
☎764-2251
*Départs à 4h30, 7h, 14h
et 17h*

Transportes Velásquez
Gare d'autocars de Huehuetenango
☎764-3153
*Départs aux heures de 8h
à 17h*

Renseignements pratiques

Renseignements touristiques

Les sources officielles de
renseignements touristiques dans les Hautes
Terres sont quasi inexistantes. L'office du tourisme du Guatemala
(Inguat) n'a qu'un seul
bureau dans toute cette
grande région, à Quetzaltenango. A Totonicapán,
la **Casa de la Cultura Totonicapense** *(8a. Avenida
2-17, Z.1)* est l'organisme
régional ayant l'information sur les activités dans
la région.

**Hautes Terres de
l'Ouest**

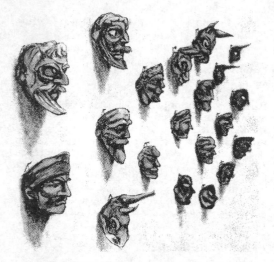

Les services de l'agence sont personnalisés et les prix varient en fonction de la formule et de l'organisation convenues. Il faut compter un minimum de 25$US par personne (min. 2 pers.) par jour, tout compris. La connaissance de la région et les 10 ans d'expérience du directeur de l'agence, Thierry Roquet, sont le gage d'un professionnalisme et d'une continuité, attributs plutôt rares dans cette industrie.

Les écoles de langues

Quetzaltenango

Inguat
lun-ven 8h à 13h et 14h à 17h, sam 8h à midi
7a. Calle 11-35, Z.1
☎ **761-4931**
Les bureaux de l'Inguat se trouvent dans le même édifice que la **Casa de la Cultura** (☎ 761-6427), à l'angle sud-ouest du Parque Centroamérica. L'information offerte satisfait les besoins pratiques, mais, pour savoir ce qui se passe durant votre séjour, mieux vaut s'adresser à la **Casa Iximulew** (15 Avenida 4-59, Z.1, ☎ 765-1308, www.xelapages.com/iximulew).

Agences de voyages

Chichicastenango

Chichi Tours
5a. Calle 4-42
☎ **756-1017**
L'agence de voyages Chichi Tours propose un service de minibus express vers plusieurs destinations de la région, voire les principales villes du Guatemala.

Quetzaltenango

Casa Iximulew
15 Avenida 4-59, Z.1
à 20 m de la Poste
☎ **765-1308**
⇌ **765-2584**
iximulew @trafficman.com
L'agence de voyages Casa Iximulew propose une large gamme de services, entre autres des excursions hors des sentiers battus.

En plus de l'escalade de volcans actifs (comme le Santa María), l'agence propose des randonnées pédestres entre Xela et le Lago de Atitlán d'une durée de deux jours et demi ainsi qu'une randonnée de trois à quatre jours entre Nebaj et Todos Santos.

Quetzaltenango

Comme nous l'avons dit ailleurs, l'enseignement de l'espagnol au Guatemala est une industrie qui emploie des centaines d'enseignants, d'administrateurs et de familles d'accueil (voir p ?). Même si Antigua Guatemala demeure la ville préférée des étudiants étrangers, Quetzaltenango, deuxième plus grande ville du pays, offre une urbanité culturelle sans l'atmosphère touristique. Il existe une vingtaine d'écoles de langues à Xela et les prix varient de 110$US à 150$US. Sachez que le prix n'est pas nécessairement garant de la qualité, et il vous faut comparer, ainsi que rencontrer le directeur et, si possible, l'enseignant.

Les écoles suivantes sont des organisations à but non lucratif et nous ont été recommandées:

INEPAS
15 Avenida 4-59, Z.1
☎765-1308
≈765-2584
www.xelapages.
com/iximulew
Comme les autres écoles,
INEPAS vous logera dans
une famille de Quetzalte-
nango, mais, si vous vou-
lez vivre en appartement,
l'école vous proposera
des appartements meu-
blés de deux chambres
qu'elle loue à la semaine
(70$US) ou au mois
(235$US). La directrice de
l'école, Ma-ría Antonieta
de Roquet, parle le fran-
çais.

Juan Sisay
15 Avenida 8-38, Z.1
☎765-1318
≈763-2104

Pop-Wuj
1a. Calle 17-72, Z.1
☎761-8286
≈761-8286

Educación para Todos
6a. Calle 7-42, Z.1
☎765-4533
≈763-0717
www.xelapages.
com/paratodos

Huehuetenango

Spanish Academy Xinbajul 6a.
Avenida 0-69, Z.1
☎/≈764-1518
mitierra@quetzal.net La
Spanish Academy Xinba-
jul propose des cours
d'espagnol de cinq heu-
res ou moins par jour et
de maya k'iche'. Les cours
sont privés et les étu-
diants peuvent vivre dans
un famille de Huehuete-
nango.

Le professeur **Rodrigo Morales** (9a. Avenida 6-55,
Z.1) donne des cours
privés.

Location de bicyclettes

Quetzaltenango

Vrisa Bicicletas
20Q par jour
75Q par semaine
15 Av. 0-67, Z.1
☎761-3862
Vrisa Bicicletas loue et
vend des bicyclettes.

Librairie

Quetzaltenango

Vrisa Bookshop
15 Av. 3-64, Z.1
☎761-3237
On y propose quelque
3 000 livres d'occasion en
anglais et y vend plu-
sieurs magazines améri-
cains.

Autres services

**Alianza Francesa de Quetzal-
tenango**
15 Avenida 3-64, Z.1
☎761-4076
alianzafraxez@gold.guate
L'Alianza Francesa de
Quetzaltenango propose
différents cours de lan-
gues et des services
d'Internet. Une fois la
semaine, l'Alliance fran-
çaise présente un film
français sous-titré en
espagnol.

Banques

Chichicastenango

Trois banques situées sur
la 6a. Calle entre la 5a.
Avenida et la 6a. Avenida
sont ouvertes même le
dimanche. Vous pouvez
encaisser des chèques de
voyage et recevoir des
avances avec votre carte
Visa.

Santa Cruz del Quiché

Pour encaisser des chè-
ques de voyage et faire
des retraits avec la carte
Visa : Banco Industrial,
angle nord- ouest de la
Plaza Central (lun-ven
8h30 à 17h30, sam 8h30
à 12h30).

Totonicapán

Vous pouvez encaisser
des chèques de voyage
et recevoir des avances
avec votre carte Visa au
Banco de Occidente
(lun-ven 9h à 16h; 7a.
Avenida et 5a. Calle, Z.1).

Quetzaltenango

Vous trouverez la plupart
des banques dans le
Parque Centroamérica.

Le **Banco de Occidente** (au
nord de la Plaza) et le
Banco Construbanco (à l'est
de la Plaza) font office de
changeurs : vos dollars
tout comme vos chèques
de voyage pourront y
être changés en quetzals.
Il est également possible

Hautes Terres de l'Ouest

d'y obtenir des avances de fonds avec votre carte Visa, ce que **Cedromatic** *(Centro Comercial Mont Blanc, 4a.Calle 18-01, Zona 3, ☎763-5722)* propose aussi.

Finalement, le **Banco Industrial** *(à l'est de la Plaza)* possède un guichet automatique duquel vous pouvez également obtenir des avances de fonds avec votre carte Visa. Ce guichet a l'avantage d'être ouvert 24 heures sur 24.

Huehuetenango

Les banques à Huehuetenango jalonnent la Plaza Central. On peut changer les chèques de voyage et faire des retraits avec les cartes de crédit dans la majorité des grandes banques.
Bancafé *(lun-ven 8h30 à 18h, sam 9h à 13h; 3a. Calle 5-56, Z.1)*
Banco de Occidente *(lun-ven 8h30 à 18h, sam 9h à 13h; 4a. Avenida 3-21, Z.1)*
Banco G&T *(lun-ven 8h30 à 18h, sam 9h à 13h; 2a. Calle 4-66, Z.1)*

Poste et télécommunication

Chichicastenango

Poste
contiguë à Telgua sur la 7a. Avenida

Telgua
angle 7a. Avenida et 8a. Calle

Santa Cruz del Quiché

Poste
4a. Calle 15-07, Zona 1

Telgua
(lun-ven)
angle 15 Avenida et 4a. Calle

Vous pouvez faire des appels internationaux, envoyer des fax et avoir accès à votre courrier électronique aux endroits suivants :

Maya Communications, Bar-Salón Calls, **Pasaje Enríquez**
tout près du Parque Centroamérica, Zona 1

Quetzaltenango

Poste
4a. Calle, entre 15 Avenida et 16 Avenida

Telgua
angle 15 Avenida et 4a. Calle

Huehuetenango

Poste
2a. Calle 3-54

Telgua
2a. Calle, entre 3a. Calle et 4a. Calle, près de la poste, ou 4a. Avenida 6-54, Z.1

Urgence

Chichicastenango

Policía Nacional
☎756-1365

Ambulance
(Bomberos Municipales)
☎756-1066

Santa Cruz del Quiché

Policía Nacional
Le poste de police se trouve à l'angle de la 0 Avenida et de la 3a. Calle, Zona 1 (☎120). Services disponibles 24 heures sur 24

Ambulance
(Los Bomberos)
2a. Calle 0-11, Zona 1
☎755-1122

Quetzaltenango

Policía Nacional Civil
☎ *110* ou *120*
☎*763-0155* ou *763-0202*
En service 24 heures sur 24.

Ambulance
☎*125* ou *128*

Pompiers
(Bomberos Voluntarios)
1a. Calle 12-89, Z.3
☎*761-2002*

Hôpital
Calle Rodolfo Robles 23-51, Z.1
☎*761-4381*

Hospital San Rafael
9a. Calle 10-41, Z.1
☎ *761-4414*
C'est l'hôpital le plus près du centre-ville. On vous y accueille jour et nuit.

Croix-Rouge
8a. Avenida 6-62, Z.1
☎*761-2746*

Farmacia Nueva
lun-ven 9h à 13h et 14h à 20h
angle 10a. Avenida 6a Calle
☎*761-4531*
Il existe aussi un service de pharmacie de garde

mis en œuvre afin d'assurer un service 24 heures sur 24. Le nom de la pharmacie de garde est affiché dans la vitrine de toutes les pharmacies.

Huehuetenango

Policía Nacional
☎764-1150

Ambulance (Bomberos Voluntarios)
☎764-1553

Hospital Nacional
☎764-1414

Attraits touristiques

Mixco

Le premier tronçon de l'Interaméricaine, entre la Ciudad de Guatemala et Los Encuentros, passe par plusieurs *municipios* (municipalités régionales) du département de Chimaltenango. Contiguë au département de Guatemala, Chimaltenango fait partie du pays des Kaqchikel. Berceau colonial du Guatemala espagnol, c'est ici que le conquistador Pedro de Alvarado s'arrête, le temps d'établir une première capitale à Iximché.

Le *municipio* de Mixco fait aujourd'hui partie de la banlieue ouest de la capitale. Sa fondation remonte au début de la colonie. En 1526, après

un long siège, les conquistadors détruisirent la capitale fortifiée des Poqomam. Aucunement intéressés à batailler de nouveau dans la montagne, sur un plateau quasi imprenable, les Espagnols et leurs alliés forcèrent les survivants à se déplacer à Mixco.

San Lucas Sacatepéquez

Situé avant l'embranchement vers Antigua Guatemala, le village de San Lucas Sacatepéquez a été le théâtre de la bataille qui assura la victoire des libéraux le 29 juillet 1871. Un monument sur la Plaza Central commémore cet événement qui changea le cours de l'histoire du Guatemala. Le tremblement de terre de 1976 a détruit plusieurs édifices de l'époque coloniale.

Santiago Sacatepéquez

À quelques kilomètres au nord de l'Interaméricaine, le village de Santiago Sacatepéquez doit sa notoriété à la célébration de la Toussaint, le 1er novembre. C'est une fête extraordinaire des cerfs-volants géants qu'on appelle *barriletes*. En plus des traditionnelles chandelles et de la nourriture laissées dans le cimetière communal, les hommes de Santiago font voler d'immenses *barriletes* multicolores faits de

bambou ou roseau et de papier peint. La fabrication de ces cerfs-volants circulaires hauts de 3 m de diamètre, aux motifs élaborés, exige jusqu'à deux mois de travail minutieux. Les *barriletes* sont chargés de transmettre aux défunts un message d'affection, de dévotion et de réconfort.

Le marché de Santiago Sacatepéquez se tient les mardis et les dimanches. Un **musée municipal** expose de nombreuses figurines, des céramiques et autres objets anciens que les habitants des environs ont trouvés dans leurs champs.

Sumpango

À 20 km de la capitale, le village de Sumpango est aussi reconnu pour la célébration de la Toussaint avec les *barriletes*, ces cerfs-volants géants (voir «Santiago Sacatepéquez», ci-dessous). Son nom en langue nahuatl signifie «lieu de Tzompantlis». Les *Tzompantlis* sont les plateformes consacrées au dieu Umatzitún dont les murs verticaux sont ornés de reliefs représentant des crânes humains. L'**église paroissiale** du XVIe siècle, parée de gros contreforts, de tours et d'un fronton bas, a été partiellement détruite lors du séisme de 1976. Depuis, elle a été reconstruite.

Hautes Terres de l'Ouest

Le culte de San Simón et de Maximón

Le culte de San Simón de San Andrés Itzapa est une tradition religieuse non reconnue par l'Église catholique qui puise sa source dans les rites et les croyances mayas. San Simón est vénéré aussi bien par les Mayas que par les Ladinos, et les adeptes de ce culte demandent grâces, faveurs et miracles au «dieu» en échange de quoi ils offrent à sa représentation – un mannequin de bois assis sur une chaise – cigare, argent, alcool, fruits et légumes.

Il ne faut pas confondre le culte de San Simón avec celui de Maximón, pratiqué à Santiago Atitlán, ou avec celui de San La Muerte et de San André Xecul, à Olintepeque et Zunil. Il ne faut pas non plus confondre San Simón avec San Andrés ou le San Simón de la religion catholique. Le rituel associé à la vénération de ces «dieu» varie d'une communauté à l'autre.

Selon l'ethnologue guatémaltèque Celso Lara Figueroa, San Simón de San Andrés Itzapa est un dieu ladino adopté par une *cofradía* indigène associée de près à la magie et à la religion populaire du Guatemala, et se veut le symbole d'une transcendance unique et sans équivalence en Méso-Amérique.

El Tejar

Comme son nom l'indique en espagnol, El Tejar est reconnu pour sa production de briques (*teja* signifie «brique» en espagnol). Les monticules de briques et de tuiles rouges qui bordent la route cachent les nombreuses petites manufactures où travaille une main-d'œuvre sous-payée.

Au sud de Chimaltenango

Entre El Tejar et Chimaltenango, une route vers le sud mène à Antigua Guatemala en passant par les villages de **Parramos**, complètement détruit en 1976, **San Dionisio Pastores**, fondé par Jorge de Alvarado au XVIᵉ siècle pour l'élevage des bovins, et **Jocotenango**, dont la place centrale comporte une belle église baroque.

Chimaltenango

Fondée par Pedro de Portocarrero en 1526 sur l'emplacement du village kaqchikel de Bokoh, Chimaltenango est située sur l'Interaméricaine à une cinquantaine de kilomètres de la Ciudad de Guatemala.

Malgré les dégâts causés par le tremblement de terre de 1976, la ville demeure un important centre d'échanges et de transport régional. La Plaza Central comprend un amalgame de styles architecturaux, par exemple cette superbe **fontaine** ★ de style colonial, construite au-dessus de la ligne de partage des eaux qui alimente les deux océans. Le poste de police, un château à tourelles au coin sud-ouest de la Plaza Central, est une construction des années cinquante.

La fête patronale de Chimaltenango, qui se célèbre entre le 22 et le 27 juillet, est un moment fort de l'année pour les résidants de la ville et ceux d'El Tejar, située à quelques kilomètres. Les processions des saints patrons et des accompagnateurs qui défilent sur des tapis de fleurs et de la sciure de bois passent sous des arches au son de la musique.

Ces célébrations démontrent l'importance et le rôle déterminant que jouent les *cofradías* (confréries religieuses) dans la vie des Guatémaltèques.

De Chimaltenango, un chemin de terre se dirige vers le nord et se rend au village kaqchikel de San Martín Jilotepeque (voir p 112) et à Joyabaj (voir p 216) dans le département du Quiché.

San Andrés Itzapa

De Chimaltenango, une route se rend vers le sud à San Andrés Itzapa, un village préhispanique mentionné dans *Les annales des Kaqchikel*. Le village est un lieu de pèlerinage où l'on vénère un dieu païen, San Simón.

Au nord de Chimaltenango

Au km 63 de l'Interaméricaine, une route goudronnée mène vers le nord à San Juan Comalapa en passant par **Zaragoza**, reconnue pour la beauté de ses **chutes** et pour sa production de fraises, dont l'exportation a fait augmenter de façon significative les revenus des habitants. La route continue jusqu'à **San José Poaquil**, un *municipio* agricole anciennement connu sous le nom de Hacienda Vieja. Son artisanat a bonne presse, surtout ses corbeilles de facture et de forme unique.

San Juan Comalapa

Entre Zaracoza et San José Poaquil, se trouve Comalapa. Toutes proportions gardées, la petite communauté n'a rien à envier à ses voisines du sud, voire aux villes touristiques d'Antigua Guatemala et la Ciudad de Guatemala. Au début de la colonie, le village a été créé comme «réduction», c'est-à-dire un regroupement de plusieurs centres kaqchikel ayant su conserver plusieurs traditions anciennes.

Depuis les années soixante, San Juan Comalapa est surtout reconnue pour son école de peinture dite primitive, qui donne à la ville la réputation de chef-lieu des artistes populaires. Parsemées à travers le village, plusieurs galeries exposent et vendent les œuvres des peintres.

Cette école doit sa création à Andrés Curuchich

(1891-1969), dont les peintures, de style primitif, documentaient avec grande acuité les scènes de village telles que les fêtes, les mariages et les funérailles. Sa peinture attira l'attention des riches galeries de la capitale et des villes étasuniennes comme New York et Los Angeles. Andrés Curuchich a reçu la plus haute reconnaissance civile du Guatemala, l'Ordre du Quetzal. Aujourd'hui, quelque 50 artistes dont quelques femmes poursuivent la tradition de la peinture primitive à San Juan Comalapa.

Les *trajes* du village sont aussi reconnus pour leur grande finesse; leur style et leurs couleurs sont privilégiés partout dans la région de Chimaltenango.

Étonnamment, la petite ville de Comalapa possède trois églises dont deux de facture très différente se côtoient sur le côté est de la Plaza Central. La troisième borde la rue principale au milieu de la ville. Les trois églises sont utilisées tour à tour, même si toutes les trois sont ouvertes tous les jours de la semaine.

En plus du monument à Rafael Álvarez Ovalle, originaire de Comalapa et compositeur de l'hymne national du Guatemala, quelques pièces sculptées datant de l'époque précolombienne ornent le petit parc en face de la Plaza Central.

La **Casa de Cultura** (*entrée libre; lun-ven 8h à 18h; une rue à l'ouest et deux*

Les cofradias

Au début de la colonie, le manque de prêtres et de religieux mène à la création de groupes indigènes responsables de «maintenir le christianisme» dans les communautés mayas. En imposant aux Mayas la vénération des saints catholiques, on met en place des *cofradias* (confréries) destinées à servir et à entretenir le «culte des saints». Elles feront office de supports nodaux au syncrétisme religieux qui vise la fusion des rituels catholiques et mayas traditionnels. Chaque saint possède sa propre *cofradía,* responsable du sanctuaire qui abrite son effigie et ses effets. Ce sanctuaire, souvent aménagé dans une pièce de la maison d'un membre de la confrérie, sert en outre à la célébration de rituels privés.

D'origine espagnole, les *cofradias* ont joué un rôle déterminant tant sur le plan religieux que sur le plan social. À l'origine, plusieurs d'entre elles étaient pourvues de terres et de bétail, et contribuaient à couvrir une partie du tribut exigé des communautés mayas. Mais, au siècle dernier, l'expulsion des ordres religieux transforme cette institution; les *cofradias* acquièrent une vigueur nouvelle face à leur responsabilité religieuse, et deviennent autant de symboles de prestige. L'appartenance à la *cofradia* devient si importante eu égard à la définition du statut social des individus, qu'elle sera transmise de père en fils, au même titre que les propriétés mobilières et immobilières.

Le rôle social et économique qu'ont joué *les cofradias* ne déprécie en rien l'omniprésence du religieux et du sacré dans la vie quotidienne des Mayas. Pour eux, la finalité de la vie n'est compréhensible qu'à la lumière de la dimension spirituelle des faits et gestes de tous les jours.

Depuis une vingtaine d'années, plusieurs *cofradias* ont toutefois disparu, victimes des changements imposés par l'occupation militaire des communautés mayas.

---

rues au nord de la Plaza Central) expose certaines œuvres des villageois. Après les destructions d'Antigua Guatemala par les tremblements de terre de 1717 et 1773, le couvent des clarisses de Comalapa, fondé au XVIIe siècle, servit de refuge aux religieuses de cette communauté. Aujourd'hui, seule subsiste la façade de la grande église baroque détruite par le séisme de 1976.

Patzicía

De l'Interaméricaine, une bifurcation secondaire mène au Lago de Atitlán en passant par plusieurs petits villages, entre autres Patzicía et Patzún.

Entièrement détruit en 1976, le village de Patzicía, dont la population est à 80% kaqchikel, est situé près de l'embranchement de la route 1 et de l'Interaméricaine. C'est ici qu'en 1871 a été signé l'Acte de Patzicía, consacrant le pouvoir des réformistes sous la gouverne de Justo Barrios et de Miguel

García Granados, président en 1871 et 1872. Beaucoup plus tard, en 1944, les villageois, croyant que la révolution maya s'étendait à tout le pays, prirent les armes et tuèrent tous les Ladinos qu'il rencontrèrent. Les citadins armés (Ladinos), venant de la capitale, tuèrent à leur tour la majorité des rebelles.

Patzún

À la Fête-Dieu (Corpus Christi), les rues du village de Patzún se couvrent de fleurs et de sciure de bois de différentes couleurs formant de magnifiques motifs que le passage de la procession réduit en poussière. Des arcs ornés de palmes, de papier de Chine et de végétaux sont dressés aux carrefours. Depuis les destructions de 1976 et de 1978, la petite ville se reconstruit lentement.

Tecpán

Située à environ 90 min de route de la Ciudad de Guatemala, la ville de Tecpán est surtout reconnue pour les ruines d'Iximché, qui fut pendant quelques mois la capitale des conquistadors espagnols.

Selon l'archéologue Guillemin, la ville actuelle fut fondée pour loger le peuple d'Iximché après que la paix avec les Espagnols fut rétablie et à la suite du décret royal du 10 juin 1540. En divisant la ville en quatre quartiers, un

pour chaque famille dirigeante, les Espagnols ont continué la tradition comme ils l'ont fait pour la ville de México.

Aujourd'hui Tecpán est une petite ville qui compte de nombreuses boutiques et quelques petits hôtels. Les quatre quartiers se nomment désormais San Antonio, Asunción, Patacabaj et Poromá.

Iximché

Capitale des Kaqchikel, Iximché, mot qui signifie dans leur langue «arbre à pain», est construite sur un haut promontoire entre deux ravins sur le flanc du mont Ratzamut. Seule une étroite langue de terre donne accès au site et relie la ville au monde extérieur. Dans cette forteresse naturelle, les attributs topographiques ont guidé les Kaqchikel dans leur quête d'une capitale sécuritaire, car, au moment de la construction d'Iximché, la rivalité entre les différents groupes mayas tournait sporadiquement en guerre éclair.

Les édifices d'Iximché sont distribués autour de cours intérieures et forment quatre *plazas* : A, B, C et D (identifiées par de petites pancartes au centre du terrain). Les structures de pierre étaient recouvertes de stuc peint de motifs dans le style Mixtec-Puebla. L'architecture de style Epi-Toltèque témoigne de l'influence mexicaine. La ville était

fortifiée et les remparts de pierre qui l'entouraient étaient d'une efficacité toute moderne, surtout dans sa partie nord. Les maisons du peuple construites entre les fortifications et les *plazas* où s'édifiaient les palais des souverains formaient une première ligne de défense. La base des maisons ne figure pas sur les plans et, aujourd'hui, de grands arbres occupent cette partie de la ville.

Quelques temples, des jeux de balle et des plateformes d'autel et de palais ont été partiellement restaurés, et les terrains qui les entourent sont bien entretenus. Aucune structure datant de la présence espagnole n'a été mise au jour par les équipes d'archéologues. Selon les sources écrites, les édifices espagnols avaient été construits par des Mayas; il est donc difficile de différencier les constructions. Mais la présence espagnole a laissé des traces.

La visite du **musée d'Iximché** *(8h à 12h et 13h à 16h)* est fortement recommandée avant d'entreprendre celle du site. L'immense maquette donne aux vestiges une sensation d'être habité et fait oublier qu'ils sont les ruines d'une ville abandonnée. Elle offre un aperçu de l'urbanisme des quatre *plazas* (A,B,C,D), qui ont été partiellement restaurées, ainsi que des deux autres *plazas* (E et F), qui n'ont pas été dégagées et qui dorment sous les arbres à l'est des vestiges visibles.

Hautes Terres de l'Ouest

Iximché

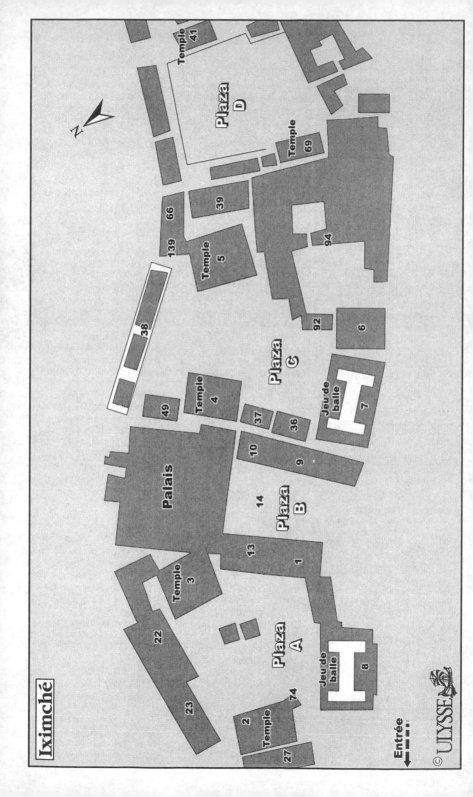

N

Temple 41

Plaza D

Temple 69

66

39

139

Temple 5

94

38

92

Plaza C

6

49

Temple 4

37

Jeu de balle

36

7

Palais

10

9

13

14

Plaza B

1

Temple 3

22

Plaza A

2

Temple

74

Jeu de balle

8

27

23

Entrée

© ULYSSE

La vue panoramique sur la ville met en évidence sa position quasi imprenable et facilite l'orientation des édifices à l'intérieur des *plazas*. Les temples, sis sur leur base pyramidale, se distinguent facilement des anciens palais où résidait l'élite de la nation kaqchikel. Sur le site, seules les basses plateformes, auxquelles on accède par de petits escaliers, identifient l'architecture des habitations.

Ouvert en 1988, le musée d'Iximché expose sa collection dans une seule grande salle. Le long des murs, les petites sculptures sur pierre proviennent des fouilles effectuées par l'archéologue suisse George Guillemin.

En plus d'un tableau de la généalogie des souverains, les photos du travail de restauration et le plan de la ville ornent les murs. Les dessins reproduisant les peintures murales trouvées sur la structure 2 (Plaza A) rappellent la splendeur d'Iximché, une ville tout en couleur où les murs racontent l'histoire de la nation.

L'Instituto de Antropología de Guatemala a produit un plan du site qui est disponible au musée. Il vous aidera lors de la visite du site.

La description de la ville suit de près celle qu'ont proposée l'archéologue suisse George Guillemin, responsable des fouilles, et les épigraphes étatsuniens Linda Schele et Peter Mathews.

L'entrée de la ville, qui se situait dans un quartier populaire, se trouve à quelques dizaines de mètres de l'actuel musée et du stationnement moderne. Cette partie du site n'a pas fait l'objet de fouilles, mais les monticules qui bloquent l'accès aux ruines attestent que la ville était fortifiée.

Les Plazas A et B (qui ne forment qu'un seul complexe) et la Plaza C sont le fief de chacun des souverains d'un système dualiste régissant la nation Kaqchikel.

Les Plazas A et B

Les Plazas A et B forment le premier complexe d'Iximché. La Plaza A est sans hésitation un centre cérémoniel. Le jeu de balle, la première structure sur la droite en entrant dans l'enclave, délimite le sud de la cour intérieure de la Plaza A. Deux temples, les structures 2 et 3 (les plus élevées de cette partie du site), se font face aux extrémités est et ouest de la Plaza A, seules de basses plateformes les séparant. Les plateformes qui ferment la cour intérieure (les structures 22 et 23 au nord) étaient utilisées comme centre administratif ou palais reliés au culte.

Le temple 2 (à gauche en entrant dans la cour) et la longue structure (27) s'y accolant portent les traces de trois couches superposées de stuc. Selon Guillemin, ici comme à Utatlán, ces phases de

construction représentent les générations de souverains qui s'y sont succédé. Autrement dit, ces transformations relatent la chronologie relative et l'évolution de la dynastie régnante, et la qualité des édifices et la somptuosité des *plazas* reflètent le statut hiérarchique des occupants.

Une riche sépulture trouvée près du temple 2 (au nord du jeu de balle) a été attribuée à la famille d'Oxlaluh Tzii, fils de Vukubatz, premier souverain d'Iximché.

La Plaza C

Les édifices formant la Plaza C sont disposés comme ceux de la Plaza A. Deux temples (structures 4 et 5) se font face dans l'axe est-ouest, mais, contrairement à la Plaza A, c'est le temple faisant face à l'ouest, le temple 5, qui est le plus imposant. Le côté nord de la Plaza C, comme son homologue de la Plaza A, est fermé par une seule fondation supportant trois plateformes sur lesquelles reposaient les palais, tandis que le jeu de balle ferme la cour intérieure sur le côté sud. En plus, une petite *plaza*, adjacente à la cour et située à l'est du jeu de balle, reproduit à plus petite échelle la Plaza B du complexe du souverain dominant.

Il faut noter que les complexes d'habitation sont

El Estado de Los Altos

Le renversement du roi d'Espagne par Napoléon au début du XIX⁰ siècle a transformé à tout jamais les structures politiques des colonies espagnoles du Nouveau Monde. Au Guatemala, la première moitié du siècle correspond à une période de grande confusion marquée par la remise en question des frontières du royaume, la recherche d'une identité nationale, les luttes internes entre libéraux et conservateurs ainsi que les guerres fratricides. Il en sortira cinq pays, qui font aujourd'hui partie de l'Amérique centrale.

Le 1ᵉʳ juillet 1823, une assemblée constituante réunissant des représentants de ce qui deviendra le Guatemala, le Honduras, El Salvador, le Nicaragua et le Costa Rica, décide de se séparer du Mexique et de créer une fédération des provinces unies de l'Amérique centrale : la *Federación Centroamericana*. Un des principes de base de cette fédération tient à la liberté d'adhésion des États membres.

Chaque province tient ainsi sa propre assemblée constituante et se transforme en État.

Quelques années plus tard, se sentant toujours négligés par la capitale, les départements des Hautes Terres, sous le leadership de Quetzaltenango, décident de créer la république de Los Altos et de se joindre à la fédération centraméricaine.

Le 31 janvier 1838, des représentants de Quetzaltenango, Totonicapán et Sololá (qui englobent aujourd'hui les départements de Quetzaltenango, Retalhuleu, Sololá, Totonicapán, El Quiché, San Marcos, Suchitepéquez et Huehuetenango) se réunissent et déclarent, deux jours plus tard, la création de l'Estado de Los Altos (l'État des Hauteurs). La formation de l'État de Los Altos est sanctionnée par le Congrès fédéral au mois d'avril 1838, et il devient le sixième pays de la Federación Centroamericana.

On élit provisoirement Marcelo Molina chef de l'État, et installe tout d'abord la capitale de Los Altos à Totonicapán. Quelques mois plus tard, en janvier 1839, elle sera toutefois déménagée à Quetzaltenango, une ville beaucoup plus importante. Au début, la nouvelle république prend sa place au sein de la Federación Centroamericana et obtient une certaine reconnaissance en envoyant des soldats pour renforcer l'armée de Francisco Morazán.

Mais les difficultés financières et la précarité de la Fédération centraméricaine, conjuguées aux guerres internes entre libéraux et conservateurs, minent l'existence même de l'État. L'armée du nouveau dictateur guatémaltèque Rafael Carrera envahit Los Altos et, lors de la bataille de Sololá, met fin à l'expérience de la séparation. L'accord de réintégration des départements au Guatemala fut signé le 26 février 1840 à Antigua Guatemala par le président de la République et les représentants de l'État de Los Altos.

Los Encuentros

Au carrefour de Los Encuentros, on quitte le pays des Kaqchikel pour entrer dans celui des K'iche'. Ici se détachent en effet la route vers le pays des K'iche' et, plus loin, à La Cuchilla (au kilomètre 129), celle qui conduit à Sololá et au Lago de Atitlán. Los Encuentros est aussi le carrefour le plus important de cette région, les autocars y prenant aussi bien la direction de Quetzaltenango, de Huehuetenango et du Mexique que celle d'Antigua Guatemala ou de la Ciudad de Guatemala.

isolés les uns des autres, comme à K'umarcaaj. Ici, un mur de pierres sépare la Plaza C de la Plaza B, tandis qu'à K'umarcaaj les «groupes» sont séparés par de profonds ravins. Chaque groupe (Utatlán, Ixmachi, El Resguardo, Chisalin) comporte ses propres temples, son propre jeu de balle et ses plateformes de palais. C'est aussi le cas à Mixco Viejo, où une douzaine de groupes d'édifices possèdent leur jeu de balle.

Plusieurs sites du post-classique présentent ce genre de distribution. Pourquoi? Peut-être faut-il chercher la réponse dans les chroniques coloniales qui font état non seulement des guerres ethniques mais aussi des conflits internes et des révolutions de palais comme celle vécue par le souverain k'iche', renversé par ses propres fils.

Il est fort possible que les deux complexes (Plazas A et B et Plaza C) aient été autosuffisants; les édifices pouvaient pourvoir aux besoins résidentiels, administratifs, cérémoniels et religieux nécessaires à un souverain, à sa famille étendue et à leurs serviteurs, tandis que les gardes, artisans, esclaves et autres personnes rattachées au souverain pouvaient habiter au nord et au sud des *plazas*.

La Plaza D

Ce groupe de monticules a été dégagé pour satisfaire les besoins d'enregistrement et n'a pas fait l'objet de fouilles comme les premières. À l'est, en face du monticule du temple 69, le temple 41 ne semble pas avoir d'escalier ni de coin incisé et laisse croire que cette structure n'a jamais été terminée.

On peut donc identifier les résidants des différents sections de la ville. Les «grandes places» A et B sont celles du souverain dominant d'Iximché, la Plaza C est la cour royale du second souverain, tandis que la Plaza D et les Plazas E et F (qui n'ont pas été dégagées) appartiennent aux grands nobles.

Le complexe formé par les Plazas E et F

Les trois premiers complexes (Plazas A et B, Plaza C, Plaza D) ont tous été identifiés comme appartenant à un dirigeant kaqchikel et il ne reste qu'à loger le quatrième noble mentionné dans l'histoire écrite des Kaqchikel. Somme toute, le complexe composé des Plazas E et F est tout ce qui reste malgré que ce secteur de la ville n'ait pas été excavé. Selon Guillemin, le noble Galel Achí logeait dans la Plaza E, tandis que la Plaza D était le fief du noble Ahuchan.

Hautes Terres de l'Ouest

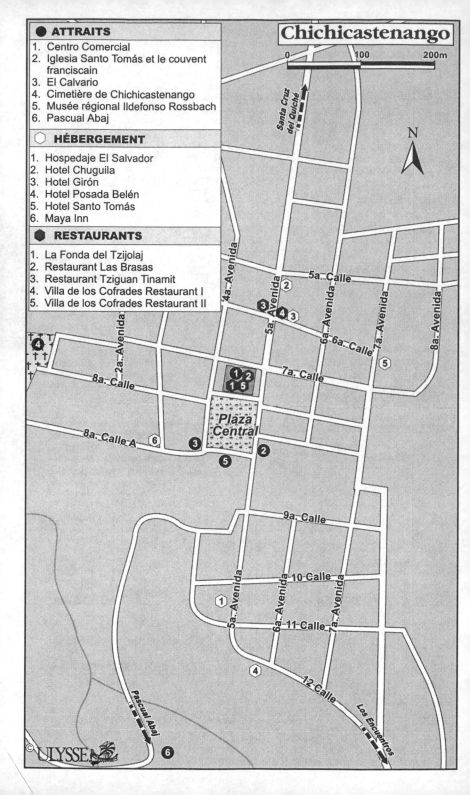

Chichicastenango

ATTRAITS
1. Centro Comercial
2. Iglesia Santo Tomás et le couvent franciscain
3. El Calvario
4. Cimetière de Chichicastenango
5. Musée régional Ildefonso Rossbach
6. Pascual Abaj

HÉBERGEMENT
1. Hospedaje El Salvador
2. Hotel Chuguila
3. Hotel Girón
4. Hotel Posada Belén
5. Hotel Santo Tomás
6. Maya Inn

RESTAURANTS
1. La Fonda del Tzijolaj
2. Restaurant Las Brasas
3. Restaurant Tziguan Tinamit
4. Villa de los Cofrades Restaurant I
5. Villa de los Cofrades Restaurant II

0   100   200m

N

Santa Cruz del Quiché

Plaza Central

4a. Avenida
5a. Avenida
6a. Avenida
7a. Avenida
8a. Avenida
2a. Avenida
5a. Avenida
6a. Avenida
7a. Avenida

5a. Calle
6a. Calle
7a. Calle
8a. Calle
8a. Calle A
9a. Calle
10 Calle
11 Calle
12 Calle

Pascual Abaj

Los Encuentros

© ULYSSE

★★★

Chichicastenango

Située à 17 km au nord de Los Encuentros et à 146 km de la capitale, la ville de Chichicastenango (communément appelée Chichi) est certainement le bourg le plus visité des Hautes Terres du Guatemala.

En chemin, un peu après le pont qui enjambe le Río Grande, un écriteau souligne l'assassinat, le 3 juillet 1993, de Jorge Carpio, propriétaire de journaux. Carpio fut assassiné parce qu'il était le cousin du président de la République, ombudsman des droits de l'homme, Ramiro León Carpio. Selon plusieurs, cet acte commandé par les pouvoirs en place, soit ceux de l'armée, des grands propriétaires et des grandes entreprises représentées par les députés que Carpio voulait remplacer, a servi d'avertissement au président qui fut, somme toute, plutôt accommodant envers l'élite guatémaltèque après la mort de son cousin.

Chichicastenango a été construite sur le site d'une ville kaqchikel fondée au début du XVe siècle que les documents appellent Chaviar Tzupitakah. Capitale des Kaqchikel durant leur association avec les K'iche', elle fut abandonnée en catastrophe en 1470, après la dispute avec les K'iche'. Pendant que les Kaqchikel construisaient leur capitale à Iximché, près

de Tecpán, les K'iche' utilisaient Chaviar comme lieu secondaire, leur propre capitale K'umarcaaj étant située à proximité de Santa Cruz del Quiché. À la Conquête, les Espagnols forcèrent les K'iche' de K'umarcaaj (qu'ils rebaptisèrent Utatlán) à immigrer vers Chaviar, qu'ils renommèrent Tzigoan Tinamit, nom toujours utilisé par certains autochtones.

Chichicastenango a la rare particularité de tenir une double administration municipale, *ladina* pour les habitants du village et maya pour la population autochtone qui vit dans la campagne. Malgré l'afflux de touristes, Chichi demeure un des endroits les plus caractéristiques, et sa visite, surtout un jour de marché le jeudi ou le dimanche, est à ne pas manquer.

Les étals de marchandises artisanales qui rassem-

blent un échantillonnage substantiel de la production du pays cachent bien le marché indigène, le *tiangui*, qui se tient au milieu de la Plaza Central autour de la fontaine. Il faut arriver la veille du jour de marché pour apprécier le spectacle qu'offrent les marchands itinérants installant leurs abris temporaires et les familles venues des villages environnants échanger leurs produits. On vient de très loin tout en portant d'énormes charges sur le dos selon le vieux système précolombien du portage, le front ceint d'un bandeau de cuir *(mecapal)* sur lequel sont fixées deux cordes supportant la charge portée dans une hotte *(cacaxte)*.

Au centre de la **Plaza Central**, vous trouverez des marchands vendant les plus beaux *huipiles* du Triangle Ixil, les masques en bois et la poterie des villages du nord, mais, pour des prix plus bas, vous devez vous rendre dans les villages du Quiché. Le premier étage du **Centro Comercial**, situé au nord de la Plaza Central, constitue un bon poste d'observation.

Les femmes portent la jupe à rayures longitudinales, une large bande rouge transversale à hauteur des hanches et la ceinture brodée de fleurs de couleur reliant la jupe et le *huipil* à la taille. Les vêtements de couleur identifient le village des propriétaires.

L'**Iglesia Santo Tomás** ★★, édifiée par les dominicains en 1540 sur l'emplacement d'un temple préhispanique, s'élève au sud-est de la place. Les cérémonies religieuses tant à l'extérieur qu'à l'intérieur de l'église sont un mélange de catholicisme et de religion ancienne, et éclipsent l'intérêt architectural et artistique du bâtiment. Le grand escalier recouvre un ancien lieu de culte, et des prêtres mayas brûlent l'encens sur le petit autel installé à sa base.

Devant la porte, d'autres *chuchkajau* (assistants des prêtres) balancent de petits encensoirs. Les lieux sont sacrés et, par respect, on pénètre dans l'église par les portes de côté. À l'intérieur, les rites de l'ancienne religion maya qui se déroulent remplacent ceux du curé, qui n'est maître que pour la durée des offices, généralement en espagnol et en k'iche'.

Par politesse, on évitera de prendre des photos à l'intérieur de l'église. Après avoir présenté les offrandes au pied du maître- autel, les familles, accompagnées par le prêtre indigène, les disposent sur les autels placés le long de l'allée centrale. Avec les offrandes (pétales de roses, bougies, alcool, maïs et autres), le prêtre, un genou au sol, s'adresse à haute voix aux divinités et énonce les réclamations de la famille.

C'est dans le couvent franciscain adjacent à

l'église Santo Tomás que le père Francisco Ximénez, curé de la paroisse entre 1701 et 1703, a retrouvé le manuscrit du *Popol Vuh*. L'abbé français Brasseur de Bourbourg (voir p 330) localisa l'exemplaire en Espagne, en 1860, et le publiera à Paris en 1866.

La chapelle **El Calvario**, au sud-ouest de la Plaza Central, est réservée à la population maya, et vous ne pourrez y pénétrer que si vous êtes invité par un membre de la communauté.

Le **cimetière** de Chichicastenango, situé à 400 m à l'ouest de la Plaza Central, reflète la structure sociale de la ville : à l'entrée, ses mausolées imposants, ses simples tombes colorées et ses nombreuses sépultures d'enfants. Au fond, dans la chapelle, la tombe du père Rossbach, curé au début du siècle et fondateur du musée archéologique, avoisine celles des prêtres espagnols du département du Quiché assassinés au cours des années quatre-vingt.

Le **Museo Regional Ildefonso Rossbach** *(10Q; mer-lun 8h à midi et 14h à 17; 8a. Calle, côté sud de la Plaza Central)*, du nom du curé du village de 1894 à 1944, expose une collection de pièces de céramique données au prêtre par les habitants de la région.

Dans la salle d'entrée, une pierre sculptée similaire à la dalle de toiture trouvée à Chuitinamit est

décorée de signes mayas datant du postclassique. La salle principale du musée est sur la droite, et les vitrines exposent des céramiques et des encensoirs d'une grande beauté. Les lames et pointes de lances en obsidienne, les haches en cuivre et les disques en or repoussé, ainsi que la collection de pièces en jade du curé Rossbach, sont uniques.

Dans les niches des murs et dans les coins de la salle, sont exposés des pierres sculptées, entre autres un personnage assis, une boîte décorée et un réceptacle rectangulaire orné d'une face à l'avant. Certaines pièces datent de 2 000 ans.

Du 17 au 21 décembre, on célèbre la fête patronale de Santo Tomás. Toute la communauté se rassemble pour le changement des *principales* (la transmission des pouvoirs des dirigeants mayas de la municipalité pour l'année). Une procession avec tambours *(tuns)* et flûtes *(chirimias)*, accompagnée de tirs de pétards, se termine à l'église, où une statue de saint Jacques sur son cheval *(Tzijolaj)* est portée en haut du clocher, pour être ensuite redescendue par un câble au milieu des assistants afin que le saint apporte à la communauté la bénédiction du Cœur du Ciel.

Ensuite ont lieu des danses traditionnelles avec personnages masqués. À cette époque de l'année, la lumière est incroyable et l'atmosphère, parfaitement limpide.

Pascual Abaj

À moins de 1 km au sud de la Plaza Central, sur une des collines qui surplombent Chichi, se trouve l'autel dédié à Pascual Abaj, le «Dieu-Monde» de la région. C'est un lieu de pèlerinage, et de nombreux croyants viennent de loin pour recevoir une bénédiction ou pour solliciter les faveurs et les guérisons. À mi-chemin, la famille Ignacio tient une *morería* où ils vendent des masques en bois et les costumes qu'on utilise durant les fêtes dansantes; Don Miguel Ignacio enseigne les danses et les chansons traditionnelles.

Santa Cruz del Quiché

Cabecera du département du Quiché, Santa Cruz del Quiché est située à 14 km de Chichicastenango. Une bonne route relie les deux villes en passant par des forêts de pins et des ravins; elle longe la **Laguna Lemoa**, qui, selon la légende, serait un lac formé par les larmes des femmes des souverains k'iche' après le massacre de ceux-ci par les Espagnols.

Peu visitée par les touristes étrangers, la ville est plutôt calme et bien tenue. Les rues sont fréquentées par les habitants de la région immédiate qui apportent leurs produits au marché, et par les femmes de la ville qui semblent ne jamais s'arrêter de tisser les chapeaux de paille vendus au marché du jeudi et du dimanche, soit les mêmes jours qu'à Chichi. Les prix des produits qu'on vend ici sont moins élevés qu'à Chichi. La majorité des voyageurs visitent les ruines de K'umarcaaj (Utatlán), l'ancienne capitale de l'Empire k'iche', tandis que d'autres sont de passage vers l'est et vers le nord, spécialement vers Nebaj et le Triangle Ixil.

L'**église coloniale** fut construite, comme le veut une légende, par les dominicains avec les pierres de K'umarcaaj; elle domine la Plaza Central, et la tour qui la juxtapose fut construite avec les pierres du temple de Tohil. Au centre de la Plaza, une **statue de Tecún Umán**, le fameux chef militaire k'iche' et héros national, semble défier l'histoire. La vie religieuse de Santa Cruz del Quiché est riche en activité, car 12 *cofradías* sont implantées depuis longtemps et sont toujours présentes.

K'umarcaaj (Utatlán)

Les ruines de K'umarcaaj, la capitale de l'Empire k'iche' du XVe siècle, sont situées à 3 km à l'ouest de Santa Cruz del Quiché. Pour s'y rendre à pied, il faut emprunter la 10a. Calle vers l'ouest et suivre le chemin de terre. Il est toutefois recommandé de prendre un taxi du centre-ville, car les indications sont inexistantes.

L'histoire des K'iche' est intimement reliée à celle des Kaqchikel. Venus d'une ville du nord appelée Tulan, des guerriers s'implantent dans les Hautes Terres au début du millénaire. Pendant plus de deux siècles, ils prennent, petit à petit, le contrôle des populations qui occupent le territoire depuis des centaines voire des milliers d'années. Ces guerriers adoptent les langues des premiers occupants, mais imposent à long terme leur culture, c'est-à-dire leur religion, leur vision du monde, leur façon de vivre en société et surtout leur domination politique. Un groupe s'impose : les K'iche'. Les grandes familles de ce groupe domineront toutes les autres.

L'Empire k'iche' connaîtra son apogée sous le long règne de K'iq'ab (Quicab) (1425-1475), le fils héritier de Q'uq'kumatz. Sous sa gouverne, les frontières s'étendront des Verapaces, à l'est, à l'isthme de Tehuantepec, au nordouest, et un million de sujets contribueront par tribut au maintien des armées impériales. Leurs grands alliés dans l'expansion comprendront entre autres les Kaqchikel, et une fois soumis, les Mam et les Rabinal. À la fin du règne de K'iq'ab, les vassaux se rebellent et l'empire perd des territoires. Les Kaqchikel quittent leur place forte près de l'actuelle Chichicastenango et fon-

Hautes Terres de l'Ouest

216 Les Hautes Terres de l'Ouest

dent Iximché (voir p 207).

La venue des Espagnols en 1523 vint mettre un terme final à la domination des K'iche' sur les autres peuples. Lors des batailles sur la côte du Pacifique et dans la plaine près de Quetzaltenango, les armées k'iche's sont défaites les unes après les autres. Les Espagnols sont donc invités par les souverains k'iche' à une rencontre dans la capitale K'umarcaaj. Désavantagés par l'étroitesse des rues de la capitale, les conquistadors se retirent de la ville. Appréhendant un complot, Alvarado capture et brûle vif les souverains k'iche', et la ville que les Mexicains appelaient Utatlán est détruite.

À son apogée, la ville s'étendait sur de petits plateaux entourés de précipices; ces plateaux étaient dénommés Utatlán, Chisalin El Resguardo et Ixmachi, et chacun comptait une place centrale entourée de structures monumentales habitées par les lignées ou familles dominantes. Utatlán possède le plus vaste complexe architectural, avec 70 structures qui couvrent tout le plateau. C'est le seul plateau accessible aux visiteurs, mais une maquette en montre dans le petit musée situé à l'entrée du site illustre la splendeur de la ville d'antan.

De nos jours, la ville est un damier de monticules de terre recouverts d'herbe, car les ruines n'ont jamais fait l'objet de reconstruction. Des nombreuses structures mises sur plan par les archéologues, seules une dizaine sont identifiables.

On peut toutefois distinguer le **jeu de balle**, la **Grande Place** et les bases pyramidales tronquées de certains **temples**, entre autres les **grands monuments aux dieux Tohil, Auilix** et **Hacauaitz**. Le site est devenu un lieu cérémoniel où des rites religieux sont pratiqués par des prêtres mayas. Une cave sous la place principale, à laquelle on accède par un long tunnel, sert de lieu sacré où les prêtres font brûler chandelles et encens; à l'occasion, des poulets sont sacrifiés.

À l'est de Santa Cruz del Quiché

De Santa Cruz del Quiché, une bonne route conduit vers l'est à une série d'intéressants villages sous les faîtes de la Sierra de Chuacús; **Chiché** (10 km) partage avec Chichicastenango les mêmes costumes et traditions; le marché se tient le mercredi. **Chinique** (19 km), **Zacualpa** ★ (40 km) et **Joyabaj** (51 km) arborent les plus beaux costumes du Quiché. Arborant d'intenses couleurs mauves et rouges, les *huipiles* de **Zacualpa** sont maintenant utilisés comme couvre-lits.

La fête patronale de Joyabaj, le 15 août, est très intéressante, car c'est un des derniers villages où l'on danse encore le *palo volador* précolombien, christianisé sous le nom de «danse de saint Michel». Joyabaj fut peuplé principalement par des soldats k'iche' qui défendirent la capitale du royaume, K'umarcaaj, contre l'armée des Rabinal. On y trouve une petite industrie de la chaussure et l'on y produit du vin et du *panela* (pain de sucre fait de mélasse).

L'école de langues du centre XOY enseigne l'espagnol et le k'iche'. Il est possible de traverser à pied la Sierra de Chuacús; depuis Joyabaj, le trajet jusqu'à Cubulco prend une bonne journée à effectuer. Par autocar, on peut regagner San Pedro et San Juan Sacatepéquez (voir p 109) par une route spectaculaire *(autocar Joyita, Terminal Z.4 Ciudad de Guatemala)*

Au nord-est de Santa Cruz del Quiché

De Santa Cruz del Quiché, une route (en mauvais état jusqu'à Cubulco dans le Baja Verapaz) conduit vers le nord-est à **San Andrés Sajcabajá** (30 km) et à, **Canilla** où se trouve le site de **Los Cerritos-Chijoj** (du VII au Xᵉ siècle) avec un grand jeu de balle restauré.

À 3 km de Canilla, à côté de **Littilá**, s'étend le site de **La Lagunita** (de 600 av. J.-C. à 400 ap. J.-C.). Les fouilles archéologiques

Le sel, source de développement de la civilisation, et les rituels qui s'y rattachent

Le sel a joué un rôle assez singulier dans l'histoire de l'humanité, entre autres parce que ni son exploitation ni son transport n'exige beaucoup d'effort, mais aussi parce qu'il est offert à bon prix dans la plupart des marchés du monde. Le chlorure de sodium, qui compose le sel, est essentiel au corps humain; une absence ou un manque de cette précieuse substance peut même entraîner la mort. On présume par ailleurs que sa présence a joué un grand rôle dans la création de certaines villes, et, dans les sociétés où peu de viandes étaient consommées, il jouait un rôle encore plus déterminant, ce qui explique que les fluctuations de l'offre et de la demande au fil de l'histoire aient perturbé les routes commerciales des empires. En maintes occasions, le contrôle des salines a été jusqu'à provoquer des guerres.

En Méso-Amérique, le sel s'est avéré une denrée d'échange commercial importante pendant plus de 2 000 ans, et a joué un rôle prédominant dans le développement et le déclin de la société maya. Compte tenu du fait qu'une personne doit absorber quelque 8 g de sel par jour, il suffit de multiplier ce chiffre par cinq millions (correspondant à la population de l'empire maya à son apogée, vers 800 ap. J.-C.) pour comprendre à quel point son commerce était devenu une impressionnante source d'échange et de création d'emplois comme d'infrastructures. Bref, cette ressource était déterminante pour la survie économique de certaines communautés.

Plus intéressantes encore sont les utilisations médicinale et rituelle que faisaient les Mayas de cet «or blanc». Certaines sources de sel étaient même tenues pour des lieux sacrés où une ambiance empreinte de respect subsiste à ce jour. Dans les Hautes Terres, deux villages où des mines de sel continuent d'être exploitées pratiquent d'ailleurs encore des rituels directement reliés à cette denrée de premier plan.

Par exemple, à San Mateo Ixtatán, dans le département de Huehuetenango, des groupes de femmes âgées font brûler de l'encens de copal devant une croix en fredonnant des prières syncrétiques maya-catholiques. Ce rituel implore les dieux mayas et les saints catholiques de préserver les sources d'eaux salées, lesquelles constituent le gagne-pain de plusieurs habitants de ce village chargé d'approvisionner la région en sel. Ici, le lien entre économie et religion est on ne peut plus réel.

Les propriétés médicinales qu'on attribue au sel ont elles-mêmes joué et continuent de jouer un rôle dans nos sociétés. Certains Guatémaltèques de la capitale croient que le sel provenant de Sacapulas, dans les Hautes Terres, a des propriétés qui soulagent le glaucome. L'exploitation de ce «sel gemme» se fait selon des méthodes plus que séculaires, et les installations de production sont situées à quelques kilomètres à l'est du village.

Hautes Terres de l'Ouest

sous la direction d'Alain Ichon, archéologue rattaché à l'Institut d'Ethnologie de Paris, ont permis de mettre au jour une trentaine de stèles et de pierres sculptées, d'urnes de céramique à couvercle, à l'effigie du jaguar, ainsi que quatre sarcophages, les seuls connus dans cette partie du Guatemala.

Les fouilles ont démontré que l'occupation du territoire date du préclassique et que la région participait de plain-pied à la même grande culture classique des Mayas. On peut descendre dans la grotte artificielle, de 5 m de profondeur sous le centre de la place flanquée de quatre pyramides (350 ap. J.-C.); cette grotte contenait de nombreuses offrandes, notamment plus de 300 poteries. San Andrés Sajcabajá est mentionné dans le *Popol Vuh* (le livre sacré des K'iche') sous le nom de Tzutuhá.

Sacapulas

De Santa Cruz del Quiché, la route principale vers le nord mène à **San Pedro Jocopilas** (10 km), Sacapulas, Cunén, Uspantán et Cobán (voir p 345) dans l'Alta Verapaz. Entre Sacapulas et Cunén, une route mène au triangle Ixil (San Juan Cotzal, Chajul et Nebaj) dans les montagnes et, plus au nord, dans les Basses Terres.

Le *municipio* de Sacapulas, carrefour d'une région écologique diver-

sifiée, enjambe une des principales rivières du Guatemala, le Río Negro (aussi appelé Chixoy, Sacapulas ou Cauinal), et son principal tributaire, le Río Blanco. La géographie a certainement joué dans la diversité linguistique de la région.

Sur le versant nord de la Cordillera de los Cuchumatanes, le triangle Ixil doit son nom à la langue parlée dans ses trois principaux villages, tandis qu'à l'ouest, dans le département de Huehuetenango, l'awakateko, la langue d'Aguacatán, n'est connu que de cette communauté. Au nord-est, Cunén, dans la montagne, et Uspantán, qui occupe la vallée d'un autre tributaire du Río Negro, sont deux communautés où le k'iche' est parlé. Le groupe majoritaire du *municipio*, les Sacapultecos, parle le akapulteko, tandis que les descendants des bergers originaires de Santa María de Chiquimula parlent le k'iche'. Les Ladinos parlent l'espagnol.

Aujourd'hui, des routes de terre relient entre eux les *municipios*, et le village de Sacapulas, plaque tournante de la région, occupe une position centrale dans les axes est-ouest et nord-sud; de bons sentiers relient les villages de **San Bartolomé**, Jocotenango et San Andrés Sajcabajá.

Situé à 48 km de Santa Cruz del Quiché et facile d'accès, Sacapulas a joué un rôle important dans l'histoire de l'occupation

des Hautes Terres. Longtemps, avant l'arrivée des Espagnols, les habitants du village exploitaient les gisements de sel sur les berges du Río Negro. Cette richesse naturelle lui a valu une place unique dans l'histoire de la région.

L'**église coloniale** aux ornements baroques, qui date de 1554, est adossée au premier couvent dominicain de la grande région. Une **source chaude** est située un peu à l'est du village, à Tuhal. Le marché se tient le jeudi et le dimanche sous les grands *ceibas* de la Plaza.

De Sacapulas vers l'est

Cunén, entre Sacapulas, célèbre du 1er au 4 février la fête la Virgén de Candelaria par des danses traditionnelles costumées selon lesquelles les danseurs portent des masques d'argent.

Ancien centre politique maya qui, selon l'historien Fuentes y Gusmán, repoussa la première tentative de conquête par les Espagnols en 1524, Uspantán est un petit village qui a été frappé par la guérilla et l'armée durant les guerres de 1979 et de 1983. Connue à travers le monde, Rigoberta Menchú est originaire de **Chimel**, un hameau isolé au nord du *municipio*. Son témoignage sur la vie quotidienne dans les campagnes, son récit sur la féroce répression qui s'abattit sur la population et son action en faveur du respect de l'identité maya lui ont valu l'attribution du prix Nobel de la paix en 1992.

Le triangle Ixil

À 18 km de Sacapulas, la route rencontre celle qui, vers le nord, mène au triangle Ixil. Trois villages de montagne, **Nebaj, San Juan Cotzal** et **Chajul ★**, ayant en commun une langue voisine, sont traditionnellement connus sous l'appellation de «triangle Ixil». Située dans la zone de contact avec le nord, presque inaccessible, où la rébellion s'était installée dans les années soixante-dix, la région a été au cœur du dispositif de reconquête par la force militaire de 1980 à 1982, mettant en œuvre une stratégie de «terres brûlées» accompagnée de la création de «Patrouille d'autodéfense civile» et de «villages modèles».

La population est devenue malgré elle l'enjeu d'un conflit au cours duquel les conditions de vie furent intenables. Ici encore plus qu'ailleurs, on a fui vers le Mexique : 100 000 réfugiés en 1985. La survie de la population ixil et la reconstruction de la région sont soutenues par l'aide étrangère, notamment les organisations internationales.

La beauté des paysages le long de la route qui mène à Nebaj, San Juan Cotzal et Chajul est une des raisons de la visite de cette région. Ces villages sont le centre névralgique du pays ixil. Plus de

50 000 habitants occupent le territoire entre la Cordillera de Cuchumatanes et le Mexique, une région charnière à l'époque préhispanique entre les centres mayas du Petén et les Hautes Terres de l'Ouest. Nebaj, la plus importante des trois communautés, avec ses murs chaulés en blanc et ses rues de galets, mérite à elle seule le trajet. On y trouve de beaux tissus ornés de formes géométriques en vert, jaune, rouge et orange qui sont uniques. Les femmes portent d'extraordinaires coiffures faites de gros pompons de couleurs vives.

Depuis le village de Nebaj, plusieurs promenades sont possibles. L'une des plus belles vous mène au «village modèle» d'Acul en deux heures. Une autre, plus courte, vous conduira à la Cascada de Plata, située sur la rivière qui traverse la route de Chajul. Un sentier longe la rivière à partir du pont à quelques kilomètres de Nebaj.

L'Interaméricaine entre Los Encuentros et Cuatro Caminos

L'Interaméricaine entre Los Encuentros et Cuatro Caminos traverse des montagnes où les vues sont spectaculaires. Un kilomètre à l'ouest de Los Encuentros, à **La Cuchilla Junction**, l'embranchement vers le sud conduit à Sololá, à Panajachel et au Lago de Atitlán (voir p 164).

L'Interaméricaine passe par **Nahualá**, où l'on se consacre à la taille du basalte pour la confection des *metates* (pierres à moudre le maïs) utilisés depuis plus de 3 000 ans. La fabrication de meubles en pin simplement décorés et la réalisation de sculptures sur bois peintes dans un style naïf, qui rappelle l'art colonial, sont les spécialités de Nahualá. À l'instar de Zunil, dans le département de Quetzaltenango, et de San Jorge La Laguna, dans le département de Sololá, Nuhualá fait toujours vivre le culte de San Simón (voir p 204). Le marché se tient le dimanche, journée recommandée pour la visite du village.

Passé Nuhualá, l'Interaméricaine continue sur 9 km, puis un embranchement vers le sud mène à **Santa Catarina Ixtahuacán** (8 km), un village dont les costumes sont de la même tradition que ceux de Nahualá. Ces deux villages sont connus comme *Los Pueblos Chancatales* (les villages Chancatales).

Cuatro Caminos

Cuatro Caminos se trouve à 31 km de Nahualá et à 185 km de la Ciudad de Guatemala. Cuatro Caminos est le carrefour où l'Interaméricaine rencontre la route venant de Quetzaltenango à l'ouest et celle venant de San Miguel Totonicapán, situé à 12 km vers le nord-est.

Hautes Terres de l'Ouest

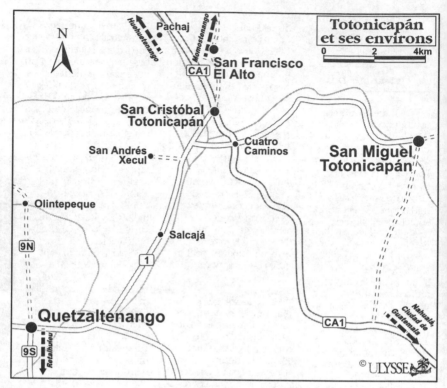

San Cristóbal Totonicapán, un important centre de production textile, est situé à 1 km du carrefour. Cuatro Caminos est le plus important carrefour des Hautes Terres de l'Ouest : y passent des centaines d'autocars venant des quatre points cardinaux. Vous trouverez ici des *comedores* délabrés, des motels bon marché et les habituels revendeurs d'à peu près tout. Vers le nord-ouest, l'Interaméricaine mène à Huehuetenango et, plus loin encore, au poste-frontière de Mesilla.

Totonicapán

À 12 km de l'Interaméricaine, Totonicapán, *cabecera* du département qui porte le même nom est située au fond de la petite vallée où coule le Río Salamá. Entourée de collines peuplées de pins et de chênes, la ville est le centre d'une région agricole dont la densité démographique est la plus élevée des Hautes Terres.

Officiellement dénommée San Miguel Totonicapán, elle fut fondée le 13 janvier 1544 sur le site de Chuimekená. La ville préhispanique, deuxième centre urbain en importance du royaume des K'iche', était le domaine du grand chef militaire Tecún Umán, qui donna sa vie pour la défense de son pays lors de la première grande bataille contre le conquistador Pedro de Alvarado.

Au début du XIX° siècle, des révoltes mayas marquèrent cette période incertaine entre la fin de l'Empire espagnol et l'indépendance du Guatemala. La plus importante a eu lieu en 1820 dans la province de Totonicapán, qui comprenait alors les départements actuels de Huehuetenango et de Totonicapán, une partie du Quiché et une autre de San Marcos. La population maya des villes de Momostenango, Santa María Chiquimula, San Francisco El Alto, San Andrés Xecul, San Cristóbal Totonicapán et de la capitale actuelle refusa de reconnaître l'autorité espagnole et couronna leur leader, Atanasio Tzul, roi du Totonicapán, et Lucas Aquilar, président du nouveau pays.

Le règne du roi ne dura que 29 jours; la répression fut rapide et brutale. Depuis, Atanasio Tzul est devenu le héros de l'indépendance maya au Guatemala.

Aujourd'hui, la tranquillité de cette belle petite ville est mise à l'épreuve le mardi et le samedi lors des jours de marché quand les deux *plazas* sont pleines à craquer. Les artisans de Totonicapán sont d'habiles céramistes, travailleurs du cuir et sculpteurs de masques. La céramique est de facture spéciale.

La ville possède deux **plazas centrales**. La plus ancienne est dominée par l'**église**, et le **théâtre municipal** de style néoclassique qui fut construit en

1924 et calqué sur les plans de celui de Quetzaltenango. La deuxième plaza est bordée au nord par la *municipalidad* (mairie) et à l'ouest par l'édifice du Banco del Occidente. Une **statue d'Atanasio Tzul** domine le petit *parque* de cette *plaza*. La **Casa de la Cultura Totonicapense** est le centre culturel de la ville, où sont exposés une collection de masques, des animaux empaillés et de l'artisanat local. Le centre organise des rencontres avec les artisans de la ville et des familles de la région. C'est la ressource principale pour avoir de l'information touristique sur la région. Les bains **agua caliente** sont des bains thermaux traditionnels.

San Miguel Totonicapán est aussi un lieu de fêtes très fréquenté. La fête patronale commence le 24 septembre et se termine le 29, jour principal. On célèbre avec des danses, des concerts et les nécessaires feux d'artifice. Le 15 janvier, le Cantón de Chotacaj, situé à 3 km de la ville, célèbre les festivités d'Esquipulas par des concerts, des danses et des concours équestres.

La Semaine sainte est célébrée sur la Plaza Central, qui devient le théâtre de la vie et des souffrances du Christ. L'apparition de l'archange saint Michel est célébrée le 8 mai avec danses, concerts et feux d'artifice. Le dernier dimanche du mois de juin se célèbre sur la Plaza

Central par des danses. La Toussaint est célébré au cimetière de la ville avec de la musique sacrée. À cette occasion, des offrandes de nourriture et boissons sont laissées sur les tombes des proches.

Il est à noter que, depuis Totonicapán, une route secondaire vers le nord passe par Xecajá et mène à Santa Cruz del Quiché.

San Cristóbal Totonicapán

La ville de San Cristóbal Totonicapán est située à 1 km à l'ouest de l'Interaméricaine, au point de rencontre des *ríos* Sija et Salamá. Son nom ancien, *Pahula*, signifie «village situé au pied des chutes» en k'iche. Son importance dans le monde maya résulte de ses artisans qui confectionnent les costumes utilisés lors des danses traditionnelles. Plusieurs *morerías* (fabricants de costumes et de masques), entre autres Morería Tistoj, louent des costumes et des masques aux célébrants de la région.

Les trois fêtes traditionnelles de la ville sont la fête patronale de Santiago du 21 au 26 juin, le Jeudi saint et les 7, 8 et 13 décembre, quand les jeunes se déguisent et jouent des tours aux habitants. L'**église coloniale** du XVI siècle, récemment restaurée, abrite plusieurs tableaux de saints et des autels d'une ornementation argentée particulière; elle vaut une

visite. Les bains thermaux de Los Naranjalitos se trouvent à 2 km en direction de Patachaj, et ceux de Fray Bernardino et d'Agua Tibia sont respectivement à deux et trois kilomètres sur la route de Totonicapán.

Le marché de San Cristóbal Totonicapán se tient le dimanche. Les autocars partant de Quetzaltenango qui vont à San Francisco el Alto passent par San Cristóbal Totonicapán.

San Francisco el Alto

Perchée sur les hauteurs qui dominent la vallée de Quetzaltenango, San Francisco el Alto mérite un détour pour le **panorama** qu'offre la ville, une des plus élevées du pays (2 630 m). Le pic du volcan Santa María, qui dépasse les nuages matinaux, offre une belle occasion de se transporter un peu ailleurs; pour certains ce sera l'extase.

Une deuxième raison pourquoi on doit s'y rendre est son **marché du vendredi**, le plus grand marché hebdomadaire du Guatemala. Les marchands venus de tous les coins du pays, plusieurs arrivant la veille, vendent leurs produits (certains débutent à 4 h) aux clients venus, eux aussi, de lieux lointains. La ville est un énorme souk où voitures, camions et autocars se disputent les quelques mètres non occupés par les vendeurs.

La ville est construite en pente, des rues abruptes pavées de pierres rondes reliant les différents paliers dont certains sont réservés à des commerces spécifiques. Le plus élevé, un terrain de soccer, accueille le marché aux bestiaux, où l'on vend brebis, cochons, perroquets. Les tissus sont vendus sur la Plaza Central; l'artisanat est offert dans les étals sous les arches.

La fête patronale, qui a lieu entre le 1ᵉʳ et le 5 octobre (jour principal : 4 octobre), est l'occasion de concerts, de parades et de danses traditionnelles, entre autres Las Pascarines.

L'accès à la ville est plus facile au départ de Quetzaltenango. Toutes les 20 min, un autocar part de la *rotonda* et fait le trajet entre Quetzaltenango et San Francisco el Alto; le premier est à 6h et le dernier revient à 17h.

Santa María Chiquimula

Derrière San Francisco el Alto, un chemin de terre difficile et mal entretenu rejoint péniblement la ville de Momostenango

(comptez une heure de trajet). À mi-chemin, une route mène sur la droite à Santa María Chiquimula, un village traditionnel au climat agréable dont les maisons en adobe coiffées de tuile sont de facture spéciale avec leur grand patio et leurs corridors ouverts sur la rue.

Selon les chroniques anciennes, *Tzoloché*, le nom sous lequel elle était alors connue, a été la première communauté maya à se soulever contre les colonisateurs, et ce, le 20 février 1820. Les beaux *huipiles* (blouses) des femmes du village sont blancs, bordés de bleu marin. Les fêtes traditionnelles se tiennent le 15 janvier, fête du Christ d'Esquipulas, et du 8 au 10 décembre, jours consacrés à la Vierge de Guadeloupe. Le marché se tient le jeudi et le dimanche.

Momostenango

La ville de Santiago Momostenango est reconnue pour la production de laine dans les Hautes Terres de l'Ouest. On utilise la laine pour la confection de couvertures, foulards et tapis, que les marchands vous proposeront au marché qui se tient le dimanche et qui occupe les deux *plazas* de la ville. Plusieurs vêtements traditionnels sont confectionnés avec les tissus de laine de Momostenango, entre autres les jupes (pour homme) de Nahualá et de San Antonio Palopó

ainsi que les manteaux de Sololá.

Si vous visitez cette ville le dimanche, vous pourrez voir les rituels qui accompagnent les célébrations religieuses d'un syncrétisme catholique-maya traditionnel. Devant l'entrée de l'église, les croyants font brûler de l'encens et brûlent des offrandes en murmurant un flot continuel de prières. Réputée pour son catholicisme folklorique, Momostenango est aussi reconnue pour ses nombreux prêtres- chamans et ses «Tenants-du-temps», qui utilisent toujours l'ancien calendrier religieux de 260 jours, le calendrier de Tzolkin, pour comprendre et interpréter l'avenir.

La célébration du *Guaxaquib Batz* (Huit Singes), un jour sacré dans l'année du Tzolkin, constitue la plus grande fête, le jour initiatique des prêtres-chamans. La cérémonie ancienne, récupérée depuis par l'Église catholique, débute la vielle du jour du *Guaxaquib Batz* à l'église, où l'on brûle des chandelles en murmurant des incantations. Le lendemain, on se rend en procession au *Chuit Mesabal*, un autel sur une colline à quelques kilomètres de la ville où l'on casse de la poterie. Le lendemain, on va au *Nim Mesabal*, un autel sur une autre colline où les prêtres-chamans brûlent de l'encens en récitant des prières. La fête du *Guaxaquib Batz* (Huit Singes) a souvent été

célébrée dans un climat d'affrontement entre les catholiques et les *costumbres* (traditionnels).

Les célébrations de la fête patronale du 1er août attirent plusieurs habitants de la région. Les célébrations traditionnelles du 8 au 12 décembre s'accompagnent quant à elles de danses costumées et masquées.

À quelques kilomètres de Momostenango, les *Riscos* ★★, des piliers naturels forgés dans le roc par la pluie et les vents, constituent une formation exceptionnelle. Les bains thermaux d'El Barranco, de Payexu, de Pala Chiquito et d'El Salitre, sur la route qui mène au village de Xequemeya, comptent parmi les attraits naturels de la région. Il vaut mieux se rendre aux bains avant l'arrivée des tisserands qui utilisent l'eau chaude pour laver leurs couvertures fraîchement teintes! Le quartier général de l'armée, un édifice construit en 1930, a été déclaré monument national.

Salcajá

De Cuatro Caminos à Quetzaltenango, la route passe par Salcajá, un des centres textiles importants du Guatemala, qui produit une grande partie des tissus utilisés par les femmes mayas pour confectionner leurs *cortes* (jupes) de tous les jours.

Les tissus, très prisés les jours de marché, sont

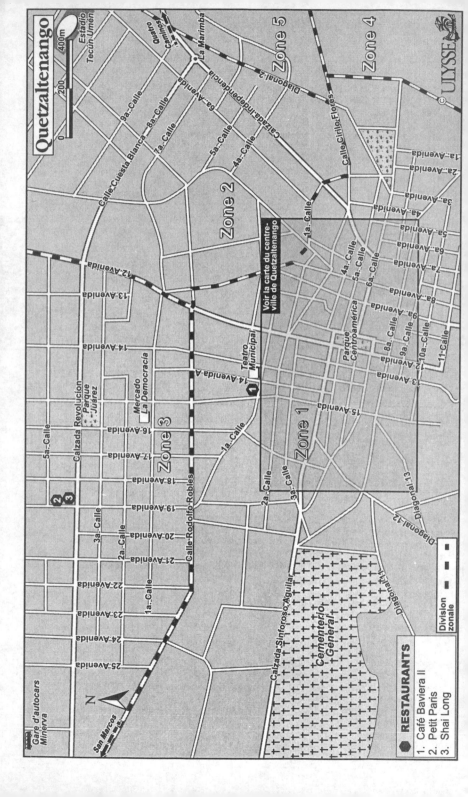

Les Mayas perpétuent à ce jour une longue tradition de tissage.
- Carlos Pineda

L'église de Todos Santos Cuchumatán déploie toute s splendeur coloniale dans lumière du jour qui décline.
- *Carlos Pineda*

La majesté du Lago de Atitlán et des volcans qui l'entourent attire les voyageurs depuis nombre d'années.
- *Carlos Pineda*

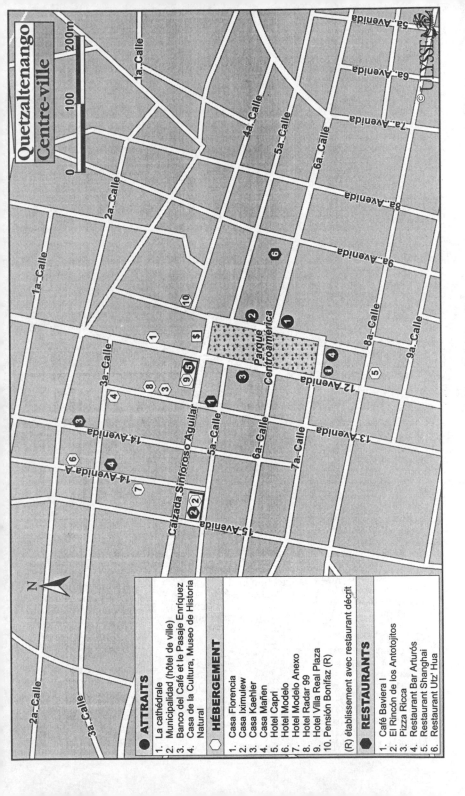

Quetzaltenango
Centre-ville

0   100   200m

N

● ATTRAITS

1. La cathédrale
2. Municipalidad (hôtel de ville)
3. Banco del Café et le Pasaje Enríquez
4. Casa de la Cultura, Museo de Historia Natural

⬡ HÉBERGEMENT

1. Casa Florencia
2. Casa Ixímulew
3. Casa Kaehler
4. Casa Mañen
5. Hotel Capri
6. Hotel Modelo
7. Hotel Modelo Anexo
8. Hotel Radar 99
9. Hotel Villa Real Plaza
10. Pensión Bonifaz (R)

(R) établissement avec restaurant décrit

⬣ RESTAURANTS

1. Café Baviera I
2. El Rincón de los Antotojitos
3. Pizza Ricca
4. Restaurant Bar Arturós
5. Restaurant Shanghai
6. Restaurant Utz' Hua

© ULYSSE

étendus sur le bord de la route pour sécher. Selon certains historiens, Salcajá a été le premier établissement espagnol du Guatemala et l'église fut la première construite au pays. L'église de La Concepción Conquistadora daterait de 1524 et aurait été érigée pour célébrer la victoire décisive sur les Mayas k'iche'. Le marché se tient le mardi, un bon jour pour visiter le village.

San Andrés Xecul

À quelques kilomètres de Cuatro Caminos et un peu avant Salcajá (au poste d'essence Esso), une route mène vers le nord au petit village de San Andrés Xecul, qui doit sa notoriété à la beauté de son **église**, considérée comme le plus bel exemple d'architecture de style populaire maya du pays.

La façade jaune moutarde se retrouve dans presque toutes les publicités internationales du Guatemala. On dit que le village est une université pour les prêtres-chamans de la région. Plusieurs autels se retrouvent dans les collines environnantes, entre autres celui dénommé *El Calvarrio*, qui offre une vue prenante sur la vallée. La fête patronale de San Andrés est célébrée entre le 27 novembre et le 1er décembre, le jour principal étant le 30. Les artisans du village fabriquent non seulement des briques et des tuiles, mais aussi du savon noir et du fil pour coudre les costumes traditionnels. Le village mérite un détour.

Quetzaltenango (Xela)

La ville de Quetzaltenango constitue une base idéale pour visiter la région. On peut facilement consacrer une semaine ou deux à l'exploration de tout l'ouest du pays : visite d'un jour dans les nombreux marchés ou dans les fiestas de village, relâche dans les bains thermaux des environs ou ascension des volcans. Xela (qui vient de *Xelajú* et signifie «sous les dix» en référence aux 10 pics entourant la vallée) est le centre régional du transport par autocar; toute la région des Hautes Terres de l'Ouest est desservie par les autocars de sa gare Minerva.

Xela est une belle petite ville provinciale dont l'atmosphère plutôt nonchalante fait plus penser à un centre culturel qu'à la deuxième plus grande ville du Guatemala. Contrairement à la capitale, Quetzaltenango est conservatrice autant dans la fierté de sa culture que dans le maintien de ses monuments.

Entourée de collines et de volcans (les matins sont très froids de décembre à février), elle se réveille lentement et ne s'active qu'avec le soleil. Son centre administratif, où s'élèvent des édifices d'un néoclassicisme éloquent qui lui donne l'image de stabilité et d'endurance, vit dans un ordre calme et détendu qui contraste avec la périphérie mouvementée qui vit, pour sa part, au rythme du marché maya et du va-et-vient de la gare centrale.

À la fin du XIXe siècle, le département connut une soudaine vague de prospérité grâce au café, car le Quetzaltenango possède les meilleures terres à café de tout le pays. Cette richesse et l'affluence de riches immigrants allemands permettent à la ville de rivaliser d'importance avec la capitale. Mais tout prit fin lorsque le tremblement de terre de 1902 la détruisit presque en totalité.

La reconstruction prit des airs de grandeur : les structures de style néoclassique datent de cette époque. Les habitants de la ville de Quetzaltenango sont reconnus pour leur politesse même s'ils semblent parfois un peu rigides et formels.

La ville de Quetzaltenango est pittoresque, mais offre peu d'attraits touristiques par comparaison avec Antigua Guatemala. Le centre de la ville, où se situent la plupart des attraits, est officiellement connu sous le nom de **Parque Centroamérica** et constitue également le cœur de la vie sociale. Pendant l'été, un marché d'artisanat a lieu dans le parc le premier dimanche de chaque mois.

Les édifices qui entourent le parc sont tous des constructions du XXᵉ siècle et témoignent de l'assurance retrouvée de la ville après le tremblement de terre destructeur de 1902. Les colonnes grecques symbolisant l'importance culturelle et le rôle qu'a voulu se donner Quetzaltenango au sein de la révolution libérale datent de cette époque.

Comme dans la majorité des «places centrales» latino-américaines, on y retrouve les trois pouvoirs : religieux, économique et politique. Du côté est du parc, la **cathédrale** a été reconstruite malgré l'effort de conservation de l'ancienne façade; à côté se dresse la **Municipalidad** (l'hôtel de ville), un autre édifice de style néoclassique dont la cour intérieure vaut le détour.

Au nord du Parque Centroamérica domine le **Banco de Occidente,** tandis que le **Banco del Café** et le **Pasaje Enríquez** occupent le côté ouest.

À l'extrémité sud du Parque Centroamérica se trouve la **Casa de la Cultura,** un édifice de style néoclassique abritant le **Museo de Historia Natural** (6Q; lun-ven 9h à midi et 14h à 18h, sam 9h à 13h), dédié à l'histoire de l'éphémère Federación Centroamericana, à l'expérience de l'État de Los Altos et à la révolution libérale. On expose aussi des tissus, des marimbas et d'autres produits artisanaux de la région. Le premier étage est consacré, entre autres, aux Mayas et présente une collection de photographies anciennes.

La Casa de la Cultura abrite aussi l'Institut du tourisme **Inguat** (lun-ven 8h à 13h et 14h à 17h, sam 8h à midi, fermé dim; ☎ 761-4931), qui distribue gratuitement des plans de la ville.

L'imposant **Teatro Municipal**, de style néoclassique, est situé loin du centre-ville à l'angle de la 14 Avenida et de la 1a. Calle, Z.3. La 14 Avenida est l'artère commerciale de la ville; vous y trouverez des restaurants et des magasins de toutes sortes.

Près de la 16 Avenida et de l'artère principale, soit la Calle Rodolfo Robles dans la zone 3, se trouve le **Mercado La Democracia**, un marché général proposant tout le nécessaire pour cuisiner : fruits, légumes, viandes, ustensiles, etc.

Le Parque Minerva, près de la gare d'autocars de 2ᵉ classe, abrite le **Templo Minerva**, élevé en l'honneur de la déesse Minerve. Il s'agit d'un autre bel exemple de style néoclassique.

Les volcans aux alentours de Quetzaltenango

Xela est entourée des volcans Santa María, Santiaguito, Cerro Quemado, Siete Orejas, Chicabal et Lancandón; des pics qu'on appelle «dômes volcaniques» sont aussi situés sur son territoire. On compte aussi plusieurs belvédères : le Zunil, le Zunilito, Cerro del Baúl, La Pradera et le Galápago. Plusieurs plaines sont fameuses, entre autres La Ciénaga, El Chirries, Los Llanos de Urbina, Chiquilajá et La Floresta.

Almolonga

La route la plus directe pour atteindre la côte du Pacifique passe par Almolonga, à 5 km de Xela. Son nom signifie «lieu où l'eau jaillit» en k'iche' et décrit bien les ruisseaux qui jaillissent de la montagne et irriguent la belle vallée. Nous sommes ici dans le jardin des Hautes Terres de l'Ouest et l'on ne construit pas sur cette riche terre. Les femmes d'Almolonga, qu'on reconnaît à leur huipil orange aux broderies en zigzag, symbole du tonnerre et de la fertilité, ainsi qu'à leur coiffe, un bandeau tissé, vendent les légumes du village dans plusieurs marchés de la région. Le marché vaut réellement la peine d'être visité, a lieu le mercredi et le samedi, et est fréquenté par une multitude de revendeurs. À quelques kilomètres du village, Los Baños loge une dizaine d'établissements où l'on peut prendre un bain chaud dans une chambre privée; trois sont recommandés : Fuentes Salubre, El Recreo et El Manantial (tlj 5h à 22h). La foire annuelle d'Almolonga se tient le 27 juin.

Ceux qui préfèrent les bains de vapeur s'arrêteront à **Los Vahos** *(15Q; tlj 8h à 18h)*, à 3 km de Quetzaltenango. Du village, une montée de 2 km mène à Los Vahos.

Cantel

La plupart des autocars pour le sud et la côte du Pacifique ne passent pas par Almolonga, mais plutôt par Cantel, un village industriel où une très grande usine textile emploie la majorité des habitants du village de **Chuijullub**, le nom ancien de Cantel, qui signifie «sur le haut de la colline». Cantel Fábrica, nom de la société, est le plus gros employeurs de tisserands au Guatemala. À 1 km, la Copavic-Glass Factory est une coopérative d'artisans souffleurs de verre qui utilisent du verre recyclé et exporte sa production à travers le monde. Les visiteurs sont les bienvenus et l'on peut voir les souffleurs de verre en action *(lun-ven 8h à 13h)*. La boutique de la coopérative *(lun-ven 8h à 17h, sam-dim 8h à midi)* vend des vases, des verres et d'autres produits.

Zunil

Plus bas dans la vallée, le village de Zunil fait partie, comme Almolonga, du jardin des Hautes Terres de l'Ouest. Une belle église coloniale domine la Plaza Central. Les femmes de Zunil portent un *huipil* mauve et un châle de couleur très vive. Au sud de la Plaza Central, la boutique d'une coopérative regroupant 500 femmes de la région vend des tissus : la **Cooperativa Santa Ana** *(lun-ven 8h30 à 17h, sam-dim 14h à 17h)*.

Statue de Tecún Umán

Zunil est aussi réputé pour la dévotion à **San Simón**, le saint païen des Mayas qu'on peut visiter en demandant où il se loge cette année (voir encadré p 204). La fête de San Simón a lieu le 28 octobre, date à laquelle on le change de maison. La dévotion à ce saint est réelle et sérieuse, et l'on s'attend au respect et à une offrande. La fête de Santa Catarina Alejandrí, la sainte patronne de Zunil, est célébrée le 25 novembre.

Fuentes Georginas

La source thermale de Fuentes Georginas est réputée pour être la plus belle de tout le Guatemala. Le nombre de personnes qui visitent Fuentes Georginas ou s'y baignent le confirme. Quelques petites maisons à louer équipées d'une douche, d'un barbecue et d'une cheminée pour le feu du soir se trouvent à quelques mètres de la piscine.

Pour atteindre Fuentes Georginas, des camionnettes partent de Zunil (de la Plaza Central) et grimpent une route on ne peut plus sinueuse sur 9 km vers Fuentes Georginas. Il faut négocier le prix avant de monter dans la camionnette, lequel est habituellement de 25Q pour l'aller-retour. À pied, comptez deux heures de marche.

Après Zunil, la route 9S continue et descend jusqu'à **El Zarco Junction**, le carrefour où s'arrêtent les autocars qui empruntent la Carretera al Pacífico vers le Mexique à l'ouest ou vers la Ciudad de Guatemala à l'est. D'ici des autocars retournent à Quetzaltenango aux 10 min entre 6h et 18h30.

Au nord de Quetzaltenango

À 6 km au nord de Quetzaltenango par une belle route, vous verrez le village d'**Olintepeque** dominant une petite plaine qui, selon la majorité des historiens, fut le théâtre du plus grand affrontement entre Espagnols et K'iche'. C'est ici que Pedro de Alvarado aurait tué le chef militaire des K'iche', Tecún Umán, en combat singulier près du Río Xequijel, qui signifie «rivière rouge» ou «rivière de sang» en K'iche'. L'une des nombreuses légendes entourant ce combat raconte que, durant le duel, le quetzal, protecteur de Tecún Umán, volait au-dessus de sa tête, ses longues plumes vertes déployées. Un Espagnol tua l'oiseau et Tecún Umán périt du même coup. Depuis cette époque, le quetzal se cache dans les hautes montagnes du département d'Alta Verapaz. Il est devenu le symbole du Guatemala et de la liberté. Tecún Umán est devenu un dieu pour plusieurs K'iche'.

San Carlos Sija est un village agricole qu'on visite pour la beauté des panoramas de la route qui y conduit, soit l'ancienne route reliant Quetzaltenango et Huehuetenango.

De Quetzaltenango à la frontière mexicaine

La route nationale 1, qui mène au poste frontalier **El Carmen**, passe par **San Juan Ostuncalco**, le centre du commerce de cette partie de la vallée. On attribue des pouvoirs miraculeux à la Virgen de Rosario (dans l'église).

D'ici, on peut rejoindre la Careterra al Pacífico par une route vers le sud qui passe par **San Martín Sacatepéquez**, aussi connue sous le nom de **San Martín Chile Verde**, pour enfin atteindre **Coatepeque**, située dans le piedmont (voir p 275). Après San Juan Ostuncalco, la route nationale traverse une série de monts et de vallées pour finalement aboutir dans les villes jumelles de **San Pedro Sacatepéquez** et **San Marcos**. Ces deux villes sont des centres de commerce et n'ont pas le lourd passé des autres capitales départementales des Hautes Terres de l'Ouest.

Simple place forte construite à l'époque coloniale, San Marcos est devenue la capitale du département presque par hasard. Mis à part son musée et sa physionomie traditionnelle, elle compte peu d'attraits susceptibles de vous retenir ici. Seule l'ascension du volcan Tajumulco attire les touristes étrangers dans cette partie du Guatemala.

Une fois sortie de la vallée de San Pedro et de San Marcos, la route nationale descend rapidement vers le piedmont en passant par **El Rodeo** et **San Pablo**; finalement, vous arriverez une heure et demie plus tard dans la ville de **Malacatán**, où vous trouverez des hôtels et des restaurants d'une catégorie supérieure à ceux d'**El Carmen**, le poste-frontière. Aux demi-heures, des minibus font la navette entre Malacatán et Talismán.

Huehuetenango

Depuis Cuatro Caminos en direction du nord-ouest, l'Interaméricaine sort de la plaine de Xela et s'élève sur un large plateau parsemé d'habitations où dominent des champs de maïs et de blé. Quelques villages d'agriculteurs, auxquels on accède par des chemins de terre, se partagent les monts et les vallées qui avoisinent la route.

Sur la pente descendante, le premier village à l'intérieur du département de Huehuetenango est **Malacatancito**, théâtre du premier affrontement entre les Mam et les Espagnols en 1525. À 13 km de Malacatancito, une bifurcation mène à la ville de Huehuetenango.

Le territoire sur lequel s'est construite la ville de Huehuetenango était connu à l'époque préhispanique sous le nom de **Chinabajul**, capitale du

Hautes Terres de l'Ouest

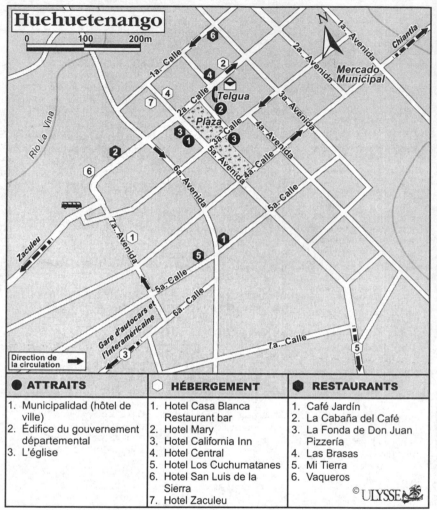

Huehuetenango

0   100   200m

Rio La Vina

1a.-Calle
2a.-Calle
Telgua
Plaza
2a.-Calle
3a.-Calle
5a.-Avenida
4a.-Calle
6a.-Avenida
Zaculeu
7a.-Avenida
5a.-Calle
Gare d'autocars et l'Interaméricaine
6a.-Calle
7a.-Calle

1a.-Avenida
2a.-Avenida   Chiantla
Mercado Municipal
3a.-Avenida
4a.-Avenida
5a.-Calle

Direction de la circulation →

● ATTRAITS	◐ HÉBERGEMENT	◕ RESTAURANTS
1. Municipalidad (hôtel de ville) 2. Édifice du gouvernement départemental 3. L'église	1. Hotel Casa Blanca Restaurant bar 2. Hotel Mary 3. Hotel California Inn 4. Hotel Central 5. Hotel Los Cuchumatanes 6. Hotel San Luis de la Sierra 7. Hotel Zaculeu	1. Café Jardín 2. La Cabaña del Café 3. La Fonda de Don Juan Pizzería 4. Las Brasas 5. Mi Tierra 6. Vaqueros

© ULYSSE

royaume des Mam qui, à son apogée, comprenait un vaste territoire regroupant les départements actuels de Huehuetenango, Totonicapán, Quetzaltenango et San Marcos, ainsi que la province de Soconusco, au Mexique.

Selon le *Popol Vub*, l'expansion des K'iche' soutenus par les Kaqchikel, pendant le règne du souverain Quicab vers

1470, réduisit le royaume aux montagnes de Huehuetenango et de San Marcos. Aujourd'hui, la langue mam est toujours parlée par plus de 400 000 habitants des départements de Huehuetenango, San Marcos, Retalhuleu et Quetzaltenango.

Huehuetenango, capitale du département, est le centre du commerce de cette partie du pays. La

base de son économie demeure l'agriculture, l'industrie, les services et l'artisanat (les céramiques, les instruments de musique, spécialement les guitares, l'orfèvrerie, la pyrotechnie et les objets fabriqués avec des palmes).

La majorité des habitants sont *ladinos* et leur influence se perçoit dans l'architecture du centre-

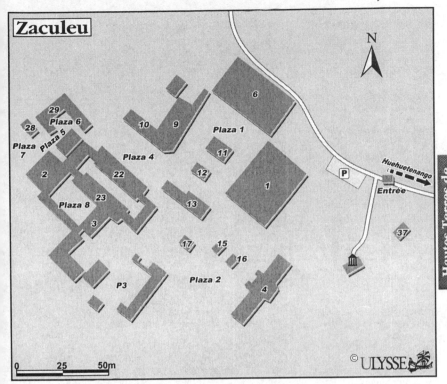

Zaculeu

N

P

Huehuetenango

Entrée

0   25   50m

© ULYSSE

ville. Autour de la Plaza Central, on trouve les plus grands édifices de la ville : la Municipalidad (hôtel de ville), avec son balcon recouvert d'un dôme sur le côté ouest, l'édifice du gouvernement départemental avec sa tour carrée et l'église néoclassique sur le côté est. Les banques, la poste et le Telgua sont à proximité de la belle Plaza Central, où l'on retrouve une fontaine et une carte en relief du département.

À quelques rues vers l'est, l'atmosphère vibrante du *mercado* du centre-ville contraste avec la tranquillité de la Plaza Central. Les Mayas des villages du département et les commerçants venant d'aussi

loin que le Mexique s'y retrouvent nombreux. On y trouve de tout, même du sel noir de San Mateo Ixtatán.

Zaculeu

Le site archéologique de Zaculeu *(25Q; 8h à 18h)* est situé à 3,8 km à l'ouest de Huehuetenango. (Les pick-up ou camionnettes et les autobus «Ruta 3» pour s'y rendre partent de la 7a. Avenida entre la 2a. Calle et la 3a. Calle.) Construit sur un plateau bordé de précipices, Zaculeu semble perdu dans le décor singulier que forment les montagnes qui l'entourent. Malgré sa longue occupation, le site

est relativement petit, sans sculpture ni stèle, et son architecture monumentale est plutôt simple. Néanmoins, il demeure un attrait touristique précieux en grande partie à cause de sa restauration, une des premières tentatives dans les Hautes Terres du Guatemala.

Il a été fouillé et restauré par des archéologues américains sous l'égide de l'United Fruit Company dans les années quarante. Plusieurs personnes critiquent l'utilisation de crépi en ciment blanc qui recouvre les structures de pierre. Ce genre d'intervention permet au moins d'assurer la conservation des vestiges et simule l'aspect original probable des murs de stuc aux couleurs vives.

Les formes architecturales qu'on voit aujourd'hui se retrouvent dans les villes anciennes situées au Mexique. L'influence du Nord est évidente dans les pyramides abruptes, les doubles escaliers avec rampes ou *alfardas*, les temples à toiture plate soutenue par des poutres et les plateformes cérémonielles au centre des places.

Cette influence mexicaine fut confirmée par les fouilles archéologiques. Plusieurs objets luxueux en jade, en or ou en cuivre attribués à l'élite prouvent l'existence des liens économiques que Zaculeu entretenait avec les villes anciennes du Mexique, au nord, et de l'Amérique centrale, au sud. D'autre part, plusieurs trouvailles démontrent la participation de Zaculeu à la grande culture maya classique dont la quintessence est incarnée par Tikal.

Vous retrouverez dans le petit **musée** une collection qui mérite le détour. Tous les objets en montre proviennent du site. Les sculptures, les céramiques, l'urne funéraire, les cartes et la représentation des cérémonies anciennes attestent la longévité de l'occupation.

La ville de Zaculeu était la capitale des Mam, et ce, jusqu'à sa destruction par Pedro de Alvarado en 1525. Ses débuts datent

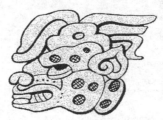

de l'époque classique (400 ap. J.-C.), mais plusieurs de ses premiers édifices ont été modifiés et ont aujourd'hui l'apparence de constructions datant du postclassique récent (1250 à 1525 ap J.-C.). Les Mam, comme nous l'avons dit, contrôlaient un immense territoire jusqu'à leur sou-

mission par les K'iche' de K'umarcaaj.

L'histoire des premiers siècles de ce peuple est peu connue. La victoire des K'iche' est racontée dans le *Popul Vuh*, tandis que la Conquête espagnole fut racontée par les conquérants.

Plus de 40 structures ont été localisées par les archéologues, mais seulement la moitié ont été consolidées; le reste demeure enfoui sous le gazon. La plupart des édifices sont aménagés autour de grandes plazas ouvertes au centre desquelles on retrouve des plateformes cérémonielles. La majorité des édifices qui ont été restaurés bordent les Plazas 1 et 2, mais les monticules en gazon délimitent assez précisément les autres. Le circuit proposé suit le sens des aiguilles d'une montre.

À la sortie du musée, on retrouve sur la gauche, la structure 4, qui forme le côté sud-est de la **Plaza 2**. Celle-ci comprend, en son centre, une pyramide couronnée d'un temple à trois chambres. Celle à l'arrière est circulaire. La façade du temple est intacte, mais la toiture manque. L'escalier principal fait face à la Plaza, tandis que deux autres plus étroits donnent sur les ailes formées par deux longues plateformes qui soutiennent les colonnes d'édifices publics.

Politique de «réduction» et déplacements de population

Au temps de la colonie, aussi bien les conquistadors que le clergé avaient recours au déplacement des populations du Guatemala, et le défenseur des autochtones lui-même, Bartolomé de Las Casas, le pratiquait. Les nouvelles communautés autochtones d'alors s'organisaient autour de centres villageois issus de la politique de «réduction» en vigueur à cette époque. Il s'agissait de forcer les habitants d'une région à quitter leurs terres et à se regrouper dans un village ou une «concentration réduite» afin de mieux les surveiller. On obtenait ainsi une meilleure évaluation de la production économique au moment de prélever les tributs, de même qu'un meilleur contrôle des activités religieuses dans le but avoué de «sauver les âmes».

Au XXᵉ siècle, cette approche gagne la faveur des dirigeants militaires et politiques. Durant les années quatre-vingt, on l'a baptisée «programme de relogement de la population par la reconstruction et la création de villages modèles». En 1985, l'administration militaro-civile avait ainsi créé 49 villages «modèles» près des sites originellement occupés par les Mayas. Chaque village est doté d'eau potable et d'électricité, possède une école, une église, un service postal et télégraphique, un service de transport privé et une clinique médicale. Certains villages modèles sont par ailleurs pourvus d'une garnison militaire afin, selon les autorités, de veiller à la sécurité des habitants.

Hautes Terres de l'Ouest

Deux petites plates-formes (structures 16 et 17) sont alignées sur la pyramide du temple, alors que la structure 17, plus éloignée, fait face au nord-ouest. L'escalier qui mène aux deux chambres de cet édifice donne sur le jeu de balle.

Au sud-ouest immédiat du jeu de balle, vous trouverez la petite **Plaza 8**, enfoncée, avec deux structures.

Un peu plus vers le nord-ouest, vous trouverez sur votre droite le jeu de balle en forme de *I* qui comprend deux édifices en parallèle (structures 22 et 23). La cour du jeu de balle est la partie enfoncée entre les deux murs en pente.

Vous trouverez les **Plazas 5, 6 et 7** au nord-ouest du jeu de balle; seules quelques structures ont été consolidées.

En continuant vers l'est, vous entrez dans la **Plaza 1**, la plus intéressante de Zaculeu. La plus haute pyramide du site (structure 1) est située côté est de la Plaza. Sept étapes de construction ont été identifiées par les archéologues et ce que l'on peut voir aujourd'hui remonte à la période d'avant la domination des K'iche'.

La structure 6 borde le côté nord-est de la Plaza 1. Un temple d'une seule chambre domine la base pyramidale construite en gradins. Au nord-ouest de la Plaza se trouve la structure 9, dont la consolidation se limite à la partie inférieure. On trouve la structure 13 au sud-ouest de la Plaza. Deux escaliers mènent à un premier niveau d'où un plus large monte jusqu'aux murs d'un temple. Au milieu de la Plaza, deux petites plate-formes (structures 11 et 12) ont été consolidées.

Une dernière structure (structure 37), qui se situe à l'entrée du site, n'a pas fait l'objet de consolidation et l'on peut toujours voir la construction originale et d'infimes vestiges du stuc qui la recouvrait.

Chiantla

Le village de Chiantla, anciennement appelé Xinabajul, à 5 km de Huehuetenango, est le carrefour de la route du nord et de la route de l'est. L'intérêt principal du village est l'église où loge la Virgen del Rosario, qui attire des milliers de pèlerins.

Los Cuchumatanes

La Cordillera de los Cuchumatanes, où se dressent les plus hautes cimes non volcaniques de l'Amérique centrale, fait partie de ce grand territoire au nord de Huehuetenango. Elle prend naissance près de la frontière mexicaine, s'élevant à 3 800 m au nord de la capitale et s'étend jus-

qu'au Quiché, voire jusqu'aux Verapaces.

C'est un territoire difficile à apprivoiser qui a longtemps été laissé pour compte par les autorités espagnoles et *ladinas*. Après le choc initial de la conquête, les Mayas qui l'habitaient depuis plus de 2 000 ans ont été abandonnés à leur sort. L'absence européenne permit la conservation de certaines traditions anciennes, toujours présentes dans les cérémonies religieuses et les fêtes annuelles.

Ces montagnes ont été la scène d'atrocités épouvantables durant la guerre civile. Les années soixante-dix et quatre-vingt ont été d'une violence extrême qui a forcé plusieurs à quitter la région pour se réfugier de l'autre côté de la frontière, au Mexique.

Les accords de paix ont calmé les choses et la région est aujourd'hui beaucoup plus sécuritaire. Le voyage dans ce territoire est difficile, mais les efforts sont récompensés au centuple par les vues spectaculaires et la chance d'un éclair furtif sur la vie quotidienne des Mayas.

Dans cette région polyglotte, l'espagnol, qui prend la sonorité mexicaine entendue au Chiapas, demeure la *lingua franca*. Le mam est la langue majoritaire du département, mais un grand nombre de *municipios* du nord sont habités par d'autres ethnies.

Une théorie mise de l'avant par le linguiste Kaufman, et acceptée par la majorité des chercheurs, propose que le territoire au nord des Cuchumatanes fût le lieu d'origine du protomaya, la langue mère de toutes les familles de langues mayas.

Todos Santos Cuchumatán

Todos Santos Cuchumatán est le village le plus accessible de la région. L'habillement de la population à Todos Santos est un des plus beaux du Guatemala, notamment celui des hommes, qui portent une veste bleue et un pantalon rouge rayé de blanc ainsi qu'un chapeau posé sur un foulard rouge.

L'agriculture et l'artisanat demeurent la base économique du village, même si le tourisme se développe de plus en plus. Le marché du samedi attire son lot de voyageurs. Les célébrations de la fête de Todos Santos, le 1er novembre, sont exceptionnelles. Les courses de chevaux organisées lors de ces festivités sont l'occasion pour les participants de faire valoir leur aptitude à se maintenir sur la monture et leur capacité d'ingurgiter une grande quantité d'alcool.

Malgré le retour du catholicisme orthodoxe et la pénétration des évangélistes de différentes dénominations dans la région, certains éléments d'origine préhispanique persistent, mais leur pratique se fait discrète.

Aguacatán

De Chiantla, une route conduit vers l'est à Aguacatán et à Sacapulas (voir p 218). Aguacatán fut créée par les dominicains comme «réduction» (de plusieurs petites bourgades mayas, habitées par deux ethnies différentes, les Aguacatèques et les Chimalchitèques, qui viennent du village de Santiago Chimaltenango, situé à l'ouest d'Aguacatán. Le village est divisé en deux : à l'est les Aguacatèques et à l'ouest les Chimalchitèques.

La Mesilla

De Huehuetenango, l'Interaméricaine se prolonge pendant 80 km vers le nord-ouest jusqu'à **La Mesilla**, située à la frontière mexicaine. Tout le long de la route, on rencontre de petits villages traditionnels où vit une population oublieuse de l'existence même de cette route internationale.

Hébergement

Comalapa

Malgré la renommée du village de San Juan Comalapa comme lieu touristique intéressant, le choix de lieux d'hébergement est plutôt limité. On y trouve quelques *pensiones* tenues par des familles du village.

Hotel Pixcaya
$-$$
bp/bc, tv, S
0 Avenida 1-82, Z. 1
☎471-2069
⌐471-7734
Situé sur la rue principale, l'Hotel Pixcaya, dont le nom signifie «lieu où naît l'eau» (le Río Pixcaya coule tout près), propose sept chambres dont trois avec salle de bain privée et télévision câblée. Simples, propres et sécuritaires, décorées sans fioritures, les chambres, garnies de deux très grands lits, sont disposées autour d'une petite cour intérieure.

Chichicastenango

Lieu touristique très achalandé, Chichicastenango ne compte pas une grande quantité de chambres. Il est souvent difficile d'y loger, surtout la nuit précédant les jours de marché, soit le mercredi et le samedi soir. Il vaut mieux arriver tôt ou réserver.

Hospedaje El Salvador
$-$$
bp/bc, S
5a. Avenida 10-09
☎756-1329
Vu la pénurie de chambres de cette catégorie, la meilleure adresse pour les voyageurs à petit budget est certainement l'Hospedaje El Salvador, qui abrite quelque 50 chambres dans un édifice de trois étages qui a connu de meilleurs moments. Situé à quelques rues au sud de l'église, l'hôtel n'est pas doté de chauffage central et les voyageurs incommodés par le froid devront demander une couverture supplémentaire.

Hotel Chuguila
$$
bp, tv, ℜ, S
5a. Avenida 5-24, Z. 1
☎756-1134
Construction à plusieurs paliers, l'Hotel Chuguila compte 35 chambres confortables et modernes dont certaines possèdent un foyer. Les patios et escaliers qui mènent aux chambres débordent de plantes et de fleurs tropicales, et le restaurant du rez-de-chaussée est bien aménagé. Les chambres sont décorées avec goût, mais celles qui donnent sur la rue arrière sont bruyantes.

Hotel Girón
$$
bp, S
6a. Calle 4-52
☎756-1156
Situé au centre-ville, l'Hotel Girón conviendra aux voyageurs à budget moyen à la recherche d'un gîte propre et confortable.

Hautes Terres de l'Ouest

Les chambres récemment rénovées avec goût sont agréables et offrent un bon rapport qualité/prix.

Hotel Posada Belén
$$
bp/bc
12a. Calle 5-55, Z.1
☎*756-1244*
Situé au sud de la ville, un peu à l'écart du va-et-vient, l'Hotel Posada Belén propose une quinzaine de chambres propres mais sans grand caractère. Il faut néanmoins noter la vue panoramique vers le nord qu'offre la cafétéria située à l'étage.

Hotel Santo Tomás
$$$
bp, tv, △, ⊛, ≈, ⊖, ℜ, S, ℑ
7a. Av. 5-32, Z.1
☎*756-1061*
⇌*756-1306*
La palme du meilleur établissement de la belle ville de Chichicastenango revient sans contredit à l'Hotel Santo Tomás. Pourvues de balcons, la majorité des 43 chambres offrent une vue panoramique sur les vallées et les montagnes qui ferment l'horizon à l'est de la ville. Une fontaine de style colonial domine une première cour intérieure entourée de chambres sur deux étages, alors qu'une deuxième cour, qui comprend la piscine chauffée, est circonscrite par de longs édifices d'un style plus moderne. Les chambres, décorées avec soin, sont munies d'un foyer qui sera apprécié par plusieurs, car les nuits peuvent devenir froides à certains mois de l'année.

On y retrouve aussi un bar et une salle de conférences.

Maya Inn
$$$
bp, tv, ℜ, S
angle 8a. Calle et 3a. Avenida
☎*756-1134*
⇌*756-1212*
Situé à quelque 100 m de la Plaza Central, sur une rue où déborde le marché du dimanche, le Maya Inn dispose de 34 chambres aménagées avec goût et élégance qui donnent sur la vallée au sud de la ville. Le personnel, vêtu d'habits k'iche' traditionnels, est stylé et plus que serviable. Le vénérable hôtel s'est agrandi depuis sa fondation dans les années trente, et comprend maintenant quelques maisons coloniales aménagées avec des patios débordant de fleurs et de plantes. Mais malgré le foyer et les meubles anciens qui ornent les chambres, les prix sont un peu exagérés.

Santa Cruz del Quiché

Même si Santa Cruz del Quiché est la capitale du département du Quiché, on n'y trouve pas beaucoup d'établissements hôteliers. On y rencontre les voyageurs qui transitent en attente des autocars pour Nebaj et le triangle Ixil ou pour les villages situés à l'est du département. Le séjour des touristes étrangers est de courte durée, car la

majorité sont ici pour explorer les ruines de K'umarcaaj (appelée Utatlán), l'ancienne capitale du royaume des K'iche', ou pour visiter le grand marché, aussi complet que celui de Chichi mais beaucoup moins cher. Les voyageurs de passage trouveront les hôtels bon marché près de la gare d'autocars. Bien peu d'hôtels de Santa Cruz del Quiché peuvent faire concurrence avec le luxe qu'offrent les grands hôtels de Chichicastenango mais...

Hotel y Restaurante Maya Quiché
$-$$
bc/bp, tv, ℜ
3a. Avenida 4-19, Z.1
☎*755-1667*
Les grandes chambres au mobilier modeste de l'Hotel y Restaurante Maya Quiché conviendront aux voyageurs à budget moyen. Cet établissement des plus charmants est dirigé par une hôtesse tout aussi charmante.

Hotel San Pascual
$-$$
bc/bp, S
7a. Calle 0-43, Z.1
☎*755-1353* ou *755-1107*
L'Hotel San Pascual propose 36 chambres propres et fonctionnelles sur deux paliers, qui entourent de petites cours intérieures agrémentées de fleurs et d'oiseaux en cage. Il faut savoir que l'hôtel ne possède pas de système de chauffage central et que l'eau chaude est disponible le matin seulement.

Hotel Rey K'iche
$$
bc/bp, tv
8a. Calle 0-39, Z.5
Situé à mi-chemin entre
la gare d'autocars et la
Plaza Central, l'Hotel Rey
K'iche compte 22 cham-
bres très propres et déco-
rées avec goût. De cons-
truction récente, l'hôtel le
plus luxueux de la ville
dégage une ambiance
personnelle et chaleu-
reuse.

Nebaj

Le moins qu'on puisse
dire, c'est que vous
n'aurez pas un grand
choix d'établissements
hôteliers à Nebaj. Néan-
moins, vous pouvez loger
à la **Pensión Las Tres Her-
manas**, qui, faute de
s'afficher convenablement
(l'établissement n'a pas
d'enseigne!), «emploie» de
jeunes amis. C'est-à-dire
qu'une horde de jeunes
du quartier vous emmè-
nera à cet établissement
qui, à un coût dérisoire,
peut vous offrir le gîte et
la table.

Totonicapán

Il n'y a que quelques
établissements hôteliers à
Totonicapán.

Hotel San Miguel
$$
bc/bp, tv
8a. Avenida 7-49, Z.1
Situé près de la Casa de
la Cultura et à quelques
rues de l'église, l'Hotel
San Miguel est le meilleur
choix si vous voulez
passer la nuit à Totoni-
capán. Les chambres sont

grandes et propres. Il faut
noter que les prix aug-
mentent le jour avant le
marché.

Momostenango

Hotel Ixchel
$
bc
1a. Calle 4-15, Z.1
L'Hotel Ixchel ne propose
que huit chambres et
vous devez partager la
salle de bain (il n'y en a
que deux pour tout
l'hôtel). Le service com-
pense toutefois pour ce
manque apparent de
commodités, et le sourire
vous attend dans chacun
des couloirs de
l'établissement.

Hotel Estiver
$-$$
bp/bc, S
1a. Calle 4-15, Z.1
☎736-5036
Le meilleur hôtel de la
ville est certainement
l'Hotel Estiver. L'hôtel,
centre d'information tou-
ristique pour la région,
est un gîte simple et
économique qui saura
satisfaire les petits
budgets.

Quetzaltenango

Deuxième ville en impor-
tance du Guatemala et
centre touristique de plus
en plus fréquenté, Quet-
zaltenango vous offre un
grand choix avec plus
d'une cinquantaine de
lieux d'hébergement
pour tous les budgets. La
majorité des établisse-
ments hôteliers se situent
dans la zone 1, à l'ouest
du Parque Centroamérica,

mais vous en trouverez
plusieurs dans la zone 3,
plus à l'ouest. Pour ceux
qui arrivent en ville, il est
bon de savoir que, dans
la zone 1, il y a une 14
Avenida A et une 14 Ave-
nida B.

Casa Iximulew
$
bp/bc, tv
15 Avenida 4-59, Z.1
La Casa Iximulew pro-
pose quelques chambres
situées à l'arrière du restaurant El Rincón de los
Antojitos. De plus, elle
possède deux spacieux
appartements de deux
chambres à coucher avec
cuisine équipée, salle de
télévision et cour atte-
nante. Les appartements
se louent à la semaine ou
au mois.

Hotel Capri
$
bp
8a. Calle 11-39 Z.1
☎761-4111
Situé derrière la Casa de
la Cultura, l'Hotel Capri
propose des chambres
toutes simples près du
Parque Centroamérica.
Attendez-vous à y retrou-
ver seulement quelques
chambres sombres et
basiques, aussi est-il préférable de visiter la
chambre avant de confir-
mer la réservation.

Radar 99
$
Av. 13, près du parc
Pour un établissement
simple, rendez-vous au
Radar 99. Un supplément
est demandé pour l'eau
chaude, et les chambres
sont correctes. Le personnel est sympathique. Il
faut réserver.

**Hautes Terres de
l'Ouest**

Casa Kaehler
$$
Av. 13 3-33, Z.1
☎**761-2091**
Un vieil hôtel abrite la
Casa Kaehler, très jolie et
très propre. Malheureuse-
ment, l'établissement
compte peu de cham-
bres, et il est préférable
d'arriver tôt pour s'assurer
d'y louer une chambre.
Les hôtes pourront vous
renseigner sur les diffé-
rentes visites guidées
proposées dans la ville. Si
vous êtes une femme et
que vous voyagez seule,
ne craignez rien car cet
hôtel a la réputation
d'être un endroit sûr, et
l'on vous louera une
chambre avec plaisir.

Hotel Casa Florencia
$$
bp, tvc
12 Avenida 3-61, Z.1
☎**761-2326**
L'Hotel Casa Florencia,
situé tout près de la Plaza, est d'une propreté
impeccable. Vous pour-
rez y prendre le petit
déjeuner et vous dé-
tendre dans une de ses
neuf chambres spacieu-
ses, bien décorées et mu-
nies de bain.

Anexo
$$-$$$
bp, tv, S
14 Avenida A 3-22, Z.1
☎**761-2606**
L'Anexo de l'Hotel Mode-
lo est de même acabit,
luxe en moins. Située à
quelques mètres de la
réception centrale,
l'annexe de l'hôtel est une
belle grande maison colo-
niale avec un agréable
jardin intérieur entouré de
10 grandes chambres
propres et sécuritaires.
Les salles de bain ont

toutes été modernisées.
Malgré sa localisation
dans le centre-ville, on se
croirait à la campagne.
Cet endroit est idéal pour
tous les voyageurs à la
recherche d'un gîte
propre et tranquille.

Pensión Bonifaz
$$$
tvc, ⊛, bp, S, ℜ
4a. Calle 10-50, Z.1
☎**761-2182** ou **761-2279**
⇌**761-2850**
Un établissement se dis-
tingue nettement de ses
compétiteurs, soit la Pen-
sión Bonifaz, située tout
près du coin nord-est du
Parque Centroamérica.
Vous pouvez loger dans
le bâtiment colonial ou
dans une construction
moderne, le tout comp-
tant 73 chambres. Cet
hôtel offre un bon confort
et une ambiance
agréable, en plus des
salles de bain privées, des
baignoires à remous, des
téléviseurs câblés... Sta-
tionnement gratuit.

Casa Mañen
$$$ pdj servi au lit
bp, tv
9a. Avenida 4-11, Z.1
⇌**765-0786**
La Casa Mañen est une
petite oasis au cœur de la
ville. Un jardin-belvédère
sur le toit procure une
vue panoramique sur la
ville. Les neuf chambres
s'avèrent confortables,
propres et décorées avec
goût. Malgré que le petit
déjeuner soit compris
dans le prix de la
chambre, celui-ci est un
peu exagéré.

Hotel Modelo
$$$
bp, ☎, tv, S, ℜ
14 Avenida A 2-31, Z.1
☎**761-2529**
⇌**763-1376**
L'Hotel Modelo, fondé en
1892, dispose d'une ving-
taine de chambres n'ayant
rien à envier aux suites
des autres hôtels de
même catégorie. Les
chambres sont aména-
gées avec goût et l'on y
retrouve tout ce qu'un
voyageur peut souhaiter :
propreté, confort et tran-
quillité. Propriétaire et
gérant depuis plus de 30
ans, Don Julio est ama-
teur de motocyclette; il a
même parcouru la route
de l'Alaska à partir de
Vancouver. Il connaît
l'ouest du Canada et
l'Europe «un peu», dixit
Don Julio. La présence de
cet homme charmant
donne un ton de détente
et de chaleur résolument
hors pair à l'hôtel.

Hotel Villa Real Plaza
$$$
bp, tv, ⌂, ℜ, S
4a. Calle 12-22, Z.1
☎**761-4045**
⇌**761-6780**
Situé sur le côté nord-
ouest du Parque Centroa-
mérica, l'Hotel Villa Real
Plaza compte une soixan-
taine de grandes cham-
bres luxueuses et confor-
tables. De facture archi-
tecturale récente, il tente
de faire concurrence à la
vénérable Pensión Boni-
faz mais sans y arriver : il
y manque l'ambiance et
l'atmosphère.

Huehuetenango

Huehuetenango offre une gamme complète d'établissements hôteliers, du plus luxueux au plus délabré, et les nouvelles constructions près de la gare d'autocars et dans la zone 7 suivent la cadence de l'expansion urbaine. Vous trouverez les anciens établissements à quelques pas de la Plaza Central, le long de la 2a. Calle entre la 2a. Avenida et la 7a. Avenida.

Hotel Central
$
bc
5a. Av. 1-33
☎764-1202
À l'Hotel Central, vous trouverez des chambres sécuritaires, tranquilles et propres. Vous devrez cependant partager la salle de bain. Les 11 chambres, toutes de bonne grandeur, comptent de un à quatre lits chacune.

Hotel Mary
$
bp, tvc
2a. Calle 3-52, Z.1
☎764-1618
⌐764-1228
En face du Telgua, l'Hotel Mary dispose de 25 chambres, petites mais confortables. Décorées avec soin par les propriétaires, toujours souriants, elles sont pourvues de salles de bain privées et de téléviseurs couleur.

Hotel Zaculeu
$$-$$$
bp, tv, ℜ, S
5a. Avenida 1-14, Z.1
☎764-1086
⌐764-1575
Fondé par une famille allemande en 1885, l'Hotel Zaculeu a su évoluer au même rythme que la ville. Il est établi dans une grande maison coloniale du centre-ville qui possède un précieux petit jardin intérieur.

Les chambres de construction récente sont à l'étage et donnent sur la cour. Si vous avez le sommeil léger, choisissez l'une des grandes chambres faisant partie de la maison d'antan, près de l'entrée. La propriétaire, médecin de formation, est une bonne source d'informations sur la médecine traditionnelle, alors que le gérant pourra vous entretenir de l'histoire de la région et vous diriger vers les attraits hors des sentiers battus.

Hotel California Inn
$$$
bp, ☎, tv, ℜ, S
3a. Avenida, 4-25, Z.5
Colonia Alvarado
☎764-8441 ou 764-3063
⌐764-1941
Construit en 1998 sur la route principale, à 100 m de la gare d'autocars l'Hotel California Inn est une bonne adresse pour les voyageurs de passage ou pour tous ceux qui abhorrent le centre-ville. La vue sur les Cuchumatanes, du quatrième étage, sera prisée des chasseurs d'images.

Une marqueterie en damier décore les portes des chambres, formant des cubes en trompe-l'œil à la Eicher.

Hotel Los Cuchumatanes
$$$
bp, ☎, tv, ℜ, ≈
Sector Brasilia, Z.7, Apartado Postal No. 46
☎764-1951
⌐764-2816
Ceux qui recherchent le luxe à l'écart du centre-ville trouveront satisfaction à l'Hotel Los Cuchumatanes. Entouré de collines, l'hôtel propose 55 chambres et de nombreux bungalows tout équipés. Un petit parc, une pataugeoire et un bar s'ajoutent à cette construction moderne.

Hotel San Luis de la Sierra
$$$
bp, tv, ℜ, S
2a. Calle 7-00, Z.1
☎764-9217
⌐764-9219
Pour une ambiance personnelle et chaleureuse, rien dans le centre-ville ne surpasse l'Hotel San Luis de la Sierra. De construction récente, l'hôtel, situé sur une colline, offre une vue prenante sur les Cuchumatanes. Les chambres sont confortables et décorées avec goût; le mobilier, quant à lui, est moderne et sans prétention. Il faut choisir une des chambres donnant sur les montagnes.

Hautes Terres de l'Ouest

de mets cuisinés sur place. Ils proposent de copieux repas à peu de frais. Vous trouverez plusieurs *comedores* le long des rues bordant l'église Santo Tomás. Tous les hôtels de catégories moyenne et de luxe possèdent leur propre salle à manger et proposent des plats du jour à prix raisonnable. Les restaurants de Chichicastenango vivent du tourisme et le service y est généralement attentionné.

La Fonda del Tzijolaj
$
Centro Comercial Santo Tomás, local 34
☎ *756-1013*
Parmi les spécialités du restaurant La Fonda del Tzijolaj, on retrouve les pizzas et des plats «aux trois viandes». Un deuxième restaurant, situé dans le même édifice, porte le même nom, mais celui à l'étage est moins cher.

Restaurant Las Brasas
$-$$
6a. Calle 4-52, dans le centre commercial Girón
☎ *756-1006*
Situé à l'étage, le Restaurant Las Brasas apprête les viandes sur charbons de bois.

Restaurant Tziguan Tinamit
$-$$
5a. Avenida 5-67, Z.1
☎ *756-1144*
Très populaire auprès des habitants de la ville, le Restaurant Tziguan Tinamit, situé près de l'hôtel Chuguila, sert des déjeuners copieux.

Villa de los Cofrades Café-Restaurant
$-$$
angle 5a. Avenida et 6a. Calle, à l'étage et contigu au Banco del Ejército
situé à l'étage du Centro Comercial Santo Tomás
☎ *756-1122*
Carmen et Diego sont propriétaires de deux restaurants portant le même nom. La Villa de los Cofrades Café-Restaurant présente un menu varié et des prix raisonnables. Le deuxième restaurant propose le même menu; son balcon procure un bon point de vue sur la Plaza Central, où se tiennent les activités du marché.

Santa Cruz del Quiché

La gastronomie de Santa Cruz del Quiché s'étale sur le côté sud-est de la Plaza Central, où une vingtaine de *comedores* se disputent les clients. Une pizzeria, au coin sud-ouest de la Plaza Central, sert les mets les plus exotiques en ville, alors que plusieurs pâtisseries bornent le côté ouest.

Comedor Fliper
$
1a. Av. 7-31
tlj 7h à 21h
Au Comedor Fliper, vous pourrez vous délecter de plats simples, fraîchement apprêtés, que vos hôtes concoctent avec amour. Ce tout petit resto respire la gaieté, et l'amabilité du personnel vous charmera sûrement.

Hotel y Restaurante Maya Quiché
$
3a. Avenida 4-19, Z.1
☎ *755-1667*
La salle à manger de l'Hotel y Restaurante Maya Quiché sert une cuisine typiquement guatémaltèque.

Restaurante El Torito Steak House
$
4a. Calle
Que ce soit pour le petit déjeuner, le déjeuner ou le dîner, la cuisine du Restaurante El Torito Steak House satisfera les petits comme les grands appétits. Vous aurez le choix de déguster un petit déjeuner à très bon prix ou de vous offrir un repas le midi ou le soir également à prix raisonnable. C'est le meilleur restaurant, mais le choix n'est pas terrible.

Totonicapán

Presque tous les restaurants de Totonicapán sont situés dans le centre-ville. Pour manger dans les *comedores*, où vous trouverez des repas à bon prix, il faut vous rendre au marché municipal situé au sud-ouest de la place de la Municipalidad.

La Hacienda Steak House
$
8a. Avenida entre 4a. Calle et 3a. Calle, Z.2
☎ *766-2803*
La Hacienda Steak House, située à côté de la Municipalidad, apprête une grande variété de viandes grillées sur charbons de bois. La spécialité de la

Les jours de marché dans les Hautes Terres de l'Ouest

Dimanche
Chichicastenango
Momostenango
Totonicapán
Nahualá
Nebajel
Patzún
San Cristóbal
Totonicapán
La Antigua Guatemala
Santa María
Chiquimula
Comalapa
San Mateo Ixtatlán
Todos Santos
Cuchumatán
San Sebastián
San Juan Atitlán
San Martín Jilotepeque
Tecpán Guatemala
San Lucas Tolimán
San Martín
Sacatepéquez

Lundi
La Antigua Guatemala
Chimaltenango
Zunil

Mardi
Comalapa
Patzún
San Martín Jilotepeque
Sololá
Totonicapán
Olintepeque

Mercredi
Chimaltenango
Patzicia
Santa Lucía La Reforma
Santiago Sacatepéquez

Jeudi
La Antigua Guatemala
Chichicastenango
Nebaj
Sacapulas
San Mateo Ixtatlán
Todos Santos
Cuchumatán
San Sebastián
San Juan Atitlán
San Martín Jilotepeque
Tecpán Guatemala
Nahualá
San Lucas Tolimán

Vendredi
Comalapa
Chimaltenango
Patzún
San Francisco El Alto
Sololá
Santiago Sacatepéquez

Samedi
La Antigua Guatemala
Patzicía
Totonicapán

Marchés permanents
La Antigua Guatemala
Panajachel
Chimaltenango
Huehuetenango
Mixco
Quetzaltenango
San Juan Sacatepéquez
San Pedro Sacatepéquez
Santa Cruz del Quiché
Santiago Atitlán
Totonicapán
Sumpango

Hautes Terres de l'Ouest

maison est le *lomita grande*, un énorme bifteck servi avec des pommes de terre. De proportions plus humaines, les *tacos de pollo* sont délicieux. Le petit restaurant s'avère propre et intime.

Momostenango

La restauration à Momostenango est encore à l'état rudimentaire. Vous rencontrerez sur votre chemin quelques *comedores* près de la Plaza Central qui pallieront vos besoins de base. On y propose de petits plats grillés ainsi

que des salades et des coupes de fruits.

Quetzaltenango

Comme toutes les grandes villes, Quetzaltenango compte tous les types de restaurants : de la cuisine française au fast-food étasunien, sans oublier l'italienne et la chinoise.

Comme de raison, c'est dans les marchés publics qu'on peut se nourrir au plus bas prix. Néanmoins, les nombreux restaurants du centre-ville se font une féroce concurrence qui permet de manger à prix fort raisonnable. Les grands et moins grands hôtels ont tous leur propre salle à manger.

El Rincón de los Antojitos
$

15 Avenida 4-59, Z.1
Situé à 20 m de la Poste, le petit restaurant El Rincón de los Antojitos propose une cuisine végétarienne et des plats du pays à des prix très raisonnables. Le personnel parle français, anglais et espagnol.

Pizza Rica
$

Av. 14 2-42
Si vous avez envie de vous offrir une bonne pizza, n'hésitez pas à entrer chez Pizza Rica. On y propose toutes les garnitures inimaginables telles qu'ananas et autres fruits, en plus du traditionnel pepperoni et du fromage.

Utz' Hua
$

angle Av. 12 et 3a. Calle
Au restaurant Utz' Hua, ne vous attendez pas à de l'extravagance. En effet, le menu est très standard et sans surprise, et affiche des plats typiques de la région. Malgré son manque d'originalité, la cuisine est très bonne et votre bourse n'en sera pas ruinée pour autant.

Pensión Bonifaz
$

4a. Calle 10-50, Z.1
☎761-2182 ou 761-2279
≈761-2850
À la Pensión Bonifaz, à la fois un hôtel (voir p 238) et un restaurant, vous pourrez vous mêler à la foule qui s'y sustente, mais qui veut surtout être vue. En effet, ce restaurant attire la jeunesse branchée de Quetzaltenango, qui bavarde autour d'un café après un repas simple et peu coûteux. On y sert des sandwichs, de la soupe maison et quelques spécialités du chef.

Restaurante Shangai
$

4 Calle 12-22
Pour un peu de dépaysement, allez au Restaurante Shangai, situé près du Parque Centroamérica. En fait, cet établissement se targue d'être LE spécialiste des mets chinois en ville. Son rapport qualité/prix est pratiquement imbattable, et les cuisiniers, qui mettent tout leur amour dans la confection des plats, sont tous des résidants de Quetzaltenango.

Café Baviera
$-$$

5a. Calle 13-14, Z.1 ou 14 Avenida A A-80, Z.1
Longtemps considéré comme l'îlot européen du centre-ville, le Café Baviera est un halle où l'on sert 30 sortes de cafés, de thés et de laits frappés ainsi que des pâtisseries. Les nombreuses photos qui décorent les murs méritent à elles seules une visite. Le Café Baviera a ouvert un deuxième

restaurant sur le côté sud-ouest du parc du Teatro Municipal où l'ambiance est plus moderne, mais les murs tapissés de photos de têtes d'affiche du cinéma américain demeurent aussi nostalgiques. On propose le même menu aux deux établissements, mais la nouvelle succursale a intégré un **cybercafé** à son service.

Petit Paris
$-$$

18 Avenida 4-74, Z.3
Le Petit Paris propose une cuisine à la française mais apprêtée avec des ingrédients guatémaltèques. Les crêpes et les fondues sont particulièrement recommandées. Le propriétaire français est une source intarissable d'informations sur le tissage au Guatemala.

Restaurant Bar Arturós
$$

14 Avenida A 3-09, Z.1
☎763-1938
Vous serez bien accueilli au Restaurant Bar Arturós. On y sert une cuisine internationale et traditionnelle dans une ambiance agrémentée de musique en direct. Un bar confortable et sympathique, contigu au restaurant, est fréquenté par les cols blancs de Xela.

Shai Long
$$

18 Avenida 4-44, Z.3
☎767-4396
Situé à l'écart du centre-ville, le nouveau restaurant Shai Long est certainement le restaurant chinois qui offre le meilleur rapport qualité/prix en ville. On y prépare

une délicieuse cuisine sino-guatémaltèque servie en de gigantesques portions.

Huehuetenango

Café Jardín
$
angle 4a. Calle et 6a. Avenida, Z.1.
Pour déguster les spécialités de Huehuetenango à des prix imbattables, il faut se rendre au Café Jardín.

La Cabaña del Café
$
2a. Calle 6-50, Z.1
☎764-8903
Les nostalgiques de «Ma cabane au Canada» pourront se rendre à La Cabaña del Café, qui offre les repas les moins chers en ville. Ils découvriront alors un vrai «pavillon de chasse québécois» tout en planches, en plus des têtes d'animaux empaillées qui décorent les murs.

Mi Tierra
$
4a. Calle 6-46, Z.1
Fréquenté par les jeunes internautes, le premier cybercafé de Huehuetenango, Mi Tierra, sert, entre autres choses, de délicieux gâteaux au chocolat, et ce, dans un décor futuriste.

Pizzería-Restaurante La Fonda de Don Juan
$
2a. Calle 5-55
Pour une petite fringale, rendez-vous à la Pizzería-Restaurante La Fonda de Don Juan, où l'on sert évidemment de la pizza

ainsi que de bonnes grillades.

Steak House-Restaurante Las Brasas
$
4a. Avenida 1-55, Z.1
tlj 9h à 23h
Au Steak House-Restaurante Las Brasas, vous pourrez vous offrir des mets chinois ou un steak apprêté par son chef émérite. C'est dans une ambiance relâchée et propice à la conversation que vous vous sustenterez, et il ne serait pas étonnant que vous y fassiez d'agréables rencontres.

Vaqueros
$-$$
angle 1a. Calle et 3a. Avenida
Le restaurant Vaqueros propose une cuisine variée : une cuisine chinoise respectable, des poissons et fruits de mer un peu chers, mais un excellent agneau des Cuchumatanes.

Sorties

Fêtes patronales et festivals

Janvier

Les festivités du mois de janvier débutent à **El Tumbador**, dans le département de San Marcos, qui célèbre les Rois mages du 2 au 8 janvier avec des événements sportifs et culturels; le jour principal

est le 5. Le 6 janvier est la fête de **San Gaspor**, et le village d'**Ixchil**, dans le Huehuetenango, célèbre son saint patron du 3 au 6 janvier. La fête du Christ noir d'Esquipulas, le 15 janvier, est célébrée dans plusieurs localités : **Sibilia** et **Colomba**, dans le Quetzaltenango, **Esquipulas Palo Gordo** dans le San Marcos, **Santa María Chiquimula** dans le Totonicapán, **Nentón** dans le Huehuetenango, et **Chinique** dans le Quiché célèbrent ce saint patron pendant plusieurs jours. La même fête a lieu le 21 janvier à **Santa Lucía La Reforma**, dans le Totonicapán. Du 15 au 17 janvier, **San Antonio Ilotenango**, dans le Quiché, célèbre San Antonio Abad avec plusieurs danses folkloriques, alors que San Sebastián est à l'honneur à **San Sebastián Coatán** et à **San Sebastian**, dans le Huehuetenango. Du 19 au 24 janvier, **Ixtahuacán**, dans le Huehuetenango, fête San Idelfonso, tandis que saint Paul Apôtre est célébré le 25 janvier à **San Pablo La Laguna**, dans le Sololá, et à **San Pablo**, dans le San Marcos. **Chiantla**, située au nord de Huehuetenango, célèbre du 28 janvier au 2 février la fête de la Virgen de Candelaria. Cette même fête est célébrée entre le 29 janvier et le 3 février à **Jacaltenango** (Huehuetenango), à **San Juan Ostuncalco**, à **Flores Costa Cuca** (Quetzaltenango) et à **Cunén** (Quiché); le jour principal est le 2 février.

Février

Pour sa part, **Patzité**, dans le département du Quiché, célèbre la fête de la Virgen de Candelaria le 8 février. Du 7 au 10 février, avec comme jour principal le 9, **San Jacinto** (Chimaltenango) célèbre sa sainte patronne Santa Apolonia. Le 12 février, **Santa Eulalia**, dans le Huehuetenango, fête sa sainte patronne.

Mars

Entre le 11 et le 19 mars, **Coatepeque**, dans le Quetzaltenango, organise une foire agricole et le défilé des chars allégoriques a lieu le 15 mars. À la même date, **San José El Rodeo**, **San José Ojetenan**, dans le San Marcos, et **San José Poaquil**, dans le Chimaltenango, célèbrent leur fête patronale.

Le carême

Plusieurs localités ont des fêtes mobiles. **Tecún Umán** célèbre la sienne le premier vendredi du carême; **Ocos**, dans San Marcos, et **San José Chacayá**, dans le Sololá, le dimanche des Rameaux.
La Democracia, dans le département de Huehuetenango, et **Chajul**, dans le Quiché, célèbrent leur fête patronale le deuxième vendredi du carême, tandis que **Cabricán**, dans le Quetzaltenango, et **San Pedro Necta**, dans le département de Huehuetenango, célèbrent leur fête patronale les quatrième et cin-

quième vendredis du carême.

Avril

Aguacatán et **Zacualpa** fêtent 40 jours après la Semaine sainte. La San Marcos est célébrée le 25 avril dans la ville de **San Marcos La Laguna**, dans le Sololá, et dans la capitale du département de San Marcos. **Barillas**, dans le Huehuetenango, commence ses célébrations le 29 avril pour les terminer le 3 mai, alors que **La Esperanza**, dans le Quetzaltenango, commence à fêter le 30 avril et termine le 5 mai, avec comme jour principal le 3 mai.

Mai

La Esperanza, dans le département de Quetzaltenango, célèbre sa fête patronale le 3 mai, de même que **Cajolá**, dans le Quetzaltenango, **Zaragoza** et **Santa Cruz Balanyá**, dans le Chimaltenango. **Comitancillo**, dans le San Marcos, célèbre tout le mois d'avril et jusqu'au 3 mai, la journée principale. **Uspantán**, dans le Quiché, fête l'archange Gabriel le 8 mai. **Santa Cruz La Laguna** fête la Santa Elena le 10 mai, tandis que **Patzún**, près de Chimaltenango, honore San Bernardino de Siena le 20 mai.

Juin

Acatenango, dans le département de Chimaltenango, célèbre entre le 10 et

le 15 juin, et la journée principale est le 11. La Saint-Jean-Baptiste est très célébrée : **San Juan Atitlán** et **San Juan Ixcoy**, dans le Huehuetenango; **Olintepeque**, dans le département de Quetzaltenango; **Comalapa**, au nord de Chimaltenango; **San Juan Cotzal**, dans le triangle Ixil, et **San Juan La Laguna**, dans le Sololá. Le 29 juin, fête en l'honneur de saint Pierre, est célébré dans plusieurs villages : **Almolonga**, près de Quetzaltenango; **San Pedro Sacatepéquez** (San Marcos); **San Pedro Soloma** (Huehuetenango); **San Pedro Jocopilas** (Quiché); **San Pedro La Laguna** (Sololá) et **Yepocapa** (Chimaltenango). Les célébrations entourant la fête du Corpus Christi sont très répandues dans le pays.

Juillet

Tajumulco commence les célébrations du mois de juillet avec plusieurs danses folkloriques et des événements sportifs en l'honneur de Santa Isabel, dont la fête le 1ᵉʳ juillet. **Santa María Visitación**, dans le Sololá, fête la mère du Christ du 1ᵉʳ au 4 juillet, avec comme jour principal le 2. La *fiesta* de **Huehuetenango** dure du 12 au 17 juillet et celle de **Momostenango** du 21 juillet au 1ᵉʳ août (il ne faut pas manquer le jour principal, le 25 juillet). D'ailleurs, le 25 juillet est la fête de Santiago et est célébré dans plusieurs villes et villages : **San Cristóbal Cucho** et **Tejutla**, dans le San

Marcos; **San Cristóbal Totonicapán**; **Chimaltenango** et **Patzicia**; **Malacantcito** et **Santiago Chimaltenango**, dans le Huehuetenango; **El Palmar** et **Coatepeque**, dans le département de **Quetzaltenango**; même **La Antigua** célèbre cette fête. **Santa Ana Huista**, dans le Huehuetenango, célèbre sa fête patronale du 22 au 27 juillet et le jour principal est le 26. **Ixchiguán**, dans les hautes montagnes du San Marcos, célèbre la San Cristóbal entre le 29 et le 31 juillet.

Août

Sacapulas, dans le Quiché, célèbre entre le 1ᵉʳ et le 4 août, ce dernier jour étant le principal. **Santa Clara La Laguna**, dans le Sololá, tient ses festivités entre le 8 et le 14 août et le jour principal est le 12. Il ne faut pas manquer la fête de **Joyabaj** entre le 9 et le 15 août; le jour principal est le 15 et l'on y exécute la danse du Palo Volador. **Sololá** fête entre le 11 et le 17 août et le jour principal est le 15. Cette journée est aussi le jour principal des fêtes de **Nebaj** dans le Quiché, de **Colotenango** dans le Huehuetenango, de **Cantel** dans le Quetzaltenango, et de **Tacaná** dans le San Marcos, et même la capitale du pays célèbre sa sainte patronne, la Virgen de la Asunción, dans l'hippodrome du nord de la ville. **Santa Cruz del Quiché** célèbre sa fête entre le 14 et 19 août et son jour principal est le 18. La fête de San Bartolomé, le

24 août, est célébrée à **San Bartolo**, dans le Totonicapán, et à **San Bartolomé**, dans le Quiché. **Salcajá**, près de Quetzaltenango, célèbre entre le 22 et le 28 août et son jour principal est le 25 août, alors que **Sipacapa**, dans le San Marcos, fête entre le 22 et le 25 août. **Sumpango**, dans le département de Sacatepéquez, célèbre sa fête patronale du 27 au 29 août et le jour principal est le 28.

Septembre

La grande fête de **Quetzaltenango** commence le 9 septembre et se poursuit jusqu'au 17. **San Mateo Ixtatán** (Huehuetenango) et **San Mateo** (Quetzalnango) célèbrent le saint patron le 21 septembre. **Totonicapán**, **San Miguel Acatán**, dans le Huehuetenango, **San Miguel Ixtahuacán**, dans le San Marcos, **San Miguel Sigüilá**, dans le Quetzaltenango, et **Pochula**, dans le Chimaltenango, célèbrent tous la Saint-Michel-Archange le 29 septembre. Du 25 septembre au 5 octobre, **Tecpán Guatemala** célèbre la Saint-François-d'Assise.

Octobre

Le 4 octobre, a lieu la Saint-François-d'Assise, célébrée à **San Francisco La Unión**, dans le Quetzaltenango, à **Panajachel** et à **San Francisco El Alto**, dans le Totonicapán. Les festivités en l'honneur de

l'archange saint Raphaël ont lieu le 24 octobre à **San Rafael Independencia** et **San Rafael Petzal**, dans le Huehuetenango, et à **San Rafael Pie de la Cuesta**, dans le San Marcos. Les habitants de **Todos Santos Cuchumatán**, dans le département de Huehuetenango, débutent les festivités le 21 octobre. Le jour principal est le 1ᵉʳ novembre, jour de la Toussaint mais la course de chevaux aura déjà eu lieu le 29 octobre précédent.

Novembre

Le 1ᵉʳ novembre, la Toussaint, **Santiago Sacatepéquez** et **Sumpango**, près de la ville de Chimaltenango, font voler d'immenses

cerfs-volants appelés *barriletes*. **San Martín Jilotepeque**, dans le Chimaltenango, et **San Martín Sacatepéquez**, dans le Quetzaltenango, célèbrent leur fête patronale entre le 7 et le 12 novembre et la journée principale est le 11. **El Quetzal**, dans le département de San Marcos, célèbre sa fête patronale du 9 au 14 novembre et le jour principal est le 13. **Malacatancito**, dans le département de Huehuetenango, célèbre sa fête patronale le 14 novembre. **Santa Catarina Palopó** et **Nahualá**, dans le Sololá, ainsi que **Catarina**, dans le département de San Marcos, célèbrent leur fête patronale du 22 au 26 novembre et le jour principal est le 25. La Saint-André est célébrée le 28 novembre à **San**

Andrés Sajcabajá, dans le Quiché, à **Cuilco**, dans le Huehuetenango, et à **San Andrés Semetabaj**, dans le Sololá, tandis que cette même fête se tient le 30 novembre à **San Andrés Itzapa**, dans le Chimaltenango.

Décembre

Les fêtes du mois de décembre débutent le 1er à **Santa Bárbara**, dans le Huehuetenango, et le jour principal est le 4 décembre. **La Reforma**, dans le département de San Marcos, célèbre sa

fête patronale du 1er au 5 décembre et le jour principal est le 4. **Génova**, dans le Quetzaltenango, célèbre sa fête patronale du 4 au 8 décembre; ce dernier jour est le principal. **Huehuetenango** célèbre la Virgen de Concepción le 8 décembre, de même que **Concepción**, dans le Huehuetenango, **Concepción Chiquirichapa**, dans le Quetzaltenango, **Concepción**, dans Sololá, **Concepción Tutuapa**, dans le San Marcos, et **Canillá**, dans le Quiché. **Pajapita**, dans le département de San Marcos, célèbre sa fête patro

nale du 6 au 9 décembre et le jour principal est le 7. **Nuevo Progreso**, dans le département de San Marcos, célèbre sa fête patronale le 12 décembre. **Malacatán**, dans le département de San Marcos, célèbre sa fête patronale du 9 au 12 décembre et le jour principal est le 12. **Chichicastenango** honore Santo Tomás du 13 au 21 décembre et le jour principal est le 21. **Chiché**, dans le département du Quiché, célèbre sa fête patronale du 25 au 28 décembre, jour principal.

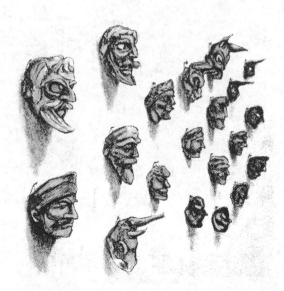

La côte du Pacifique

La côte du Pacifique est une région de contrastes. La plaine littorale, une savane humide qu'on appelle la Costa Sur, se caractérise par un bord de mer long de 300 km, au sable gris bercé par des rouleaux violents qui rendent la baignade très périlleuse.

Ses sols fertiles se composent d'alluvions volcaniques, et le ciel est souvent couvert même si ce n'est pas encore la brève mousson d'été provoquée par l'alizé austral. On y pratique l'élevage de bovins, la pêche, la production de sel et l'agriculture. La canne à sucre et le coton ont succédé aux bananeraies du début du siècle.

Parallèle au littoral, à une distance moyenne de 40 km, la Carretera al Pacífico traverse les nombreuses rivières qui sillonnent la plaine. Elle longe le pied-

mont depuis le Mexique jusqu'au El Salvador, montant rarement plus de 600 m au-dessus du niveau de la mer.

Par contraste, le piedmont, appelé Bocacosta, se distingue par sa végétation tropicale, et ses cultures de café, de sésame, de légumes et de fruits exotiques. Lar-

gement majoritaires les Ladinos de la côte du Pacifique habitent un couloir d'une vingtaine de kilomètres qui borde la Carretera al Pacífico.

Malgré la prépondérance de l'agriculture, on aurait tort d'éviter cette région; les villes d'Escuintla, Mazatenango, Retalhuleu et Coatepeque attestent l'importance économique de la côte du Pacifique, et les citoyens prennent de plus en plus conscience de la richesse de leur patrimoine culturel.

Il faut savoir que la côte du Pacifique a joué un rôle important dans le développement socioculturel du Guatemala. C'est ici qu'on rencontre les premiers signes de sociétés humaines stratifiées; en effet, on a retrouvé d'anciennes sépultures démontrant que le pouvoir économique et politique était concentré dans les mains d'un seul homme ou d'une unique famille.

C'est aussi la première région urbaine du Guatemala. Même si les sites des premières sociétés complexes ne sont pas ouverts au public, on peut admirer, sur la Plaza Central de la ville de La Democracia, les immenses sculptures qui témoignent d'une ancienne culture qu'on appelle Monte Alto.

Dans l'ouest du piedmont, l'ancienne ville d'Abaj Takalik vous fera découvrir une société en transition où la culture olmèque côtoie celle des premiers Mayas. Située au centre de la région, Santa Lucía Cotzumalguapa a donné son nom à une culture qui a connu son apogée entre les années 650 et 1000 de notre ère et dont l'importance commence à peine à se dévoiler.

La côte du Pacifique comprend aussi le parc national de Biotopo Monterrico-Hawaii, une aire protégée où vous pourrez découvrir des zones marécageuses d'une richesse biologique exceptionnelle. Enfin, les stations balnéaires de la côte demeurent des destinations touristiques fréquentées autant par les Guatémaltèques que par les touristes étrangers, et ce, il faut le souligner, malgré les dangers de la baignade.

Un peu d'histoire

Depuis le premier peuplement du continent, le couloir formé par la plaine et le piedmont a toujours été une zone de passage. En effet, il semble que tous les groupes humains qui ont peuplé l'Amérique latine ont parcouru cette voie de circulation d'ouest en est. Les traces laissées par les premiers arrivants ont disparu ou sont difficiles à retrouver.

Les premiers habitants, ceux d'il y a 3 000 ans, ont marqué leur passage de traits culturels dont la paternité et la filiation sont disputées et parfois nous échappent. Plusieurs villes, dont on a oublié les noms, ont occupé cette terre durant le premier millénaire.

Les grandes familles mayas et leur souverain qui habitaient les Hautes Terres ont exploité les richesses du sol et de la mer pendant des siècles. C'est par cette voie de passage naturelle que Pedro de Alvarado s'introduisit au Guatemala en 1523 pour conquérir les peuples qui l'habitaient. Aujourd'hui, les Ladinos occupent le territoire et forment plus de 75% de la population.

Deux cents ans avant l'arrivée des Espagnols

La côte du Pacifique, 200 ans avant l'arrivée des Espagnols, n'avait pas l'allure qu'elle a maintenant. Les conquérants d'alors venaient des Hautes Terres, et leur histoire s'avère aussi originale que celle de leurs prédécesseurs et ressemble un peu à celle des Espagnols qui les suivront.

Selon les écrits anciens, des groupes de guerriers originaires d'une ville dénommée Tulán (peut-être située au bord du golfe du Mexique) auraient conquis (entre 800 et 1250 ap. J.-C.) les K'iche', les Kaqchikel et les Tz'utujiil qui habitaient les Hautes Terres du Guatemala. Ces Toltèques auraient dominé les populations sédentaires, mariant des femmes indigènes et apprenant les différentes langues mayas.

Différentes vagues migratoires se sont propagées sur une période de deux siècles, soit entre 800 et 1000 ap. J.-C. L'ethnohistorien étasunien, John Fox, croit que les Tz'utujiil de la région du Lago de Atitlán se sont installés dans les Hautes Terres entre 900 et 1200 ap. J.-C., tandis que les K'iche' et les Kaqchikel ont suivi plus tard, vers 1200-1250 ap. J.-C.

À quand remonte la conquête des peuples de la côte du Pacifique?

Sandra L. Orellana, dans son histoire de la côte du Pacifique, (qui comprend celle du Chiapas et celle du Guatemala), raconte que la conquête par les K'iche', les Kaqchikel et les Tz'utujiil a commencé au XIVᵉ siècle. Elle croit que cette conquête a connu son apogée peu de temps avant l'arrivée des Espagnols, alors que les K'iche' contrôlaient la partie ouest de la côte depuis la province de Suconosco (dans le Chiapas actuel) tandis qu'à l'est les Kaqchikel avaient agrandi leur territoire d'origine aux dépens des Tz'utujiil.

Selon Orellana, les Pipil, qui occupaient la région d'Escuintla depuis 900 ap.

J.-C. étaient demeurés indépendants jusqu'à la fin du XVᵉ siècle, lorsque les Kaqchikel ont envahi leur territoire et pris possession de certaines villes. La frontière nord entre les deux empires a toujours été très instable et, à l'arrivée des Espagnols, les deux groupes guerroyaient pour le territoire au sud des volcans Fuego et Alotenango.

Les Poqomam occupaient la région de Palín, tandis que la partie est de la côte du Guatemala jusqu'au centre du El Salvador était occupée par les Xinka.

À quand remonte le déclin?

Le déclin des K'iche' a commencé au XVᵉ siècle par la conquête de la côte du Chiapas par les Aztèques, et l'arrivée des Espagnols a mis fin à l'empire côtier des K'iche' mais ceux-ci conservèrent plusieurs terres jusqu'au XVIIIᵉ siècle.

Les Pipil, en déclin depuis quelques siècles, peuplaient peu de territoire à l'arrivée des Espagnols. Leur frontière nord s'arrêtait à Palín, fief des Poqomam. À l'ouest, les Pipil partageaient la rivière Coyolate avec les Kaqchikel; à l'est, la rivière Michatoya les séparait des Xinka, qui, à l'arrivée des Espagnols, occupaient la côte jusqu'au centre du El Salvador.

Quelle était l'occupation du territoire?

Tributaire des plantations de cacao, l'occupation de la côte découlait de la richesse du territoire. Les petites villes s'étaient implantées là où la fertilité de la terre promettait une vie aisée. Aux fins d'irrigation, les villes plus importantes étaient construites près des rivières, en amont des plantations. Avant l'arrivée des Espagnols, le piedmont, plus propice à la culture du cacao, était plus populeux que la plaine côtière, occupée par une forêt de feuillus, et le bord de mer, parsemé de salines.

Certaines villes érigeaient des défenses afin de garder leur indépendance, tandis que d'autres, liées par la parenté ou subordonnées à une ville des Hautes Terres, faisaient partie ce qu'ils appelaient la relation *Tinamit-Amak* (*Tinamit* signifie un centre administratif fortifié situé au sommet d'une montagne; *Amak* signifie un village ou un centre de population de second ordre. Le seigneur habitait le *Tinamit*). La colonisation *Tinamit-Amak* semble avoir profité aux Kaqchikel de la ville forteresse Iximché (voir p 207).

Quelles langues parlait-on?

L'histoire linguistique de la région est complexe, car la côte a souvent servi de lieu de passage aux envahisseurs et aux colonisateurs venus du nord. Certains croient que la langue originale des premiers peuples qui s'établirent sur la côte il y a 3 000 ans était fort probablement le mixe-zoque.

À la suite de la venue des K'iche', des Kaqchikel et des Tz'utujiil, les langues mayas ont prédominé sur le territoire jusqu'à l'arrivée des Espagnols. Des individus parlant le mam habitaient les environs de Retalhuleu, et un groupe parlant le nahua s'était établi près de la frontière mexicaine. Le pipil était la langue principale de la région d'Escuintla, où ce peuple s'était établi entre 800 et 900 ap. J.-C. Plus à l'est et jusqu'au El Salvador, les habitants parlaient le xinka.

Qui étaient les propriétaires de la région?

Il existe peu d'information sur les propriétaires des terres sur la côte du Pacifique à cette époque. Certaines appartenaient à des nobles ou à leurs lignées; d'autres, à des individus; d'autres encore avaient été conquises et incorporées à la capitale ou au *Tinamit* du conquérant.

Quelle était la production agricole et à quoi servait-elle?

Les denrées tropicales qu'on produisait sur la côte du Pacifique étaient consacrées essentiellement à subvenir aux besoins de la population résidante, à payer les tributs exigés par les protecteurs ou les conquérants et, en dernier lieu, à l'échange contre des produits étrangers. Le maïs, les fèves, le coton, le piment, le *patlaxtli* (un cacao de qualité moindre que le *criollo*) et les fruits étaient cultivés dans les petites fermes pour la consommation locale. La pêche, la chasse et la production de sel étaient des activités de subsistance.

Le cacao produit sur des fermes plus grandes était le produit de luxe le plus en demande, comme l'étaient aussi le coton, les plumes et les peaux tannées. Le *criollo*, qui prenait le plus de temps à produire, était le plus apprécié des cacaos. Il va sans dire que la noblesse locale et étrangère s'accaparait d'une grande part des produits de luxe; le reste servait surtout à l'échange.

À qui payait-on les tributs?

Selon Orellana, les peuples de la côte du Pacifique, conquis au début du XIVᵉ siècle, payaient leurs tributs à leur *Tinamit* des Hautes Terres. Il est fort probable que les petites villes d'une région payaient leur protection aux plus grandes. Au XVᵉ siècle, des tributs étaient versés à Iximché, la capitale des Kaqchikel, tandis que les maîtres k'iche' résidant sur la côte du Pacifique s'assuraient que leurs lignées et leurs nobles qui habitaient les Hautes Terres recevraient leur juste part de tributs.

Qui commerçait avec la côte?

Le commerce jouait un rôle important avant l'arrivée des Espagnols. La côte du Pacifique était un lieu privilégié pour le troc entre le Mexique et le Guatemala. Les deux marchés utilisaient le sel, le cacao et les *mantas* (manteaux de coton) en guise de monnaie. Le maïs prédominait dans les échanges nord-sud, c'est-à-dire de la côte vers les Hautes Terres, car les saisons de récolte ne coïncidaient pas et une très grande partie de la plaine côtière et du piedmont était consacrée à la culture du cacao.

Les commerçants des Hautes Terres venaient sur la côte pour s'approvisionner en cacao, en poisson et en sel. Les objets en métal fabriqués dans des régions situées plus au sud passaient par les mains des commerçants de la côte et s'échangeaient dans les régions situées plus haut. Les Pipil étaient reconnus pour leur commerce de

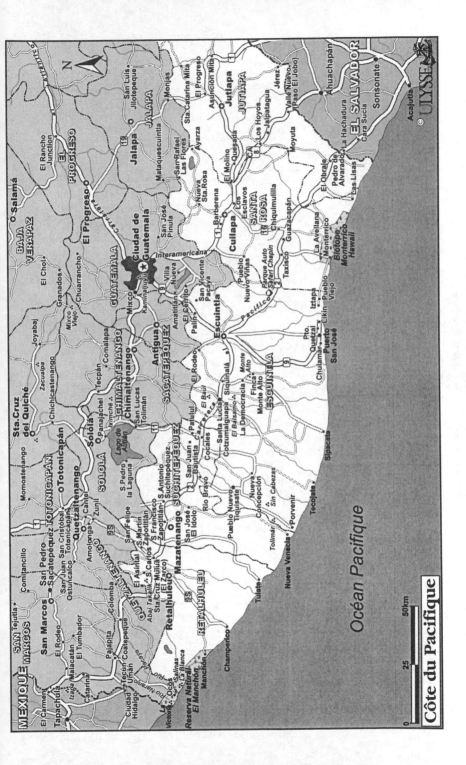

Côte du Pacifique

Depuis le début du XXe siècle, la côte du Pacifique est divisée en six départements dont le découpage relève beaucoup plus de l'histoire politique que de la raison administrative; tous donnent sur le littoral et sont adossés au piémont. L'exploitation moderne des richesses du sol confère cependant à l'ensemble de la région une unité économique que les frontières politiques ou administratives ne sauraient défaire. Les habitants de la côte ont toujours vécu des fruits de la terre et de la mer.

Département	Capitale (*cabecera*)
San Marcos	San Marcos
Retalhuleu	Retalhuleu
Suchitepéquez	Mazatenango
Escuintla	Escuintla
Santa Rosa	Cuilapa
Jutiapa	Jutiapa

Les quatre départements du centre de la région, à savoir Santa Rosa, Escuintla, Suchitepéquez et Retalhuleu, occupent plus de 80% du territoire côtier et produisent la majorité des exportations du pays. Du point de vue touristique, chaque département renferme une diversité d'attraits, depuis les réserves naturelles de Santa Rosa, à l'est, jusqu'aux sites archéologiques des départements du Retalhuleu et de San Marcos, à l'ouest.

métaux parvenant du sud. Le contrôle de ce commerce était la base de leur alliance avec les Tz'utujiil et fort probablement une source d'irritation pour leurs ennemis, les K'iche' et les Kaqchikel.

Pour acquérir les produits mexicains, les marchands du Guatemala ne se rendaient pas à Tenochtitlán, capitale des Aztèques. Le lieu d'échanges était la province de Soconusco, sur la côte du Chiapas actuel, où les *pochtecas*, (ambassadeurs itinérants du commerce aztèque) se rendaient pour l'acquisition des produits du Guatemala.

Une terre des plus riches

Comme on peut le voir, la richesse agricole de la côte du Pacifique a toujours attiré les nobles des Hautes Terres, anxieux de s'assurer d'une provision constante et stable de biens de consommation courante et de produits de luxe. Convoitée par des habitants des Hautes Terres, l'appropriation de ces richesses a souvent suscité des conflits entre les deux ré-gions. Le destin des habitants de la côte du Pacifique fut donc de guerroyer contre ces peuples des Hautes Terres.

Longtemps après l'arrivée des Espagnols, les habitants des villes et villages mayas des Hautes Terres détenaient de vastes fermes communales sur la côte. Tant et aussi longtemps que le cacao fut une denrée recherchée, et que les producteurs avaient accès aux marchés du Mexique et du Guatemala, la côte fut prospère.

Au milieu du XVIIIe siècle, avec le déclin du

cacao, la région connut un déclin qui dura un siècle, jusqu'à l'arrivée d'un nouveau produit : le café. Depuis ce temps, lorgnées par de nouveaux arrivants, ces terres ont fait l'objet de disputes et d'occupations plus ou moins légales. De nos jours, les habitants des Hautes Terres reviennent, le temps d'une récolte, travailler pour les nouveaux propriétaires du sol.

Pour s'y retrouver sans mal

En voiture

La côte du Pacifique est traversée d'est en ouest par une seule route : la Carretera al Pacífico. Elle va de Ciudad Tecún Umán, à la frontière mexicaine, à Ciudad Pedro de Alvarado, à la frontière salvadorienne. Cette grande route est coupée par de nombreuses routes secondaires qui rejoignent la mer ou les Hautes Terres. Vers ces dernières, les trois axes principaux relient la Carretera al Pacífico avec les villes de Quetzaltenango, Panajachel et la Ciudad de Guatemala.

Pour rejoindre la côte à partir d'Antigua, il vaut mieux emprunter l'autoroute qui passe par la capitale que de faire le trajet par Alotenango, car l'état de la route plus directe laisse beaucoup à désirer.

Une nouvelle autoroute à péage *(14Q)* relie la capitale à la Carretera al Pacífico, mais, pour rejoindre celle-ci sans payer, le plus facile est d'emprunter l'autoroute CA9, qui est la continuation de l'Avenida Bolívar et du Boulevar Raùl Aguilar Batres. De la capitale, la ville d'Escuintla est située à 60 km, la frontière du El Salvador, à 165 km, tandis que Tecún Umán, à la frontière mexicaine, se trouve à 250 km.

Depuis Sololá et Panajachel sur le Lago de Atitlán, on rejoint la Carretera al Pacífico en empruntant la route 1 jusqu'à l'embranchement avec la route 11, qui contourne le lac et les volcans Tolimán et Atitlán. Cette route passe par Patulul avant de rejoindre la Carretera al Pacífico à Cocales.

Depuis Quetzaltenango, la route 9S passe par Zunil, rejoint la Carretera al Pacífico à El Zarco et continue jusqu'au port de mer de Champerico.

En autocar

Les autocars de 1ʳᵉ classe

Quelques destinations situées sur la côte sont desservies par des autocars de 1ʳᵉ classe, mais tous passent par les villes suivantes : **Santa Lucía Cotzumalguapa, Cocales,**

Mazatenango et **Coatepeque.** Si le temps presse, il est donc plus rapide de prendre un autocar de 1ʳᵉ classe pour Tecún Umán ou Coatepeque pour les destinations situées à l'ouest d'Escuintla. Tous les autocars de 1ʳᵉ classe et quelques-uns de 2ᵉ classe partent de leur propre gare.

La liste qui suit n'est pas exhaustive, mais comprend la majorité des destinations desservies par les nombreuses compagnies. Il vaut mieux téléphoner pour vérifier et surtout pour réserver un siège.

Il n'y a que des autocars de 2ᵉ classe pour Pedro de Alvarado, sur la frontière salvadorienne; les départs se font au Terminal Zona 4.

Depuis Ciudad de Guatemala vers :

Autosafari Chapin (1 heure 30 min) en passant par Esquintla Delta
Primera (1a.) Calle et 2a. Avenida, Z.4.
Départs aux 30 min entre 6h et 18h30

Champerico (231 km)
9a. Avenida angle 19 Calle, Z.1.
Départs à 4h, 13h, 14h et 16h

Chicacao (155 km)
Terminal Zone 4.
Départs à 5h14, 9h, 12h45 et 15h15.

**Chiquimullilla/ Casa
Viejas (150 km)
sur la route 16,**
Terminal Zone 4.
*Départs aux 30 min entre
9h15 et 18h.*

Coatepeque (261 km)
7a, Avenida 19-44, Z.1.
*Départs à 5h30, 10h,
11h30, 13h30, 14h30,
15h30, 16h et 17h15*

**Coatepeque (261 km)
Transportes Galgos**
7a. Avenida 19-44, Z.1.
☎*253-4868
Départs à 5h30, 8h30,
11h, 14h30, 15h et 19h*

**Colomba (244 km)
F.D.S.**
Angle de 9a. Avenida et 19 Calle,
Z.1.
Départ à 4h30 et 5h45

Escuintla (59 km)
Terminal Zone 4.
*Les départs aux 30 min.
Les autocars s'arrêtent au
Trebol (2a. Calle 1-69.
Z.11).*

Escuintla est le point de
rencontre de la Carretera
al Pacifico et de la route
CA9 qui mène du Paci-
fique à l'Atlantique en
passant par Ciudad de
Guatemala. Plusieurs
autocars s'arrêtent à la
gare principale
d'Escuintla, située à
l'angle de 8a. Calle et 2a.
Avenida, mais il existe
deux autres points
d'embarquement. Les
autocars pour les villes
situées à l'ouest
d'Escuintla (vers le
Mexique) s'arrêtent au
poste d'essence Esso, en
face de la banque Banco
Uno, sur la 3a. Avenida,
dans le nord de la ville.
Les autocars en direction

de la capitale s'arrêtent à
la Plaza Central.

**Iztapa/Guiscoyol
(130 km)**
Terminal Zone 4.
*Départ à 11h tous les
jours.*

**La Democracia
(2 heures)**

Chantla Gomerana
Terminal Zone 4.
*Départ aux 30 min. entre
6h et 16h30.
en passant par Escuintla
et Siquinalá, et en continuant à La Gomera et
Sipacate.*

La Gavia (95 km)
Terminal Zone 4
Départ à 12h45 tlj

**La Gomera/La Barrita
(111 km)**
Terminal Zone 4.
*Départs à 7h15, 7h15 et
8h*

Masagua (71 km)
Terminal Zone 4
*Deux départs par jour :
10h15 et 15h15.*

Mazatenango (165 km)
Terminal Zone 4.
*Départ sont à 2h, 9h30,
10h, 10h30, 11h30 et
11h45.*

**Monterrico, Reserva
Natural (3 heures)**
Terminal Zone 4.
*Départs à 11h, 12h30 et
14h45.
En passant par Escuintla,
Taxisco et La Avellana.*

**Nueva Concepción
(150 km)**
Terminal Zone 4
*Départ aux heures entre
5h et 17h.*

**Nueva Concepción/
Tecojate (170 km)**
Terminal Zone 4
*Départs à 8h30, 11h30,
12h45 et 14h45.*

Ocos (356 km)
Angle de 9a. Avenida et 19 Calle,
Z.1.
*Départ tlj à 11h, 12h, 14h
et 18h*

**Ocos/Aldea Tilapa
(356 km)**
Angle de 9a. Avenida et 19 Calle,
Z.1.
Départs tlj à 14h40

Patulul (122 km)
Terminal Zone 4.
*Départs à 10h30, 12h45,
13h30 et 15h.*

Pochuta (136 km)
Terminal Zone 4.
*Départs à 6h15, 7h30,
12h, 13h15, 14h30, 16h
et 17h.*

**Pueblo Nuevo Tiquisate
(148 km)**
Terminal Zone 4
*Départs aux heures entre
5h et 17h.*

**Iztapa/Escuintla
(1 heure 30)**
Gare d'Escuintla
Angle de 8a. Calle et 2a. Avenida.
*Départs fréquents.
en passant par Puerto San
José et Iztapa.*

**Puerto San José
(110 km)**
Terminal Zone 4.
*Départs à aux 30 min.
Tous les autocars passent
par Escuintla*

Retalhuleu (190 km)
Terminal Zone 4.
*Départs à 2h15, 6h30,
7h45, 8h30, 9h, 10h, 13h,
13h40 et 18h.*

La gare d'autocars de Retalhuleu est située sur la 10a. Calle entre la 7a. Avenida et la 8a. Avenida, Z.1. près de la route principale. De nombreux autocars s'y arrêtent.

Rodeo (287 km)
Rapido del Sur.
Angle de 9a. Avenida et 19 Calle, Z.1.
Départs tlj à 10h30 et 17h30

Samayoa, Mazatenango (165 km)
Terminal Zone 4.
Départs à 14h et 15h.

San Andrés Ozuna (70 km)
Terminal Zone 4.
Départ à 11h30.

San Juan Bautista (122 km)
Terminal Zone 4.
Départs à 14h15 et 14h45.

San Vicente Pacaya (47 km)
Terminal Zone 4
Départs tlj à 8h30, 12h, 15h30 et 16h30. Le samedi, les départs sont à 11h et 13h

Santa Lucía Cotzumalguapa (91 km)
Terminal Zone 4.
Départs aux heures entre 7h et 17h.

Santo Tomás La Unión (167 km)
Terminal Zone 4.
Départs à 13h15 et 14h15.

Sipacate (131 km)
Terminal Zone 4
Départs aux 30 min entre 5h30 et 17h30.

Tecún Umán (frontière mexicaine) (5 heures)
en passant par Escuintla, Mazatenango, Retalhuleu et Coatepeque.

Deux compagnies font le trajet:

Transportes Galgos
7a. Avenida 19-44, Z.1.
☎253-4868
Départ à 5h30, 10h, 13h30 et 16h30

Transportes Fortaleza del Sur
19 Calle 8-70, Z.1.
☎* 220-6730, 232-3643 ou 251-7994
Départs à 1h30, 3h, 3h30 et 17h30

Depuis Totonicapán vers

Retalhuleu
sur la Plaza Central, en face de l'église.
Trois départs par jour (5h30, 8h et 15h)

Depuis Quetzaltenango (de la gare La Minerva) vers

Coatepeque (2 heures 30 min)
Plusieurs compagnies font le trajet.
Départs aux demi-heures.

Mazatenango (1 heure 30 min)
Plusieurs compagnies font le trajet.
Départs aux demi-heures.

Retalhuleu (1 heure)
Plusieurs compagnies font le trajet.
Départs aux demi-heures.

Tecún Umán (la frontière mexicaine et Tapachula) (4 heures)
Plusieurs compagnies font le trajet
Départs se font aux heures entre 5h et 14h.

Depuis Sololá et Panajachel

Les autocars depuis **Sololá** et **Panajachel** se rendent à **Cocales**, sur la Carretera al Pacífico, où vous pouvez changer d'autocar.
Les départs de Panajachel sont à 6h, 6h30, 7h, 8h, 9h30, 12h et 14h. Les heures de départ à Sololá sont 20 min plus tôt.

La frontière entre le Guatemala et le Mexique

De la côte du Pacifique, vous pouvez franchir la frontière entre le Guatemala et le Mexique à deux endroits. **Tecún Umán**, au Guatemala, est reliée à Ciudad Hidalgo par un pont franchissant le fleuve Suchiate. **El Carmen** dans le piedmont, est relié au Mexique par le pont Talismán. Le poste-frontière de Tecún Umán est toujours ouvert et vous y trouverez hôtels et restaurants; la plupart des touristes ne s'y attardent pas.

Tecún Umán est le point d'arrêt des autocars en provenance de Coatepeque, Retalhuleu, Mazatenango, Escuintla et Ciudad de Guatemala. Au Mexique, les cars partent régulièrement de Ciudad Hidalgo pour Tapachula, la ville la plus près de la frontière, d'où les autocars des grandes lignes mexicaines vous conduisent plus nord. Si vous entrez au Guatemala par Tecún Umán, de nombreux autocars empruntent la route CA2 (Carretera al Pacífico) vers l'est.

Vous pouvez franchir la frontière à El Carmen-Talismán, mais, si vous avez le choix, Tecún Umán est tout indiqué. El Carmen est le point d'arrivée des autocars venant de San Marcos et de Quetzaltenango (voir p 260).

Renseignements pratiques

Poste et télécommunication

Retalhuleu

Vous trouverez tous les services au centre-ville, situé à 4 km au sud-ouest de la Carretera al Pacífico; il longe un boulevard où trônent palmiers et arbres exotiques. Quoique cette ville ne dispose pas d'office de tourisme, vous pouvez toujours consulter la Municipalidad *(6a. Avenida)*; les gens qui s'y agglutinent feront alors de leur mieux pour vous aider.
Le service de poste est situé sur la 6a. Avenida entre la 5a. Calle et la 6a. Calle *(lun-ven; 8h à 16h30)*.

Telgua *(tlj 7h à 22h)*, pour sa part, se trouve sur la 5a. Calle 4-50, à environ un pâté de maisons du Parque Central.

Banques

Vous pouvez changer vos devises ou vos chèques de voyage et recevoir des avances sur votre carte Visa aux banques suivantes.

Escuintla

Bancafé
4a. Avenida 6-26, Z.1

Banco de Occidente
4a. Avenida 7-28, Z.1

Banco Industrial
Centro Comercial Plaza Palmeras angle 1a. Calle et 1a. Avenida, Z.2

Santa Lucía Cotzumalguapa

Banco del Ejército
3a. Avenida 5-02, Z.1

Banco Industrial
3a. Avenida 2-65, Z.1

Mazatenango

Bancafé
7a. Calle Prolongación 1-15, Z.2
☎872-1796

Banco de Occidente
Av. La Libertad 8-01, Z.1
☎872-0138

Banco de Occidente
8a. Calle 6-10, Z.1
☎872-2707

Banco Industrial
7a. Calle 2-52, Z.1
☎872-2053

Retalhuleu

Banco Agrícola Mercantil
lun-ven 8h30 à 16h30
au sud-est de la Plaza
☎771-0176

Banco del Agro
5a. Avenida

Le Banco Agrícola Mercantil et le Banco del Agro changent l'argent, les chèques de voyage et fournit des avances de fonds sur la carte Master-Card.

Banco Occidente
6a. Calle, angle 6a. Avenida

Banco Industrial
6a. Calle, angle de 5a. l'Avenida
Banco Occidente et le Banco Industrial, pour leur part servent aussi de changeur pour vos dollars US ou autres, vos chèques de voyage, etc.
Vous pouvez également obtenir des avances de fonds sur votre carte de crédit Visa.

Urgences

Escuintla

Policía Nacional
☎888-0253
angle 4a. Avenida et 9a. Calle, Z.1

Feu
Bomberos Voluntarios
☎888-1122

Hôpital
☎888-0443

**Santa Lucía
Cotzumalguapa**

Policía Nacional
☎882-5032

Policía Militar
☎882-5597

Feu
Bomberos Voluntarios
☎882-5122

Ambulance
Bomberos Voluntarios
☎882-5122

Mazatenango

Policía Nacional
☎872-0102

Feu
Bomberos Voluntarios
☎872-0573

Ambulance Cruz Roja
☎872-0182

Hôpital
☎872-0176

Attraits touristiques

Escuintla est la porte d'entrée de la côte du Pacifique pour tous ceux qui viennent de la capitale guatémaltèque ou d'Antigua. Le département d'Escuintla est composé de 13 *municipios* (municipalités régionales qui peuvent comprendre plusieurs villages) : Escuintla, Guanagazapa, Iztapa, La Democracia, La Gomera, Masagua, Nueva Concepción, Palín, San José, San Vicente Pacaya,

Santa Lucía Cotzumalguapa, Siquinalá et Tiquisate.

Le département d'Escuintla est pourvu du plus grand nombre de sites touristiques, écologiques et récréatifs. Plus riche département du pays, il produit 80% du sucre, 20% du café, 85% du coton et 70% du bétail du Guatemala. Il accueille aussi le plus grand nombre d'industries.

Palín

Situé sur la route principale entre la capitale et Escuintla, Palín est le seul *municipio* à majorité poqomam où les traditions anciennes ont survécu. Il est situé dans les Hautes Terres à la frontière du piedmont, au carrefour des routes de la Ciudad de Guatemala et d'Antigua.

Escuintla

Au-delà de sa fébrilité, la ville d'Escuintla, capitale du département, est reconnue pour ses bains thérapeutiques, ses grottes et les chutes de San Pedro Martír. Sa vie nocturne et ses rues débordantes d'activité attirent un monde fou, surtout les fins de semaine. Peu de touristes étrangers s'y arrêtent. Néanmoins, quelques lieux publics comme le commissariat de police, le marché et la Plaza Central

présentent d'une architecture intéressante.

Plus important pour celui qui y passe, Escuintla est le carrefour où la Carretera al Pacífico rencontre celle venant de la Ciudad de Guatemala, la CA9. Cette dernière mène à Puerto San José et aux différents attraits du littoral, tandis que la Carretera al Pacífico conduit au Mexique ou au El Salvador.

D'Escuintla vers la mer

À partir d'Escuintla, la route CA9 vers le sud vous permettra de rejoindre Puerto San José, Puerto Quetzal, Likin et Iztapa.

Le port de **Puerto San José**, situé à 52 km au sud d'Escuintla, se cherche une nouvelle vocation depuis la construction par la France du port moderne **Puerto Quetzal**. La région de San José offre aux citadins les plages les plus proches de la capitale. À 5 km vers l'ouest, on rejoint la station balnéaire **Chulamar**, avec sa belle plage très achalandée les fins de semaine, tandis qu'à l'est de Puerto Quetzal l'élégante **Likin** donne sur le Pacifique et le canal de **Chiquimulilla,** qui coule parallèlement au Pacifique depuis le El Salvador.

Côte du Pacifique

Les peuples Pipil

Les Pipil du Guatemala ont pratiquement disparu, mais leur histoire mérite tout de même d'être racontée, d'autant que leurs origines sont fort anciennes et qu'Escuintla a été leur capitale pendant de nombreuses années avant l'arrivée des Espagnols.

Les premiers documents faisant état de la présence de Pipil sur la côte du Pacifique parlent de groupes d'immigrés venus de la grande ville mexicaine de Cholula. Selon l'historien du début du XVIIᵉ siècle Juan de Torquemada (1615), ces individus auraient quitté Cholula afin d'échapper à la tyrannie des Olmèques dits «historiques» (on distingue les Olmèques «historiques», soit ceux qui portaient ce nom à l'arrivée des Espagnols, des Olmèques «archéologiques», qui ont construit les villes de San Lorenzo et La Venta sur le golfe du Mexique entre 1200 et 500 av. J.-C.). Leur fuite les aurait d'abord conduits vers la province de Soconusco, sur la côte du Chiapas, qu'ils appelèrent Xolotán, et leur langue était vraisemblablement le pipil ou le nahuat.

Toujours selon Torquemada, les Mangues de Cholula se seraient ainsi joints aux Anahúacs, un peuple de la vallée de México, pour s'établir sur les côtes du Soconusco. Les Olmèques historiques auraient alors envahi cette province et exigé des tributs en nature – entre autres des femmes, des esclaves, ainsi que deux enfants par jour de chaque village. Ces événements seraient survenus à une époque très reculée, soit de sept à huit «âges d'anciens», une mesure locale du temps correspondant au *huehuetiliztli* des Aztèques, d'une valeur de 104 ans.

Après plusieurs années d'occupation olmèque, les peuples du Soconusco ont émigré une autre fois. Les Mangues ont traversé le Guatemala pour finalement s'établir au Nicaragua, où ils ont pris le nom de Nicoyas, tandis que les Anahúacs se sont arrêtés au Guatemala, où ils sont devenus les Pipils. Au cours de cette migration survenue entre 800 et 900 ap. J.C. d'après les données fournies en *huehuetiliztli*, de petits groupes sédentarisés auraient en outre colonisé plusieurs localités. Néanmoins, malgré cette mouvance massive, il semble qu'un certain nombre d'individus soient demeurés au Soconusco, car la langue pipil y était toujours parlée après la conquête espagnole.

Ces sources anciennes coïncident d'ailleurs avec les études linguistiques portant sur les occupants pipil de l'Amérique centrale. Selon le linguiste américain Lyle Campbell, la langue pipil présente en effet des affinités avec la langue nahuat parlée sur le golfe du Mexique. Il présume dès lors que les Pipil ont à l'origine habité la région côtière du Veracruz, d'où une première migration les aurait entraînés vers Cholula; ils auraient ensuite séjourné à Cerro de las Mesas et à Los Tuxtlas avant de coloniser les montagnes et la plaine du Soconusco, dans le Chiapas.

Les études en question montrent que les Pipil ont, à une certaine époque, occupé un territoire qui s'étendait d'Escuintla jusqu'au sud du Guatemala, couvrant presque tout l'ouest et le centre du El Salvador ainsi que la haute vallée du Motagua. Une grande partie de ce territoire a toutefois été conquise par d'autres peuples, surtout lors des guerres qui ont marqué la fin du XV° siècle. C'est à ce moment qu'Escuintla est passée pendant quelque temps sous la gouverne de K'iq'ab, le souverain k'iche'. À sa chute, Escuintla regagna son indépendance.

Durant les guerres préhispaniques, les Pipil s'allient aux Tz'utujili contre les K'iche' et les Kaqchikel. Cette alliance ne sera toutefois que de courte durée, car les Kaqchikel et leurs maîtres k'iche' sortent victorieux des combats et imposent aux Pipil une série de tributs et d'engagements qui dureront jusqu'à l'arrivée des Espagnols. À la conquête, les Kaqchikel d'Iximché considèrent toujours les Pipil comme leurs grands ennemis.

Lorsqu'en 1524 Alvarado part à la conquête de l'actuel El Salvador, les Pipil et les Xinca ne lui opposent que très peu de résistance. De plus, différentes épidémies ont raison de milliers d'individus au cours des deux premiers siècles de la colonie, si bien qu'aujourd'hui les Pipil n'existent plus. On croit que ceux qui parlent toujours une langue «mexicaine» (nahuat ou nahuatl) sont soit d'ethnie xinca (une centaine de personnes seulement au dernier recensement), soit des descendants des Tlaxcalans, les soldats mexicains du conquérant Alvarado.

Côte du Pacifique

La route qui longe la plage s'arrête à **Iztapa**, l'ancien port colonial devenu lui aussi une station balnéaire. Vous pouvez prendre le traversier pour franchir le Río Naranjo et vous rendre à Pueblo Viejo. Le village d'Iztapa est accessible par autobus directement de la Ciudad de Guatemala, d'Escuintla ou de San José.

Monterrico

Vous pouvez vous rendre par bateau à Monterrico, situé dans le département de Santa Rosa. Mais ce village côtier est plus facilement accessible par la route CA 2 en direction du El Salvador. À **Taxisco** ★, vous vous dirigerez vers La Avellana, sur la rive nord du canal de Chiquimulilla.

Le village de Monterrico devient de plus en plus populaire grâce à sa réserve naturelle, le **Biotopo Monterrico-Hawaii** ★★, et aux programmes de sauvetage des tortues du centre d'élevage **Tortugario Monterrico**. Située près de la plage, le Biotopo Monterrico-Hawaii abrite plusieurs espèces d'oiseaux et de poissons. Monterrico doit aussi sa réputation à la tortue olivâtre, une espèce en voie d'extinction que le Tortugario Monterrico tente de sauver.

D'Escuintla à la frontière du El Salvador

Si vous passez par Escuintla, la Carretera al Pacífico vous mènera à l'ancien pays des Xinka, les départements de Santa Rosa et Jutiapa, et à **Pedro de Alvarado**, ville frontière avec le El Salvador. Si les animaux sauvages vous intéressent, vous pouvez vous arrêter au zoo **Parque Auto Safari Chapín** (*mar-dim 9h30 à 17h; Carretera al Pacífico, à 14 km d'Escuintla; km 81*).

Depuis la Ciudad de Guatemala, deux autres routes rejoignent le El Salvador par le sud-ouest du pays. La plus importante, la route interaméricaine CA 1, passe par Barberena et Cuilapa, capitale du département de Santa Rosa. À l'est de la ville, un embranchement, la route 16 vers le sud, rejoint la CA2 en passant par Chiquimulilla. Quant à la route interaméricaine, elle franchit le fleuve Los Esclavos par un pont construit en 1592, le premier pont espagnol du pays. À El Molino, 12 km plus loin, un autre embranchement, la route CA8, se détache et rejoint la frontière salvadorienne à Paso El Jobo. La route interaméricaine continue jusqu'à Jutiapa, capitale du département du même nom, et traverse la frontière à San Cristóbal Frontera (voir p 311).

Située sur la route 16 près de la Carretera al Pacífico, **Chiquimulilla** offre quelques attraits qui méritent un détour : l'église, qui date du temps de la colonie, et le

Tortue marine

centre d'archéologie, situé dans la Casa de la Cultura. Les artisans de la région produisent des bijoux, des selles ainsi que des et des briques pour la construction.

Le *municipio* de Guazacapán, situé sur la côte du Pacifique, est surtout reconnu pour ces attraits naturels : le Cerro Tecuamburro et les chutes de La Chorrera.

D'Escuintla vers l'ouest

D'Escuintla, la Carretera al Pacífico vers l'ouest vous mènera à la frontière mexicaine en passant par quatre départements : Suchitepéquez, Retalhuleu, Quetzaltenango et San Marcos. Vous passerez alors près de plusieurs attraits touristiques dont quelques-uns méritent un arrêt.

Plusieurs routes secondaires menant soit vers les Hautes Terres, soit vers la mer, s'embranchent sur la Carretera al Pacífico. Elles conduisent à des stations balnéaires, à des villages ou à des sites archéologiques ouverts au public.

Comme nous l'avons dit, vous ne retrouverez pas dans la région la splendeur de Tikal, ni les couleurs dépaysantes des villes et villages des Hautes Terres, ni les plages de sable blanc de l'Atlantique, mais d'autres merveilles, par contre, vous surprendront.

C'est une architecture modeste, dont les grandes pyramides sont absentes, qui caractérise les nombreux **sites archéologiques** qui jalonnent la côte du Pacifique. Plus souvent qu'autrement, les monticules qui parsèment çà et là la plaine côtière témoignent de la présence préhispanique dans la région.

Quoique certains sites renferment des structures en pierre taillée et en adobe (voir «Abaj Takalik» p), la région est plus remarquable pour ses sculptures monumentales. Déployant une variété de styles rarement trouvés ailleurs en Mésoamérique, ses monuments précisent les différentes époques d'occupation et définissent les cultures des peuples qui ont habité cette partie du Guatemala. Ils ne vous laisseront pas impassible.

Depuis plus d'un siècle, plusieurs monuments ont été découverts dans les *fincas* de café ou de canne à sucre, ces grandes plantations qui ont remplacé les cacaotiers qui, de temps immémoriaux, parsemaient la côte. Néanmoins, ce n'est que dernièrement que plusieurs dizaines de sites ayant plus de trois monticules ont été répertoriés et certains ont fait l'objet d'études. Tous ne sont pas ouverts au public, mais, dans le département d'Escuintla, deux *municipios* nous offrent la possibilité d'admirer les sculptures monumentales appartenant à des cultures dont le rayonnement reste à découvrir.

La Democracia

Pour visiter La Democracia, il faut se rendre d'abord à Siquinalá, une petite ville sise à 25 km à l'est d'Escuintla en empruntant la Carretera al Pacífico. À Siquinalá il faut prendre la route 2, qui mène à la station balnéaire de Sicapate (42 km). La petite ville de La Democracia est située à 9,5 km sur cette route. Vous y trouverez hôtels et restaurants, mais l'intérêt de La Democracia réside dans les volumineuses pierres sculptées provenant des *fincas* environnantes qui ont été rassemblées sur la Plaza Central.

En 1964, trois têtes colossales et deux personnages en plein sculptés sur de grosses pierres rondes qu'on appelle «boulders» ont été trouvés dans les *fincas* El Transito et **Monte Alto ★★**. Cette dernière plantation a donné son nom à la culture qui nous a laissé ces pièces uniques en Mésoamérique.

Aujourd'hui, la collection comprend cinq têtes colossales et une demi-douzaine de personnages en plein qui sont sculptés sur des boulders et qui prennent la forme naturelle du rocher. Une tête colossale, le monument 10, est exposée devant le Museo Rubén Chévez van Dorne (voir p 263)

Ces monolithes ont été déménagés par les citoyens de La Democracia pendant le projet Monte

Alto, entrepris entre 1968 et 1971. L'excavation du site fut dirigée par deux Étasuniens : Lee A. Parsons et Edwin M. Shook. La poterie en céramique qu'ils ont trouvée atteste une longue occupation débutant au IXe siècle av. J.-C. qui durera jusqu'à 300 ans après J.-C. Selon les archéologues, c'est entre 300 av. J.-C. et 300 ap. J.-C. que l'ancienne ville atteint son apogée, mais ils croient que les sculptures en montre sur la Plaza de La Democracia ont été façonnées bien avant, c'est-à-dire entre 500 et 200 av. J.-C.

Les personnages en plein ressemblent à s'y méprendre aux sculptures de style *Barrigones* (homme pansu) que l'on retrouve un peu partout sur la côte du Pacifique, dans les Hautes Terres du Guatemala, entre autres à Kaminal Juyú (voir p 104), au El Salvador et au Mexique. (On peut voir des spécimens d'«hommes pansus» au musée Popul Vuh et au musée national d'archéologie et d'ethnologie de la capitale.) Le synchronisme et la ressemblance superficielle des deux styles portent à confusion, et plusieurs spécialistes les regroupent sous le terme *Barrigones* mais plusieurs différences existent.

Vous remarquerez que les grands monolithes de Monte Alto mettent à profit la forme naturelle du rocher et que le bas-relief est sensiblement moins prononcé. De dimensions plus réduites, les sculptures de style

Côte du Pacifique

Dernières nouvelles

La ville de Santa Lucía Cotzumalguapa prend de plus en plus d'expansion vers le nord et empiète sur la zone où sont ensevelis les sites archéologiques. En 1996, la moitié du centre cérémoniel d'**El Baúl** fut ainsi détruite lors du lotissement.

Par contre, l'expansion urbaine a aussi permis la conservation de grosses pierres sculptées qu'on pouvait admirer dans les champs de canne à sucre. À la suite d'actes de vandalisme, ces grandes sculptures seront en effet transportées dans un nouveau musée. Il faut en outre savoir que, dernièrement, Ricardo Muñuz, le propriétaire de la Finca Las Illusiones, où se trouve l'**acropole de Bilbao**, a ouvert le **Museo de la Cultura Cotzumalguapa**.

Une dernière bonne nouvelle : la majorité des sculptures monumentales retrouvées sur les terres de la Finca Pantalcón, située à l'est de la ville, ont été transportées dans la Ciudad de Guatemala.

«homme pansu» ont un faciès qui ressemble au visage d'un gros bébé joufflu. L'ornementation des sculptures de ce style est souvent plus élaborée que celle des personnages en plein de Monte Alto.

Un débat persiste sur l'âge des sculptures de Monte Alto. Personne ne peut oublier que le style a servi à déterminer l'âge des sculptures de Monte Alto, car aucun autre indicateur archéologique qui aurait pu identifier l'époque de construction des monuments n'a été trouvé par les chercheurs. L'âge attribué à la culture de Monte Alto, entre 500 et 200 av.-C., a suscité des polémiques dans certains milieux. En situant cette culture après le déclin des villes de San Lorenzo et de La Venta (vers 500 av. J.-C.), certains archéologues prétendent que Monte Alto n'est pas une colonie des Olmèques venus du Mexique. Monte Alto serait postérieure aux Olmèques et aurait été construite par un autre peuple. Refusant les implications de cette hypothèse, certains considèrent que Monte Alto est plus vieille et précède la culture olmèque. Pour eux, Monte Alto serait l'épicentre de la première civilisation de la Mésoamérique, la culture mère qui précéderait les autres.

Seules de nouvelles découvertes ancrées dans une stratigraphie continue pourraient peut-être clore le débat.

Pour l'instant, le cadre généralement accepté propose que la culture de Monte Alto est contemporaine à la culture de Monte Albán (dans l'État d'Oaxaca au Mexique). La culture de Monte Alto est aussi plus ancienne que la culture de l'époque classique (Tikal) des Mayas, mais postérieure à celle des Olmèques.

★★
Les sculptures de la Plaza Central

Le style des sculptures de Monte Alto se définit par des caractéristiques très spécifiques. Les têtes colossales que vous pouvez voir dans le parc sont chauves; les yeux des personnages sont fermés et leur bouche est sans expression; une ciselure en forme de *V* inversé sépare le nez, la bouche et le menton des grosses joues. Les oreilles sont en forme de *C* sur trois monuments. Ces attributs font dire que les têtes colossales de Monte Alto sont des représentations de personnes décédées. Il s'agit sans doute de têtes faisant trophées et de statues d'ennemis sacrifiés.

D'autre part, vous remarquerez que le contour des personnages en plein suit la forme naturelle de la pierre. Ceux-ci comportent une tête sans cou, un visage plat comparable aux têtes colossales. Les corps dodus comportent des membres sculptés en bas-reliefs qui entourent la circonférence du corps; les pieds tentent de se rejoindre à mi-chemin.

Le **monument 11** a une dépression carrée dans le haut de la poitrine qui aurait pu contenir une incrustation, tandis que le **monument 6** porte un médaillon formé de quatre bandes sur la poitrine.

Il est important d'observer le **monument 3**, qui représente la tête stylisée d'un jaguar ou un monstre félin, car il n'entre pas dans les catégories des sculptures trouvées à Monte Alto. Il appartient à un autre horizon sculptural qu'on retrouve en bas-relief sur les stèles d'Izapa et en stuc sur les parois des pyramides de Uaxactún, dans le Petén (voir p 377), ainsi que sur certains temples du Belize. La tête de jaguar en haut-relief que vous voyez dans le parc, avec sa gueule à crocs proé-

minents, ses yeux rectangulaires et ses oreilles en volute, ne ressemble pas aux autres sculptures de Monte Alto.

Selon Parsons, la culture de Monte Alto est unique en son genre et ses sculptures monumentales demeurent énigmatiques.

Stèle n°3 Santa Lucia Cotzumalhuapa

Certes, une vingtaine de sculptures du même style ont été identifiées ailleurs, mais les têtes colossales et les personnages en plein comme celles de Monte Alto trouvent peu de correspondance, et le seul autre site qui possède des sculptures sur boulders d'aussi grande taille est Santa Leticia, près d'Apaneca, sur la côte du El Salvador, près de la frontière guatémaltèque.

★★ Museo Rubén Chévez van Dorne

À côté de l'église et du Palacio Municipal, vous verrez le petit Museo Rubén Chévez van Dorne, *(mar-dim 8h à midi et 14h à 17h)*, nommé en l'honneur d'un citoyen de la ville qui, depuis les années soixante, a lutté pour la reconnaissance et la conservation de l'héritage préhispanique de la région.

Le musée abrite une collection de pièces provenant des *fincas* environnantes. Les vitrines de la salle principale du musée contiennent des figurines et de la poterie en céramique en bon état de conservation. Les objets sont identifiés selon la *finca* d'où ils proviennent. Des pierres de différentes grosseurs jonchent le plancher, et les grandes peintures murales de l'artiste

Côte du Pacifique

Guillermo Grajeda Mena décorent les murs du musée. La pièce de résistance, un masque de jade, orne un mur. Ce masque n'est pas identifié, mais le gardien du musée vous assurera qu'il provient du site archéologique de Monte Alto.

Un corridor mène vers une aire ouverte à l'arrière du musée, où vous verrez des disques en pierre sans ciselure et des pierres rectangulaires ayant fait partie de l'ancienne ville. Une entrée, sur le côté du corridor, donne accès à un patio et à une autre salle. Une pierre (debout) représentant une tête du style de Cotzumalhúapa (voir p 265) est ciselée en très bas-relief. Une sculpture de style «face de bébé joufflu», les bras caressant son ventre, se trouve derrière la pierre. La salle renferme d'autres présentoirs contenant des figurines et des objets en obsidienne; sur le plancher sont disposés des outils de pierre, entre autres des *manos* et des *matates*, les outils qu'on utilise depuis les temps anciens pour moudre le maïs.

Santa Lucía Cotzumalguapa

Situé à 35 km d'Escuintla, directement au sud du Lago de Atitlán, le *municipio* de Santa Lucía Cotzumalguapa (par la Carretera al Pacífico CA2) dessert la communauté agricole qui entoure la ville. Santa Lucía Cotzumalguapa possède son poste de radio et son quotidien. C'est une ville plutôt tranquille; son économie est basée sur l'agriculture, surtout la canne à sucre, dont la transformation se fait à la sucrerie de Pantaleón, une des plus grandes de l'Amérique centrale.

Pour plusieurs touristes, Santa Lucía Cotzumalguapa tire son importance des immenses **pierres ciselées** qui sont disséminées dans les plantations de canne à sucre environnantes et qu'on a cru pendant longtemps intransportables du fait de leur poids. Pour ceux qui s'intéressent aux sociétés d'avant la Conquête espagnole, une halte à Santa Lucía Cotzumalguapa leur permettra de découvrir des vestiges sculpturaux qui témoignent de l'évolution des occupants de la côte du Pacifique. Malheureusement, les structures de l'acropole, mises au jour lors des fouilles archéologiques, ont été enfouies et ne sont plus visibles.

La zone nucléaire de Cotzumalguapa

Traditionnellement considérés comme trois sites séparés, **Bilbao**, **El Baúl** et **El Castillo** forment un complexe de structures monumentales entouré d'habitations s'étendant sur une superficie de 6 km^2. Appelé «zone nucléaire» de Cotzumalguapa, cet ensemble se trouve aujourd'hui enterré sous une couche de sédiments volcaniques et est lamentablement en train de disparaître sous la croissance constante du développement urbain de Santa Lucía. Les sculptures qui ont été récupérées sont en montre aux musées de la Finca El Baúl et de la Finca Las Ilusiones. Elles sauront certainement vous étonner par leur dynamisme et la finesse d'exécution.

Selon les archéologues, la première occupation du site remonte à 600 ans avant J.-C., mais seulement quelques sculptures et des tessons de poterie témoignent de la présence humaine à cette époque.

Les recherches récentes d'Oswaldo Chinchilla Mazariegos démontrent que la culture Cotzumalguapa connut son apogée entre 400 et 900 de notre ère et que Bilbao et El Baúl, construits à 3 km l'un de l'autre, formaient les complexes architecturaux les plus élaborés. Ces deux foyers principaux conservent de grandes plateformes sur lesquelles étaient construits des édifices revêtus de pierres et des jeux de balle. El Castillo, construit entre les deux foyers principaux et séparé d'El Baúl par le Río Santiago, formait un foyer secondaire. Un pont récemment mis au jour reliait El Baúl et El Castillo.

Aujourd'hui, les sculptures de Cotzumalguapa sont, pour la majorité, sorties de leur contexte histo-

Le style Cotzumalguapa

Les monuments de style Cotzumalguapa possèdent des attributs particuliers. Vous remarquerez que les personnages ont le nez aquilin, les lèvres très minces, les oreilles en forme de point d'interrogation et les yeux ciselés par un double tracé. La déclivité des personnages donne en outre l'impression qu'on les voit en plongée.

L'emphase des bas-reliefs porte sur la représentation de joueurs de balle, et la présence de crânes humains et de figures squelettiques prête à des interprétations divergentes, du symbolisme de la mort au respect des ancêtres disparus avec lesquels on tente de communiquer. Plusieurs monuments illustrent des scènes dites de style narratif, très complexes, mettant en présence tantôt deux personnages, tantôt plus.

Hormis les grands monuments, l'art sculptural de Cotzumalguapa comprend des stèles, des têtes colossales, des personnages assis et des bustes humains. Plusieurs motifs de Teotihuacán sont incorporés dans le style, notamment les volutes dessinées sortant de la bouche des personnages pour signifier qu'ils parlent, la représentation de dieux mexicains tel Tlaloc, dieu de la pluie, et les tenons horizontaux en forme de têtes humaines, de serpents et de jaguars.

La majorité des monuments de style Cotzumalguapa ont été mis au jour dans les environs de la ville de Santa Lucía Cotzumalguapa, et son rayonnement est difficile à évaluer. Les caractéristiques de sa sculpture, de son architecture, de sa céramique et de ses figurines se retrouvent même à Cara Sucia, un site de la plaine côtière salvadorienne. Depuis le début du siècle, des monuments de style Cotzumalguapa ont été récupérés dans le bassin d'Antigua et près des nombreux cours d'eau qui sillonnent la plaine côtière. L'inventaire publié par Parsons en 1969 comptait 127 sculptures, dont 58 de Bilbao et 28 d'El Baúl, mais plusieurs autres ont été trouvées depuis.

rique. Certaines sont dans des collections privées, d'autres dans des musées. Le Museum für Völkerkunde de Berlin possède 31 des plus belles sculptures provenant de Bilbao; les immenses stèles sont en montre dans sa collection permanente, tandis que le Musée na-tional d'archéologie et d'ethnologie du Guatemala en possède plusieurs autres. Il y a une stèle au fond de l'eau du port de Puerto San José; elle est tombée à l'eau lors du transbordement pour le voyage en Allemagne et n'a jamais été récupérée.

L'histoire de la découverte du site de Cotzumalguapa remonte au siècle dernier et est étroitement liée à celle des autres sites de la plaine guatémaltèque du Pacifique. De nombreuses fouilles ont eu lieu tout au long de ce siècle dans plusieurs villages de la côte. Chaque nouvelle

Côte du Pacifique

découverte exige la réécriture de la synthèse de l'occupation préhispanique.

La «zone nucléaire» nous a donné la grande majorité des sculptures qu'on peut admirer dans les *fincas* qui se partagent la terre sous laquelle la grande ville ancienne est toujours ensevelie.

★★★
La Finca Las Ilusiones (Bilbao)

L'un des foyers principaux de la culture Cotzumalguapa s'appelle **Bilbao**. Aujourd'hui la *finca* s'appelle Las Ilusiones et se trouve à la sortie de Santa Lucía Cotzumalguapa.

Ricardo Muñuz, le propriétaire de la Finca Las Ilusiones a construit le **Museo de la Cultura Cotzumalguapa**, où il prévoit installer les grandes pierres sculptées qu'on pouvait admirer dans les champs de canne à sucre. (Il est fortement recommandé de louer les services d'un guide pour aller observer les sculptures si elles se trouvent toujours dans les champs de canne à sucre et que les enfants d'ici appellent *las piedras*.)

Pour se rendre à la *finca* : à 1,6 km à l'est du centre-ville de Santa Lucía Cotzumalguapa, sur la route CA2, dirigez-vous vers le nord après le deuxième poste d'essence Esso (au panneau indicateur bleu); un

chemin de terre vous mènera au bureau de la Finca Las Ilusiones. La route est souvent en réparation mais vous serez récompensé, surtout si le musée est ouvert.

Notez que, depuis l'ouverture du Museo de la Cultura de Cotzumalguapa, on s'affaire à y installer les monuments dont la description suit.

Monument 42

Ce monument est la partie inférieure d'une stèle qui, selon Lee Parsons, date du Ier ou du IIe siècle ap. J.-C. La partie supérieure n'a jamais été trouvée, mais ce qui en reste est en bon état de conservation. La stèle représente un personnage à partir de la taille vers le bas, décoré d'éléments finement ciselés, manifestement l'œuvre d'un maître sculpteur. Le personnage porte des sandales à talons, des jarretières perlées aux genoux et une ceinture à l'ornementation compliquée mais soignée. Suspendue à l'arrière de sa ceinture, se balancent une paire de pompons faits de plumes; à l'avant se trouve un trophée en forme de tête humaine vue de profil.

Le personnage est debout et, sous ses pieds, apparaît une tête de dragon vue de profil. À noter, les volutes qui sortent de chaque côté de la bouche du dragon et les trois clochettes à la base de la tête. Ces éléments sont des formes qu'on retrouve dans les sites du

Petén. Le monument 42 est en granit rose, une rareté sur la côte, où la majorité des sculptures sont en basalte. Un autel en granit rose a aussi été trouvé près du monument 42, mais aucun motif n'y avait été sculpté. Le monument 42 a été découvert dans un dépotoir cérémoniel sous un escalier de la Plaza de los Monumentos.

Monument 58

C'est une sculpture du même style que celles de Monte Alto que vous pouvez voir sur la Plaza Central de la ville de La Democracia. Le monument 58 représente un «homme pansu», les mains sur le ventre, les yeux fermés et les jambes croisées sous le postérieur.

Monument 28

Plusieurs sculptures sont cylindriques comme le monument 28, un bassin orné d'un torse humain, les bras croisés. Dans le musée, vous verrez une série de blocs sur lesquels sont sculptés en bas-relief des membres du corps humain, à savoir un bras, une jambe, une tête, etc. Ces blocs faisaient partie de la balustrade et de l'escalier de la Plaza de los Monumentos.

Monument 21 ★★★

Ce monument était toujours dans le champ de canne à sucre lors de notre passage. Le monument 21 est une pierre basaltique dont le bas-relief est ciselé sur une face aplanie. Il mesure 3 m de haut et fait 4 m de côté : c'est le plus grand bas-relief de «style narratif» de la culture Cotzumalguapa.

La ronde-bosse montre trois figurants exagérément vêtus d'ornements : un personnage principal debout tenant un couteau dans sa main droite; la tête tournée, il tend la main gauche à un deuxième personnage assis sur un trône qui, quant à lui, tient dans sa main gauche un objet et parle au premier, comme l'indique la volute qui sort de sa bouche. À la gauche du personnage principal, un petit homme à barbe tient un objet devant lui et, de sa main droite (derrière lui), manipule une marionnette. Des oiseaux, des serpents et un papillon à tête humaine se confondent avec les vignes et les cosses de cacao d'où sortent des visages humains : voilà le décor de la scène sculptée sur le monument 21.

De style dénommé narratif, le monument 21 raconte une histoire. Plusieurs interprétations ont été proposées. Lee A. Parsons, qui a dirigé les fouilles sur le site de Bilbao, croit que l'iconographie est reliée au jeu de balle. Marion Hatch, qui a classé chronologiquement tous les monuments de style Cotzumalguapa, a pu identifier trois souverains de la ville-État de Cotzumalguapa. Elle pense que le personnage principal de la scène du monument 21 est nul autre que le premier souverain de la dynastie.

Sculpture de la culture Bilbao

Monument 18 ★★

Lors de notre passage, le monument 18 gisait à une cinquantaine de mètres au sud-est du monument 21.

Le grand monument 18 (3,87 m sur 2,34 m) représente trois personnages debout : le plus grand, celui de gauche, a les mains tendues devant lui et fait face aux deux autres personnages, dont les pieds ne touchent pas le plancher. Entre le personnage de gauche et celui du centre, on peut voir un long objet rectangulaire avec des pinces de crabe au bout en bas. Le troisième personnage, celui de droite, est le plus petit et semble être le vassal de celui du centre. Les deux personnages de droite portent un étendard ou une vigne qui passe au-dessus d'un cartouche glyphique qui encercle un singe. Le singe est le symbole qui identifie le jour Ozomatli selon la tradition de Cotzumalguapa.

Marion Hatch croit que la scène narrative du monument 18 représente le passage du pouvoir d'un souverain à un autre. Le sceptre, symbole du pouvoir, est remis au souverain 2. Selon cette interprétation, le personnage du centre est le souverain 1, et celui de gauche, le souverain 2.

La Finca El Baúl est située au nord de la ville de Santa Lucía Cotzumalguapa. Pour vous y rendre ainsi que pour voir les sculptures qui sont dans les champs, notez les indications suivantes.

De la Plaza Central, empruntez la 3a. Avenida, vers le nord, qui tourne et monte jusqu'à l'église d'El Calvario sur votre droite; 2,2 km plus au nord, vous verrez un panneau indicateur pour Los Tarros. Tournez à droite au panneau et faites 1,4 km jusqu'au sommet de la colline, où un sentier mène à l'acropole ensevelie et à deux monuments. Les monuments 2

Côte du Pacifique

et 3 sont encore vénérés par les habitants de la région immédiate, et l'acropole ensevelie sous les monuments est toujours un lieu d'offrandes de fleurs et de chandelles comme vous pourrez le constater. Le respect est de mise.

Monument 2

Le monument 2, une stèle sur laquelle apparaît un seul personnage, debout et vêtu d'une jupe, dénommé localement *La Reina* (la Reine), représente probablement un homme orné d'un vêtement spécial. Le glyphe reproduisant Tlaloc décore le centre de la jupe, tandis qu'une tête et un serpent ornent le panache représentant Xiuhcóatl ou Xiuhteculıtli, le dieu aztèque du feu et de l'année. C'est le plus ancien dieu de la Mésoamérique. Dans la mythologie aztèque, *Xiuhcóatl* porte le soleil de son lever au zénith. Deux cercles à gauche et six à droite du personnage font le compte de huit, et la tête de cervidé représentée en haut à gauche semble reproduire la date 8 cerf du calendrier mexicain. Une autre interprétation veut que «cerf» soit le nom du personnage, nom que l'on retrouve chez les Mixtèques d'Oaxaca, au Mexique. Pour sa part, Marion Hatch croit que le monument 2 représente le souverain 3 de la dynastie de Cotzumalguapa.

Monument 3 ★★

Situé tout près, le monument 3, une tête colossale, doit sa gloire au sourire ou à la gueule de chameau du vieil homme ou du dieu que l'on voit. Une couronne, symbole du dieu Xiuhcóatl, coiffe une tête à demi enfouie dans le sol. Les yeux cernés, le nez plissé et les oreilles par devant, le vieil homme représente, selon Marion Hatch, le souverain 3.

Vous verrez, dans le champ voisin, le monument 4, plus gros que les monuments 2 et 3.

★★★
Finca El Baúl

Pour voir les monuments de la Finca El Baúl regroupés au bureau principal de la *finca*, il faut retourner au panneau Los Tarros et prendre la route vers le nord. Le bureau est situé à 2,5 km du panneau.

Une plateforme de béton recouverte d'un toit de chaume abrite des douzaines de sculptures. En plus des quelques monuments placés devant l'abri, ces sculptures forment une collection de bas-reliefs, de hauts-reliefs, et de pièces architecturales qui datent d'époques aussi lointaines que le préclassique récent (de 300 av. J.-C. à 300 ap. J.-C.) et le classique (de 300 à 900 ap. J.-C.). La majeure partie des sculptures proviennent du site d'El Baúl, situé aux environs de l'acropole. Quatre

des principaux monuments sont au centre de l'abri. Ce sont les plus grands.

Monument 12

Le monument 12, situé à votre droite, qui est le double du monument 1 de la Finca Pantaleón (voir p 269), provient de l'acropole. C'est une sculpture en haut-relief représentant la tête d'un homme aux traits qu'on ne retrouve pas souvent en Mésoamérique. Le panache forme une niche avec ses plumes qui recouvrent les épaules du personnage. Le chapeau que porte le personnage est rond et gonflé comme un ballon; la partie avant de cette coiffe est ornée d'un écusson représentant une figure assise les jambes croisées, d'où monte le panache de plumes.

Stèle 1 ★★

Face au petit trottoir, la grande **stèle 1**, aussi dénommée la **stèle Herrera**, est source d'interrogation depuis sa découverte en 1923 par T.T. Waterman. Celui-ci croyait qu'elle appartenait à la culture aztèque de l'époque qui précédait immédiatement la Conquête espagnole. Des études ont démontré que cette stèle fait partie des œuvres de style Izapa reliées au début de l'ère maya. Les glyphes du «compte long» maya d'une facture particulière indiquent l'année 37 ap. J.-C. C'est une date très lointaine, et elle soulève plusieurs questions sur la paternité du calendrier maya.

Le jaguar

À gauche de la stèle 1, la sculpture d'un énorme jaguar assis sur ses pattes arrière provient de l'époque située entre 600 et 900 ap. J.-C.

Monument 27

À la gauche du jaguar le monument 27, une stèle sur laquelle apparaissent deux joueurs de balle, a été découvert en 1964 en parfait état de conservation. La stèle comporte une niche formant un arc en haut et un registre en bas. Elle représente un grand personnage masqué, debout et tourné à gauche vers un plus petit qui est prosterné à ses pieds. Selon certaines interprétations, ce sont le vainqueur et le vaincu du jeu de balle. Le vainqueur porte un masque de coyote percé d'un trou rond. En second plan, on voit l'œil et la racine du nez. Une branche de feuillu semble sortir de la bouche du vainqueur en guise de parole. Celui-ci porte un pagne et ses mains sont protégées par de gros gants qui sont noués aux poignets de rubans et qui ressemblent aux gants de boxe d'aujourd'hui. Il tient une balle dans chaque main.

Le vaincu porte aussi de gros gants et tient une balle dans chaque main. Il est renversé en arrière et est coiffé d'une tête de cerf qui est nouée à son cou avec un cordon.

Du coin supérieur gauche, un petit personnage, qui porte toujours des traces d'une teinture rouge, plonge la tête la première, à la manière du «dieu descendant», tendant à bout de bras une couronne munie d'un bandeau qui flotte.

Sous cette divinité, deux glyphes identiques superposés représentent une tête de vautour sur sept points à l'intérieur d'un cercle. Les glyphes seraient d'origine mexicaine.

Dans le registre inférieur sont alignés six tout petits personnages en haut-relief, assis, vus de face, les bras croisés sur la poitrine, et portant des coiffures tripartites avec écusson par-devant et des disques dans les oreilles.

D'autres belles **sculptures** et quelques **tenons** jonchent le terrain autour de l'abri. En face de la plateforme, vous verrez des tenons horizontaux à tête humaine, des figures assises les jambes et les bras croisés; sous l'abri, des crapauds et des monstres marins, des têtes de serpent et, en face du poteau du centre, une pierre rectangulaire sur laquelle apparaissent deux personnages coiffés de panache, séparés par un sceptre et entourés de glyphes; des volutes sortent de leur bouche : un très beau bas-relief. Ne manquez pas de contempler les différentes représentations du **dieu Tlaloc** ciselées en bas-relief, qui ressemblent à celle retrouvées à Chichén Itzá et à Seibal.

Sur le chemin du retour vers Escuintla, vous pouvez vous arrêter à la Finca Pantaleón, située du côté nord de la Carretera al Pacífico à 3,5 km à l'est de Santa Lucía Cotzumalguapa. L'entrée se trouve après le pont de la rivière Pantaleón. Plusieurs sculptures étaient exposées à la Finca Pantaleón, mais elles ont été transportées à la Ciudad de Guatemala. Elles sont exposées dans l'édifice Las Margaritas, le bureau central et le stationnement de Pantaleón S.A., dans la zone 10, à la Ciudad de Guatemala. À notre passage, il ne restait que le monument 1, le jumeau du monument 12 de la Finca El Baúl (voir plus haut).

Entre Santa Lucía Cotzumalguapa et Mazatenango

La Carretera al Pacífico vers l'ouest mène dans le département de Suchitepéquez. L'agriculture, base économique de ce département, est diversifiée : cacao, café, coton, citronnelle, cardamome, bananes, sucre, maïs, fèves, fruits tropicaux et riz. La petite industrie inclut les salines et l'extraction des huiles végétales et essentielles ainsi que l'embouteillage des boissons gazeuses. Ici le sol est riche; dans tout le Guatemala, lorsqu'on veut dire qu'une terre est riche, on se réfère au sol de Suchitepéquez. Seul le

Côte du Pacifique

La production de café au Guatemala

Le triangle Quetzaltenango–Retalhuleu–Mazatenango fournit 90% de la production nationale de café, le Guatemala en étant le cinquième exportateur du monde. Le café assure, avec le tourisme, la majeure partie des revenus en devises du pays, et c'est ici que l'on trouve les plus vastes plantations privées d'Amérique latine.

La récolte, qui a lieu d'août à novembre, requiert une main d'œuvre supplémentaire, celle des travailleurs saisonniers, *ou cuadrilleros.* Les Indiens des Hautes Terres sont généralement employés pour la cueillette, et les grands propriétaires les font travailler pendant plusieurs semaines pour un maigre salaire.

village de **San José El Idolo** déclare une population kaqchikel (25%), la population étant en grande majorité d'origine *ladina.*

À Cocales, à 23 km à l'ouest de Santa Lucía Cotzumalguapa, une route vers le nord mène à **Patulul** et à San Lucas Tolimán, sur le bord du Lago de Atitlán. Le Palacio Municipal de Patulul, avec son architecture coloniale, mérite un arrêt. Vers le sud, la route conduit à **Tecojate**, une station balnéaire située à 60 km de Cocales.

La Carretera al Pacífico continue vers l'ouest, passe par San José El Idolo et **San Antonio Suchitepéquez ★**, qui était la

capitale régionale au temps de la colonie.

★

Mazatenango

Mazatenango, la capitale du département de Suchitepéquez, est à 71 km de Santa Lucía Cotzumalguapa. Mazate-

Caféier

nango est une ville coloniale sans prétention. Si vous passez par ici durant le carnaval, au mois de février, vous pourrez voir des concours de peinture et de photographie, des défilés de voitures anciennes, des expositions de produits artisanaux et les fameuses danses folkloriques de La Conquista.

San Francisco Zapotitlán

À San Francisco Zapotitlán, à 5 km au nord de Mazatenango, on a trouvé une sculpture précolombienne représentant un jaguar assis, une rareté non seulement pour sa forme mais aussi pour son lieu de découverte. Pour la voir, il faut s'adresser à la mairie.

El Zarco

À 18 km de Mazatenango, El Zarco est le point de rencontre de la Carretera al Pacífico et de la route 9S, qui monte vers les Hautes Terres en direction de Quetzaltenango. La route 9S est tortueuse et abrupte; elle sillonne la luxuriante forêt tropicale de la Bocacosta (piedmont). Elle mène à **San Martín Zapotitlán** ★ (dont 44% sont d'origine kaqchikel et k'iche') et à Zunil (voir p 228), où elle se sépare en deux tronçons qui mènent tous deux à Quetzaltenango (voir p 226). Un tronçon passe par Cantel (voir p 228); l'autre, par Almolonga (voir p 227). D'El Zarco, la 9S vers le sud mène à Retalhuleu et au port de mer Champerico.

Retalhuleu

Le département de Retalhuleu (appelé Ré-ou) se divise en neuf *municipios* : Retalhuleu Cabecera, San Sebastián, Santa Cruz Muluá, San Martín Zapotitlán, San Felipe, San Andrés Villaseca, Champerico, Nuevo San Carlos et El Asintal. Sa base économique est l'agriculture, le tourisme et la petite industrie comme la transformation du coton, la fabrication de meubles en bois et en métal, l'embouteillage de boissons gazeuse, ainsi que l'industrie de la chaussure. L'histoire de la région a laissé ses marques dans le sol. Plusieurs sites préhispaniques ont fait l'objet de fouilles dont les résultats confirment l'occupation intense du territoire avant l'arrivée des Espagnols.

Dès 1574, la province de Zapotitlán, le département d'alors, fut administrée à partir de la capitale du pays. Plusieurs villages mayas ont

été réimplantés dans le département de Retalhuleu, ce qui créa une division nord-sud sur une base ethnique. Cette division a été la source de plusieurs conflits qui ont marqué l'histoire des deux derniers siècles.

Plusieurs édifices de Retalhuleu (la capitale) témoignent de la prospérité de la région. L'église coloniale, d'une blancheur immaculée, et le Palacio Municipal, qui loge la mairie et le poste de police, attestent cette richesse. Mais la culture de la ville ne se limite pas aux seuls splendeurs architecturales de la capitale du département. La région est riche en sites archéologiques qui ne sont pas ouverts au public. En plus d'Abaj Takalik, qu'on peut visiter, 33 sites ont été identifiés et quelques-uns ont fait l'objet d'études : Ujuxte, El Mesak, Monte Rico, Ocosito, Flamenco et San Juan Noj. Depuis quelque temps, on a ouvert un musée pour loger et protéger l'héritage culturel de la région. Contigu au **Palacio del Gobierno**, le **Museo de Arqueología y Etnología** *(6Q; mar-dim 9h à midi; et 14h à 18h; Plaza Central, 6a. Avenida)*, qui possède plus de 700 objets datant de l'époque préclassique et classique, expose une partie de sa collection ainsi que des photos relatant l'histoire de Retalhuleu.

Champerico

La route 9S vers le sud mène au port de mer Champerico, qui a été construit pour l'exportation du café lors de l'expansion économique de la fin du siècle dernier. Il est maintenant peu utilisé. Les plages de Champerico sont fréquentées par les citadins de Quetzaltenango.

Abaj Takalik

Pour vous rendre à Abaj Takalik à partir de Retalhuleu, vous devez retourner sur la Carretera al Pacífico et continuer vers l'ouest jusqu'au panneau qui indique «El Asintal». Tournez à droite et rendez-vous jusqu'à El Asintal, où vous prendrez un chemin jusqu'au panneau qui indique «Abaj Takalik». Au panneau, tournez à gauche sur le chemin qui mène au site après quelques courbes.

Sur le chemin entre El Asintal et le panneau indiquant «Abaj Takalik», vous passerez devant l'entrée de la **Finca Santa Margarita**, où vous trouverez une sculpture de style *Barrigones* représentant un personnage assis. La sculpture est sous un abri du côté ouest du chemin, à 3 km d'El Asintal; elle provient d'Abaj Takalik.

À 30 km de Retalhuleu dans le *municipio* d'Al

Côte du Pacifique

Asintal, le site archéologique d'Abaj Takalik mérite un détour pour tous ceux que les civilisations préhispaniques intéressent. Abaj Takalik est sans contredit l'un des plus importants sites du Guatemala ouverts au public. Ses vestiges tracent l'évolution et définissent les composantes des premières cultures de la côte et du piedmont guatémaltèque. Son occupation ancienne, confirmée par la présence de poterie en céramique qui date de 1 500 ans avant J.-C., s'étend jusqu'à l'arrivée des Espagnols, voire jusqu'à aujourd'hui.

En effet, des rituels religieux et divinatoires sont toujours pratiqués sur le site d'Abaj Takalik. Sa fréquentation courante par des prêtres traditionnels, ou par des devins pour qui la communauté démontre le plus grand respect, témoigne autant de son importance comme centre religieux que de la vénération des pratiquants à l'égard des ancêtres.

La superficie d'Abaj Takalik couvre quelque 9 km^2 dans le nord-ouest du piedmont de la côte du Pacifique. Le site, qui s'étend sur plusieurs plantations de café, est remarquable par l'abondance des monuments sculptés dans les styles olmèque et maya.

Ses premiers monuments de style olmèque datent d'une époque située entre 800 et 300 av. J.-C. et marquent le début d'une période d'activités archi-

tecturales intenses. Ces plateformes, probablement des bases pour des temples en matériaux périssables, sont construites à partir de pierres et d'argile. Elles forment de petites unités ou des complexes bien définis où sans doute, vivait la classe dirigeante. Les constructeurs ont fait preuve de connaissances architecturales et sculpturales très avancées pour cette époque.

La présence des sculptures de style olmèque soulève la question de filiation et d'appartenance culturelle d'Abaj Takalik. Sa situation géographique laisse présumer qu'on y avait des échanges économiques ou des relations étroites avec les sites environnants de la côte du Pacifique. Mais tel n'est pas le cas; la céramique d'Abaj Takalik se retrouve plus à l'ouest dans les sites de Bilbao, Monte Alto et El Bálsamo, et sa présence dans les Hautes Terres indique des contacts soutenus avec les habitants de Kaminal Juyú ainsi que ceux qui vivaient alors dans les départements de Quetzaltenango, Sololá et Chimaltenango, ainsi que dans la vallée de Salcajá.

D'ailleurs, les constructions en pierres sèches de cette époque ancienne rappellent les structures de Kaminal Juyú, alors que la céramique et les figurines indiquent des contacts directs entre ses deux régions.

Malgré la présence des 12 monuments de style ol-

mèque que possède Abaj Takalik, l'absence des autres indicateurs archéologiques comme la céramique infirme une occupation olmèque. Pour Miguel Orrego Corzo, l'archéologue qui dirige le Proyecto Nacional Abaj Takalik, ces monuments ont un style mésoaméricain très à la mode à cette époque lointaine. Mais tous ne sont pas de cet avis; John Graham, de l'université Berkeley, en Californie, croit que le monument 65, qui représente la tête d'une personne, est antérieur aux fameuses têtes colossales des sites olmèques de San Lorenzo et de La Venta. Pour Graham, si cela se confirme, Abaj Takalik pourrait participer à une paternité guatémaltèque à ce type d'art sculptural qu'on retrouve dans le golfe du Mexique. Malheureusement, le monument en question a été trouvé dans un contexte difficile à dater; des excavations pourraient trancher la question de paternité.

Aucune manifestation concrète ne permet de déterminer la filiation culturelle de cette première époque d'occupation d'Abaj Takalik. Néanmoins, les données et les indicateurs archéologiques habituels confirment la présence d'une société hiérarchisée où les connaissances sculpturales et architecturales sont bien développées. Ses habitants commerçaient et échangeaient avec ceux des Hautes

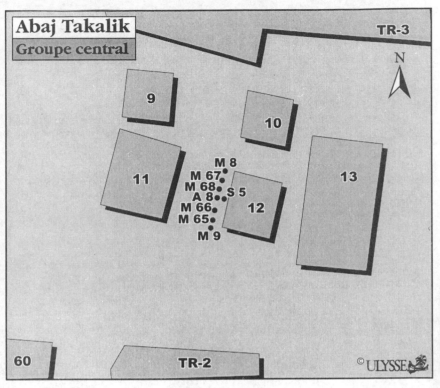

Terres et du piedmont tout en agissant comme barrière culturelle entre les Hautes Terres et les habitants de la côte du Pacifique.

Les archéologues constatent de grands changements socioéconomiques et politiques entre 300 av. J.-C., et 200 ap. J.-C. c'est-à-dire au préclassique récent. Les occupants du site pendant cette période appartiennent à une culture différente de la précédente. Une deuxième période d'intense activité de construction transforme considérablement la physionomie du site. Les anciens complexes architecturaux sont enfouis sous d'énormes terrasses, sur lesquelles sont construites les premières structures monumentales en pierre et en argile. Cette période de grandeur relative témoigne des nouvelles relations d'Abaj Takalik avec des sites de la côte du Pacifique ainsi que de l'arrivée de groupes de culture maya.

L'érection de stèles et de couples stèle-autel commémoratifs, sur lesquelles sont gravés des inscriptions du calendrier et des hiéroglyphes faisant partie de l'iconographie maya, témoigne d'un nouveau style sculptural. Les édifices anciens, dont l'état de conservation laisse à désirer, comportent des murs en pierres rondes. La stèle 5 (voir plus bas), érigée en l'an 126 de notre ère, est associée à la structure 12 et marque une nouvelle

époque où les coutumes mayas se consolident.

Dans les périodes subséquentes, les traits proprement mayas prennent de plus en plus d'importance. Entre 200 et 300 ap. J.-C. (le protoclassique) et au début du classique ancien (entre 300 et 400 ap. J.-C.), de grandes rénovations voire transformations des structures architectoniques prennent place. Les formes architecturales strictement mayas confirment l'importance d'Abaj Takalik dans la région.

Malheureusement, la splendeur et l'importance du site sont de courte durée. La période entre 400 et 550 ap. J.-C. est agitée, l'ordre politique bousculé; les destructions et les mutilations des monuments attestent les changements déterminants qui ont lieu dans la ville. Les maîtres ne construiront plus de temples et n'érigeront plus de stèles. L'activité architecturale prend fin et, même si la population ne quitte pas complètement le site, l'abandon se fera petit à petit.

Aucune nouvelle structure ne sera érigée durant les périodes du classique récent (550-900 ap. J.-C.) et du postclassique, c'est-à-dire entre 900 et 1524 ap. J.-C. Néanmoins, des groupes, qui sont peut-être sédentaires ou en transit, occuperont les édifices déjà construits et utiliseront le site comme centre cérémoniel jusqu'à l'arrivée des Espagnols.

Depuis le début du Proyecto Nacional Abaj Takalik, les archéologues ont surtout travaillé dans la partie du centre de l'ancienne ville, soit le **Grupo Central**. La visite du site est limitée aux structures dégagées et toujours visibles où l'on peut voir les monuments, stèles et autels *in situ*. L'ordre dans lequel ces sculptures sont décrites suit l'itinéraire que nous avons parcouru. Vu la poursuite des fouilles, cet ordre pourrait être bousculé dans l'avenir. La structure 12, qui est située sur le côté est d'une *plaza* du Grupo Central, est une plateforme faite de pierres rondes qui s'élève sur trois étages flanqués d'escaliers sur deux côtés. Vous verrez la phase finale de construction qui remonte à l'époque classique ancien, c'est-à-dire entre 300 et 550 ap. J.-C., et qui ensevelit d'autres structures plus anciennes.

La rangée de sculptures qui borde la façade ouest est encore plus intéressante. Les six monuments, la stèle et l'autel sont axés sur une ligne nord-sud et protégés par un toit de tôle. Le monument 9, situé au sud, représente une tête humaine mutilée, aux yeux en amande, coiffée d'un casque ressemblant à celui que portent les têtes colossales olmèques du golfe du Mexique.

Suit le monument 65. Il représente lui aussi une tête humaine mutilée portant le casque olmèque.

Le monument 66 évoque une tête d'alligator et date de l'époque du préclassique moyen (entre 800 et 300 av. J.-C.). Néanmoins, ce monument a été réutilisé par les habitants de la deuxième occupation.

La pierre suivante, la stèle 5, découverte en 1976, contraste par la beauté de son bas-relief. Sont représentés deux personnages face à face, séparés par une série de hiéroglyphes mayas comportant deux dates dont la dernière se traduit par l'an 126 ap. J.-C. selon notre calendrier. C'est 166 ans avant la première date inscrite sur la stèle 29 de Tikal. Selon l'archéologue John Graham de l'université Berkeley, les personnages sont de la même facture que ceux représentés sur la stèle 18 d'Izapa, un site mexicain situé près de la frontière avec le Guatemala. Les personnages de style maya représentent des visiteurs venus d'Izapa pour des raisons encore non déchiffrées. Une pierre ronde qui ne porte aucune iconographie, soit l'autel 8, a été trouvé au pied de la stèle 5.

Le monument 68, qui représente un batracien dans un style indéfini, daterait de la période entre 800 et 300 av. J.-C. (préclassique moyen). La grenouille ou crapaud est un motif reproduit à plusieurs endroits à cette époque, entre autres à Kaminal Juyú et à Izapa.

Le monument 67, malgré son piètre état de conservation, représente un personnage émergeant de la bouche d'un jaguar, un thème qu'on retrouve dans l'art olmèque et les sculptures d'Izapa.

Le monument 8 représente un monstre zoomorphe aux allures de félin. Une figure anthropomorphe émerge de sa gueule.

Dans la partie sud-ouest de la terrasse 3, une autre sculpture, le monument 11, vaut la peine qu'on s'y arrête. En forme de poire, une colonne de cinq glyphes est sculptée au centre de sa courbe la plus ample. À la droite, en face, sont gravés un seul glyphe et le nombre 11 dans la numérotation maya. Les cinq glyphes sont d'une finesse rare; les trois du centre représentent des figures, tandis que les deux extrémités sont de représentation anthropomorphe.

À l'ouest, la structure 11 date de la même époque que la précédente et suit les mêmes phases de construction; mais contrairement à la structure 12, qui comporte des monuments et des stèles, elle ne possède que des stèles et des autels. Du nord vers le sud, les stèles portent les noms tellement prosaïques de stèles 42, 8, 30, 12, 7, 6 et 29.

Le musée d'Abaj Takalik est un petit bâtiment orné d'un écriteau sur lequel est inscrit en anglais «Archeological Exposition». Sur la galerie du building, on trouve un modèle réduit des principales concentrations d'édifices du site : les groupes nord, centre et ouest sont bien identifiés. Une carte topographique clouée au mur au-dessus de la maquette nous montre la même aire.

À l'intérieur du musée, des sculptures en pierre, dont une en bas-relief, et des collections de céramiques, d'obsidiennes, de figurines et d'outils de pierre sont exposées. Les pièces sont intéressantes et bien décrites; le musée vaut les 20 minutes que vous prendrez pour faire la visite.

Coatepeque

Située à 50 km de Retalhuleu un peu au nord de la route, la ville de Coatepeque est la capitale du café. C'est ici que se négocient les contrats qui affecteront la vie des courtiers, mais qui ne changeront pas le prix de votre café. L'un des plus importants *municipios* du département de Quetzaltenango, Coatepeque comprend 35 villages ainsi que la ville du même nom qui prend de plus en plus d'importance. En 1995, grâce aux efforts des membres de la Casa de la Cultura de Coatepeque et à l'aide financière de l'Asociación Tikal pour la classification des pièces archéologiques, la corporation municipale a fourni un local où loge le **Museo Regional de Coatepeque** *(mar-ven 8h30 à midi et 13h à 16h, sam 8h30 à 13h).*

Côte du Pacifique

Hébergement

Retalhuleu

Hotel Modelo
$
⊗, S
5A. Calle 4-53, Zona 1
☎771-0256
Très similaire à l'Hotel Astor, l'Hotel Modelo propose pour sa part sept chambres de grandeur variable toutes munies d'un ventilateur, nécessaire pour enrayer la chaleur qui se fait parfois accablante. Réparti sur deux étages, cet hôtel est doté d'une cour intérieure où vous pouvez vous détendre en lisant un bon livre.

Hotel Pacífico
$
7a. Avenida 9-29
Les voyageurs au budget restreint se dirigeront vers l'Hotel Pacífico, car, en effet, il n'en coûte pratiquement rien pour y séjourner. Situé tout près de la gare d'autocars, cet établissement ne fait nullement dans le luxe, mais vous y passerez tout de même une agréable nuit.

Hotel Astor
$$
⊗, bp, S, tvc
5a. Calle 4-60, Zona 1
☎771-2562
≈771-2564
L'Hotel Astor ne propose rien de vraiment spectaculaire, mail il a toutefois le mérite de présenter 15 chambres propres,

munies d'un ventilateur. Vous bénéficierez aussi d'un stationnement, de salles de bain privés, ainsi que d'un téléviseur couleur câblé.

Hotel Posada de Don José
$$$
tvc, ☎, bp, ≈
5a. Calle 3-67, Zona 1
☎771-0963
☎771-0841
≈771-1179
Pour un séjour tout confort, ne manquez pas de séjourner à l'Hotel Posada de Don José, qui, sur deux étages, proposent 23 chambres décorées de façon simple mais avec goût. Cet établissement est littéralement bondé la fin de semaine comme en semaine; il est donc préférable de réserver à l'avance. Si vous réussissez à y trouver une place, vous bénéficierez d'une vue superbe sur la piscine où vous pourrez vous détendre par les chaudes journées estivales. Mentionnons aussi son excellent restaurant (voir p 277) et son petit café.

Monterrico

Le choix d'établissements à Monterrico n'est pas grand. Mais les quatre hôtels dont il dispose sont très bien situés tout près de la plage.

Hotel Baule Beach
$
☎473-6196
C'est en effet le cas de l'Hotel Baule Beach, qui offre une belle vue sur les baigneurs de la plage adjacente et qui propose aux voyageurs 17 cham-

bres confortables et bien décorées.

Pig Pen
$
Le Pig Pen dispose de chambres proprettes et pas toujours sécuritaires. Il faut dire que le bar adjacent, qui porte le même nom, attire une clientèle assez festive qui aime étirer la nuit jusqu'au crépuscule. Mais si le bruit ne vous dérange pas trop, vous y dormirez bien, soit dans un lit, soit dans un hamac.

Kaiman Inn
$$
⊗, bp
☎202-6513
☎369-1258
Les huit chambres confortables, quoique décorées de façon quelconque, du Kaiman Inn, proposent une alternative de choix aux voyageurs qui recherchent la tranquillité et le confort, sans toutefois vouloir débourser une fortune. Cet établissement dispose de moustiquaires, bien utiles lors de la saison des pluies et lors des nuits humides, et le ventilateur allégera la torride chaleur qui sévit sur Monterrico. Offrez-vous un repas à son restaurant italien (voir ci-dessous), qui propose autant de la cuisine italienne que des fruits de mer.

Hotel Pez de Oro
$$$
⊗, bp, ℜ, ≈
☎331-5620
L'Hotel Pez de Oro se targue d'être le plus «luxueux» des établissements qui bordent la plage. Ces neufs bungalows offrent une am-

biance paisible et sont tous munis d'un ventilateur. Certains disposent même de hamacs, une alternative fort agréable. Si la plage ne vous inspire pas, vous pouvez toujours plonger dans la belle piscine de l'établissement.

Restaurants

Monterrico

Chacun des hôtels mentionnés dans la section «Hébergement» dispose d'un restaurant où les prix et les menus sont très similaires. Ces établissements proposent tous une variété de plats italiens et de fruits de mer.

Kaiman Inn
$
☎202-6513
☎369-1258
Une mention spéciale revient au restaurant italien du Kaiman Inn où la cuisine devient un art et où le service se révèle être sans bavure.

Retalhuleu

Vous trouverez quelques petits restaurants de cuisine minute près de la Plaza; ils proposent des menus à moins de 15 quetzals.

Posada de Don José
$$
5a. Calle 3-67, Zona 1
☎771-0963
☎771-0841
≈771-1179
Pour un repas un peu plus substantiel, allez casser la croûte à la Posada de Don José (voir p 276). En effet, l'auberge présente un menu qui offre des assiettes de poulet ou de bœuf pour une somme modique. On y sert d'excellents petits déjeuners composés de fruits frais, d'œufs et de spécialités locales, et les repas comprennent entrée, plat principal, tous plus succulents les uns que les autres, et dessert.

Sorties

Fêtes patronales

Janvier

Taxisco, dans le Santa Rosa, célèbre, le 15 janvier, la fête du Christ noir d'Esquipulas.

Pueblo Nuevo, dans le département de Suchitepéquez, célèbre du 12 au 16 janvier et le jour principal est le 15, la fête du Christ noir.

Cuyotenango, dans le département de Suchitepéquez, célèbre du 11 au 16 janvier et le jour principal est le 15.

Colomba, dans le département de Quetzaltenango célèbre sa fête patronale le 15 janvier.

San Sebastián, dans le département de Retalhuleu, célèbre sa fête patronale du 17 au 22 janvier et le jour principal est le 18.

San Vicente Pacaya, dans le département d'Escuintla, célèbre du 22 au 24 janvier et le jour principal est le 22.

San Pablo Jocopilas, dans le département de Suchitepéquez, célèbre du 23 au 26 janvier et le jour principal est le 25.

Patulul, dans le département de Suchitepéquez, célèbre du 23 au 26 janvier et le jour principal est le 25.

Février

Río Bravo, dans le département de Suchitepéquez, célèbre du 31 janvier au 4 février et le jour principal est le 2.

San Lorenzo, dans le département de Suchitepéquez, célèbre du 1ᵉʳ au 4 février et le jour principal est le 2.

Guanagazapa, dans le département d'Escuintla, célèbre du 13 au 16 février et le jour principal est le 15.

Santa Cruz Muluá, dans le département de Retalhuleu, célèbre habituellement dans le mois de février, avec son carnaval, sa fête patronale.

Côte du Pacifique

Mars

San José El Idolo, dans le département de Suchitepéquez, célèbre du 16 au 20 février et le jour principal est le 19.

San José, dans le département d'Escuintla, célèbre du 16 au 20 février et le jour principal est le 19.

El Asintal, dans le département de Retalhuleu, célèbre la fête de San José par des corridas du 17 au 20 février et le jour principal est le 19.

Mazatenango et **Santo Domingo Suchitepéquez** célèbrent leur fête patronale durant la Semaine sainte.

Ayutla (Tecún Umán) et **Ocos,** dans le département de San Marcos, célèbrent leur fête patronale durant la Semaine sainte.

Masagua, dans le département d'Escuintla, célèbre sa fête patronale durant la Semaine sainte.

Avril

San Gabriel, dans le département de Suchitepéquez, célèbre du 22 au 26 avril et le jour principal est le 22.

Mai

Chiquimulilla, dans le département de Santa Rosa, célèbre du 30 avril au 4 mai et le jour principal est le 3 mai.

San Felipe, dans le département de Retalhuleu, célèbre du 9 au 13 mai et le jour principal est le 11.

San Bernardíno, dans le département de Suchitepéquez, célèbre du 18 au 22 mai et le jour principal est le 20.

Juin

San Antonio Suchitepéquez, dans le département de Suchitepéquez, célèbre saint Antoine de Padoue du 10 au 15 juin et le jour principal est le 13.

San Juan Bautista, dans Suchitepéquez, célèbre la Saint-Jean-Baptiste du 22 au 26 juin et le jour principal est le 24.

Juillet

Palín, dans le département d'Escuintla, célèbre sa fête patronale du 25 au 30 juillet et le jour principal est le 30.

Coatepeque, dans le département de Quetzaltenango, célèbre sa fête patronale du 25 juillet.

Août

Santo Domingo, Suchitepéquez, célèbre sa fête patronale du 2 au 9 août et le jour principal est le 4.

Septembre

San Miguel Pañan, dans le département de Suchitepéquez, célèbre sa fête patronale à partir du 26 septembre.

Octobre

Iztapa, dans le département d'Escuintla, célèbre sa fête patronale du 20 au 25 octobre et le jour principal est le 24.

Novembre

El Quetzal, dans le département de San Marcos, célèbre sa fête patronale du 9 au 14 novembre et le jour principal est le 13.

La Gomera, dans le département d'Escuintla, célèbre sa fête patronale du 10 au 14 novembre et le jour principal est le 12.

San Felipe Retalhuleu célèbre sa fête patronale du 21 au 25 novembre et le jour principal est le 25.

Catarina, dans le département de San Marcos, célèbre sa fête patronale du 22 au 26 novembre et le jour principal est le 25.

Siquinalá, dans le département d'Escuintla, célèbre sa fête patronale du 23 au 26 novembre et le jour principal est le 25.

Zunilito, dans le département de Suchitepéquez, célèbre sa fête patronale du 24 au 26 novembre et le jour principal est le 25.

San Andrés Villa Seca, dans le département de Retalhuleu, célèbre sa fête patronale du 27 novembre au 1er décembre et le jour principal est le 30 novembre.

Décembre

Santa Bárbara, dans le département de Suchitepéquez, célèbre sa fête patronale du 1ᵉʳ au 5 décembre et le jour principal est le 4.

Retalhuleu, dans le département de Retalhuleu, célèbre sa fête patronale du 6 au 12 décembre et le jour principal est le 8.

Escuintla, dans le département d'Escuintla, célèbre sa fête patronale du 6 au 15 décembre et le jour principal est le 8.

Pajapita, dans le département de San Marcos, célèbre sa fête patronale du 6 au 9 décembre et le jour principal est le 7.

Chicacao, dans le département de Suchitepéquez, célèbre sa fête patronale du 18 au 21 décembre et le jour principal est le 19.

Santo Tomás La Unión, dans le département de Suchitepéquez, célèbre sa fête patronale du 19 au 22 décembre et le jour principal est le 21.

Santa Lucía Cotzumalguapa, dans le département d'Escuintla, célèbre sa fête patronale du 20 au 29 décembre et le jour principal est le 25.

Tiquisate, dans le département d'Escuintla, célèbre Noël et le Nouvel An du 22 décembre au 2 janvier et le jour principal est le 24 décembre.

San Francisco Zapatitlán, dans le département de Suchitepéquez, célèbre sa fête patronale du 23 au 27 décembre et le jour principal est le 25.

Nuevo San Carlos, dans le département de Retalhuleu, célèbre sa fête patronale du 28 décembre au 2 janvier et le jour principal est le 2 janvier.

La Democracia, dans le département d'Escuintla, célèbre la nouvelle année du 30 décembre au 2 janvier et le jour principal est le 31 décembre.

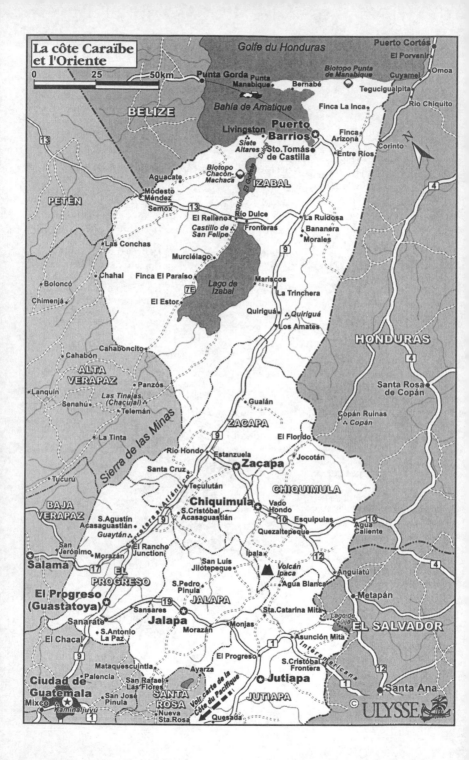

La côte Caraïbe et l'Oriente

La côte Caraïbe et l'Oriente

L e vaste territoire situé à l'est de la Ciudad de Guatemala se divise en deux régions distinctes tant par leurs attributs géographiques que par la culture de leurs habitants.

Une première région qu'on appelle la côte Caraïbe comprend les basses terres du Río Motagua et du Lago de Izabal.

L a deuxième, communément appelée *El Oriente*, est une continuation des Hautes Terres qui s'étalent de la capitale jusqu'au Honduras. Le département d'Izabal englobe le territoire de la côte Caraïbe, tandis que les départements de Jalapa, Jutiapa, Chiquimula et Santa Rosa sont les divisions administratives de l'Oriente.

P artie intégrante de l'Oriente, les départements d'El Progreso et de Zacapa sont tout de même reliés aux deux régions tant par le Río Mo

tagua que par les routes qui les traversent.

C ontigu à la capitale nationale, le département d'El Progreso et le Zacapa, situé à l'est, possèdent des attributs géographiques communs. La Sierra de las Minas, hautes montagnes riches en

minerais de toutes sortes, occupe le nord, tandis que le centre est traversé par le Río Motagua, dont la vallée, en s'élargissant, forme de grands espaces fertiles.

C ette vallée, ligne de faille de Motagua, est très souvent secouée par les tremblements de terre; le séisme de 1976 fut d'une rare violence et les séquelles furent particulièrement coûteuses pour ses habitants.

Selon plusieurs, il n'existe aucun lieu aussi prolifique en paysages et en climats que le département d'El Progreso, où le chaud et le froid s'unissent et forment une frontière connue autrefois comme *Guastatoya* ou *Huastatoya*, qui signifie, entre autres, «lieu où se termine le froid et où commence la chaleur». Le département compte huit *municipios* et ses 100 000 habitants et plus se targuent d'être *ladinos* malgré les racines mayas de plusieurs d'entre eux. Habiles conteurs, ces Ladinos se nourrissent d'innombrables légendes qui reflètent avec force les faits et gestes des ancêtres.

La côte Caraïbe

Utilisé comme route de commerce depuis les temps immémoriaux et alimenté par des centaines d'affluents, le Río Motagua naît près de Chichicastenango, dans la Sierra Madre, traverse rapidement les départements d'El Progreso et de Zacapa, coule lentement dans sa basse vallée du département d'Izabal, pour enfin nourrir la Bahía de Omoa, dans le golfe du Honduras.

Mesurant plus de 400 km, le Río Motagua est le plus long et le plus important cours d'eau du Guatemala. La faille tectonique Motagua, qui met en contact la plaque des Caraïbes à la nord-américaine, suit à peu près le tracé du fleuve.

Territoire exotique doté d'une richesse culturelle unique, le département d'Izabal possède de nombreux attraits naturels. Donnant sur le littoral atlantique, coincé entre le Belize et le Honduras, il demeure la porte de bienvenue des nombreux voyageurs qui ont choisi le Guatemala comme terre d'adoption. Son nom ne provient pas d'une langue indigène comme la majorité des noms de lieux du Guatemala, mais plutôt du mot *zabal*, qui signifie «large» dans la langue du Pays basque.

Avec le temps, on a identifié Izabal et la côte Caraïbe aux Garífunas, qui, de l'union des apports culturels carib-africains forment une des plus intéressantes symbioses culturelles.

Le département d'Izabal dispose de grandes richesses; la fertilité des terres agricoles, la diversité des minerais, l'accessibilité au territoire par les voies de communication naturelles et la présence des ports de mer en font une région d'un immense potentiel de développement.

Sa base économique actuelle demeure l'agriculture, principalement la culture des bananes, du riz et d'autres fruits tropicaux, et sur une plus petite échelle, l'exploitation du sous-sol malgré que l'expérience de la compagnie canadienne International Nickel Company (INCO), qui a tenté l'exploitation du cuivre, fut un échec retentissant.

Deux ports de mer, Santo Tomás et Puerto Barrios, ont la capacité d'accueillir les bateaux jaugeant plusieurs milliers de tonneaux et constituent les points essentiels du trafic maritime international sur la côte Caraïbe.

L'histoire de la région remonte à plus de 2 000 ans, lorsque des Mayas venus du Petén s'établirent dans la vallée de Motagua et autour du Lago de Izabal. En effet, les terres du département d'Izabal furent peuplées par les Mayas comme le démontrent les vestiges des sites de Quiriguá, Chapulco, Nito, Carpul, Araphoe, Playitas, Chinamito, Las Quebradas, Matilisguate, Xoocoló, Cuenca del Choón et Miramar Bella Visita.

Plus tard, la région fut une des premières à connaître la présence de bateaux espagnols et à subir le pillage des pirates et corsaires qui attaquèrent les nouveaux occupants de la côte durant les premières décennies de la colonie. Elle fut le refuge des insulaires de la mer des Caraïbes et, plus récemment, le terrain d'exploitation de grands propriétaires terriens.

L'occupation coloniale des terres est un autre aspect particulier de son histoire. Territoire libre du travail forcé qu'exigeait le système de l'*encomienda* (voir p 38) au temps de la colonie, le territoire au nord du Lago de Izabal est devenu alors le refuge des esclaves et des premiers habitants qui, fuyant leurs maîtres ou leurs villages, s'établirent sur de petites parcelles de terre. Les raids systématiques pour la capture d'esclaves perpétrés par les pirates de la côte finissent par dépeupler la région. Ce n'est qu'au début du XIXe siècle que des Mayas et des Ladinos des Hautes Terres reviennent cultiver la terre. La population actuelle du département d'Izabal est composée de descendants des Ladinos, des K'iche', des Noirs des Antilles, des Garífuna et des rares enfants, petits enfants d'immigrants allemands, anglais et belges arrivés à la fin du siècle dernier.

Depuis quelques années, la région de Livingston et du Río Dulce a vu l'arrivée des hôteliers des pays industrialisés qui sont attirés sur la côte par la vie des «Caraïbes» c'est-à-dire le soleil et la mer.

L'Oriente : les Hautes Terres de l'Est

Terre de paysages variés et grandioses, où les volcans succèdent en alternance aux lacs de montagne, le territoire situé au sud et à l'est de la Ciudad de Guatemala, qu'on appelle *El Oriente*, désigne en termes géographiques les Hautes Terres de l'Est.

Territoire montagneux, sillonné par de nombreuses rivières, l'Oriente donne sur le El Salvador au sud et sur le Honduras à l'est. Cette région, souvent délaissée par les visiteurs parce que sa population *ladina* paraît moins typique que les habitants des Hautes Terres de l'Ouest, n'en demeure pas moins une contrée riche en attraits culturels et naturels.

L'Oriente incarne l'âme profonde de la culture d'un Guatemala *ladino* malgré ses racines indiennes bien cachées. À quelques exceptions près, on ne porte plus le vêtement maya ni ne parle la langue et, sauf dans quelques villages, les habitants témoignent d'une appartenance *ladina*.

L'influence espagnole se fait sentir jusque dans les festivités locales, comme le démontre la prédominance des danses folkloriques à thèmes coloniaux. Les habitants sont amateurs de contes et de légendes où se mêlent les

héros et les mythes de leurs ancêtres.

La base économique du territoire est l'agriculture, l'élevage, la petite industrie et la fabrication artisanale d'objets et de biens mobiliers. Une production agricole très variée, du tabac au café, est complémentaire à l'élevage des chevaux et du bœuf. La fabrication d'objets en cuir, en céramique et en bois sont les témoins d'activités économiques artisanales les plus visibles pour les voyageurs de passage.

Peu connue, son histoire préhispanique se laisse difficilement saisir. L'absence de vestige monumental ne favorise pas l'étude systématique de son occupation. Les grandes cités anciennes, comme Tazumal ou Copán, sont situées à l'extérieur de ses frontières, au El Salvador et au Honduras. Ce territoire limitrophe étant habité par les Mayas et les autres peuples non mayas au sud, on définit ses composantes en termes de participation ou non aux attributs de la culture maya.

Les Espagnols, dès la mise au pas des royaumes mayas qui se disputaient les terres, occupèrent facilement le territoire. Depuis la colonisation, seuls les soulèvements populaires durant les premières années de la République ont passé à l'histoire officielle. Pour les époques plus récentes, le territoire se découpe linguistiquement

Les Ladinos de l'Oriente

La population *ladina* du Guatemala ne forme pas un bloc homogène dans ses manifestations physiques ou culturelles; elle est au contraire très hétérogène. Ainsi différencie-t-on souvent les Ladinos du Petén de ceux d'Antigua ou de la capitale, et ceux de Quetzaltenango ou de la côte du Pacifique se distinguent de ceux de l'Oriente. Chaque région ladina a son propre parler (intonation de la voix, vocabulaire, etc.), sa propre gesticulation et ses propres comportements. Les traditions varient d'une région à l'autre et sont le produit d'une économie et d'une histoire locales qui remontent souvent à l'époque coloniale, voire pré-hispanique.

Les Ladinos de tradition hispano-américaine vivent le long du Río Motagua, dans l'Oriente et dans le piémont du Sud-Est. Dans l'Altiplano maya (les Hautes Terres de l'Ouest), les Ladinos habitent les capitales des départements, des *municipios* tels Zaragoza, San Carlos Sija et Esquipulas Palo Gordo, ainsi que le Huehuetenango et San Marcos. De même, la côte du Pacifique, la région sud d'Izabal et la vallée de San Jerónimo, dans la Baja Verapaz, sont toutes des enclaves *ladinas*.

L'Oriente est presque tout entier *ladino,* sauf quelques villages des départements de Jalapa et de Chiquimula, où habitent des groupes parlant le poqomam et le chort'i. Dans l'Oriente, on trouve des villages de Ladinos métissés et d'autres de Ladinos non métissés, c'est-à-dire de souche espagnole et portant des noms de famille tels que Chacón, Cordón, Castañeda, Calderón, Archila, Arriaza, Morales, Oliva, Orellana, Paiz, Paz, Portillo ou Vargas; ces derniers viendraient de l'Andalousie et de l'Extramadura, en Espagne.

La conquête des Chort'i, Xinca, Pipil et Poqomam qui habitaient cette région avant l'arrivée des Espagnols se fit à partir de deux villes, ou places fortes :

Zacapa et Mitlán (aujourd'hui Asunción Mita). Les conquérants, «aidés» par la peste et le paludisme, ont d'ailleurs vite fait de réduire les premiers occupants à une minorité, facilitant ainsi la venue d'Espagne d'émigrants pauvres en quête de terre et d'un gagne-pain.

L'importante route du Río Motagua permit la colonisation de cette région par les transporteurs de marchandises entre le golfe du Río Dulce et la capitale de l'époque, Santiago de los Caballeros, aujourd'hui devenue Antigua. Les Espagnols *criollos* (nés au Guatemala de parents espagnols) et les Ladinos furent les premiers transporteurs de personnes et de marchandises. Du fait qu'à une certaine époque ils utilisaient des mules, on en est venu à les désigner, employeurs et employés, du nom d'*arrieros* (muletiers).

Dès le début, ces *arrieros* furent appelés à jouer le rôle de défenseurs de la colonie contre les attaques des pirates côtiers, les autorités espagnoles fournissant armes et chevaux à tous les habitants Criollos et Ladinos de la région. Comme on interdisait à ceux qui se disaient *indígenas* ou *naturales* de porter des armes et même de monter à cheval, ces derniers eurent vite fait de comprendre qu'il valait mieux pour eux de devenir des Ladinos.

Le besoin en bêtes de somme transforma les plaines de Zacapa et d'Acasaguastlán en grands pâturages pour mules et chevaux. On y éleva aussi le bœuf afin de pourvoir en viande la population carnivore de la capitale. On cultiva le cacao, la canne à sucre, le maïs et le tabac sur les terres irriguées par le Río Motagua, tandis que celles de l'intérieur, formant le *malpais* (terres pauvres), furent destinées à l'élevage. Le système économique fondé sur *l'hacienda* (grande ferme) contribua aussi à la «ladinisation» du mode de vie des mayas.

La construction de la grande route terrestre fut déterminante dans la fixation des traits culturels qui définissent la région, même si le métier de muletier ne prit vraiment fin qu'avec l'avènement du *Ferrocarril del Norte* (chemin de fer) au crépuscule du siècle dernier. Ces traits persistent d'ailleurs encore aujourd'hui.

La culture des Ladinos de l'Oriente revêt différentes formes : la broderie d'Estanzuela, les charrettes tirées par les bœufs de la campagne, les bottes et les chapeaux de cowboy des jeunes hommes, les fours à pain et, surtout, les contrats sociaux et économiques, qui se font en donnant sa parole plutôt que par écrit.

Les fêtes *ladinas* sont l'occasion d'activités récréatives particulières à la région, dont les corridas, les combats de coqs et les jeux de société ou de salon. Les contes picaresques, où la magie, le merveilleux et l'enchantement jouent un rôle important, proviennent de la tradition espagnole du temps des premiers colons. Dans certaines régions de l'Oriente, le conteur joue même un rôle important au sein de la communauté puisqu'on le considère comme un sage et qu'on sollicite son aide en cas de mésententes familiales ou entre voisins, allant souvent jusqu'à lui conférer le statut de devin.

Dans certaines localités de l'Oriente, la veillée des morts prend une couleur singulière : on relate alors des événements vécus par le défunt ou ses ancêtres, on fume, on mange, on boit et l'on joue aux cartes. La mort semble acceptée sous un jour plutôt optimiste, et le deuil du défunt se déroule dans une ambiance joviale visant à lui éviter les souffrances dans l'autre monde.

L'Oriente est souvent considéré comme la région la plus «macho», celle où la résolution des problèmes passe par l'affrontement physique. Berceau des politiques radicales de droite, cette région est souvent laissée pour compte par les intellectuels de la capitale. Méconnue des voyageurs, ceux qui s'y retrouvent ne sont souvent que de passage vers le El Salvador ou le Honduras.

malgré la controverse entourant la date d'arrivée de certains groupes.

Occupée par les Poqomam à l'arrivée des Espagnols, les environs de la vallée de la Ciudad de Guatemala sont rapidement colonisés; seuls les villages de San Luis Jilotepeque, San Carlos Alzatate et San Pedro Pinula ont sauvegardé leur culture poqomam.

Plus à l'est, le territoire était occupé par les Chorti', et aujourd'hui la langue est parlée (52 000 personnes) dans les seuls *municipios* de Jocotán, Olopa et Quezaltepeque, dans le département de Chiquimula et de La Unión (dans le département de Zacapa).

Au sud et entre ces deux groupes mayas, vivaient les Pipil, les Xinka, et les Lenca. Plus personne dit parler le nahua, langue des Pipil, ou celle des Lencas. Seule la langue xinka est parlée par quelques centaines de personnes habitant les *municipios* de Chiquimulilla, San Juan Tecuaco, Taxisco, Santa María Ixhuatán, Guazacapán et le petit village de Jumayteque. Il va sans dire que la langue est en danger d'extinction.

Les attraits naturels sont nombreux et variés; l'escalade des monts et des volcans est plus facile ici que dans l'ouest; la baignade dans les nombreuses rivières est moins périlleuse que dans celles des Verapaces.

L'artisanat local se distingue autant par l'objet que par sa matière première. Les objets en cuir, en céramique, en bois ou en palme, en métal ou en pierre que façonnent les artisans du territoire reflètent les matières disponibles.

Pour s'y retrouver sans mal

En voiture

La route CA9, qui relie la capitale à la côte Caraïbe, fut construite en 1950 sous le gouvernement du président Jacobo Arbenz. Elle rejoint le Río Motagua à quelque 80 km de la Ciudad de Guatemala et longe le grand fleuve jusqu'aux ports de Puerto Barrios et de Santo Tomás de Castilla, sur l'Atlantique. Le grand axe (CA9) appelé Carretera al Atlántico, a remplacé la route de l'époque coloniale qui, du Río Dulce, menait à Antigua en passant par le Lago de Izabal et La Verapaz.

De la Ciudad de Guatemala à Puerto Barrrios

Pour se rendre à la côte Caraïbe à partir de la Ciudad de Guatemala, il faut emprunter la Calle Martí, le périphérique nord dans la zone 2, qui devient, après le grand pont Belize, la route CA9

vers l'Atlantique. Le long de son parcours vers Puerto Barrios, la Carretera al Atlántico rejoint quatre routes nationales. Deux mènent au sud et deux au nord.

À 50 km de Guatemala, près de **Sanarate** (voir p 288), la route rencontre la première bifurcation : la route 19 vers le sud rejoint l'Interaméricaine, qui mène à la frontière du El Salvador (voir le circuit vers le El Salvador, plus bas). La route CA9 descend pendant plus de 30 km, enjambe le Río Motagua et, à **El Rancho**, connaît une deuxième bifurcation : la route qui mène à Cobán (voir p 345).

C'est en arrivant ici, à El Rancho, que le changement climatique est le plus frappant; alors que le haut plateau est frais et sec, le fond de la vallée est chaud et humide. La route CA9 traverse de nombreuses rivières qui prennent leur source dans la Sierra de las Minas à gauche et alimentent le grand fleuve à votre droite.

Vous trouverez restaurants et hôtels tout le long de la route. À **Río Hondo**, une autre bifurcation vers le sud, la CA10, passe par Zacapa et Chiquimula pour se rendre à Cobán à l'est et, plus au sud, à Esquipulas, pour rejoindre encore plus loin le Honduras ou le El Salvador.

Après le site archéologique de **Quiriguá**, mais avant d'arriver à Puerto Barrios, une dernière

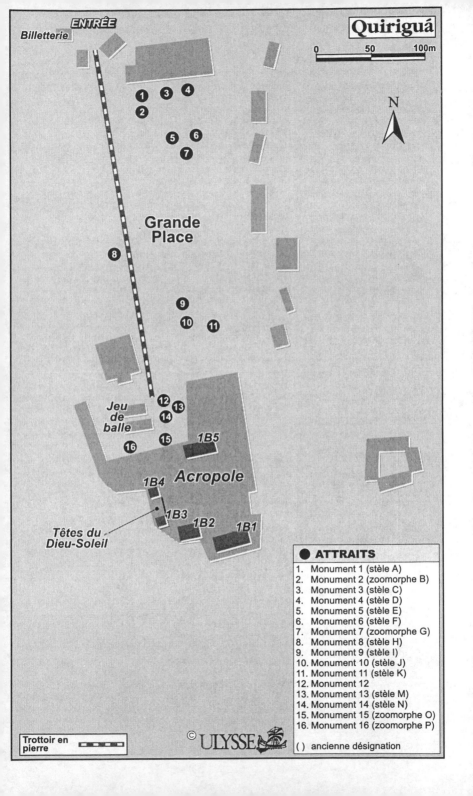

ENTRÊE

Billetterie

Quiriguá

0   50   100m

N

① ③ ④

②

⑤ ⑥

⑦

Grande
Place

⑧

⑨

⑩ ⑪

⑫ ⑬

⑭

Jeu
de
balle

⑯ ⑮ 1B5

1B4

Acropole

1B3

Têtes du
Dieu-Soleil

1B2 1B1

● ATTRAITS

1. Monument 1 (stèle A)
2. Monument 2 (zoomorphe B)
3. Monument 3 (stèle C)
4. Monument 4 (stèle D)
5. Monument 5 (stèle E)
6. Monument 6 (stèle F)
7. Monument 7 (zoomorphe G)
8. Monument 8 (stèle H)
9. Monument 9 (stèle I)
10. Monument 10 (stèle J)
11. Monument 11 (stèle K)
12. Monument 12
13. Monument 13 (stèle M)
14. Monument 14 (stèle N)
15. Monument 15 (zoomorphe O)
16. Monument 16 (zoomorphe P)

( ) ancienne désignation

Trottoir en
pierre

© ULYSSE

bifurcation : la route CA13 mène au Petén en passant par **Río Dulce**, qui borne la frontière du **Lago de Izabal** et du **Río Dulce**. Pour une majorité de touristes étrangers, le trajet entre le Petén et la capitale demeure leur seul regard sur la région malgré la beauté et la richesse des attraits.

À **Puerto Barrios**, on doit laisser la voie terrestre; le bateau est le seul moyen pour se rendre à **Livingston**, à **Río Dulce** ou au **Belize**. Le **Honduras**, que l'on rejoint par bateau, est aussi laborieusement accessible par voie terrestre (voir p 289) en utilisant plusieurs moyens de transport.

L'Oriente

Nous avons décrit les circuits que forment les trois grandes routes nord-sud qui traversent l'Oriente. Un premier circuit suit l'Interaméricaine à partir de la capitale nationale; le deuxième, la route 19 depuis Sanarate au nord, jusqu'à El Progreso, où elle rejoint l'Interaméricaine; et le troisième va de Río Hondo jusqu'aux frontières du Honduras et du El Salvador. Plusieurs routes secondaires est-ouest relient ces grands axes en passant par les nombreux petits villages.

Il faut noter qu'il existe une autre route qui mène au El Salvador en passant par la côte du Pacifique; celle-ci est décrite dans le chapitre «La côte du Pacifique».

L'Interaméricaine

Depuis la Ciudad de Guatemala, l'Interaméricaine CA1 est non seulement la route la plus achalandée, mais aussi celle qui offre les panoramas les plus spectaculaires. La route quitte la ville par le boulevard Vista Hermosa dans la zone 10; des quartiers riches de banlieue, elle monte jusqu'au haut plateau d'où l'on peut admirer la silhouette du volcan Pacaya sur la droite. Au km 54, l'Interaméricaine passe par **Barberena**, une riche petite ville qui sert de marché pour les villages des alentours, et au km 70, par **Cuilapa**, capitale du département de Santa Rosa.

À l'est de **Cuilapa**, une route goudronnée, la route 16, bifurque vers le sud et va rejoindre la CA2 (Carretera al Pacífico) en passant par **Chiquimulilla**. Quant à l'Interaméricaine, elle franchit le fleuve Los Esclavos par le premier pont espagnol du pays, construit en 1592. À **El Molino**, situé 12 km plus loin, une bifurcation vers le sud (la route CA8) rejoint en ligne droite la frontière à **Valle Nuevo** (122 km) en traversant une longue vallée mais peu d'agglomérations. L'Interaméricaine continue jusqu'à **Jutiapa**, *cabecera* du département du même nom, et rejoint la deuxième route (la route 19) vers le El Salva-dor en passant par **Asunción Mita**.

La route 19

Pour rejoindre la route nationale 19 à partir de la capitale, vous devez emprunter la Carretera al Atlántico. Au km 25, à l'est de la capitale, se trouve, près de la route, la source d'obsidienne d'**El Chayal**. Plus loin, au km 40, la grande cimenterie Cementos Progreso fait partie de la première phase des grands projets d'infrastructures des années soixante-dix qui, comme dans plusieurs autres pays du Sud, ont ravagé l'environnement pour entretenir leur activité industrielle. À une cinquantaine de kilomètres, la Carretera al Atlántico bifurque vers le sud. La route 19 passe par les villes de **Sanarate**, **Jalapa**, **Monjas**. Plus loin, passé le village d'**El Progreso** (du département de **Jutiapa**), elle rejoint l'Interaméricaine pour continuer vers Asunción Mita et franchir la frontière à San Cristóbal Frontera.

La route 10

Une troisième route, la CA10, construite dans la partie est du territoire, relie **Río Hondo** aux frontières du El Salvador et du Honduras. Río Hondo, située sur la route de l'Atlantique (voir plus haut), est un arrêt très populaire pour plusieurs autocars qui font le trajet Puerto Barrios-Ciudad de Guatemala.

Le temple I de Tikal révèle les principales caractéristiques
de la période classique de la civilisation maya. - *Inguat, David M. Barron*

Les fruits et
légumes de
la terre
guatémaltèque
sauront vous
régaler!
- *Carlos Pineda*

Scène de rue
offrant un bref
aperçu des
riches couleurs
du Guatemala.
- *Carlos Pineda*

La route CA10 passe par les villes de **Zacapa** et de **Chiquimula**, et bifurque à **Padre Miguel Junction**; une branche se dirige vers le El Salvador et l'autre vers **Esquipulas** et la frontière hondurienne.

Vers le Belize

De Puerto Barrios, un bateau traversier et des *lanchas* plus petites vont à Punta Gorda, au Belize. C'est à Puerto Barrios qu'il faut accomplir les formalités de la douane et de l'immigration pour l'entrée au Guatemala.

Vers le Honduras

Une nouvelle route (de 4 à 5 heures) entre Puerto Barrios au Guatemala et Puerto Cortés au Honduras a écourté le temps de déplacement entre ces deux ports.

De Puerto Barrios, un autocar mène jusqu'à Entre Ríos, où il s'arrête pour les formalités de départ du Guatemala et qui est le dernier poste d'immigration guatémaltèque. L'autocar continue jusqu'à la Finca Arizona, où un nouveau pont suspendu (construction en 1999) permet de traverser le Río Motagua.

Une marche (10 km) ou, si vous êtes chanceux, un pick-up vous mènera à Corinto, au Honduras. De ce village, un pick-up vous mènera à Cuyamelito et à Tegucigalpita (20 km). Un autocar fait la navette entre Teguci-

galpita et Omoa (30 km) ou Puerto Cortés (18 km). Des postes (honduriens) d'immigration sont localisés dans ces deux villes portuaires. Le coût de ce trajet est de 40Q à 50Q.

Si la marche (entre le pont suspendu et Corinto) de 10 km vous ennuie, une autre route plus longue (de 7 à 8 heures) fait le trajet jusqu'à la Finca Arizona. De là, l'autocar continue jusqu'aux abords de la Finca La Inca, où un bateau traverse la frontière en empruntant le Río Motagua.

Au Honduras, un autre bateau vogue sur le Río Tinto. De la rive, des camionnettes font le trajet jusqu'à Tegucigalpita. De ce village, l'autobus mène à Omoa et, plus loin, à Puerto Cortés, situées sur la côte Caraïbe, où des postes d'immigration sont localisés. Le coût de ce trajet est de 70Q à 80Q, mais vous êtes assuré de ne pas marcher.

En autocar

De nombreux autocars empruntent la route CA9 vers diverses destinations et donnent aux voyageurs un accès facile et fréquent aux localités le long du parcours. Nous listons les arrivées et départs des trajets les plus utilisés sans mentionner tous les arrêts possible. On peut donc choisir l'autocar de 1ʳᵉ classe en fonction de son ultime destination et s'enquérir s'il s'arrête à la localité souhaitée.

Comme partout ailleurs au Guatemala, l'Oriente est desservi par de nombreux autocars. Nous indiquons ici la destination des autocars à partir de la capitale. La plupart du temps, les arrivées et départs dans les villes et villages de l'Oriente se font soit près de la Plaza Central, soit aux gares d'autocars, généralement situées près du marché. Comme nous l'avons dit ailleurs, deux classes d'autocars se distinguent par le type de véhicule et le nombre de passagers qu'ils transportent.

Autocars de 1ʳᵉ classe à partir de la Ciudad de Guatemala

Les autocars 1ʳᵉ classe partent et reviennent de leurs propres bureaux.

Vers Puerto Barrios
Transportes Litegua
15 Calle 10-40, Z.1.
☎*253-8169*
Départs aux heures, entre 5h30 à 17h

Vers le Petén, Flores, ou Santa Elena via San Luís Poptún

Plusieurs autocars font le trajet à partir de la Ciudad de Guatemala et s'arrêtent à **Río Dulce**. Les principales compagnies sont :

Fuente del Norte
17 Calle 17-01, Z.1
☎*251-3817*
☎*238-3894*
Départs à 3h, 4h, 6h, 8h, 10h, 14h, 16h, 16h30, 18h et 20h30

Côte Caraïbe et Oriente

Líneas Máxima de Petén
9a. Avenida 17-28, Z.1
☎ *232-2495*
☎ *238-4032*
Départs à 16h, 18h et 20h

Líneas Dorada La Petenera
16 Calle 10-55, Z.1
☎*232-9658*
Départs à 19h; la réservation est obligatoire.

Il vaut la peine de téléphoner pour vérifier les heures de départ et surtout pour réserver un siège. Pour les villes situées entre Río Hondo et Esquipulas, vous pouvez prendre un autocar 1ʳᵉ classe pour Puerto Barrios ou pour le Petén et transférer à Río Hondo. La liste qui suit n'est pas exhaustive, mais comprend la majorité des destinations desservies par les nombreuses compagnies.

**Vers Esquipulas
(4 heures) en passant
par El Rancho, Río
Hondo, Zacapa, Chiquimula**
19 Calle 8-18, Z.1
☎*230-4608*
☎*220-6740*
*départs tlj 4h30 à 19h
toutes les 30 min*

**Vers El Florido sur la
frontière du Honduras
et la route qui mène à
Copán en passant par
Zacapa et Chiquimula
Rutas Orientales**
Départs de la 19 Calle 8-18, Z.1
☎*230-4608*
☎*220-6740*
*Départs 5h à 16h30 aux
30 min*
Le transfert se fait à Chiquimula, où l'on prend un car de la compagnie-Transporte Vilma, qui possède sa propre gare.

*(angle 10a. Avenida et 0
Calle; ☎942-2253, à Chiquimula).*

**Les autocars de
2ᵉ classe à partir de la
Ciudad de Guatemala**

La gare d'autocars principale de la capitale, située dans la zone 4 *(angle 7a. Calle et 4a. Avenida)*, est un point de départ et d'arrivée des autocars de 2ᵉ classe (les *chicken bus*) desservant l'Oriente. Officiellement, son appellation est le **Mercado y Terminal de Buses Extraurbanos**, mais on y réfère par l'expression **Terminal Zona 4**.

L'autre point de départ est situé plus près du centre historique. La gare d'autocars de la zone 1 n'est pas une gare d'autocars comme telle, mais un stationnement à côté de l'ancienne gare ferroviaire située près de la 19 Calle et de la 9a. Avenida. C'est l'adresse qu'on utilise pour s'y référer.

La liste des autocars de 2ᵉ classe qui suit donne la destination dans l'ordre alphabétique, l'horaire et le lieu des départs dans la capitale.

**Vers Agua Blanca
(164 km)**
Terminal Zona 4
*Départs à 6h, 12h, 13h,
15h15
Pour le retour, les autocars se prennent à Agua
Blanca à 3h, 6h et 12h.*

**Vers Asunción Mita
(156 km)**
Terminal Zona 4
*Départs à 10h30, 11h30
et 17h30*

**Vers Atescatampa
(182 km)**
Terminal de la Zona 4
*Départs à 6h45, 10h,
10h30, 12h, 13h30 et
17h15*

Vers Barberena (60 km)
Terminal Zona 4
*Départs à 11h45, 13h,
17h15*

**Vers Casillas
(87 km) par la CA1**
Terminal Zona 4
*Départs toutes les demi-heures entre 6h et
16h45*

**Vers Chiquimula
(175 km)**
angle 9a Avenida et 19 Calle Z.1
Départs aux heures

**Vers Chiquimulilla /
Casa Viejas
(150 km)**
Terminal Zona 4
*Départs aux demi-heures
entre 9h15 et 18h*

Vers Cuilapa (68 km)
Terminal Zona 4
*Départs à 11h30, 13h et
16h*

Vers Cuilapa / Los Esclavos (72 km)
Terminal Zona 4
*Départs aux demi-heures
entre 7h30 et 19h45*

**Vers El Jícaro
(105 km)**
angle 9a. Avenida et 19 Calle Z.1
Départs à 8h30 et 13h30

**Vers Esquipulas
(231 km)**
angle 9a. Avenida et 19 Calle Z.1
Départs aux heures

Vers Gualán (173 km)
angle 9a. Avenida et 19 Calle Z.1
*Départs à 7h30, 8h45, 9h,
10h30, 13h, 17h, 17h30
et 18h*

**Vers Guastatoya ou El
Progreso (78 km)**
angle 9a. Avenida et 19 Calle, Z.1
Départs auz heures

Vers Huite (130 km)
angle 9a. Avenida et 19 Calle, Z.1
*Départs à 9h15, 12h30,
14h45 et 17h45*

**Vers Jalapa (178 km)
via Sanarate**
22 Calle 1-20, Zona 1
*Départs aux 30 min de
3h à 15h*

**Vers Jalapa (178km)
via Jutiapa**
Terminal Zona 4
Départs aux 30 min

**Vers La Avellana /
Taxisco
(130 km)**
Terminal Zona 4
*Départs à 11h, 12h30 et
14h45*

**Vers Mataquescuintla
(110 km)**
Terminal Zona 4
Départs aux heures

**Vers Monterrico / La
Avellana / Taxisco
(130 km)**
Terminal Zona 4
*Départs à 11h, 12h30 et
14h45*

**Vers Morazán
(102 km)**
angle 9a. Avenida et 19 Calle, Z.1
Départs aux heures

**Vers Moyuta
(121 km)**
Terminal Zona 4
*Départs à 7h, 9h15,
10h30, 12h30, 13h30,
15h, 15h30, 16h30 et
17h30*

**Vers Nueva Santa Rosa
(81 km)**
Terminal Zona 4
*Départs à 9h15, 12h,
12h30, 14h30, 16h45,
17h30, 17h45 et 18h*

**Vers Oratorio / El
Soyate
(117 km)**
Terminal Zona 4
Départs à 10h30 et 17h30

**Vers Río Hondo
(146 km)**
angle 9a. Avenida et 19 Calle, Z.1
Départs à 9h15 et 17h15

**Vers San Antonio la Paz
(39 km)**
angle 9a. Avenida et 19 Calle, Z.1
Départs aux heures

**Vers San Agustín Acasa-
guastlán
(94 km)**
angle 9a. Avenida et 19 Calle, Z.1
*Départs à 8h45, 14h30 et
16h45*

**Vers San Cristóbal Fron-
teras (165 km)**
Terminal Zona 4
Départs aux 30 min

**Vers Sanarate
(59 km)**
angle 9a. Avenida et 19 Calle Z.1
Départs aux 30 min

**Vers Sanarate / Agua
Caliente (78km)**
angle 9a. Avenida et 19 Calle, Z.1
Départs aux 30 min

**Vers Sanarate / Aldea
Joya (78 km)**
angle 9a. Avenida et 19 Calle, Z.1
Départs aux 30 min

**Vers Sansare / Los Ceri-
tos (78 km)**
angle 9a. Avenida et 19 Calle Z.1
Départs aux heures

**Vers Santa Catarina Mita
(156 km)**
Terminal Zona 4
*Départs aux 30 min de
7h45 à 16h*

**Vers Taxisco
(118 km)**
Terminal Zona 4
Départ à 11h30

**Vers Usumatlán
(118 km)**
angle 9a. Avenida et 19 Calle Z.1
Départs à 15h et 16h

**Vers Valle Nuevo
(109 km)**
Terminal Zona 4
*Départs à 5h45, 6h30,
7h30, 12h, 14h, 15h30 et
17h45*

**Vers Yupiltepeque
(148 km)**
Terminal Zona 4
Départ à 15h

Vers Zacapa (154 km)
angle 9a. Avenida et 19 Calle, Z.1
*Départs à 4h30, 8h,
10h30, 13h, 16h, 16h30
et 17h30
La gare d'autocars de
Zacapa est située à 1 km
du centre-ville, mais les
minibus pour El Rancho
s'arrêtent à la 13 Avenida
entre la 6a. Calle et la 7a.
Calle, près de l'hôtel
Wong.*

**Côte Caraïbe et
Oriente**

De Puerto Barrios

Puerto Barrios n'a pas de gare routière, mais tous les autocars de 1re classe de la compagnie Litegua se retrouveront à leur gare du centre ville, où vous pouvez entreposer vos bagages.

Transportes Litegua
6a. Avenida entre 9a. Calle et 10a. Calle
☎948-1172

Les autocars de 2e classe se trouvent le long des rues tout autour du marché. La construction d'un nouveau marché en 1999 déplacera les points de départ et d'arrivée. Entre-temps, ceux-ci occupent le quadrilatère formé par la 8a. Calle, la 9a. Calle, la 6a. Avenida et la 7a. Avenida.

Vers la Ciudad de Guatemala (307 km, 5 heures)
via La Ruidosa (pour transférer vers Río Dulce et le Petén), Quiriguá (pour la visite du site archéologique), Río Hondo (pour les destinations vers le sud) et El Rancho, la compagnie Transportes Litegua offre des départs de pullmans aux heures entre 1h et 16h.

Vers Chiquimula, Vado Hondo (pour le site de Copán au Honduras) et Esquipulas
Plusieurs autocars de 2e classe partent aux heures entre 4h à 16h. Une alternative plus rapide : vous prenez l'autocar pour la Ciudad de Guatemala et descendez à Río Hondo, où vous transférez pour les destinations vers le sud.

Vers Mariscos, sur la rive sud du Lago de Izabal
Un seul autocar quitte quotidiennement Puerto Barrios à 15 heures. À noter qu'il n'y a plus de traversier entre Mariscos et El Estor : seules des lanchas privées font le trajet.

De Río Dulce

À Río Dulce, la majorité des départs se font du côté Fronteras du pont, c'est-à-dire du côté nord où la compagnie Litegua possède un bureau.

Vers Flores
Départs 7h, 9h, 10h, 15h, 16h30, 20h30 et avec un Especial à minuit. Tous les autocars passent par Poptún (25Q) et se rendent à Flores (50Q); le car Especial est plus cher, soit 100Q.

Vers la Ciudad de Guatemala

Départs à 3h, 5h30, 7h45 et 12h, du lundi au samedi. Le dimanche, l'horaire des départs change : 5h30, 7h45, 9h et 12h; ces deux derniers se font en Especial et coûtent 35Q.

Vers Bananera et Morales et pour rejoindre la CA9 à La Ruidosa
Des autocars et des minibus font la navette aux 30 min.

Vers El Estor et les Verapaces (Cobán)
Deux autocars de 2e classe font quotidiennement le difficile trajet sur une route (ouverte en

1999) de terre battue jusqu'à El Estor en passant par la Finca El Paraíso. Il n'y a pas de pont sur cette route et les autocars ne s'y aventurent pas les jours de grande pluie. À El Estor, vous devez transférer pour remonter la vallée du Polochic ou pour vous rendre à Cobán. Depuis El Estor, des *lanchas* privées font le trajet vers Mariscos, sur la rive sud du Lago de Izabal.

De Chiquimula

Vers la Ciudad de Guatemala et Puerto Barrios
10a. Avenida, à l'angle d'une petite ruelle entre la 1a. Calle et la 2a. Calle
Les départs vers Puerto Barrios s'effectuent toutes les heures de 6h à 15h; vers Jalapa (6 heures) via Ipala, départs toutes les heures de 5h à 18h

Vers Flores (12 heures)
Les autocars pour Esquipulas et Flores partent de la 10a. Avenida entre la 1a. Calle et la 2a. Calle.
Départs à 6h et 14h30

Vers El Florido et Copán au Honduras (2 heures 30 min)

Vilma
angle 10a. Avenida et la 0 Calle
☎942-2253
Départs à 6h, 9h, 10h30, 11h30, 12h30, 13h30 et 15h30

D'Esquipulas vers la Ciudad de Guatemala :

Rutas Oriental
rue principale à l'angle 11 Calle et 1a. Avenida.
Départs aux heures

Vers Agua Caliente (frontière du Honduras)

angle 11a. Calle et 1a. Avenida
Minibus aux demi-heures de 6h à 16h.

Vers Anguiatú (frontière avec le El Salvador)

11a. Calle, en face du marché, entre la 5a. Avenida et la 6a. Avenida
Minibus aux demi-heures de 6h à 16h.

En bateau

À partir de Puerto Barrios

Vers Livingston
Du *muelle municipal* (quai de la ville situé au bout de la 12 Calle), une navette (10Q) quitte Puerto Barrios pour se rendre à Livingston (90 min) à 10h30 et à 17h tous les jours, et revient à Puerto Barrios, quittant Livingston à 5h et 14h.

L'horaire des bateaux change de temps à autre et il est recommandé de le vérifier en arrivant à Puerto Barrios. Des bateaux (appelés *lanchas*) beaucoup plus rapides (40 min) mais plus chers (25Q) lorsque le nombre de passagers est atteint (approximativement aux demi-heures).

Vers Punta Gorda, au Belize
(1 heure 30 min) : un bateau quitte Puerto Barrios à 13h tous les jours. Il faut passer par le bureau de l'immigration avant de pouvoir acheter le billet (70Q).

Vers Puerto Quetzal, au Honduras : les bateaux partent lorsque le nombre de passagers atteint le coût estimé pour le voyage qui se transige entre 900Q et 1 500Q.

Si vous voulez visiter les belles plages de la baie, vous pouvez louer une *lancha* pour 900Q par jour.

En bateau à partir de Livingston

Vers Puerto Barrios (10Q) : une navette quitte Livingston à 5h et 14h, et revient à 10h30 et 17h. L'horaire des bateaux change de temps à autre; il est recommandé de le vérifier au quai principal. Des bateaux (appelés *lanchas*) beaucoup plus rapides (40 min) mais plus chers (25Q) font la navette si le nombre de passagers est atteint.

Vers Río Dulce : les agences de voyages et plusieurs hôtels proposent des excusions sur le Río Dulce, qui mène à Río Dulce même et au fort de San Felipe de Lara.

Vers Punta Gorda, au Belize (1 heure 30 min) : quelques agences de voyages (voir «Exotic Travel») proposent des *lanchas*. Il faut visiter le bureau d'immigration avant de se rendre au Belize ou au Honduras. Le capitaine du bateau doit soumettre la liste des passagers avec leur nationalité à l'immigration avant le départ.

Bureau de l'immigration Livingston

angle 9a. Calle et 2a. Avenida dans la côte de la rue principale, en face de l'Hotel Tucán Dugú

Vers Puerto Quetzal, au Honduras : quelques agences de voyage (comme Exotic Travel) proposent des *lanchas* deux fois par semaine.

En bateau à partir de Río Dulce

Plusieurs propriétaires de bateaux vous proposeront leurs services pour les excursions en bateau vers différentes destinations tant sur le Lago de Izabal que sur le Golfete. La traversée entre Fronteras et El Relleno coûte 5Q; le voyage au fort de **San Felipe** coûte 10Q; le coût du trajet entre **Río Dulce** et **Livingston** ou **Puerto Barrios** (minimum 25Q) est très variable et dépend du nombre de personnes et du type d'embarcation.

Renseignements pratiques

Agences de voyages

Puerto Barrios

Viajeros del Caribe
17 Calle entre 8a. Avenida et 9a. Avenida
☎/≈*948-0439*
L'agence Viajeros del Caribe propose plusieurs circuits dans la région,

entre autres la visite des plages de la Punta Amatic.

Livingston

Oswaldo Rodas et Julio Chew sont propriétaires de l'agence de voyages Exotic Travel, reconnue et même recommandée par Inguat, l'office du tourisme du Guatemala. C'est la meilleure source d'informations pour les voyageurs de passage. L'agence **Exotic Travel** est située dans le restaurant Bahía Azul, sur la rue principale au sommet de la colline.

Pour mieux connaître la région et ses habitants, l'agence propose des excursions écologiques et historiques d'une durée de sept ou neuf heures avec trois différents circuits.

Happy Fish Travel
Calle Principal
☎/⇆*947-0271*
☎/⇆*947-0268*
L'agence Happy Fish Travel, située dans le restaurant du même nom, propose des excursions dans les environs de Livingston ainsi qu'au Río Tatín, à la Gruta del Tigre et au Canal Inglés. De plus, elle fait le trajet Puerto Omoa, au Honduras, tous les mardis et vendredis.

Renseignements touristiques

Livingston

L'agence de voyages **Exotic Travel** est la meilleure source de renseignements touristiques. Elle est située dans le restaurant Bahía Azul, sur la rue principale.

Río Dulce

Le restaurant **Hollymar** sert d'office de tourisme pour tous les voyageurs de passage à Río Dulce (côté Fronteras), mais les hôtels et restaurants le long de la route sont aussi de bonnes sources de renseignements. Côté El Relleno (partie sud de Río Dulce), la meilleure source d'informations est l'hôtel-restaurant **Backpacker.**

Banques

Toutes les banques de la liste qui suit changent les chèques de voyage. Plusieurs font des avances de fonds sur les cartes de crédit.

Puerto Barrios

Banco G&T
angle 7a. Calle et 6a. Avenida
Banco G&T accepte la carte MasterCard en plus de changer les chèques de voyage.

Banco del Quetzal
9a. Calle, édifice Litegua,
1ᵉʳ étage
☎*948-0903*
On change les chèques de voyage.

Banco Industrial
7a. Avenida Norte 73
☎/⇆*948-0241*
Avec guichet automatique (24 heures sur 24) où l'on peut retirer de l'argent sur la carte VISA.

Livingston

Bancafé
lun-sam 9h à 17h
Calle Principal, dans le centre-ville
Accepte les avances de fonds sur la carte Visa et change les chèques de voyage.

Banco del Commercio
lun-sam 9h à 16h30
Calle Principal, dans le centre-ville
Change les chèques de voyage.

Barberena

Banco del Agro
4a. Avenida 3-23, Z.1.
☎*887-0594*

Nueva Santa Rosa

Bancafé
9a. Calle 1-59, Z.1
☎*887-0705*

Cuilapa

Bancafé
2a. Avenida 3-55, Z.1
☎*886-5145*

Jutiapa

Banco del Ejército
Calle 15 de Septiembre entre 7a.
Calle et 8a. Calle

Bancafé
4a. Calle 0-26, Z.1

Chiquimulilla

Bancafé
1a. Avenida 1-79, Z.2
☎*885-0312*

Zacapa

Banco G & T
4a. Calle 12-94, Z.1
☎*941-0056*
*Change les chèques de
voyage et fait des avances
de fonds sur la carte Visa.*

Banco Industrial
4a. Calle 10-45, Z.1
☎*941-2671*

Chiquimula

Banco G & T
7a. Avenida 4-75, Z.1
*Fait des avances de fonds
sur cartes de crédit Visa et
MasterCard, et change les
chèques de voyage.*

Banco de Commercio
3a. Calle 5-91, Z.1
*Change les chèques de
voyage.*

Banco del Agro
3a. Calle 6-31, Z.1
☎*942-4127*
*Changent les chèques de
voyage.*

Esquipulas

Banco Industrial
angle 9a. Calle et 3a. Avenida
☎*943-1763*
*ATM 24 heures pour les
cartes Visa.*

Bancafé
3a. Avenida 6-68, Z.1
☎*943-1439*
*Avance de fonds sur les
cartes de crédit Visa, MasterCard et American Ex-
press.*

Poste et
télécommucation

Puerto Barrios

Correo
lun-ven 8h à 16h30
angle 6a. Avenida et 6a. Calle

Telgua
tlj entre 7h et minuit
angle 8a. Avenida et 10a. Calle

Livingston

Telgua
rue principale, Barrio El Centro

Cuilapa

Correos y Telégrafos
lun-ven 8h à 4h30
1a. Avenida, 5-20, Z.2
☎*886-5460*

Telgua
tlj 7h à minuit
Barrio La Parroquia

Barberena

Telgua
tlj 7h à minuit
4a. Avenida, angle 4a. Calle, Z.1

Jutiapa

Correos y Telégrafos
lun-ven 8h à 4h30
angle 4a. Calle et 3a. Avenida, Z.1
☎*844-1697*

Zacapa

Correos y Telégrafos
lun-ven 8h à 4h30
Plaza Central

Telgua
tlj 7h à minuit
5a. Calle, près de la Plaza Central

Chiquimula

Correos y Telégrafos
lun-ven 8h à 4h30
10a. Avenida, dans une petite ruelle
entre la 1a. Calle et la 2a. Calle, en
face de la gare d'autocars.

Telgua
tlj 7h à minuit
3a. Calle, près de la Plaza Central

Esquipulas

Correos y Telégrafos
lun-ven 8h à 4h30
6a. Avenida 2-15

Telgua
tlj 7h à minuit
5a. Avenida, angle 9a. Calle

Côte Caraïbe et
Oriente

Urgence

Puerto Barrios

Policía Nacional
☎948-0385

Ambulance et feu
Bomberos Voluntarios
☎948-0122

Hôpital pour enfants
☎948-0271

Barberena

Policía Nationale
☎887-0259

Pompiers : Bomberos Voluntarios
☎887-0413

Ambulance : Bomberos Voluntarios
☎887-0413

Cuilapa

Pompiers : Bomberos Voluntarios
☎886-5338

Ambulance : Bomberos Voluntarios
☎886-5338

Hôpital National de Cuilapa
☎886-5309

Jutiapa

Policía Nationale
☎844-1043

Pompiers : Bomberos Voluntarios
☎844-1122

Ambulance : Bomberos Voluntarios
☎844-1122

Hôpital National
☎844-1043

Zacapa

Policía Nationale
☎941-0010

Pompiers : Bomberos Voluntarios
☎941-0548

Ambulance : Bomberos Voluntarios
☎941-0548

Hôpital régional
☎941-0302

Chiquimula

Policía Nationale
☎942-0256

Pompiers : Bomberos Voluntarios
☎942-0035

Ambulance : Bomberos Voluntarios
☎942-0035

Hôpital
☎942-0363

Esquipulas

Pompiers : Bomberos Voluntarios
☎943-1562

Ambulance : Bomberos Voluntarios
☎943-1562

Attraits touristiques

La côte Caraïbe

La ville d'**El Progreso**, que tous s'obstinent à appeler par son ancien nom **Guastatoya**, est située sur le Río Guastatoya. Nommée El Progreso en 1935, elle est la capitale du département dont elle porte le nom.

La ville de Guastatoya fut fondée par les jésuites qui y construisirent une église et un barrage pour irriguer la vallée d'El Morral. Le tremblement de terre de 1976 a détruit la plus grande partie des beautés de l'époque coloniale. Un énorme *ceiba* orne le Parque Central de la ville. Il faut noter que l'insurrection qui mena à la «révolution libérale» (1871) a commencé ici en 1867 sous l'influence du leader Serapio Cruz.

Du pont situé 12 km plus loin qui traverse le Río Motagua, on peut voir sur la rive sud les édifices d'une usine de papier qui n'a jamais fonctionné à cause d'un contentieux entre l'Espagne et le Guatemala.

San Agustín Acasaguastlán, à quelques kilomètres au nord de la route CA9, ainsi que **San Cristóbal Acasaguastlán**, 15 km plus loin au sud de la route, datent toutes deux du début de la colonie. Leurs églises, construites respectivement aux XVIᵉ et XVIIᵉ siècles, renferment de nombreux trésors.

Celle de San Cristóbal, en forme de pyramide de 23 m de haut, fut reconstruite à la suite du séisme de 1976.

Plusieurs Guatémaltèques croient que la population qui habitait le site archéologique de Guaytán, situé à quelques kilomètres au nord de San Agustín, a peuplé les deux villes dès le début de la colonie.

La base économique des deux *municipios* est l'agriculture et la fabrication de meubles et d'objets en céramique et en palmes. À San Agustín, on produit le *panela*, un pain de sucre brun moulé fabriqué à partir de jus de canne à sucre. On trouve aussi des instruments de musique; les *marimbas*, xylophones dont les caisses de résonance sont des calebasses, font la fierté des artisans de la ville.

La route CA9 continue dans la vallée du Río Motagua en passant par **Teculután**, dans le département de Zacapa, où vous trouverez quelques hôtels. Les géologues en herbe seront intéressés à se rendre à la **faille de Motagua**, au nord du petit village de **Santa Cruz**. Dans un environnement tropical, près de Santa Cruz, se trouvent les bains rafraîchissants du **Río Pasabién**.

C'est à **Río Hondo** ★que la route CA9 rencontre la route du sud-est CA10 vers Zacapa, Chiquimula, Esquipulas et les frontières du Honduras et du El Salvador. Très populaire, le parc aquatique **Dorada,** à Río Hondo attire les citadins de la Ciudad de Guatemala surtout les fins de semaine. Plusieurs hôtels bordent la route et certaines offrent des laissez-passer pour le parc aquatique.

La première petite ville que vous traverserez en arrivant dans le département d'Izabal s'appelle **Los Amates** (64 km à l'est de Río Hondo) et doit son nom aux deux gros arbres *amates* qui bordaient la route.

★★★
Quiriguá
(Voir carte p 287)
À 210 km de la Ciudad de Guatemala se trouve le village de Quiriguá; il n'y a pas de transport public, mais plusieurs camionnettes font la navette entre la route CA9 et le site archéologique, une distance de 3,3 km.

Déclaré «patrimoine de l'humanité» par l'Unesco en 1979, l'ancienne ville maya appelée aujourd'hui Quiriguá occupe une place importante dans l'histoire du monde préhispanique.

Par sa situation géographique, à une quarantaine de kilomètres à vol d'oiseau de Copán, Quiriguá fait partie, avec la grande ville de Tikal, de

la région culturelle maya qu'on appelle les Basses Terres du Sud et dont le centre se situe dans le Petén.

Située dans la plaine alluviale de la basse vallée du Motagua, Quiriguá contrôlait la route fluviale de commerce entre les Hautes Terres centrales (Kaminal Juyú) et l'Amérique centrale.

Relativement petit, le site archéologique doit sa réputation à la beauté et à la hauteur de ses monuments sculptés que l'on trouve à l'entrée. Ces immenses stèles et ces énormes rochers sculptés dits zoomorphes sont les plus originaux et les plus grands du monde maya.

Les «zoomorphes» sont de grands blocs de grès de trois à quatre mètres de long et représentent un animal fabuleux tout en conservant la plupart du temps la forme de rocher. La tête du monstre terrestre laisse apparaître le souverain sortant de sa gueule. Contrairement à certaines stèles de Tikal ou de Copán, celles de Quiriguá ne sont pas accompagnées d'un autel (pierre ronde sculptée que l'on retrouve généralement au pied des stèles).

En plus du «noyau central», où sont situées les stèles, les archéologues du projet Quiriguá ont mis au jour trois autres groupes de structures situés dans un rayon de 3 km du «noyau central» mais qu'on ne peut pas visiter. Le groupe A porte

Côte Caraïbe et Oriente

Les Garífuna du Guatemala

L'histoire des Garífuna commence au XIV⁰ siècle avec la rencontre des Carib, peuple des Antilles mineures, et des Arawak originaires de l'Amazonie. De cette relation entre les Carib (*kallinas*) et les Arawak (*igñeris*) naissent ceux qu'on désignera du nom de *Caribes isleños*, ou Carib des îles.

Durant le XVI⁰ siècle, la majorité des îles des Caraïbes possèdent une population venue d'Afrique et soumise à l'esclavage par les Européens, bien que Saint-Vincent et les îles qui l'entourent ne tardent pas à devenir terres de liberté pour certains Africains. La légende veut que les Noirs vivant sur l'île de Saint-Vincent proviennent du naufrage d'un négrier anglais. Quoi qu'il en soit, c'est ainsi que les Noirs d'Afrique et les Carib des îles (Isleños) se rencontrent et forment une alliance contre leurs ennemis communs : les Français et les Anglais.

Au cours de cette période, les Africains adoptent une grande partie de la culture et de la langue des Carib des îles, et les deux groupes s'accouplent pour former une nouvelle souche que les Européens appellent Carib noirs pour les différencier des Carib rouges ou jaunes. Au XVIII⁰ siècle, les Carib noirs contrôlent l'île de Saint-Vincent, qu'ils ont baptisée Yurumien et où ils ont créé une société autonome prospère. Mais les colonisateurs européens ne voient pas les choses du même œil, surtout depuis la prise de possession de cette île cédée aux Anglais par le traité de Paris en 1763.

Affaiblis par les épidémies que les Européens leur transmettent et désavantagés par une technologie guerrière inférieure, les Garífuna, malgré une résistance féroce, ne parviennent pas à tenir tête aux nouveaux colonisateurs. Aucun texte ne rapporte les faits et gestes des vaincus, mais nous savons que c'est durant cette période de leur histoire que se déroule la vie du grand chef Satuye, aujourd'hui devenu un héros presque mythologique du peuple Garífuna.

«Trop libres» – certains diront «insoumis» –, les vaincus font figure de problème, que les conquérants choisissent de résoudre par leur déportation. La dispersion des Garífuna commence au mois de février 1797, alors que les Anglais entreprennent de les acheminer par la mer vers les îles de la baie du Honduras et la côte de l'Amérique centrale. Un mois plus tard, les Anglais arrivent avec leur cargaison de Garífunas à l'île de Roatán en espérant ennuyer les Espagnols avec ces rebelles; mais, contrairement aux attentes, les nouveaux venus sont bien acceptés, au point même que les Espagnols leur permettent de s'implanter à Puerto Trujillo, sur le continent.

La dispersion du peuple Garífuna lui permet de s'établir partout sur la côte et d'acquérir une grande mobilité, un attribut qui demeure à ce jour un trait saillant de cette population, surtout chez les hommes. En 1805, ils habitent différents lieux, entre autres Labuga sur le Gulfu Lyumu (*labuga* signifie «bouche» et désigne l'embouchure du Río Dulce).

À cette époque, les Garífuna occupent des villages sur toute la côte, depuis Dangriga au Belize jusqu'à la Plaplaya, à la frontière de la Mosquitia. En 1870, au faîte de leur expansion démographique, un certain nombre de Garífuna du Belize et du Honduras immigrent à Laguna de Perlas au Nicaragua, où ils fondent plusieurs villages.

À la fin du siècle dernier, les Garífuna ont joué un rôle prépondérant dans l'exploitation du café et, plus tard, dans la production des bananes; malgré leur influence, leur intégration à la société guatémaltèque a cependant été lente et difficile. Par exemple, à la fondation de Puerto Barrios, les Garífuna seront confinés au quartier El Rastro.

les traces d'occupation du classique ancien, c'est-à-dire de 250 à 600 ap. J.-C. On y a découvert une stèle (monument 26) portant la date de 493 ap. J.-C. Une autre stèle, mais ne portant pas de gravure, a été trouvée dans le groupe C et une autre, sculptée mais très érodée, dans le groupe B.

Malgré l'épaisse couche d'alluvions qui la recouvre, cette partie de la vallée possède des traces d'occupation humaine remontant au début de notre ère voire quelques siècles auparavant.

Les premiers occupants appartenaient à la même culture que ceux qui habitaient le Petén. En effet, les découvertes de l'équipe de Robert Sharer, qui dirigea les fouilles archéologiques, indiquent que Quiriguá fut une colonie des Basses Terres

du Petén, fort probablement de Tikal. Sa fondation remonte à la période préclassique. On croit qu'il en est de même pour Copán au Honduras, qui est considérée comme la capitale régionale.

La mainmise de Tikal sur les importantes ressources de la vallée, comme la production de cacao, et le contrôle de la route du commerce du jade qui transitait par le Río Motagua vers l'Amérique centrale rendaient la colonisation de cette région impérative.

Les inscriptions sculptées sur les monuments indiquent que Quiriguá a été sous la coupole de Copán pendant une partie de la période classique récent (600-900 ap. J.-C.). Elles mentionnent qu'en 725 ap. J.-C. le souverain de Copán, appelé

«18 Lapin», installe Ciel-Cauac sur le trône de Quiriguá. En 737, ce dernier capture et décapite «18 Lapin», libérant Quiriguá de l'emprise de Copán.

Cette victoire marque le début de l'apogée de Quiriguá qui durera plus d'un siècle. La dernière date, «810 ap. J.-C.», a été sculptée sur la façade de l'un des édifices construits sous le règne du souverain Ciel-Jade. Les fouilles archéologiques ont confirmé ce que les inscriptions relataient; c'est-à-dire que Quiriguá atteint son indépendance politique et devient une puissance économique pendant cette période.

Cependant, les fouilles démontrent que durant la période subséquente (entre 800 et 1000 ap. J.-C.), soit celle de transition entre le classique et

Côte Caraïbe et Oriente

le postclassique, la ville de Quiriguá est occupée par un groupe ethnique différent du précédent.

L'hypothèse d'une présence des Mayas chontal, qui contrôlaient une bonne partie du commerce tout autour de la péninsule du Yucatán, est la plus probable. Les témoins archéologiques trouvés par le groupe de Sharer suggèrent que l'usurpation du pouvoir des grandes villes du Petén par des Mayas venus du golfe du Mexique a aussi eu lieu à Quiriguá. Celle-ci demeura un centre de commerce entre les Hautes Terres et l'Amérique centrale, tandis que Copán est abandonnée.

Mais à son tour, Quiriguá fut laissée à l'abandon par ces nouveaux maîtres avant 1250 ap. J.-C. En effet, avec le déclin de Kaminal Juyú et l'émergence de nouvelles routes de commerce qui empruntaient la mer plutôt que le Río Motagua, la ville de Quiriguá, trop éloignée de la mer, perdit petit à petit de son importance et fut abandonnée.

La ville de Nito (située en face de l'actuelle Livingston sur la mer des Caraïbes), nettement avantagée par les nouvelles routes de commerce maritime qui se développaient, prit la relève de Quiriguá comme ville de commerce principale.

Les ruines

La restauration partielle du site et les consolidations exécutées dans l'acropole ont donné à sa visite un intérêt nouveau. L'entrée du site, située au nord du «noyau central» donne sur la «grande place» et offre une vue impressionnante sur plusieurs monuments. Un trottoir en pierre mène vers l'acropole, en passant par la «Grande Place» et le jeu de balle (voir plan). Les monuments sont protégés par des toits de chaume, mais l'aménagement du site permet une visite agréable.

À l'entrée du site, on voit une série de monuments sur la gauche du sentier en pierre, tandis qu'un seul est situé sur la droite. Le monument 1 est la première stèle que vous voyez sur la gauche. La face avant des stèles, comme vous pourrez le constater, représente le souverain, alors que les glyphes sont sculptés soit sur la face arrière de certains monuments, soit sur leurs côtés.

À Quiriguá, le souverain est toujours représenté de face, debout sur un masque d'un monstre terrestre ou de jaguar, tenant dans ses mains un sceptre et un bouclier circulaire. Sa coiffe comprend un ou plusieurs casques enveloppant sa tête couronnée d'un masque et d'un panache de plumes.

Les sculptures d'un haut-relief semblable à

ceux de Copán sont d'une exécution admirable. La calligraphie est superbe et l'élégance des glyphes, surtout ceux de figure entière (qui représente un chiffre), rarement atteinte ailleurs. Les souverains de Quiriguá ont érigé des monuments sculptés aux cinq ans entre 751 ap. J.-C. et 805 ap. J.-C., et un édifice porte la date de dédicace «810 ap. J.-C.» Quelques monuments portent la même date.

Voici quelques informations portées par les monuments. Les interprétations des hiéroglyphes proviennent des notes du séminaire donné par Matthew Looper, historien de l'art et épigraphiste américain qui a étudié les inscriptions du site.

Selon Matthew Looper, les monuments 1 à 7 sont l'œuvre du souverain K'ak Tiliw. Le souverain profite de la fin de période du calendrier maya pour raconter l'histoire de la ville, sa fondation et d'autres événements importants.

Les Mayas célébraient la fin des différentes périodes de leur calendrier un peu comme nous célébrons la fin d'une décennie ou d'un siècle. Le calendrier maya exprime ce que nous appelons le «compte long», qui est en effet le nombre de jours écoulés depuis le début (dans notre calendrier, notre début est la naissance du Christ). Le début, c'est-à-dire le jour 1 pour les Mayas, correspond au 13 août 3114 av.

J.-C. lorsque exprimé dans notre calendrier grégorien. Nous exprimons la date en «compte long» avec une série de chiffres séparés par des points; par exemple, la date du 30 juillet 775 dans le calendrier grégorien serait 9.17.4.10.12. en «compte long» du calendrier maya.

Le **monument 1** a été dédicacé le 30 juillet 775 (le 9.17.4.10.12 en «compte long» maya). Il fut érigé par le souverain K'ak Tiliw en même temps que le monument 3. Il ne célèbre pas la fin d'une période.

Érigé par le souverain K'ak Tiliw, le **monument 2** célèbre la fin de la période 9.17.10.0.0. Parce que les Mayas utilisaient un système numérique vicésimal (qui a pour base le nombre 20 tandis que le nôtre est décimal), les fins de la période (*katun*) les plus prisées revenaient à tous les 20 ans, mais une période de 20 années se révélant plutôt longue, les Mayas célébraient aussi les cinq ans.

Érigé par le souverain K'ak Tiliw en même temps que le monument 1, le **monument 3** porte la date «9.17.5.0.0». Pour Matthew Looper, le nom inscrit sur la pierre est celui de Tutum Yol K'inich, le philosophe Face-Soleil. Pour des raisons qu'on ignore, ce nom se retrouve aussi à Caracol, au Belize.

Le **monument 4** fut érigé par K'ak Tiliw Chan, sou-

verain de Quiriguá. Cette stèle porte sur ses côtés la date du 15 février 766 exprimée en glyphes de figure entière (les petites figures assises). Cette façon d'écrire les chiffres sur les stèles est très rare et l'exécution en est admirable.

Le **monument 5** fut érigé par K'ak Tiliw Chan le 20 janvier 771. Il est le plus grand monument sculpté du monde maya. La stèle atteint 10,66 m de haut et pèse 50 tonnes métriques.

Le **monument 6** fut érigé par K'ak Tiliw Chan le 13 mars 761; il célèbre la fin de période 9.16.10.0.0 en «compte long». Le souverain est représenté sur les deux faces du monument 6. On croit qu'une face représente le souverain dans un décor céleste, tandis que l'autre le représente dans un décor de l'Infra-Monde (le monde des dieux maléfiques).

Le **monument 7** célèbre l'accession de K'ak Tiliw Chan, souverain sacré de Quiriguá. Les inscriptions rendent compte de sa mort le 27 juillet 785 et de son enterrement 10 jours plus tard.

Le **monument 8** est une stèle qui porte des glyphes sculptés selon le patron de tapis tressé, ce qui est très rare. Elle porte la date de 751 ap J.-C.

Le **monument 9** est le premier monument à la gloire de Ciel-Jade, qui était le 16ᵉ souverain de

Quiriguá. Ce monument érigé par K'ak Tiliw le 9.15.5.0.0 célèbre la fin de la période 9.18.10.0.0 en «compte long», ce qui correspond au 15 août 800 de notre calendrier. Le texte associe K'ak Tiliw à une personne de Kalakmul, une grande ville qui guerroyait contre Tikal.

Le **monument 10**, érigé par K'ak Tiliw Chan, porte la date du 8 avril 756 et célèbre la fin d'une période. Le souverain se perce la langue pour offrir son sang.

Le **monument 13** est une représentation de la tête d'un «zoomorphe» qui a les traits combinés d'un jaguar et d'un serpent. Il fut érigé par K'ak Tiliw pour la célébration de la fin de la période 9.15.0.0.0, qui correspond au 18 août 731.

Sur le «jeu de balle», les monuments longeant les côtés est et sud méritent une visite. Il n'y a pas d'inscription sur le **monument 14**, qui représente le portrait du dieu N, représenté par une écaille de tortue d'où sort une tête.

Le **monument 15** porte la date de 790 ap. J.-C. Les monuments 15 et 16 ont à leur pied un rocher plat sculpté où se prolonge l'inscription du monument principal; il porte l'image d'un personnage dansant, au visage caché par un masque de jaguar qui, selon l'archéologue français Claude-François Beaudez, l'identifie «au soleil nocturne qui va s'enfoncer dans les en-

trailles de la terre».
L'ensemble des deux
monuments célèbre une
succession dynastique : le
roi défunt s'enfonce en
terre, et son successeur,
sous la forme d'un oi-
seau, image du soleil
diurne, en émerge.

Pour certains, le **monu-
ment 16** raconte la fondation de Quiriguá :
l'arrivée du fondateur, le
5 septembre 426
(8.19.10.10.17 en «compte
long» maya) et l'érection
de la première pierre trois
jours plus tard. Le long
texte sculpté en car-
touche raconte plusieurs
événements historiques
ainsi que la relation particulière de Quiriguá avec
Copán.

Situé au sud de la «grande
place», l'**acropole** de Quiriguá est le plus spacieux
et le plus complexe as-
semblage architectural du
site. C'est le seul espace
qui a fait les frais de fouilles archéologiques et
d'une restauration. L'a-
cropole de Quiriguá est
l'étape ultime d'une su-
perposition d'édifices
dont le premier a été
construit vers 550 ap.
J.-C., et le dernier porte la
date de 810 ap. J.-C. On
suppose que d'autres
structures sont postérieu-
res à cette date.

On y accède par
l'escalier situé au sud du
monument 15, lui-même
au sud du «jeu de balle».
Les édifices longeant le
côté ouest sont la struc-
ture 1B-4 et la structure
1B-5. Reliant les deux
structures, une construc-
tion plus ancienne com-
prend un mur qui fait

face à l'ouest, c'est- à-dire
vers l'extérieur de
l'acropole. Ce mur porte
les traces de têtes du
Dieu-Soleil, mises au jour
lors des fouilles. Les têtes
ont été enlevées, mais le
collier et les pectoraux
demeurent; une toiture
les protège.

La structure 1B-1 se situe
sur le côté sud de place
de l'acropole, tandis que
la petite structure 1B-2
fait le coin sud-ouest. Ces
structures 1B-2 et 1B-1
possèdent toujours leurs
murs extérieurs. Trois
entrées extérieures mè-
nent aux trois petites
chambres de la structure
1B-1.

À l'arrière de chaque
chambre, un banc élevé
de 50 cm au-dessus du
plancher est sculpté de
hiéroglyphes sur sa face
verticale. Les inscriptions
portent la date de 810 ap.
J.-C. et parlent des activités de Ciel-Jade, dernier
souverain connu de Qui-

riguá. Le texte raconte la
commémoration de la fin
de la période, fin du *katun* 19. La fin de la pé-
riode est célébrée par
Ciel-Jade en compagnie
du souverain de Copán,
Yax Pasaj. Les frères en-
nemis se sont réconciliés.

Sur le côté nord de la
place de l'acropole, à la
gauche du passage qui
donne accès à la place,
en haut d'un large esca-
lier, se trouve la structure
1B-5, le plus grand édi-
fice de Quiriguá. On y
entre par une porte au
sud qui donne accès aux
sept chambres communi-
cantes. Les murs de la
structure 1B-5 sont tou-
jours debout, et la fouille
a démontré l'existence
des voûtes qui coiffaient
les sept chambres, mais
aucune des voûtes n'a pu
être sauvegardée.

Tout indique que
l'acropole de Quiriguá
était la résidence et les
lieux administratifs de
l'élite de Quiriguá.
D'autres structures au sud
et à l'est de celles décrites
ici ont été mises sur plan,
mais n'ont pas été restaurées.

Vers Puerto Barrios

De Quiriguá, la route CA
9 vers l'Atlantique ren-
contre un chemin de
terre à **La Trinchera**. Ce
chemin mène à **Mariscos**,
sur la rive sud du Lago de
Izabal. De Marisco, on
peut se rendre par bateau
à El Estor (voir p 309) sur
la rive nord du lac, d'où
l'on peut rejoindre les
Verapaces.

L'United Fruit Company

Jusqu'aux années soixante, les plantations de bananiers qui s'étendent de Quiriguá à la côte caraïbe sont le fief de l'United Fruit Company. Cette petite société de Boston, aux États-Unis, a été fondée au XIXe siècle et doit son importance ultérieure aux terres que lui a concédées le gouvernement du Guatemala en 1880. Elle deviendra l'United Fruit Company (UFCO) par fusion et concentration, ainsi que par la grâce des gouvernements successifs, et étendra son emprise sur toutes les sphères de l'activité économique au point d'en faire un État dans l'État.

En 1904, le président guatémaltèque Manuel Estrada Cabrera l'autorise à s'emparer des chemins de fer, construits depuis 1884 par diverses sociétés sous étroite influence étasunienne. Cette acquisition mène à la création d'un empire englobant près de 88 000 ha de bananeraies, 245 km de voies ferrées, les quais de Puerto Barrios et une «flotte blanche» (ses bateaux étaient peints en blanc) assurant le transport maritime des récoltes. Et, il va sans dire, l'ensemble de ses activités économiques est exonérée de droits à l'exportation et de taxes portuaires. Le géant ne tardera pas à mériter le surnom de «pieuvre verte».

L'United Fruit obtient, en 1924, la légalisation de ses cultures sur les rives du Río Motagua, bien qu'on exige d'elle 14 000$ pour la location des terres et 1¢ par régime de bananes exporté. En 1928, la Compañía Agrícola de Guatemala, une filiale de l'UFCO, entame ses opérations sur la côte du Pacifique autour de Tiquisate, et, cette même année, la guerre éclate presque entre le Guatemala et le Honduras du fait de la concurrence qui oppose l'UFCO à la Cuyamel Fruit Company, une entreprise américaine installée de l'autre côté de la frontière qui cherche alors à étendre ses possessions.

Le 17 juin 1952, le gouvernement Arbenz vote une réforme agraire assortie d'un fameux décret, le «900», qui entre en application dès janvier 1953 et vise surtout à récupérer les terres non cultivées de la compagnie bananière et des grands propriétaires fonciers pour ensuite les redistribuer aux paysans. L'UFCO se voit ainsi expropriée de près de 80% de ses terres d'Izabal. Dès 1951, la compagnie bananière, soit la plus grande entreprise du pays, avait déjà entrepris une offensive de déstabilisation contre le régime Arbenz, qu'elle accusait de communisme; elle réagit donc violemment à la réforme, et, avec l'aide d'un de ses actionnaires, par ailleurs secrétaire d'État, John Foster Dulles – dont le frère était patron de la CIA – elle n'eut aucun mal à faire prévaloir ses intérêts.

En juin 1954, Arbenz refusant de se plier aux injonctions de Washington, le pays est attaqué, depuis Copán au Honduras, par une petite bande de mercenaires armés sous le commandement du colonel Carlos Castillo Armas. Le régime s'effondre en quelques jours, le colonel Armas s'empare du pouvoir et les terres confisquées sont rendues à l'UFCO.

Selon le ministère étasunien de la Justice, la compagnie bananière contrôle alors 85% des terres aptes à la culture du

fruit sur le continent. Elle est ainsi condamnée aux États-Unis pour pratiques monopolistiques, et doit se défaire de l'IRCA (la société des chemins de fer). Puis, en 1971, les plantations elles-mêmes sont vendues à la firme Del Monte, qui fusionnera plus tard avec l'UFCO pour devenir l'United Fruit Brands.

L'United Fruit Brands, multinationale agro-alimentaire aux activités extrêmement diversifiées, s'est

retirée du Guatemala à la suite de maladies contractées par le fruit, puis a redéployé ses cultures en Amérique centrale vers le Panamá, le Costa Rica et le Honduras. À l'heure actuelle, ses activités au Guatemala étant limitées, elle rachète à des propriétaires individuels, à des sociétés ou à des coopératives une production qu'elle exporte à l'étranger à partir de Puerto Barrios.

Plus loin, à une trentaine de kilomètres, se trouvent les villes de **Bananera** et de **Morales**. Cette dernière a été fondée en 1870 par des Honduriens et un Nicaraguayen, tandis que Bananera a été fondée par l'United Fruit Company; les patrons étrangers y vivaient dans leur petit quartier protégé, avec un terrain de golf et un magasin général appartenant à la société. Un aéroport qui appartient à la firme Del Monte, la nouvelle société bananière, atteste sa vocation économique. Nous sommes ici dans la vallée de

l'ancienne United Fruit Company, qui a joué un rôle politique et économique déterminant dans l'histoire du pays.
À **La Ruidosa**, la route CA9 rencontre la route CA13, qui mène à **Río Dulce** (voir plus bas) et au Petén. La route CA9 continue jusqu'à **Puerto Barrios**, et **Santo Tomás de Castillo**, le plus grand port des Caraïbes, qui assure plus de 75% des exportations et la moitié des importations du Guatemala. Près de 20% des importations et 10% des exportations du El Salvador transitent aussi par ce port.

Puerto Barrios

Puerto Barrios fut fondée le 5 décembre 1883, mais n'est devenue la *cabecera* du département d'Izabal qu'en 1920. Au moment de sa fondation par le président Justo Rufino Barrios, Puerto Barrios fut conçue comme la ville portuaire la plus importante du pays. À l'urgence de relier la capitale à l'Atlantique par voie ferrée, s'ajoutait la nécessité d'offrir les installations portuaires pour le transbordement des marchandises. Vingt ans plus tard, Puerto Barrios était devenue le plus grand port d'Amérique centrale avec un quai de plus de 300 m et une profondeur suffisante pour recevoir les plus grands bateaux à vapeur faisant la navette

Livingston

N

Museo Garífuna

Banco del Commercio

Exotic Travel

Bancafé

Happy Fish Travel

Telgua

Bahía de Amatique

Quai municipal

HÉBERGEMENT

1. La Marina (R)
2. Las Amacas
3. Hotel Centenario Río Dulce
4. Hotel Garífuna
5. Guest House du restaurant Rigoleto Pizzería (R)
6. La Casa Rosada (R)
7. Hotel Doña Alida (R)
8. Hotel Tucán Dugú (R)

(R) établissement avec restaurant décrit

RESTAURANTS

1. Ubougar Funa
2. Bahía Azul

©ULYSSE

Côte Caraïbe et Oriente

entre le Guatemala, la Louisiane et New York. Très tôt le port est devenu la propriété de l'United Fruit Company. (Voir p 303)

Les plus belles plages situées sur les **Tres Puntas**, au nord-est de Puerto Barrios, sont maintenant dans la mire des bâtisseurs de centres de villégiature. Les amateurs de plages et de plongée-tuba peuvent encore visiter celles situées près des villages de **Punta Manabique**, **Estero Lagarto**, **Bernabé** et **Matías de Gálvez**.

Des groupes de conservation ont imaginé un plan ambitieux d'écotourisme combinant développement touristique et création d'emplois pour les habitants tout en protégeant la faune et la flore exceptionnelles de la pointe.

C'est à Puerto Barrios que fut trouvée la plaquette de jade de Leyde (musée de Leyde, Pays-Bas), longtemps célèbre pour porter la plus ancienne date maya (320 ap. J.-C.). On croit qu'elle provient de Tikal. Depuis, d'autres dates encore plus anciennes ont été découvertes.

C'est aussi ici que Georges Arnaud, auteur du roman *Le Salaire de la peur*, a trouvé la source de la vision apocalyptique que son roman décrit si bien. La ville de Puerto Barrios a peut-être évolué depuis, même si elle présente toujours une architecture caractéristique des Caraïbes et un quadrillage de voies moderne.

Malgré ses rues poussiéreuses et son état de délabrement général que plusieurs touristes de passage abhorrent, elle demeure pour plusieurs le port de transit vers le Belize ou le Honduras (voir p 289). C'est également de Puerto Barrios que l'on accède par bateau à Livingston, située de l'autre côté de la baie d'Amatique.

★★
Livingston

Située à l'embouchure du Río Dulce, Livingston tient son nom de l'ancien gouverneur de la Louisiane Edward Livingston, juriste et auteur d'un code abolissant l'esclavage. Malgré qu'elle se trouve sur la terre ferme, la ville n'est accessible que par bateau depuis Puerto Barrios ou le Río Dulce, ou par avionnette, grâce à une courte piste d'atterrissage. Le nom

local, *La Buga* «la bouche» en garifuna, exprime bien son emplacement géographique.

Livingston est un îlot culturel très singulier. Alors que plusieurs commerçants sont q'eqchi, les Garífuna font la pêche et fabriquent le peu d'artisanat qu'on retrouve dans la ville et à Puerto Barrios. La ville, qui attire de plus en plus de touristes, ressemble plus aux agglomérations du Belize ou de la Jamaïque qu'à celles du Guatemala.

Les Garífuna (voir p 298) du Guatemala ont développé un complexe culturel riche et original où coexistent traditions africaines et caraïbes. Lointains descendants d'Africains, de Carib et de Créoles, ils parlent le garifuna, soit un mélange de créole des îles, d'anglais, de q'eqchi', au milieu duquel on reconnaît parfois quelques mots français (notamment pour compter). Leur culture a été fortement marquée par le contact prolongé avec les cultures arawak lors de leur séjour dans l'île antillaise de Saint-Vincent.

Selon certains ethnologues, les Garífuna conservent toujours certaines traditions africaines, en particulier la musique, les danses, la cuisine, et pratiquent encore dans quelques petites localités leur religion animiste appelée *obeah*.

Dans la société garifuna traditionnelle, l'influence des femmes, souvent

décisive en matière éducative, politique et religieuse, est fondamentale. Celles-ci interprètent les rêves, maintiennent les relations avec les ancêtres. La matrilinéarité traditionnelle est accentuée par le fait que les hommes émigrent aux États-Unis ou au Canada, où il existe d'importantes communautés. Les récentes maisons en parpaings ou à étages ont été construites par les nouveaux riches, avec les dollars gagnés au «Nord».

Les Garífunas du Guatemala sont des cousins de ceux du sud du Belize, région avec laquelle les liens familiaux et les trafics en tous genres sont bien plus étroits qu'avec le reste du pays. Quelque 5 000 à 10 000 habitent le Guatemala, tandis que la grande majorité des 120 000 Garífuna habitent le Honduras.

Le soir, lorsque la brise marine rafraîchit l'air, le spectacle de la rue compense le peu d'attraits touristiques qu'offre la ville. Le meilleur moment pour visiter Livingston est lors des nombreuses fêtes. Entre le 13 et 15 mai, le festival de danse culmine à la fête de San Isidro, le 15 mai, qui coïncide avec le Yurunen, pendant lequel les Garífuna commémorent leur arrivée au Guatemala avec une simulation des premières semaines.

La fête nationale des Garífuna se tient le 26 novembre et donne lieu à toutes sortes de manifes-

Lamentin

manifetations culturelles. Les amateurs de danse seront épatés. La *punta*, danse traditionnelle exécutée au son des tambours et des carapaces de tortues, combine un déhanchement chaloupé avec un mouvement imperceptible des pieds, tandis que la danse Yancunú est réservée aux hommes seulement. La gastronomie comprend, entre autres, le *tapado* et la *mauca*, de délicieux plats à base de poisson, de bananes et de lait de coco.

Une autre fête, le 12 décembre, fête de la Vierge de Guadalupe, sainte patronne du Mexique, est célébrée par les Q'eqchi', qui exécutent, entre autres, la dance du *porom*. Il faut noter que, pendant ces fêtes, plusieurs hôtels sont complets.

Le **Museo Garífuna** présente des objets d'art et des outils de la vie quotidienne des Garífuna. Des excursions aux villages garífuna de **Cocoli**, **San Juan** et **Sarstún**, situés au nord de Livingston, sont possibles.

Les plages de Livingston sont décevantes, mais celles de la côte compensent. **Las Siete Altares** (les sept autels) forment un ensemble de chutes et de bassins d'eau douce à environ 90 min de marche le long de la plage au nord-ouest de la ville. On peut aussi s'y rendre en bateau.

De Livingston au Lago de Izabal

Livingston est le point de départ d'excursions en bateau sur le Río Dulce vers le Lago de Izabal avec découverte de la forêt tropicale, le Biotopo Chocón Machacas et les multiples beautés du grand lac. La rivière traverse une gorge dont les parois calcaires abruptes sont garnies d'une

Toucan

épaisse couche de végétation tropicale exotique et débouche sur **El Golfete**, «le petit golf», qui abrite la réserve naturelle du Biotopo Chocón Machacas, refuge du lamantin, familièrement appelé «veau de mer». (voir p 307).

★ Biotopo Chocón Machacas

Le Biotopo, du nom des rivières Chocón et Machacas, est situé sur la rive nord du Golfete. Aménagé par le Centro de Estudios Conservacionistas (CECON) de l'université San Carlos, il englobe 7 200 ha qui couvrent une zone constituée de forêts tropicales humides, de mangroves, de lagunes et de rivières. Un centre pour visiteurs qui comprend un petit musée de la flore et la faune construit à l'entrée est la partie la plus instructive du site.

Un parcours pédestre de 800 m balisé et ponctué de panonceaux d'interprétation permet d'apprécier l'acajou, le cèdre américain, le sapotillier, le *guanacaste* et le corossolier.

De nombreux oiseaux tels que perroquets, toucans et pics-verts font partie de la faune exceptionnelle de la réserve. Sans trop y compter, les chanceux pourront voir le lamantin, ce mammifère marin à la peau épaisse couverte d'un poil court, avec une queue en spatule, et dont la face ressemblerait vaguement à un visage humain. On dit que son cri

Côte Caraïbe et Oriente

La colonisation belge à Santo Tomás

En 1842, la Compagnie belge de colonisation obtient les droits d'exploitation d'une terre de 400 000 ha située entre le Río Motagua, le Lago de Izabal et la mer des Caraïbes. En retour, la compagnie doit verser au gouvernement du Guatemala 16 000 pesos par année pendant 10 ans; lui livrer 2 000 mousquets et quatre gros canons comme ceux utilisés par l'armée belge; assumer un cinquième des coûts associés à la création de la ville portuaire de Santo Tomás; construire un chemin carrossable entre Santo Tomás et le Río Motagua; privilégier la navigation par bateau à vapeur sur le Río Motagua; et amener au pays 100 familles de cinq personnes, l'objectif final étant d'y établir 1 000 familles. Les colons doivent immédiatement devenir catholiques et citoyens du Guatemala, mais peuvent être gouvernés par leurs propres autorités et selon leurs lois et coutumes. Quelque 600 colons sont ainsi amenés et permettent à la ville de voir le jour. Néanmoins, malgré les subventions de la couronne de Belgique, le projet échoue et les terres sont reprises par le gouvernement du Guatemala. Les survivants retournent en Europe ou s'établissent en des lieux plus hospitaliers.

Río Dulce

Les bateaux continuent au-delà d'El Golfete et de la réserve du Biotopo Chocón Machacas jusqu'à **Río Dulce**, où le grand pont en béton de la route CA13 menant au Petén au nord et à Morales au sud traverse le Río Dulce. Située à 34 km de la route de l'Atlantique, la ville de Río Dulce est parfois appelé **El Relleno** au sud du pont ou **Fronteras** au nord du pont.

C'est un centre d'accueil important pour le tourisme tant étranger que guatémaltèque. On trouve ici location de bateaux, excursions et possibilités de réservations pour les nombreuses *haciendas* et hôtels situés dans les environs.

★
Castillo de San Felipe

Au début de la colonie, le commerce entre le Guatemala et l'Espagne se faisait à partir du *Golfo Dulce*, nom sous lequel on désignait le lac Izabal. Les attaques constantes des pirates obligèrent les autorités à fortifier l'entrée du lac, à l'endroit où étaient installés les entrepôts de marchandises en provenance ou à destination de l'Espagne. En 1595, le président de l'Audiencia et gouverneur Francisco de Sandé fait construire une tour sur le promontoire, mais ces défenses furent détruites par les pirates. En 1604, on reconstruit mais les pirates intensifient leurs

ou plutôt sa lamentation, d'où vient son nom, est à l'origine de la légende des sirènes chantantes décrites par les marins. Les Mayas lui attribuaient des pouvoirs surnaturels, même si parfois ils n'hésitaient pas à manger sa chair à l'occasion de fêtes importantes. Jadis son territoire s'étendait tout le long de la côte depuis le Mexique jusqu'au Nicaragua, mais, avec l'arrivée des conquérants, la chasse au lamantin alla croissant et il est aujourd'hui menacé d'extinction.

attaques pendant les années 1640 et le fort est à nouveau dévasté. Le fort fut reconstruit par le magistrat Lara en 1651, qui le baptisa Castillo de San Felipe de Lara en l'honneur du roi Philippe d'Espagne et pour sa propre place dans l'histoire.

Durant plusieurs années, les pirates, entre autres les «Frères de la côte», établis dans l'île de la Tortue, reprennent leurs pillages, ce qui entraîne de nouveaux travaux par les Espagnols. Le fort fut constamment amélioré pendant tout le XVIIIe siècle. Par la suite, le fort tomba en ruine. La dernière reconstruction date de 1956.

Lago de Izabal

Plus grand lac du Guatemala, le Lago de Izabal est de plus en plus fréquenté par les touristes dont la plupart séjournent à Río Dulce, mais plusieurs autres lieux peuvent être visités.
En plus du **Castillo San Felipe** et de la petite ville d'**El Estor**, des *fincas*, entre autres la **Finca El Paraíso**, offrent des séjours très appréciés. Les adeptes des sports aquatiques seront très bien servis par les nombreux cours d'eau et voies navigables qui rayonnent du lac. Une route en terre relie El Estor et Río Dulce.

L'Oriente

L'Interaméricaine vers le sud

La petite ville de **Barberena** est une des plus prospères du département de Santa Rosa. **La Laguna El Pino**, un parc national, se situe sur son territoire. Entre Barberena et Jalapa, par une route panoramique, vous atteindrez **Nueva Santa Rosa**, un *municipio* de quelque 20 000 habitants reconnu surtout pour sa production de café et de sucre qu'on utilise pour la confection du *panela*, le pain de sucre. Les principaux attraits naturels sont les chutes **Los Chorritos**, le belvédère du **Cerro de Jumaytepeque** et le **Río Los Esclavos**. Cette route secondaire passe près de la **Laguna de Ayarza** et par **San Rafael Las Flores** et **Mataquescuintla**.

★
Cuilapa

Capitale du département de Santa Rosa, Cuilapa est perchée à 893 m au-dessus du niveau de la mer. La première colonie fut établie vers 1570 près du village de Nuestra Señora de la Candelaria de los Esclavos.

Après la destruction de la ville par le tremblement de terre en 1791, les habitants reconstruisent l'église en 1812. À cette époque, Cuajiniquilapa, plus grande productrice de *panela* de la région,

établit une certaine hégémonie économique et devient la *cabecera* du département en 1852. C'est à ce moment qu'elle prend le nom de Cuilapa.

Centre géographique des Amériques, Cuilapa s'est construit une grande arche pour l'indiquer au reste du monde. Elle compte quelques attraits touristiques, entre autres le petit village de **Los Esclavos** ★, où l'on trouve le premier pont construit par les Espagnols. Depuis sa fondation, il est un centre de traditions et d'activités religieuses. La légende veut que le pont qui enjambe le Río Los Esclavos fût construit par le diable durant une nuit, à la demande d'un esclave.

À la sortie de Cuilapa, la route 16 descend vers le sud pour rejoindre la Carretera al Pacífico. Situé sur la *boca costa*, le piedmont, **Chiquimulilla** ★ possède quelques attraits touristiques qui valent bien un arrêt si vous passez par la route 16 : l'église sur la Plaza Central qui date du temps de la colonie, et le centre d'archéologie situé dans la Casa de la Cultura. Les artisans de la région produisent des bijoux, des selles, des tuiles et des briques pour la construction.

Le *municipio* de **Guazacapán** ★, situé sur la côte du Pacifique entre Chiquimulilla et Taxisco, est surtout reconnu pour ses attraits naturels : le **Cerro**

Tecuamburro et les chutes de **La Chorrera**.

Jutiapa

Capitale du département du même nom, Jutiapa est le centre économique de cette région plutôt aride où l'on produit du sucre, du tabac, du café et des dérivés du lait. Pivot du transport pour toute la région, son centre-ville étouffe dans la fumée des autocars qui mènent aux principales agglomérations de l'Oriente.

La route 19 vers le El Salvador

Témoins d'un autre Guatemala, les trois petites villes de Sanarate, Jalapa et Monjas sont peu visitées par les voyageurs de passage. Cette région montagneuse où les rivières sont nombreuses est parsemée de volcans, et ses habitants sont en très grande majorité *ladinos*. Seuls quelques villages comme San Luis Jilotepeque, San Pedro Pinula et San Carlos Alzatate reflètent l'occupation préhispanique de la région.

Sanarate, situé sur la route 19, est un *municipio ladino* comme ses voisins **San Antonio La Paz** et **Sansare**. L'agriculture est la base économique de toute cette région. La culture du tabac, de la canne à sucre et du coton complète les cultures traditionnelles des fèves, du maïs et des tomates. Les nombreuses petites rivières, les grottes, particulièrement celles de Las Peñas de las Mesas et les belvédères Las Mesías y Fortín sont les attraits naturels les plus visités.

Jalapa, *cabecera* du département du même nom, fournit tous les services à la population de cette région prospère mais isolée. Elle est le centre des correspondances pour les autocars qui mènent aux villages de la région. La route 18, reliant Jalapa et Quetzaltepeque à l'est, offre des paysages époustouflants et passe par deux avant-postes mayas isolés : les villages poqomam de **San Pedro Pinula** ★★ et **San Luis Jilotepeque** ★★.

La Plaza Central de San Luis Jilotepeque impressionne avec ses deux immenses *ceibas*, son église coloniale et quelques stèles, répliques de celles de Copán. Les Poqomam de San Luis Jilotepeque produisent une poterie en utilisant les mêmes techniques de fabrication que les artisans préhispaniques. Méconnaissant l'usage du tour de potier et du four, les artisans modèlent les objets à la main qui sont cuits au soleil ou à l'aide de combustibles végétaux.

Les dessins ornementaux de la céramique de San Luis Jilotepeque sont préhispaniques, bien que certaines formes, comme les beaux récipients en forme de canard, soient dues à la culture occidentale. L'église Santo Domingo à San Pedro Pinula vaut l'arrêt.

Un autocar fait le trajet entre Jalapa et Chiquimula en six heures en passant par **Ipala** ★★, où l'on trouve quelques hôtels. Ipala est située à la croisée des chemins et agi comme point de rencontre des autocars venant de Jalapa à l'est, de Jutiapa au sud, de Chiquimula au nord et d'Esquipulas à l'est. Du village, on peut voir le **volcan Ipala**, situé à 10 km, mais il est beaucoup plus facile de l'escalader du côté sud à partir du village d'**Agua Blanca**.

La route continue vers le sud et passe par **Monjas** et **El Progreso**; elle rencontre l'Interaméricaine et se rend à **Asunción Mita**, qui cache un bagage historique bien rempli. Ville préhispanique, elle fut capturée par les Espagnols en 1550 et devint un avant-poste sur la route royale vers le Panamá durant le temps de la colonie.

Tout autour d'Asunción Mita, trois sites archéologiques ont été recensés : **San Juan Las Minas**, site xinka de la période postclassique, Sinaca Mecallo, un site xinka de la période classique, et **Visto Hermosa** ou **La Laguna**, qui date du préclassique. Les trois sites sont considérés par le gouvernement du Guatemala comme étant d'importance de second rang, c'est-à-dire qu'ils sont des sites urbains avec un noyau central important.

La route qui continue vers le sud passe près de la **Laguna de Atescatempa** pour aboutir au poste-frontière de **San Cristóbal Frontera**, où vous trouverez un bureau de renseignements touristiques de l'Inguat. Celui-ci dessert les touristes arrivant du El Salvador et, si tel est votre cas, il pourra vous indiquer les attraits, hôtels et restaurants sur la route vers la capitale.

La route CA10

Comme nous l'avons dit plus haut, c'est à Río Hondo que la route CA9 rencontre la route du sud-est CA10 vers Zacapa, Chiquimula, Esquipulas et les frontières du Honduras et du El Salvador.

Estanzuela ★ est un petit village situé à 6 km au sud de Río Hondo qui, étonnamment, possède son propre musée de paléontologie, le **Museo de Paleontología, Arqueología y Geología** (*entrée libre; 8h à 17h; sur la rue principale passé le village*), avec une impressionnante collection de squelettes d'animaux préhistoriques : dinosaures, paresseux géants, baleines et autres. Une sépulture provenant d'un cimetière maya complète l'exposition.

La ville de **Zacapa**, capitale du département du même nom, est située à 13 km de Río Hondo. On la rejoint en traversant le Río Grande. Durant la saison sèche, Zacapa est

un des endroits les plus chauds du pays, la température pouvant atteindre les 35 à 40°C. Une bonne raison d'arrêter à Zacapa est la présence des Aguas Thermales Santa Marta, à 5 km de la ville.

Capitale du département du même nom, **Chiquimula** ★ est la plus grande ville de la région. Centre commercial régional, peuplée de Ladinos très à l'aise dans ce climat sec et venteux, Chiquimula est une ville de transit pour les voyageurs de Copán ou de Jalapa.

La route de Copán

Situé proche (11 km) de la frontière guatémaltèque, le site archéologique de Copán est un des rares sites mayas du Honduras ouverts au public. Par la richesse de ses monuments, notamment par ses nombreuses stèles très décorées, il constitue l'une des cités majeures du monde maya.

Rivale de la ville de Quiriguá, située à une quarantaine de kilomètres au nord, Copán connut son apogée entre les Ve et IXe siècles de notre ère. Sa visite est une expérience qu'il ne faut pas manquer.

Pour se rendre au site archéologique de Copán, il faut prendre la route CA10 vers le sud jusqu'au petit village de Vado Hondo (km 178), où il faut bifurquer vers la

gauche. (Il ne faut pas aller à Santa Rosa de Copán, située à plusieurs heures de route de Copán Ruinas, où se trouvent les *ruinas*, soit les vestiges archéologiques.)

La route qui mène au site archéologique passe par le village chorti' de Jocatán, où vous trouverez hôtels et restaurants.

Le poste-frontière d'**El Florido**, desservi par des autocars de la compagnie Vilma, en provenance de Chiquimula, est situé à 50 km de l'embranchement avec la CA10. Le site archéologique de Copán est à 11 km de la frontière. Vous pouvez obtenir un visa de 48 heures à la frontière du Honduras pour la visite du site. Pour un séjour plus long, il faut un visa en règle qu'on peut se procurer au consulat du Honduras à Esquipulas.

★★
Esquipulas

Située aux confins du Guatemala, à la frontière du Honduras et du El Salvador, la ville d'Esquipulas est le lieu de pèlerinage le plus populaire de l'Amérique centrale. Le 15 janvier, des pèlerins venant des pays voisins, voire de l'Amérique du Sud et du Mexique, envahissent la ville. Le Christo Negro, (le Christ noir), logé dans une vaste basilique, fait l'objet de la vénération des pèlerins.

Côte Caraïbe et Oriente

Iglesia de Esquipulas

La sculpture du Christ noir est l'œuvre de Quirio Cataño, fils d'un immigrant portugais devenu sculpteur dont les œuvres religieuses étaient appréciés des ecclésiastiques. Commandé par le vicaire général Fray Cristóbal de Morales, El Christo Negro fut complété en 1595 et installé dans une première église.

L'archevêque Pedro Pardo de Figueroa, qui portait une grande dévotion au Christ d'Esquipulas, en guise de gratitude à la suite de sa guérison «miraculeuse», ordonna en 1737 la construction de l'actuelle basilique de style baroque. Celle-ci fut terminée en 1758 et, depuis, elle est le centre même de la ville.

La vallée d'Esquipulas faisait partie de la zone d'influence de Copán durant l'époque classique (300 à 900 ap. J.-C.) puis de Mitlán avant l'arrivée des Espagnols. Militairement faibles à l'arrivée de ces derniers, les premiers habitants d'Esquipulas se soumirent définitivement en 1530. L'implantation des missionnaires au XVIᵉ siècle a permis la construction d'une première chapelle en 1578 et d'une église en 1595.

En plus d'être un centre religieux, Esquipulas est aussi le siège officiel du Parlement centraméricain. Instance consultative, mais s'inspirant du modèle du Parlement européen, il a été créé à la suite des accords d'Esquipulas de 1986.

Frontière avec le Honduras

Le poste-frontière d'**Aguacaliente**, situé à 10 km d'Esquipulas, est desservi par des minibus et des taxis qui font la navette entre le Honduras et le centre- ville d'Esquipulas. Il faut noter que le Consulat hondurien *(lun-ven 9h à 17h)* loge dans l'hôtel Payaquí, situé sur la Plaza Central, près de l'église.

Frontière avec le El Salvador

Le poste-frontière d'**Aguiatú** est situé à 33 km d'Esquipulas sur une route dont l'embranchement se trouve 14 km avant la ville. Il n'y a pas de Consulat salvadorien à Esquipulas.

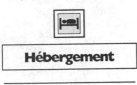

Hébergement

Côte Caraïbe

Santo Tomás de Castilla

Cayos del Diablo
$$$
bp, ☎ , t.v, ⊗, ≡, ≈, ℜ
km 8 Carretera a Livingston Aldea Las Pavas
☎*948-2362*
≈*948-2364*
Situé dans une petite baie, l'hôtel Cayos del

Diablo est tout indiqué pour les vacanciers à la recherche de la mer et de la nature luxuriante de la forêt humide. Ce dispendieux *turicentro* de la chaîne d'hôtels Best Western propose 50 chambres de type bungalow équipées de toutes les commodités de la vie moderne, avec une grande piscine, salons à usages multiples, quai et équipements de sports aquatiques.

Sa grande salle à manger accueille autant les amateurs de cuisine régionale qu'internationale. Les clients qui s'adonnent à la randonnée pédestre ou à l'observation d'oiseaux profiteront de la proximité de la Reserva del Cerro San Gil, qui abrite 330 espèces d'oiseaux. L'hôtel est accessible par voie terrestre et par bateau à partir de Santo Tomás ou de Puerto Barrios.

Puerto Barrios

À l'instar de nombreux ports de mer, Puerto Barrios possède son lot d'hôtels quelque peu mal famés. Néanmoins, vous trouverez ici, toutes catégories confondues, des établissements qui sauront plaire par leur environnement tropical.

Avant de louer, il est recommandé de toujours vérifier le bon fonctionnement du ventilateur ou du climatiseur, car les nuits peuvent être chaudes et humides. Il faut savoir que les hôtels de Puerto Barrios, tout comme la ville d'ailleurs, n'ont aucunement le charme

de ceux que vous trouverez à Livingston.

Caribeña
$-$$
bc, bp, ⊗, ℜ
angle 4a. Avenida et 10a. Calle
☎*948-0860*
☎/≈*948-2216*
L'hôtel-restaurant Caribeña se distingue parmi les nombreux hôtels à prix raisonnables par sa proximité de la gare d'autobus et du quai d'embarquement. Ses nombreuses grandes chambres peuvent loger jusqu'à quatre personnes, et son restaurant, très populaire, sert de délicieux poissons et fruits de mer. C'est l'hôtel qui offre le meilleur rapport qualité/prix en ville.

Xelaju
$-$$
bc, bp, ⊗
angle 9a. Calle et 6a. Avenida
☎*948-0482*
Situé en face du nouveau marché, l'hôtel Xelaju est un petit établissement rudimentaire mais correct qui offre un bon rapport qualité/prix. Les chambres à l'arrière sont moins bruyantes.

Europa II
$$
bp, ⊗, S
3a. Avenida, entre 11 Calle et 12 Calle
☎*948-1292*
Très bien situé, tout près du *muelle municipal*, l'hôtel Europa II est une construction récente entourant la cour intérieure. L'accueil s'avère chaleureux et les 11 chambres sont propres et sécuritaires.

Côte Caraïbe et Oriente

El Reformador
$$-$$$
bp, ⊗, ≡, ℜ, *S*
angle 16 Calle et 7a. Avenida
☎*948-5489* ou *948-5490*
☎/≈*948-1531*
Les 47 chambres de
l'hôtel El Reformador sont
disposées autour d'une
cour intérieure qui dé-
borde de fleurs et de
plantes tropicales procu-
rant une fraîcheur ap-
préciée de tous. Cons-
truction récente de fac-
ture moderne et plai-
sante, l'hôtel s'avère accueillant et bien géré.

Hotel Internacional
$$-$$$
bp, ⊗, ≡, *tv*, ℜ, *S*
7a. Avenida, entre 16 Calle et 17
Calle
☎/≈*948-0367*
À l'est du Río Escondido,
l'Hotel Internacional propose des chambres
confortables dans un édi-
fice moderne de type
motel. Malgré son éloi-
gnement du centre-ville,
plusieurs apprécieront la
petite piscine et son stationnement où l'on peut
laisser sa voiture pour
quelques jours, le temps
de visiter Livingston.

Hotel del Norte
$$$
bp, ⊗, ≡, ℜ, *S*, ≈
Av. Oria del Mar
☎*948-0087*
Fondé en 1904, l'Hotel
del Norte se distingue de
tous les autres établisse-
ments de Puerto Barrios.
Construit tout en bois,
l'hôtel dégage une am-
biance de belle déca-
dence qui vous fera rêver
à Yves Montand dans les
scènes du film *Le Salaire
de la peur*, réalisé par
Clouzot en 1952. On

prend le digestif sur le
grand balcon qui donne
sur la mer tout en se fai-
sant raconter des histoires
de pirates, de chercheurs
d'or ou d'évadés de la
civilisation moderne.

L'hôtel possède une
grande salle à manger où
l'on sert une cuisine cor-
recte, une piscine et un
salon avec téléviseur.
Contigu à l'hôtel, le parc
Tecún Umán, pourvu de
jeux pour enfants, com-
plète la scène de
bien-être et profite aux
clients qui voyagent avec
leurs jeunes.

Il faut noter que les
chambres climatisées sont
situées dans l'annexe, une
nouvelle construction en
béton au fond de la cour
où aucune chambre ne
donne sur la mer. Ne
vous laissez pas découra-
ger par la vue sur la route
qui mène à l'hôtel.
L'ambiance de plateau de
tournage de l'Hotel del
Norte vous fera vite ou-
blier le délabrement de
l'ancienne gare de triage
située tout près.

Livingston

Tous les bateaux arrivent
au quai municipal de
Livingston, sis au pied de
la rue principale; celle-ci
mène au centre-ville, tout
au haut de la colline, où
se trouvent la poste, les
bureaux de Telgua, les
banques et le poste d'im-
migration.

Quant aux hôtels, ils se
concentrent dans un
rayon d'un kilomètre.
Vous en trouverez en
haut de la colline, mais

un bon nombre d'entre
eux bordent la rivière et
leur entrée se partage la
première rue à gauche,
celle qui porte le nom de
Barrio La Playa Marco
Sánchez Díaz.

Plusieurs restaurants
transformés en gîtes tou-
ristiques (Guest Houses)
proposent quelques
chambres à la clientèle de
passage désirant vivre sur
le bord de l'eau. Dès
votre arrivée, les enfants
vous solliciteront pour
porter vos bagages. Il n'y
a pas de terrain de cam-
ping proprement dit à
Livingston et il est dange-
reux de coucher sur la
plage.

Hotel Garifuna
$
bp, ⊗
Barrio San José
☎*947-0183*
≈*947-0184*
Plusieurs touristes débar-
quent à Livingston pour
la simple raison que la
ville est le lieu nodal de
la culture garifuna. Si tel
est votre cas et que vous
préférez vivre dans un
quartier un peu moins
fréquenté par les voya-
geurs de passage, l'Hotel
Garifuna saura satisfaire
une partie de vos vœux.

Une famille accueillante,
et serviable à l'excès,
possède ce petit hôtel
d'une dizaine de cham-
bres, propres et tranquil-
les; il est à deux minutes
du centre-ville et offre le
meilleur rapport quali-
té/prix en ville.

La Marina
$
pdj, bc
Si vous voulez la paix ou vous réveiller avec le chant des oiseaux, La Marina est l'endroit idéal. Situé à 1 km au sud-ouest du quai de Livingston, ce gîte compte de petites *cabañas* sans prétention mais très agréables.

Pour s'y rendre, il faut prendre une *lancha* (10Q) jusqu'à la marina de Tom Smith, ou encore marcher vers l'ouest le long de la rue Barrio La Playa Marco Sánchez Díaz, puis traverser à gué la petite rivière.

Centenario Río Dulce
$-$$
bc, bp
Calle Principal
☎947-0252
labugadellobo@yahoo.com
Fondé en 1902, le petit hotel Centenario Río Dulce (situé au carrefour principal compte une douzaine de chambres un peu vieillottes qui ont sûrement connu des années plus glorieuses. Le grand balcon tout en bois situé à l'étage est le lieu privilégié pour l'observation du va-et-vient au centre-ville. En plus du service de cafétéria qu'offre l'établissement, un cybercafé, La Buga Del Lobo, loge dans l'entrée secondaire.

Guest House du restaurant Rigoleto Pizzería
$$
bp, ⊗
Barrio La Playa Marco Sánchez Díaz
La Guest House du restaurant Rigoleto Pizzería ne loue que deux chambres, mais les invités sont traités avec une attention particulière par la très accueillante et charmante María, qui semble veiller à tout. De plus, on y trouve une laverie.

Hotel Las Amacas
$$
bp, ⊗, ℂ, ℝ
À une vingtaine de mètres de La Marina (voir plus haut), l'Hotel Las Amacas loue des *cabañas* de deux étages d'un plus grand luxe qui peuvent héberger jusqu'à six personnes. Si Livingston n'a pas réussi à vous réconcilier avec la vie, cet hôtel situé dans un coin de paradis sauront le faire.

Ces établissements sont de bonnes adresses pour les voyageurs intéressés à naviguer sur le Golfete et le Lago de Izabal en voilier, car la marina accueille les bateaux de plaisance de plusieurs vacanciers à long terme qui louent d'ailleurs des chambres dans leur embarcation.

La Casa Rosada
$$
bc, ℜ
Barrio La Playa Marco Sánchez Díaz
Sise sur le bord de la rivière, La Casa Rosada propose quelques bungalows très confortables et propres. L'hôtel-restaurant, surtout reconnu pour la qualité de sa cuisine, possède depuis quelque temps son propre embarcadère d'où partent les bateaux de l'agence de voyages qui loge dans le même établissement.

La Casa Rosada est un endroit très populaire auprès des *gringos*. Un personnel poli qui comprend une vingtaine de personnes est à la disposition des clients.

Hotel Doña Alida
$$$
☎947-0027
Le seul établissement de Livingston sur la plage est l'Hotel Doña Alida, qui a connu des heures plus glorieuses. On y trouve des chambres et des bungalows avec vue sur la baie, et les vénérables propriétaires sont sympathiques et accueillants. Situé un peu à l'écart du centre-ville, cet hôtel à prix moyen conviendra à ceux et celles qui veulent jouir au maximum de la mer sans vivre dans le luxe.

Hotel Tucán Dugú
$$$
⊗, ≈, ℜ
pour réservations à la Ciudad de Guatemala
Avenida Reforma 13-70, Z.9
☎334-7813
⇋334-5242
Si vous recherchez le luxe exotique, vous le trouverez à l'Hotel Tucán Dugú. Construit sur le flanc de la colline, cet hôtel loue 45 grandes chambres avec salles de bain modernes et cinq bungalows avec terrasse offrant une vue sur mer.

Seul hôtel quatre étoiles à Livingston, le Tucán Dugú, qui signifie la «Grande Maison du Toucan», ressemble plus à un grand jardin aménagé à l'entrée du Río Dulce qu'à un lieu d'hébergement. Les non-résidants ont accès à la piscine moyennant une contribution de cinq quetzals.

Río Dulce

Considéré comme le plus grand centre de tourisme maritime du Guatemala, Río Dulce offre une panoplie de lieux d'hébergement. Les voyageurs d'un soir trouveront différentes catégories d'hôtels dans le village le long de la route, tandis que les vacanciers choisiront parmi les luxueux établissements qui bordent les rives du Río Dulce tant au nord (Fronteras) qu'au sud (El Relleno). La plupart des hôtels situés sur les berges vous offriront le service de taxi par bateau.

Hotel Backpackers
$
ℜ
☎/⇄***208-1779***
☎/⇄***203-2126***
Lieu de rencontre de tous les voyageurs à petit budget, l'Hotel Backpackers se trouve sur la rive sud à l'est du pont. L'hôtel propose des dortoirs avec hamacs *(12Q-18Q)* ou avec lits *(25Q-30Q)*, des chambres pour deux, trois ou quatre personnes *(35Q par personne, bc)* ou encore deslogements avec salle de bain privé *(50Q par personne)*.

C'est un endroit propre, sécuritaire et sympathique qui offre plusieurs services comme la cuisine commune, l'entreposage de bagages, l'échange de livres et la buanderie. Don Armando, l'adjoint du gérant, est une bonne source d'informations, et l'ambiance décontractée plaira à ceux et celles qui reviennent de la jungle du Petén. Le restaurant sur la terrasse qui sert de quai d'embarquement propose des repas à prix modiques.

L'hôtel appartient à La Casa Guatemala, une organisation à but non lucratif qui œuvre auprès des enfants de la rue de la capitale.(☎/⇄ ***331-9408***, ***casaguatemal@guate. net***).

Hacienda Tijax
$$-$$$
⊗
☎***902-0858***
⇄***902-7523***
rio@guate.net
Du côté Fronteras, sur le bord de l'eau, l'Hacienda Tijax fait partie d'une grande *finca* de 200 ha dont l'entrée par voie terrestre est située à 1,8 km au nord du pont, sur la droite du chemin menant au Petén.

En plus du camping et des bungalows qui peuvent loger jusqu'à six personnes, l'Hacienda Tijax gère un restaurant qui se spécialise dans la cuisine italienne.

Beaucoup plus qu'un hôtel, elle donne dans l'écotourisme et la reforestation en proposant des excursions à cheval, une visite de la plantation de caoutchouc, l'observation des oiseaux, des sentiers pédestres dans la jungle tropicale et la baignade dans une piscine naturelle. Les guides multilingues parlent le français, l'italien et l'anglais.

Hotel Catamarán
$$-$$$
☎***947-8361***
☎***331-8450***
Isolé dans une petite île près de la rive nord du Río Dulce, l'Hotel Catamarán propose une trentaine de chambres dans des *cabañas* construites sur l'eau qui peuvent loger jusqu'à quatre personnes. En plus d'offrir la proximité de la jungle, l'hôtel possède un court de tennis, un bar et un restaurant qui sert une cuisine internationale. Ce centre de tourisme accessible seulement par bateau se reconnaît au toit vert de ses *cabañas*.

Suzanna's Laguna
$$$
bp, ℜ
☎/⇄***902-7268***
Facilement accessible par bateau, l'hôtel Suzanna's Laguna, situé au sud-ouest du pont, compte une dizaine de chambres pour budget moyen. Les chambres, sur pilotis, sont propres, confortables, et donnent sur la grande marina qui se targue d'être à l'abri des ouragans.

Oriente

Cuilapa

Posada K-Luy
$$$
bp, tv, S
4a. Calle 1-66, Z.4
☎***886-5372***
Des quelques hôtels de Cuilapa, un seul se distingue par sa propreté et

son confort : la Posada
K-Luy. Le propriétaire est
sympathique et avenant.

**Turicentro Los
Esclavos**

Aldea Los Esclavos
$$$
☎886-5158
☎886-5139
Dans le petit village de
Los Esclavos, où l'on
trouve le premier pont
construit par les Espa-
gnols, qui enjambe le Río
Los Esclavos, le Turicen-
tro Los Esclavos propose
20 chambres.

Jutiapa

Malgré sa taille (10 000
habitants), Jutiapa pos-
sède un bon nombre de
petits hôtels. Vous trouve-
rez les *hospedajes* et les
hôtels dans la zone 3, où
se situe le grand marché,
entre autres l'Hotel Glory-
mar et l'Hotel Linda Vista
et, à meilleur prix, la Po-
sada Belén. Vous trouve-
rez des hôtels le long de
l'Interaméricaine, entre
autres près de la ville de
Jutiapa.

Villa Andrea
$
bp
km 116, Villa Andrea
☎844-2055

Posada Belén
$
Calle 15 de Septiembre, Z.3
☎844-2946

Hotel Glorymar
$$
bp, ≡
5a. Avenida 3-54, Z.3
☎844-4421
≈844-1956

Hotel Del Sol
$$$
bp, ≡
km 117, Carretera Interamericana
☎844-1507
≈844-1493

Hotel Linda Vista
$$$
bp, ≡
4a. Avenida 3-55, Z.3
☎844-4312
≈844-1115

Un peu plus loin, le **Guan-
tepec Camping** (km 124) est
un terrain de camping
pour véhicules récréatifs
où vous trouverez deux
piscines.

Sanarate

Si vous devez passer la
nuit à Sanarate, vous avez
le choix entre l'Hotel Las
Vegas et l'Hotel Casa del
Viajero.

Hotel Las Vegas
$
1a. Avenida 1-21, Z.1

Casa del Viajero
$$
bp
Av. Ismael Arriaza, Z.3
☎925-2290

Jalapa

Casa del Viajero
$
bp, ℜ
1a. Avenida 0-70, Z.1
☎/≈922-4086
L'hôtel Casa del Viajero
est recommandé par plu-
sieurs voyageurs de pas-

sage pour la propreté, le
bon rapport qualité/prix
et le restaurant qui pro-
pose des mets très appré-
ciés dans la région.

Zacapa

Ville de plus de 15 000
habitants, Zacapa ne pos-
sède pas un grand choix
de lieux d'hébergement
et vous serez mieux servi
à Río Hondo ou Chiqui-
mula voire, malgré les
prix exorbitants, à Esqui-
pulas.

Hotel Wong
$
bp/bc
6a. Calle 12-53, Z.1
L'Hotel Wong possède de
petites chambres très
propres avec ou sans
salle de bain; la famille
Wong est accueillante et
peut garder vos bagages.

Hotel Miramundo
$$
bp, ≡, *tv*, S
17 Avenida 5-41, Z.3
☎941-2674
≈941-0157
Si vous devez demeurer à
Zacapa, l'Hotel Miramun-
do propose une vingtaine
de chambres très propres,
mais un peu à l'écart du
centre.

Chiquimula

Cette capitale du dépar-
tement du même nom est
reconnue pour être le
centre commercial de
toute la région orientale
du pays. La proximité des
mines ainsi que sa posi-
tion géographique en
font un point tournant
obligeant les voyageurs
qui se dirigent vers le site
archéologique de Copán

ou vers le Honduras à s'y arrêter. Les trois gares d'autocars sont situées à l'écart du centre-ville, où vous trouverez la majorité des hôtels.

Hotel Central
$$
bp, tv
3a. Calle 8-30, Z.1
☎942-0118
Situé au centre-ville et près de tous les services, l'Hotel Central propose cinq chambres agréables avec salle de bain et télévision à des prix très raisonnables.

Posada Perla del Oriente
$$
bp, ⊗, tv, ℜ
12 Avenida 2-30, Z.1
☎942-0152
⇌942-2540
La Posada Perla del Oriente est très populaire auprès des parents, car la cour est occupée par une petite piscine et une aire de jeux pour enfants. L'hôtel, situé près de la gare d'autocars pour la capitale et un peu à l'écart du centre-ville, comprend 25 chambres simples et propres avec salles de bain; l'établissement est sécuritaire et tranquille.

Pension Hernández
$$
bp/bc, ⊗, ≡, tv, ≈, S
3a. Calle 7-41, Z.1
☎942-0708
Un choix qui saura plaire à plusieurs est certainement la Pensión Hernández, car les 36 chambres qu'elle propose sont propres, agréables et bien aménagées. L'hôtel, tout près du Parque Central, possède une piscine et un stationnement. Le

sympathique propriétaire parle l'anglais et un peu le français.

Hotel Victoria
$$
bp, ⊗, tv, ℜ
2a. Calle 9-99
☎942-2238
Localisé près de la poste et de la gare d'autocars, l'Hotel Victoria est un gîte prisé des voyageurs utilisant l'autocar. Ceux qui ont le sommeil léger éviteront les chambres donnant sur la rue. Les chambres sont petites, mais l'hôtel et le restaurant sauront satisfaire les voyageurs à la recherche d'un gîte frugal et économique.

Posada Don Adán
$$$
bp, ☎, tv, ⊗, ≡
8a. Avenida 4-30, Z.1
☎/⇌942-0549
De construction récente, la Posada Don Adán est située à deux coins de rue du Parque Central. Le personnel stylé est plus que serviable; l'hôtel, qui compte 16 chambres fort agréables, conviendra au budget moyen.

Esquipulas

Comme plusieurs lieux de pèlerinage, Esquipulas regroupe de nombreux hôtels tous plus dispendieux les uns que les autres, ce qui donne l'impression aux voyageurs d'être pris au piège.

Les prix, rarement affichés, doublent en fin de semaine; il est donc recommandé de négocier, surtout en semaine. Les hôtels à bon prix sont situés sur les rues en face

de l'église et sur le côté ouest du parc, tandis que les plus luxueux se trouvent sur la route principale avant la ville. Les hôtels Villa Edelmira et La Favorita, situés sur la 10a. Calle près de la 2a. Avenida, constituent deux lieux d'hébergement pour voyageurs à petit budget. Tous les deux sont des gîtes simples et économiques tenus par des familles chaleureuses.

La Favorita
$
bc, ⊗

Villa Edelmira
$
bc, ⊗

La Pensión Santa Rosa, comme son voisin l'Hotel París, offre le confort à bon prix dans cette ville de pèlerins.

Pensión Santa Rosa
$$
bc, ⊗
angle 10a. Calle et 1a. Avenida
☎943-2908

Hotel París
$$
bc, ⊗
angle 9a. Calle et 2a. Avenida, Z.1

Hotel Los Angeles
$$-$$$
bp/bc, ⊗, tv
2a. Avenida 11-94, Z.1
☎943-1254
Un peu plus luxueux, l'Hotel Los Angeles propose 20 chambres disposées autour d'une cour.

El Gran Chorti
$$$
bp, tv, ☎, ≡, ℜ
km 222, sur la route d'Esquipulas
☎*943-1201*
⇌*943-1551*
Situé à 1 km à l'ouest de
la ville, sur la route de
Chiquimula, l'hôtel El
Gran Chorti est sans
l'ombre d'un doute le
plus luxueux établisse
ment de la région. De
construction récente et
soigné, cet établissement
confortable offre tout ce
qu'un voyageur peut sou
haiter : propreté, confort
et tranquillité. Gagnant de
plusieurs prix, l'hôtel
compte 20 chambres
aménagées avec goût
ainsi que deux restau
rants.

Hotel El Peregrino
$$$
bp, ⊗, *tv*
2a. Avenida 11-94, Z.1
☎*943-1054*
⇌*943-1474*
L'Hotel El Peregrino af
fiche des prix élevés.

Hotel Internacional
$$$
bp, tv, ⊗, ≡, ℜ, ≈, △
10a. Calle 0-85, Z.1
☎/⇌*943-1667*
☎/⇌*943-1126*
De construction récente,
l'Hotel Internacional
compte 40 chambres très
agréables et décorées
avec goût. Sécuritaire, il
saura plaire aux visiteurs
de passage avec sa pis
cine, son sauna et son
restaurant.

Restaurants

Côte Caraïbe

Puerto Barrios

Vous trouverez, autour
du marché, des restau-
rants chinois, caribéens et
de type cuisine rapide où
s'attardent, devant des
bouteilles de bière, ven-
deurs, artisans et débar-
deurs. Tous ces établisse-
ments proposent des
repas copieux à prix
abordables. La plupart
des hôtels de Puerto Bar-
rios possèdent leur pro-
pre salle à manger où se
retrouveront les clients de
l'établissement et les rési-
dants de la ville.

Caribeña
$
angle 4a. Avenida et 10a. Calle
☎*948-0860* ou *948-2216*
Le restaurant de l'hôtel
Caribeña attire autant les
voyageurs de passage
que la population locale.
La spécialité du restaurant
est la *super-sopa Tapado
especial*, la cuisine garifu-
na à son meilleur, et les
prix sont plus que raison-
nables.

Fogón Porteño
$-$$
angle 6a. Avenida et 9a. Calle
☎*948-0404*
Le restaurant Fogón Por-
teño est reconnu surtout
pour son poulet, son
poisson et ses grillades
sur charbons de bois.
Situé non loin de la gare
d'autocars, l'établissement
est bien géré et le person-

nel est stylé et plus que
serviable. Malgré qu'ils
offrent une vue des
édifices en délabrement,
le balcon et la salle à
manger du premier étage
sont bien aménagés.

Safary
$-$$
angle 1a. Calle et 5a. Avenida
☎*948-0563*
Construit sur une avancée
bordant le littoral nord de
la ville, le restaurant Safa-
ry est certainement le
plus agréable de Puerto
Barrios. Sa vue prenante
sur la mer et la fraîcheur
de la brise marine com-
plètent l'atmosphère dé-
contractée de la grande
salle abritée sous un toit
de chaume. Jouant aux
tables, des musiciens
agrémentent le repas. On
y sert tous les produits de
la mer ainsi que des
sandwichs. Les *caracoles*
sont recommandés.

Embajada de Los Pescadores
$$
angle 3a. Calle et 4a. Avenida
Logeant au premier étage
d'une grande maison en
bois, le restaurant Emba-
jada de Los Pescadores
célébrait ses 20 ans
d'existence en 1999. Il
propose une cuisine ty-
pique des Caraïbes qui
comprend, entre autres,
la spécialité de la maison,
le *Tapado garifuna*, soit
une soupe à base de lait
de noix de coco et de
bananes vertes dans la-
quelle on fait bouillir tous
les poissons que les pê-
cheurs ont pris ce jour-là.

Vous pourrez déguster les
poissons ou les fruits de
mer servis avec le *rice*

and beans caribéen au
son des musiciens garifu-
na qui s'y produisent
même les après-midi.

Hotel del Norte
$$
Av. Oria del Mar
☎*948-0087*
La salle à manger de
l'Hotel del Norte convien-
dra à ceux et celles qui
recherchent un lieu ro-
mantique et vénérable. Le
haut plafond et les murs
en bois peints dégagent
une ambiance chaleu-
reuse, et les serveurs, tout
en blanc, affichent une
élégance distinguée qu'on
ne retrouve nulle part
ailleurs dans la ville. On y
sert une cuisine simple et
bien préparée, aux ac-
cents des Caraïbes.

Hotel El Reformador
$$
angle 16 Calle et 7a. Avenida
☎*948-5489 ou 948-5490*
☎/≈*948-1531*
La salle à manger de
l'Hotel El Reforma se veut
détendue et agréable
avec ses bouquets de
fleurs sur les tables recouvertes de nappes blan-
ches. Le menu propose
des plats variés à prix
raisonnables, sans sur-
prise.

La Fonda de Enrique
$$
9a. Calle, entre 5a. Avenida et 6a.
Avenida,
☎/≈*948-7677*
La Fonda de Enrique
présente un menu dont
les spécialités de la mai-
son incluent les poissons,
les crevettes et les lan-
goustines. Enrique se tar-
gue d'être le propriétaire
du seul restaurant climati-
sé de Puerto Barrios.

Il est situé à l'étage de la
gare d'autocars et offre
une atmosphère chaleu-
reuse, mais son accès par
un corridor du rez-de-
chaussée vous surprendra
car il s'ouvre aussi sur un
sauna et un salon de
massage.

Livingston

Tout comme les hôtels, la
plupart des restaurants de
Livingston se trouvent le
long de la côte, à l'ouest
du quai municipal, et sur
la principale rue commer-
çante, sur le haut de la
colline. En plus de la
cuisine garifuna, vous
trouverez ici une cuisine
diversifiée et rarement
rencontrée ailleurs au
Guatemala, servie ici
grâce à la présence de
propriétaires d'origine
étrangère.

Bahía Azul
$-$$
Barrio del Centro, sur la rue princi-
pale
En plus d'être le centre
d'information touristique
de Livingston, le restau-
rant Bahía Azul propose
des petits déjeuners fort
variés, allant des gaufres
aux omelettes en passant
par les *hot cakes*. Le menu du jour affiche des
soupes, des salades, du
chow mein et des pâtes,
tandis que, le soir entre
19h30 et 23h30, vous
pouvez savourer un bon
repas au son de la mu-
sique garifuna. L'entrée
est libre, mais les recettes
du chapeau font le salaire
des musiciens.

**Rigoleto Pizzería &
Restaurant**
$-$$
Barrio La Playa Marco Sánchez
Díaz
L'un des meilleurs restaurants en ville est certainement le Rigoleto Pizzería
& Restaurant. Ne vous
laissez pas tromper par
son nom, même si le fait
de garnir la pizza de 16
façons, au mozzarella
véritable, est un tour de
force.

Les invités sont traités
avec une attention parti-
culière, car María, la chef
et gérante, est résolument
charmante et sympa-
thique. D'origine mexi-
caine, ayant vécu deux
ans en Inde, elle cuisine
des mets indiens et chi-
nois aux accents de son
pays natal. À défaut de
réaliser son rêve d'ouvrir
un grand restaurant à
Paris, elle pourra vous
interpréter «La Vie en
rose». En plus des petits
déjeuners conventionnels
de gaufres et d'omelettes,
elle en sert d'autres,
d'inspiration unique, au
goût peu commun pour
le Guatemala.

Ubougar Funa
$-$$
Barrio Centro
Le restaurant et
café-bar Ubougar Funa
est un des plus courus à
Livingston, autant pour sa
cuisine que pour la mu-
sique qui débute vers 19h
tous les soirs de la se-
maine. Ubougar Funa,
qui signifie le «Monde Garifuna» est également un
des rares restaurants où
l'on peut manger certains
plats de la cuisine garifuna.

Ce petit établissement où l'on peut se payer du bon temps propose, entre autres, le *tapou* ou *tapada*, le *hudutu* et le *tikini*, des plats savoureux qu'on peut apprécier dans une ambiance chaleureuse et décontractée.

La Casa Rosada
$$
bc
Barrio La Playa Marco Sánchez Díaz
Le restaurant La Casa Rosada est reconnu pour sa cuisine. Il s'agit d'un

La société Exmibal

En 1978 et 1979, la société Exmibal, filière de la compagnie canadienne International Copper Company (INCO), a exploité le nickel de la rive nord du Lago de Izabal à l'ouest d'El Estor. Après la construction à grands frais des installations de raffinage du minerai, le prix du nickel s'est effondré et l'usine, qui ne fonctionna que six mois, a dû fermer ses portes. Le terminal de chargement de Livingston demeure aujourd'hui le «témoignage métallique» de cette faillite canadienne.

établissement popolaire auprès des *gringos*. On y sert une cuisine internationale à l'américaine : lasagne, crevettes, langouste...

Río Dulce

Comme partout sur la côte Caraïbe, la grande majorité des hôtels de Río Dulce ont leur propre salle à manger. Vous trouverez des *comedores* proposant une cuisine rapide à bon prix sur la rue principale, des deux côtés du pont.

Hollymar
$-$$
Construit près du quai de l'hôtel Las Brisas au nord du pont, Hollymar est le restaurant le mieux localisé de Fronteras pour y observer le trafic maritime entre le Lago de Izabal et le Río Dulce.

On y fait une cuisine rapide et le menu est très diversifié, allant du poisson à *la plancha* au hamburger en passant par la pizza au fromage bleu et les côtelettes de porc braisées. Les prix raisonnables attirent une faune bigarrée.

Susanna's Laguna
$$$
Le meilleur restaurant en ville est sans contredit celui de l'hôtel Susanna's Laguna, situé au sud-ouest du pont qui enjambe le Río Dulce. L'accueil est empressé et l'on y sert des mets français ponctués de saveurs californiennes dans un décor agréable avec vue prenante sur le lac. Depuis que les cuisines du Suzanna approvisionnent les bateaux de croisière qui font escale à Río Dulce, la chef est reconnue.

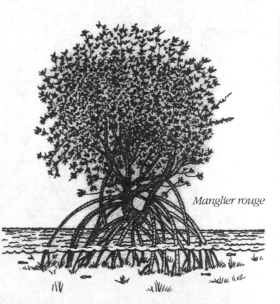

Manglier rouge

Achats

Livingston

Tienda Artesanias Colibrí
Calle Principal
☎ *947-0376*
⇆ *947-0904*
La Tienda Artesanias
Colibrí est le seul endroit
en ville où l'on se spécialise dans la vente de
l'artisanat de Livingston.
On y trouve aussi des
reproductions de poteries
mayas de la période
classique.

Sorties

Fêtes patronales et festivals

El Estor

El Estor, sur la rive nord
du Lago de Izabal, cé-
lèbre la fête de saint

Pierre Apôtre du 26 au 29
juin. Les événements
sportifs, culturels et sociaux culminent le 29
juin.

Livingston

Livingston ne manque
aucune fête durant
l'année, mais le 28 dé-
cembre est le jour principal de la célébration de la
Vierge du Rosaire, du 24
au 31 décembre. C'est
pendant ces festivités que
les danses costumées,
telle la danse du Yan-
cunú, sont exécutées.

Los Amates

C'est le 30 avril que Los
Amates commence sa
foire avec l'exposition de
ses plus beaux animaux.

La fête dure jusqu'au 4
mai, mais son jour principal est le 3.

Morales

Morales célèbre son saint
patron le 19 mars avec
des fêtes essentiellement
religieuses.

Puerto Barrios

Puerto Barrios célèbre
deux fêtes durant l'an-
née : le 19 juillet est le
point culminant de la fête
en l'honneur du Sacré-
Cœur, mais la grande cé-
lébration de San Isidro
Labrador débute le 8 mai
et se prolonge jusqu'au
21.

Cobán et les Verapaces

Région située entre
le Petén et la Ciudad de Guatemala, le centre du
Guatemala comprend deux départements : la Baja Verapaz, contiguë au
territoire de la
capitale nationale,
et l'Alta Verapaz,
son homonyme
du Nord. Tous les
deux font partie
de ce que les
géologues appel-
lent les Hautes
Terres centrales, et
Cobán, la plus
grande ville, est
considérée
comme la capitale
régionale. Qui dit
Cobán dit donc
Verapaz, Hautes
Terres centrales et
centre du Guate-
mala.

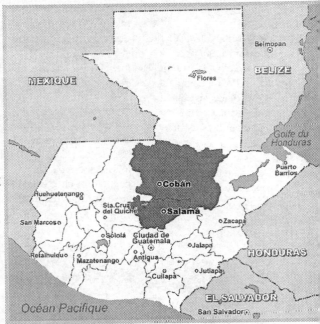

Deux chaînes de mon-
tagnes traversent la
région d'est en ouest. La
Sierra de Chamá délimite
les Basses Terres au nord,
tandis la Sierra de Chua-
cús, au sud, donne l'im-
pulsion au Río Negro
pour créer le Río Chixoy,
qui marque la frontière
entre le département

d'Alta Verapaz et celui du
Quiché, situé plus à
l'ouest. La Sierra de las
Minas et le département
d'Izabal forment sa fron-
tière est.

Aux confins des départements de la Baja
Verapaz, de l'Alta Vera-
paz et du Quiché, on a
construit, entre 1978 et

1983, un immense bar-
rage hydroélectrique :
l'*embalse Chixoy* (barrage
du Chixoy). Le lac formé
par la retenue des eaux
inonde les vallées du Río
Chixoy, de Rabinal plus à
l'ouest, ainsi que celles
des rivières Salamá, Saj-
cap et Carchalá. Les cinq
turbines produisent 300

mégawatts et fournissent une grande part de l'électricité consommée au pays. Les fouilles archéologiques entreprises dans le cadre de sa construction ont démontré une ancienne et longue occupation du territoire (voir plus bas).

Pour nous, la vallée de Salamá, qui porte de nombreux noms, prend toute son importance dans ce que l'époque préhispanique nous a légué : le *Rabinal Achí*, la seule pièce de théâtre qui nous soit parvenue. Ce drame dansé est toujours joué lors de la grande fête de Rabinal, le 25 janvier.

La géographie comme partout ailleurs a joué un rôle important dans le développement des Verapaces. Cependant, depuis l'arrivée des Espagnols, cette région a connu un développement économique et social divergeant des régions au sud et à l'ouest principalement à cause de la nature de sa conquête.

Les régions de la côte du Pacifique et celles des Hautes Terres de l'Ouest ont été conquises militairement par les Espagnols. Le choc culturel a été brutal; la destruction des grandes villes forteresses, la dépopulation et l'émigration forcée qui s'en suivit furent immédiates.

La région des Verapaces, qui, au début de la colonie, incluait les départements d'Izabal, d'El Progreso et d'El Petén, n'a pas connu la conquête armée, car les incursions des conquistadors ont été repoussées par les premiers occupants. Vers 1540, cette région fut confiée aux dominicains, entre autres à Bartolomé de Las Casas, le prêtre dominicain resté célèbre comme défenseur des Amérindiens, pour sa critique implacable des conquistadors, et farouche partisan de la paix évangélique (voir encadré «Fray Bartolomé de Las Casas» p 35)

On ne connaît pas de signification précise à *Tuzulutlán*, nom original de la région, mais plusieurs auteurs croient qu'il signifie «Terre de guerre» et fait référence à la résistance des occupants mayas à la venue des Espagnols.

Pour contrer cette appellation, les Espagnols l'ont appelée *Verapaz*, qui signifie «véritable paix» ou «vraie paix», pour

qualifier la nature pacifique de la colonisation de la région au XVIe siècle. Ce nouveau type de colonisation a donné lieu à une relation entre Espagnols et autochtones qualitativement différente de celle établie dans les autres régions.

Le département de Baja Verapaz, avec Salamá comme chef-lieu, est divisé en huit *municipios* (municipalités régionales), tandis que l'Alta Verapaz, dont Cobán est la *cabecera* (capitale départementale), comprend 15 *municipios*.

Le climat va du sec et chaud à froid et très humide; on qualifie l'Alta Verapaz de refuge du *Chipi-chipi*, ce crachin qui vous oblige à garder l'imperméable sous le bras.

La population des Verapaces est très jeune et la majorité est de souche maya; 57% de la population du département de Baja Verapaz est soit achi', poqomchi', k'iche' ou kaqchikel, tandis que celle de l'Alta Verapaz est à 90% Q'eqchi ou poqomchi'.

La base économique des Verapaces demeure l'agriculture : le café, le sucre et la cardamome, dont le Guatemala est le premier exportateur au monde, sont les produits agricoles des *fincas* de la région. Les industries sont plutôt petites, comme le sont les manufactures.

L'artisanat, surtout celui pratiqué par les Mayas, est riche et diversifié, tandis que l'orfèvrerie est un autre élément d'identité régionale. En plus de l'exploitation minière qu'on y trouve, plusieurs pétrolières explorent les Basses Terres du nord de l'Alta Verapaz, principalement à Chinajá, Las Tortugas et Rubelsalto.

L'Alta Verapaz est une région idéale autant pour la faune cavernicole que pour les spéléologues. Les ornithologues et les amateurs de la flore trouveront différents milieux où satisfaire curiosité et passion. L'exubérance de sa nature et la richesse de son folklore attirent les visiteurs dans les Verapaces. L'expérience du Guatemala serait incomplète sans une visite de cette vaste région.

Depuis quelques années, Cobán est devenu un centre d'excursions de mieux en mieux organisé, où plusieurs petites agences de tourisme proposent des circuits vers des destinations naturelles et culturelles. Il n'est plus nécessaire d'être super bien équipé pour descendre les rivières, car les voyagistes le sont.

La région saura satisfaire les mordus de culture, des arts de la scène ou de l'artisanat vendu par l'artisan ou sa famille. De nombreuses danses ne s'effectuent que dans cette région, tandis que certains objets sont difficiles à trouver ailleurs.

La grande majorité des villages des Verapaces célèbrent la fête de leur patron. C'est l'occasion d'exécuter les danses traditionnelles. La plupart des danseurs sont costumées et portent un masque.

L'histoire des Verapaces

L'histoire ancienne des Verapaces s'écrit à partir des travaux exécutés par des équipes d'archéologues qui travaillent sous l'égide d'institutions internationales. Entre autres, trois études archéologiques ont mis au jour une trentaine d'anciennes villes mayas témoignant de l'occupation des départements de la Baja et l'Alta Verapaz que les archéologues appellent les «Hautes Terres centrales du Nord».

Les fouilles de sauvetage entreprises dans le cadre de la construction du barrage hydroélectrique de la vallée du Río Chixoy et dirigées par Alain Ichon de la mission française ont démontré l'occupation intense de la région de la Baja Verapaz et du Quiché oriental, immédiatement à l'ouest.

D'autre part, l'archéologue française Marie Charlotte Arnauld, du Centre d'études mexicaines et centraméricaines, a travaillé à l'excavation de 14 sites mayas dans l'Alta Verapaz.

Quant au projet de l'université de Pennsylvanie dirigé par Robert Sharer, il a démontré une occupation continue durant plus de 3 000 ans dans la vallée de Salamá, située entre la Sierra de Chamá et la Sierra de Chuacús, les deux chaînes de montagnes qui traversent la région d'est en ouest.

Les premiers Mayas

La vallée de Salamá et le site de Sakajut, situé à 10 km au sud de Cobán, cachent les preuves tangibles de la présence humaine sédentaire depuis plus de 1 000 ans av. J.-C. Selon les travaux d'Ichon et d'Arnauld, c'est aussi le cas pour plusieurs autres localités des Hautes Terres centrales du Guatemala.

L'augmentation substantielle de la population vers 800 ans av. J.-C. coïncide avec le début d'une certaine différenciation sociale entre les habitants de la région, probablement par la domination d'une famille sur les autres. À preuve, une sépulture découverte à Los Mangales, un petit village maintenant disparu dans la vallée de Salamá, contenait des objets en jade et d'autres fabriqués avec des coquillages.

L'acquisition de ce type de ressources exotiques est une indication d'une société de plus en plus différenciée, tandis que la présence de trois têtes trophées ainsi que les 12 corps enterrés à l'extérieur de la crypte sont le reflet d'un système de croyance idéologique complexe, contrôlé et manipulé par l'élite nouvellement établie.

L'apparition de nouveaux styles de poterie, de pierre travaillée, de sculpture et d'architecture témoigne de cette nouvelle stratification primaire. Les formes de ces artefacts ne sont pas identiques à celles que l'on retrouve dans les autres régions. Elles sont plutôt des formes intermédiaires entre celle du Petén, au nord, et celle de la vallée de Guatemala, au sud.

Les débris venant de la production d'objets en jade, une ressource qui provient des Hautes Terres, démontrent que les habitants de la vallée de Salamá produisaient en assez grande quantité

pour exporter vers les Basses Terres.

Vers 300 ans av. J.-C., les premiers monuments sculptés font leur apparition et, avec eux, les premières tentatives de l'écriture hiéroglyphique rudimentaire et la construction des premières terrasses monumentales à El Portón, ville qui gardera l'hégémonie de la vallée pendant la durée du préclassique jusqu'à l'an 200 ap. J.-C.

Les traces marquant les liens entre les régions ont permis d'identifier des routes d'échanges et de commerce qui traversaient la vallée de Salamá et reliaient les sites des Hautes Terres comme Sulín, Sakajut et Carchá I avec des villes comme Seibal, dans les Basses Terres. De plus, il y avait probablement des routes secondaires qui utilisaient le cours du Río Chixoy plus à l'ouest.

La présence d'objets en jade et en obsidienne loin des sources de provenance témoigne éloquemment du commerce interrégional. Il est permis de croire que les échanges commerciaux mettaient aussi en jeu des produits agricoles et d'autres comme le sel et les plumes qu'on ne retrouve pas dans les fouilles des anciennes villes.

Mais les échanges entre les régions n'étaient pas limités aux seules fins commerciales. On peut imaginer d'autres raisons telles que le paiement de tributs, les mariages, les excursions militaires et les alliances politiques. Toutes ces relations pouvaient faire partie des liens interrégionaux à cette époque lointaine. Les échanges entre les régions dans le développement postérieur de la civilisation n'a plus à faire ses preuves.

Les conclusions tirées des trouvailles archéologiques ont des conséquences déterminantes quant à notre compréhension du développement dans les Basses Terres du Petén de la grande civilisation maya. On reconnaît habituellement le transfert de composantes importantes et d'institutions qui définissent en grande partie la culture maya.

Les plus évidentes et certainement les plus significatives de celles-ci sont le complexe autel-stèle, le calendrier à «compte long», l'écriture hiéroglyphique du début qu'on dénomme «logographique- syllabique», le style sculptural typiquement maya, les institutions comme celle du droit dynastique, ainsi que certains rites funéraires. Tous ces traits culturels ont été observés dans les sites de la côte du Pacifique et du Sud : à Kaminal Juyú, Bilbao, El Baúl et Abaj Takalic, ainsi qu'à Chalchuapa, au El Salvador.

À l'instar de Sharer, il faut donc dire que, même si les anciennes villes (de la période de formation de la culture maya) comme Mirador ou Uaxactún sont en pleine croissance dans la région reconnue comme le cœur de la civilisation dite classique, aucune ne possède de preuve de l'utilisation de glyphes. Il faut donc chercher les sources des traits culturels et, comme on le voit, les indices pointent vers le sud.

Pour plusieurs, ces conclusions renforcent la perception de l'ancien monde maya comme une mosaïque de régions et de traditions interreliées, dont chacune contribue à différents degrés à l'originalité et au développement d'un système global, un système qui traditionnellement et par convention a été libellé par la civilisation maya.

Les études convergent vers la réalisation du rôle important qu'ont joué les descendants des premiers habitants de la région des Verapaces dans le développement de la culture maya du Petén, durant la période de formation de cette grande civilisation. Mais son histoire ne s'arrête pas à cette époque.

Un deuxième souffle

Au début de notre ère, la région connaît le déclin de son développement autonome; tout indique la domination de la vallée par l'extérieur, et fort probablement par Kaminal Juyú. Vers 300 ans ap. J.-C., on assiste à la réduction du nombre de villages ainsi qu'à une diminution de population qui se concentre désormais dans la partie sud du bassin de San Jerónimo. Le fond de la vallée de Salamá semble être réservé à l'agriculture.

C'est à la période entre 600 et 900 ap. J.-C. qu'appartiennent le plus grand nombre de sites (17) jamais identifiés de toute l'histoire de la vallée de Salamá. Cette situation correspond à celle de la vallée de Guatemala (voir «Kaminal Juyú», p) et de la plupart des régions mayas. Pour la première fois, un site dominant, Salto, fait son apparition sur la crête de la vallée de Salamá. La région est en pleine transformation. La configuration ou le patron d'occupation prend une nouvelle dimension.

Si les villes de la première époque occupent les terres agricoles du fond de la vallée, celles de la nouvelle période délaissent les terres du fond et se construisent dans les montagnes. De plus, la nouvelle organisation régionale se reflète dans l'apparition de cinq nouveaux centres majeurs : San Jacinto, Tzalcam, El Cacao, El Trapichito et Salto. Nous sommes en pleine période classique; la population est à son plus haut niveau.

Il est fort probable que ces villes rivalisent pour le contrôle des ressources naturelles, des marchés et, plus important encore, des routes commerciales.

Cette situation a pu faire dévier la route nord-sud qui traversait la vallée

reliant Kaminal Juyú et les villes-États de la région du Petén, car une autre route plus à l'est qui suit le sommet des crêtes de la Sierra las Minas se développe à cette époque. Le bassin de la Salamá semble avoir été dominé par la ville ancienne de San Jacinto, située de façon à contrôler l'Ouest et le Nord-Ouest.

Vers la fin de cette époque (900 ap. J.-C.), qui marque le déclin des grandes villes du Petén comme Tikal, les villes de la vallée de Salamá entretiennent des relations plus étroites entre elles et les nouvelles constructions incluent invariablement au moins un jeu de balle. La nature des sites et les attributs des indicateurs culturels qu'on y retrouve démontrent la continuité des traditions régionales durant plus de 1 000 ans jusqu'à l'arrivée des «nouveaux» Mayas vers 1200 ap. J.-C.

L'histoire de la région se complique avec l'arrivée des groupes qu'on appelle parfois Toltèques ou Épitoltèques, venus du nord. La conquête des Toltèques et la domination de ces «nouveaux» K'iche' ont laissé des traces culturelles comme en témoignent les vestiges des villes abandonnées, mais le parcours historique spécifique aux habitants de cette époque n'est pas encore écrit. Quelques bribes de leur passé nous sont parvenus. Même si l'on connaît les frontières linguistiques actuelles des différents groupes de la région, elles ne sont pas garantes de l'occupation des villes et villages de la période allant du Xe siècle à l'arrivée des Espagnols.

Nous savons que, du XIIe au XVe siècle, les Achi' étaient alliés des K'iche' dont la capitale était K'umarcaaj (Utatlán), située près de Santa Cruz El Quiché. On ne connaît pas l'origine ou la nature exacte de cette alliance, mais elle a été déterminante dans la conquête et la domination des k'iche'.

Lorsque les Kaqchikel se sont libérés de la domination des K'iche', peu de temps avant l'arrivée des Espagnols, ils venaient de subjuguer les Achi'. On se souviendra que l'histoire de cette région est directement reliée à l'histoire des conquêtes k'iche' et kaqchikel entre les XIIe et XIVe siècles. Chaque ethnie qu'on identifie par la langue qu'elle utilise a dû défendre son territoire contre les différents empires qui, tour à tour, ont tenté de dominer la région. Chaque ethnie raconte ses faits d'armes dans des écrits comme le *Rabinal Achi'*, qui relate la capture, le procès et la mise à mort d'un guerrier k'iche' par la cour royale de Rabinal au moment des conflits politiques et territoriaux qui opposèrent les groupes locaux avant l'arrivée des Espagnols.

Cette situation de défense ou de guerre quasi permanente provoque la construction de villes forteresses sur le sommet des montagnes. Ce troisième patron d'occupation, qui est celui du temps de la Conquête et que les Espagnols découvriront à leur plus grand étonnement, comprend une occupation limitée (quelques petits sites) dans les vallées où l'on cultive les produits essentiels et des villes habitées par la noblesse, stratégiquement situées sur les hauteurs et protégées par des avant-postes. La plupart des sites archéologiques qu'on retrouve dans les Hautes Terres et qu'on peut visiter aujourd'hui datent de cette occupation.

Aujourd'hui, le portrait linguistique de la région est complexe, plusieurs groupes ethniques l'habitent. Les *municipios* d'Uspantán (dans le département du Quiché), Cobán, Panzos, Senahú, San Pedro Carchá, San Juan Chamelco, Lanquín, Cahabón, Chisec, Chahal (dans l'Alta Verapaz), la région sud du Petén et le nord d'Izabal sont occupés par les Mayas q'eqchi (700 000 personnes), tandis qu'au sud de Cobán, dans l'axe San Cristóbal Verapaz-Tactíc-Tucurú, les habitants (250 000 personnes) du territoire parlent (en majorité) le Poqomchi'.

Les Q'eqchi seraient originaires de la région et auraient occupé historiquement une partie du Petén. Les Poqomchi' proviendraient de la région près de Rabinal, et les forteresses de Cahyup et Tzac Pokoma (celle appellée aujourd'hui Chuitinamit) seraient de leurs constructions. Les K'iche' ou leurs alliés, les Achi', les auraient vaincus, ce qui expliquerait leur déplacement vers le nord dans l'axe du Río Cahabón et du Río Polochic.

Le département de Baja Verapaz, pour sa part, est peuplé de Mayas parlant le poqomchi' au nord-est (*municipio* de Purulhá) et l'achi' au sud (58 000 personnes) ainsi que le kaqchikel (à El Chol).

La conquête

La venue des Espagnols dans la région n'a pas été facile. Comme on le sait, de 1524 à 1530, les Espagnols réduisent par la force tous les royaumes qu'ils rencontrent sur leur passage : les K'iche', les Tz'utujiil, les Poqomam, les Mam et les Kaqchikel. Du Chiapas aux Hautes Terres centrales du Guatemala, rien ne semble leur résister. Après 1530, ils tentent de continuer leur conquête vers l'est et le nord. Jusqu'en 1537, ils se heurtent à une farouche résistance surtout de la part des Qeqchí au nord et des Chols à l'est.

La région surnommée «Terre de guerre» leur résiste. En 1537, l'évêque Marroquín et le gouverneur Maldonado signent une entente avec Bartolomé de Las Casas, qui confie aux dominicains l'exclusivité de la colonisation du territoire qui deviendra La Verapaz.

Pratiquant une politique de pénétration douce comme ils l'avaient expérimentée dans le Quiché quelques années auparavant, les dominicains utilisent les marchands et les caciques (les chefs locaux) déjà convertis comme fer de lance de la colonisation. On octroie

des privilèges aux nouveaux chrétiens et l'Église consent aux caciques la préservation de leur pouvoir sur les populations locales. Un exemple saute aux yeux. En 1544, après son baptême, le chef Juan Ma Tac Batz accompagne les dominicains en Espagne, où il est reçu par le prince Philippe, qui, devenu roi, le nommera gouverneur à vie de la province de Verapaz en 1555.

Vers 1545, grâce à l'aide des dominicains Pedro Angulo et Luis Cáncer, sept villages, dont Rabinal et Cobán, sont déjà acquis aux dominicains. Mais les conflits opposeront sporadiquement les populations locales aux autorités religieuses qui considèrent ces ouailles trop libres à leur goût.

Les dominicains deviennent rapidement de grands propriétaires terriens, car, même s'ils ont le monopole de la colonisation, ils ne sont pas exempts des tributs payés à la couronne d'Espagne. Les religieux contrôlent la culture du coton qui deviendra la culture principale de la région pendant quelques siècles. Cette colonisation, que plusieurs ont qualifié de subtile et d'hypocrite, contribue à un dévelo ppement particulier qui a

Charles Étienne Brasseur de Bourbourg

Charles Étienne Brasseur de Bourbourg naît en 1814 dans la ville de Bourbourg, dans le nord de la France, à 10 km de Dunkerke, dans un milieu trilingue, à savoir français, anglais et flamand.

Dans la vingtaine, il devient journaliste à Paris et travaille pour plusieurs périodiques. Il entreprend des études de philosophie et de religion au séminaire de Gand tout en travaillant dans une bibliothèque. Il s'installe à Rome et poursuit ses études en vue de la prêtrise à La Sapienza et au Collège Romain, où il étudie sous la conduite des théologiens catholiques Passaglia et Perrone, et des réputés archéologues Secchi et Brescani.

Il est ordonné prêtre à 31 ans et s'embarque pour l'Amérique avec des lettres de présentation du Sacré Collège de la Propagation. Il arrive à Québec en 1845, devient professeur d'histoire au Séminaire de Québec et ensuite à l'Université Laval. Il quitte la ville de Québec moins d'un an plus tard pour Boston, où il est nommé vicaire général honorifique en 1846.

À la fin des années quarante, de La Nouvelle-Orléans, il s'embarque pour Veracruz et, durant le voyage, fait la connaissance de M. Le Vasseur, un diplomate français en mission au Mexique. Une fois arrivé au Mexique, le nouvel ambassadeur nomme l'abbé Brasseur aumônier de l'Ambassade française, une nomination qui lui permettra de lire plusieurs manuscrits précolombiens, de visiter Tula, Querétaro, la côte du Pacifique au nord et la Californie, tout en collectionnant manuscrits et livres. C'est à México qu'il apprend la langue des Aztèques, le nahuatl.

En 1851, il publie à México, en espagnol et en français, ses Lettres *pour servir d'introduction à l'histoire primitive des nations civilisées de l'Amérique* *septentrionale*, qui renferme une brève description de deux manuscrits écrits par Ordónez, les *Codices Chimalpopoca et Gondra*, de même qu'un aperçu de l'histoire des Amérindiens du Mexique.

Il revient en Amérique pour un long voyage, de 1854 à 1857. Au Guatemala, il rencontre l'archevêque en résidence, Francisco García Paláez – un historien ayant publié plusieurs volumes sur l'histoire précolombienne –, qui le nomme curé de Rabinal, où il transcrit le *Rabinal Achi'*. Pendant son année à Rabinal, il apprend le k'iche' et traduit le *Popol Vuh* (Livre des Conseils).

À son retour dans la Ciudad de Guatemala, l'archevêque Paláez l'envoie quelques mois à San Juan Sacatapéquez, à 15 km au nord de la capitale, pour qu'il y apprenne le kaqchikel afin de traduire le *Memorial de Tecpan Atitlán*, que l'archiviste Juan

Gavarette lui a donné et qui deviendra *Les Annales des Kaqchikel*.

De retour en France, il publie, en 1858, le premier volume de son *Histoire des nations civilisées du Mexique et de l'Amérique centrale*. Cette œuvre de 2 600 pages en quatre volumes le consacre comme une sommité internationale parmi les américanistes.

Il revient en France et, en 1861, publie le *Popol Vuh*, après Karl Scherzer qui l'avait publié à Vienne en 1857.

En 1862, Brasseur publie sa grammaire k'iche', présentée en français et en espagnol. Sa publication inclut le *Rabinal Achi'*. En 1863, il prend possession de ce qui fut fort probablement sa plus grande découverte : *De las cosas de Yucatán*, écrit par le premier évêque du Yucatán, Fray Diego de Landa. Brasseur avait fait la découverte du livre dans la bibliothèque de l'Académie d'histoire de Madrid. Le manuscrit, une copie de l'original, avait été utilisé par les premiers historiens espagnols du Yucatán et avait disparu pendant quelques siècles. Le livre est publié en français et en espagnol.

La dernière grande découverte de Charles Étienne Brasseur de Bourbourg se fit à Madrid, où il rencontra le professeur de paléographie de l'université de Madrid, Juan de Tro y Ortolano, descendant du conquistador du Mexique Hernan Cortés. Celuici lui montra un Codice maya qui fut ensuite illustré par Henri Bourgeois, le photographe de Brasseur – un travail qui demanda deux ans. Le livre fut publié sur l'ordre de Napoléon III en deux somptueux volumes.

créé des traits culturels originaux. On appelle «syncrétiques» les traits culturels reliés à la religion. Ce syncrétisme est toujours présent dans la culture du Guatemala et certains diront qu'il définit la culture guatémaltèque. Son développement mérite d'être souligné par un exemple.

Au début de la colonisation religieuse par les dominicains, ceux-ci se rendent compte de l'importance de la musique et de la danse chez les Kekchí, les Poqomchi' et les Achi'. Les domini-

cains forment un groupe de marchands k'iche' nouvellement christianisés afin que ces derniers utilisent les instruments de musique et exécutent les danses traditionnelles pour porter le message et raconter l'histoire de la *Bible* et du Christ à ces Mayas païens.

Les dominicains se servent de la fascination des Mayas pour les arts de la scène afin de transformer le rituel de la religion maya en rites chrétiens. Les nouveaux convertis intègrent leurs dieux à celui des chrétiens; on

retrouve alors un catholicisme aux formes hors de l'ordinaire, où chaque geste, chaque évocation comprend une dimension catholique et une autre maya. C'est ce qu'on appelle le «syncrétisme guatémaltèque».

Jusqu'à aujourd'hui

Pendant la période coloniale, le territoire qu'on appelait *Verapaz* comprenait les départements actuels du Petén et d'Izabal, ainsi que le territoire du Belize que

Cobán et les Verapaces

l'Espagne céda à l'Angleterre par les traités de 1783 et de 1786. Plusieurs modifications de nature administrative prennent forme au XIXᵉ siècle. En 1814, le Petén devient une région autonome et, en 1877, le département de Verapaz se scinde et devient la Baja Verapaz et l'Alta Verapaz tel qu'on les connaît. L'histoire régionale de cette époque suit à peu de chose près le cours de ce qui se passe dans la capitale. Mais, souvent, les politiques du gouvernement central ont des répercussions qui transforment la région.

Vers 1880, le gouvernement Barrios décide de donner des terres aux immigrants de l'Angleterre, de la Belgique et de l'Allemagne. C'est aussi à ce moment que le gouvernement central décide d'octroyer des plants de caféiers à toutes les *fincas* qui voulaient transformer leur production.

Ces deux décisions ont des conséquences tant au niveau régional qu'au niveau national. En plus de la transformation de cette région auparavant centrée sur une agriculture de subsistance en une région qui produit pour l'exportation, la structure sociale est changée. Les nouveaux immigrants vont devenir la classe possédante du Guatemala.

Au début du XXᵉ siècle, les Guatémaltèques de souche ne contrôlaient que le 1/20ᵉ de la production du café. À eux

seuls, les Allemands ou les descendants d'immigrants venus d'Allemagne possédaient les deux tiers des *fincas* de café. Une compagnie allemande avait construit un chemin de fer entre les *fincas* et le Río Polochic pour faciliter l'exportation du café vers l'Europe. Les nouveaux Guatémaltèques produisaient aussi la cardamome, dont le Guatemala est devenu le plus grand producteur du monde.

Ce serait une histoire banale mais... *follow the money*. L'histoire de ces immigrants allemands est assez particulière et démontre une fois de plus qu'en «Histoire» il faut toujours, comme le dit si bien l'anglais, «suivre l'argent». Sous la pression des États-Unis, qui accusent les immigrants allemands d'être des nazis, le gouvernement guatémaltèque nationalise le chemin de fer des Verapaces en 1942. Deux ans plus tard, les avoirs des citoyens allemands et de quelques Guatémaltèques de descendance allemande sont nationalisés. Le gouvernement du Guatemala déporte un grand nombre d'Allemands vers les États-Unis.

Le gouvernement organise les terres expropriées en Fincas Nacionales, qui, en 1950, comptaient pour un tiers de la production nationale. Au cours du mandat du gouvernement réformiste de Jacobo Arbens Guzmán (1951-1954), on distribua une partie des terres aux

paysans sans terre. Mais après le coup d'État préparé par la CIA sous le gouvernement du colonel Carlos Castillo Armas (1954-1958), la réforme agraire est abolie et l'on reprend les terres données aux paysans.

Depuis le renversement du réformiste Jacobo Arbens, élu en 1950 avec 65% des voix, jusqu'à l'élection du conservateur moderne Alvaró Arzú en 1995, pas moins de 16 «présidents» dont deux juntes militaires ont gouverné le pays. L'histoire des 30 dernières années n'a pas été très heureuse pour les Mayas du Guatemala, notamment ceux habitant les Verapaces, qui n'ont pas échappé à la tendance lourde et compliquée par les nombreux meurtres et «déplacements» de population qui n'ont épargné aucune région.

Pour s'y retrouver sans mal

En voiture

À partir de la Ciudad de Guatemala, deux routes mènent à Cobán et traversent la région du centre du pays que forment les départements de la Baja et l'Alta Verapaz. La route 5, celle que vous emprunterez pour visiter Mixco Viejo, est la plus difficile et passe par les municipalités de San Pedro Sacatepéquez, San

Juan Sacatepéquez, Granados, Santa Cruz El Chol, Rabinal, San Miguel Chicaj et Salamá. À La Cumbre de Santa Elena, elle fusionne avec la route CA14, qui continue vers le nord jusqu'à Cobán.

La deuxième route, beaucoup plus achalandée, est goudronnée et bien entretenue. Vous quittez la Ciudad de Guatemala par la Calle Martí, qui est le périphérique nord dans la zone 2, et vous empruntez la route CA9 vers l'est, principal lien avec la côte de la mer des Caraïbes. En route, au kilomètre 25, à El Chayal, se trouve une source d'obsidienne,

matière première de l'outillage maya; le filon traverse la route et l'on peut donc en ramasser.

À El Rancho (km 85), vous prenez la route 17 vers Cobán au nord. À l'est de la route, le *municipio* de Morazán, anciennement appelé Tocoy Tzim'a, situé au nord du Río Motagua, est baigné par plusieurs rivières et le panorama est particulièrement prenant du côté des montagnes. En moins d'une heure, vous passerez d'un climat tropical à celui beaucoup plus tempéré des Verapaces.

Au village de La Cumbre de Santa Elena, la route

se divise en deux : la voie de gauche mène à Rabinal et Cubulco en passant par Salamá, et la route 17 (tout droit) devient la CA14, qui passe près du «sanctuaire» du quetzal (Biotópo Mario Dary Rivera), puis de Purulhá, et rejoint la route 5 à Pantin. À San Julian, elle rencontre celle qui mène à El Estor et, à l'est du Lago de Izabal, la ville de Río Dulce. Se poursuivant vers Cobán, la route rejoint, à Santa Cruz Verapaz, la route qui se dirige vers l'ouest et qui traverse le département du Quiché pour aboutir dans le Huehuetenango.

De Cobán, on peut rejoindre le Petén par une route difficile en passant par Chisec, ou par une autre route plus longue qui passe par Modesto Méndez.

De l'ouest et de l'est vers Cobán

Où que vous soyez au Guatemala, il n'est pas nécessaire de passer par la capitale pour vous rendre à Cobán, mais la région est plus facile d'accès par cette ville. Depuis Huehuetenango à l'ouest, vous pouvez rejoindre Cobán par la route en terre 7W jusqu'à Santa Cruz Verapaz, située sur la route CA14. Depuis l'ouverture de la route 7E, qui passe maintenant au nord du Lago de Izabal, il est possible de rejoindre Cobán à partir de Río Dulce à l'est en passant par El Estor et en poursuivant jusqu'à San Julian sur la route CA14.

À la vue de la carte routière, la distance entre Huehuetenango et Cobán vous semblera beaucoup moindre sans passer par la capitale; sachez cependant que la route n'est pas toujours en bon état et les autocars font rarement le trajet dans la même journée. Cela dit, le trajet par la route du Nord, où très peu de touristes s'aventurent, vous donnera droit à des jouissances oculaires que vous n'oublierez pas.

Location de voitures

Cobán compte plusieurs centres de locations de voitures, mais le choix de véhicules est souvent limité; il est donc recommandé de réserver.

Tabarini Rent a Car
5a. Avenida 2-43, Z.1
☎/≈*951-3282*

Geo Rental
1a. Calle 3-13, Z.1
☎*952-2059*

Inque Renta Autos
3a. Avenida 1-18, Z.4
☎*952-1994*
☎*952-1172*

Ochoch Pec Renta Autos
à l'entrée de la ville
☎*951-3474*
☎*951-3214*

En autocar

Baja Verapaz

De la capitale, la Baja Verapaz est desservie par plusieurs compagnies d'autocars qui font le trajet Guatemala-Salamá. Cette dernière ville est la plaque tournante du transport de la région. La gare d'autocars de Salamá est située à quelques pas de la Plaza Central, où plusieurs autocars et minibus s'arrêtent.

Comme alternative, vous pouvez prendre un autocar de 1ʳᵉ classe à destination de Cobán (départ toutes les heures) jusqu'à La Cumbre de Santa Elena, où plusieurs minibus font la navette entre La Cumbre et Salamá.

De la Ciudad de Guatemala

Vers Cubulco
(5 heures)
en passant par La Cumbre de Santa Elena,
vers Salamá
(3 heures 30 minutes)
et vers Rabinal (4 heures 30 minutes)

Transporte Dulce María
9a. Avenida 19-20, Z.1
☎*250-0082*
Départs aux heures de 5h à 17h

Transportes Unidos Bajaverapacenses
angle 17 Calle et 12 Avenida, Z.1

Vers San Juan Sacatepéquez, Granados, Santa Cruz El Chol, Rabinal et Cubulco Par la route alternative RN 5
Terminal Z.4
départ à 5h30

Vers Granados
(77 km)
Terminal Z.4
Départs à 11h, 11h30, 12h et 13h
Le dimanche : 15h30

Vers Santa Cruz El Chol
(88 km)
Terminal Z.4
Départs à 10h, 11h15, 12h30, 15h30 et 17h
Le dimanche : 15h30

De Cobán vers la Ciudad de Guatemala
Les autocars passent nécessairement par La Cumbre de Santa Elena, où vous pourrez transférer pour Salamá.

De Salamá

Vers la Ciudad de Guatemala
Transportes Unidos Bajaverapacenses
Départs aux heures tous les jours de 3h30 à 16h

Vers San Miguel Chicaj, Rabinal et Cubulco
Les départs se font de la Plaza Central

Vers San Jerónimo
Transportes Cheñita y Transandrino
Terminal de buses
Départs aux demi-heures

Depuis Rabinal

Vers la Ciudad de Guatemala en passant par El Chol et Granados
Un départ par jour. On peut difficilement transférer à Montúfar. Prendre l'autocar pour Pachalum et se rendre au site archéologique de Mixco Viejo. La route est maintenant goudronnée jusqu'au site.

De la Ciudad de Guatemala

Vers Alta Verapaz

De la Ciudad de Guatemala, l'Alta Verapaz est desservie par plusieurs autocars qui font le trajet Guatemala-Cobán; certains continuent 6 km plus loin à San Pedro Carchá. Cette dernière ville est la plaque tournante du transport vers le nord de la région et le Petén.

Gare d'autocars de Cobán
3a. Calle, entre 1a. Avenida et 2a. Avenida, Z.1
☎*951-3043*

Les autocars pour la Ciudad de Guatemala partent du bureau d'Escobar y Monja Blanca.

Escobar y Monja Blanca 2a. Calle 3-77, Z.4
☎*952-1536*
☎*952-1498*

Depuis la Ciudad de Guatemala

Escobar y Monja Blanca
8a. Avenida 15-16, Z.1
☎*251-1878*
☎*238-1409*

Vers Cobán
(5 heures)
Escobar y Monja Blanca *Départs aux heures entre 5h et 18h.*
Tous les autocars passent par El Rancho, le Biotópo del Quetzal (Purulhá) et Tactic. Certains se rendent jusqu'à San Juan Chamelco ou San Pedro Carchá.

Vers Fray Bartolomé de Las Casas
(332 km)
Transportes del Norte
8a. Avenida 15-16, Z.1
Départs à 4h, 5h et 8h30. C'est plus utile de se rendre à San Pedro Carchá et de transférer.

El Estor (329 km)
Fuente del Polochic
9a. Avenida et 19 Calle, Z.1
Départs à 7h45, 10h45 et 11h45

De Cobán

Vers Escobar y Monja Blanca
2a. Calle 3-77, Z.4
☎*952-1536*
☎*952-1498*

Vers la Ciudad de Guatemala
Escobar y Monja Blanca *Départs aux heures de 2h30 à 16h*

Vers El Estor
(8 heures)
Terminal de buses
3a. Calle, entre 1a. Avenida et 2a. Avenida, Z.1
Départs à 4h, 5h, 6h30, 8h, 8h30, 10h30, 11h30, 12h30, 13h, 14h et 15h Les autocars passent par Tamahú, Tucurú, La Tinta, Telemán et Panzos.

D'El Estor
vers Cobán
Une dizaine d'autocars font le retour entre 1h30 et 15h30.

Deux autocars par jour font le trajet entre El Estor et Río Dulce par une route en terre nouvellement ouverte. Les jours de pluie, il n'y a pas de circulation sur cette route.

Depuis Cobán

Vers Senahú
(7 heures)
Terminal de buses
Départs à 6h30, 11h30 et 14h30. Depuis Senahú, le premier autocar à 4h du matin fait le retour vers Cobán.

Vers Tactic
(40 min) ou
San Cristóbal Verapaz
(30 min)
Départ aux heures

De San Pedro Carchá

Vers le nord de l'Alta Verapaz et vers le Petén
Départ à la Plaza Central de la petite ville de San Pedro Carchá, située à 6 km au nord de Cobán.

Vers Fray Bartolomé de Las Casas (7 heures) en passant par Sebol
Delmi et Rápidos del Norte
Départs à 6h et 11h.
Le retour de Fray Bartolomé de Las Casas se fait à 6h et 12h.

Les mêmes autocars desservent Cueva Nimlacobeja. Il n'y a pas d'autocar entre Cobán et Modesto Méndez, mais des pick-up peuvent vous prendre à Sebol et vous amener à la route de Río Dulce- Petén. La route est très difficile.

Vers Cahabón
(4 heures) en passant par Lanquín (3 heures)
Départs quotidiens à 6h, 12h30, 13h et 15h
Pour le retour ; départs à 4h, 6h, 14h et 16h depuis Cahabón.

Vers Raxrujá
(9 heures)
Deux départs quotidiens : 6h et 8h

De Raxrujá

Vers Santa Elena
(6 heures)
Transportes Del Rosío
Trois autocars par jour

Vers Chahal
(5 heures) en passant par Las Conchas (où l'on retrouve une quinzaine de cascades)
Transportes Unidos del Norte

Il n'y a pas d'autocar entre Cobán et Modesto Méndez, mais des «pick-up» peuvent vous prendre à Sebol.

Vers Uspantán
(5 heures)
En face des Bomberos
Départs à 10h et 12h
Il faut transférer pour Sacapulas, Santa Cruz del Quiché ou Huehuetenango. Les autocars s'arrêtent près de la gare de Cobán pour y prendre les passagers; mais pour s'assurer d'un siège, il vaut mieux se rendre à San Pedro Carchá.

En avion

Scenic Eco-Flights
Entrada Principal, Aeropuerto de Cobán
☎*951-0333*
☎*951-0332*
☎*951-0017*
Depuis quelques années, il est possible de louer un petit avion de Cobán pour se rendre dans les régions difficiles d'accès par voie terrestre. Ces *avionetas* se posent sur des pistes d'atterrissage militaires ou encore sur les lacs et rivières. (Voir «agences de tourisme» plus bas)

Renseignements pratiques

Offices de tourisme

Il n'y a pas de bureau de tourisme dans les villes et villages des Verapaces. La mairie et les hôtels sont habituellement de bonnes sources d'informations.

Agences de tourisme

Salamá

Ecoverapaz
8a. Avenida 4-77, Z.1
☎*940-0294*
⇄*940-1760*
Ecoverapaz propose des excursions dans des sites naturels et archéologiques dans tout le département de Baja Verapaz.

Cobán

Transportes Turísticos Semuc Champey Tours
angle 9a. Calle et 2a. Avenida, Z.4
☎*951-2418*
Transportes Turísticos Semuc Champey Tours loue des autocars de tourisme, des minibus, et peut faire vos réservations d'hôtel et de restaurant. L'agence organise des excursions dans les sites naturels de la région, à Semuc Champey et aux grottes de Lanquín.

Scenic Eco-Flights
Entrada Principal, Aeropuerto de
Cobán
☎*951-0333 ou 951-0332*
☎*951-0017*
Scenic Eco-Flights propose des excursions en
avionnette vers les montagnes vierges à l'ouest de
Cobán (36$US pour 2
heures, minimum de 3
personnes).

Aventuras Turiscas, S.A.
3a. Calle 2-38, Z.3
☎*951-4213 ou 951-4214*
≈*951-4213*
aventour@infovia.com.gt
Aventuras Turiscas, S.A.,
dans l'Hostal Doña Victoria, propose des excursions vers le lac Izabal et
vers Semuc Champey et
les grottes de Lanquín et
Candelaria.

Epiphyte Adventures
angle 2a. Avenida et 2a. Calle
☎*952-2113*
Epiphyte Adventures est
réputée pour ses excursions informatives et sa
volonté de développer
un tourisme responsable.
Elle propose des excursions au Parque Nacional
de Laguna Lachuá et aux
grottes de Candelaria.

Banques

Salamá

Bancafé
*lun-ven 9h à 11h et 13h à
17h, sam 9h à 13h*
Plaza Central
5a. Avenida 6-21, Z.1
☎*940-0005*

El Estor

Corpobanco échange les
chèques de voyage et
avance des fonds sur les
cartes de crédit Master-
Card.

Cobán

Banco Occidente
Plaza Central
*Échange les chèques de
voyage et les dollars US en
quetzals et accorde des
avances sur la carte Visa.*

Bancafé
*lun-ven 8h30 à 20h, sam
10h à 14h*
1a. Avenida 2-66, Z.2
☎*952-1011*
*Accepte d'échanger les
chèques de voyage.*

Banco G&T
*lun-ven 9h à 11h et 13h à
17h, sam 9h à 13h*
angle 2a. Avenida et 1a. Calle, Z.3
*Accorde les avances de
fonds sur MasterCard.*

Banco Industrial
*lun-ven 9h à 11h et 13h à
17h, sam 9h à 13h*
1a. Calle 4-39, Z.1
☎*952-1491*
*Accepte la carte Visa et
possède un guichet automatique pour cette carte.*

San Pedro Carchá

Banco del Ejército
*lun-ven 9h à 13h et
14h30 à 17h30, sam 10h
à 14h*
Plaza Central

Poste et télécommunications

Salamá

Poste
lun-ven 8h à 16h30
près de la Plaza Central

Telgua
7h à 24h
7a. Avenida, 4-37, Z.1
Barrio Centro, tout près de la Plaza
Principal, à côté du poste d'essence

Cobán

Poste
lun-ven 8h à 16h30
angle 2a. Avenida et 3a. Calle

Telgua
7h à 24h
sur le côté nord de la Plaza Central
en face du Palais

Urgence

Salamá

Police municipale
☎*940-0242*

Police Nationale
☎*940-0050*

Pompiers
☎*940-0351*

Ambulance
☎*940-0351*

Hôpital
☎*940-0125*
☎*940-0401*

Cobán et les
Verapaces

Cobán

Police Nationale
☎952-1225

Bomberos Voluntarios
☎952-1212

Ambulance (Croix-Rouge)
☎952-1459

Hôpital régional
8a. Calle 1-24, Z.4
☎952-1315

Hôpital privé
☎952-1805

San Pedro Carchá

Police Nationale
☎951-5026

Bomberos Voluntarios
☎951-5004

**Ambulance (Croix-Rouge)
Cobán**
☎952145

Hôpital régional (Cobán)
8a. Calle 1-24, Z.4
☎952-1315

Attraits touristiques

★★

San Jerónimo

Sur la route Salamá, à 5 km de La Cumbre de Santa Elena, se trouve l'embranchement vers le village de San Jerónimo, situé (à l'est) dans le fond de la belle vallée. Il fait partie du *municipio* du même nom d'une superficie de 450 km² qui comprend plusieurs villages de la Sierra de Las Minas, à l'est, dont la population se compose d'agriculteurs Q'eqchis. Malheureusement, plusieurs habitants de la vallée ont mis les coutumes et les vêtements traditionnels de côté depuis quelque temps déjà.

Le village de San Jerónimo était producteur de vin au XVIIᵉ siècle et mérite une visite pour deux attraits particuliers : le Musée des arts et traditions populaires et les pierres sculptées qui ont été trouvées lors des fouilles archéologiques. Ces stèles sont exposées sur la **Plaza Antropológica ★★** du village, située derrière l'église (XVIIᵉ siècle), et les inscriptions qu'elles portent démontrent qu'elles sont plus anciennes que celles de Tikal.

Le Musée des arts et traditions populaires un projet d'une grande envergure où l'on veut intégrer aux bâtiments de construction récente l'aqueduc (124 arches de style romain construites au XVIIᵉ siècle par les esclaves appartenant aux dominicains!) qui apportait l'eau au moulin de l'Hacienda San Jerónimo ainsi que les anciennes fondations. L'un des édifices abritera ce qui fut fort probablement l'un des premiers moulins à sucre de la Baja Verapaz.

L'*ingenio de azúcar* (moulin à sucre) de San Jerónimo est l'œuvre des dominicains qui, entre 1549 et 1560, furent autorisés à «emmener» des esclaves venant des tribus du Congo et des groupes de 15 à 20 Mayas venant de Cubulco, Rabinal, Salamá et même de Pachalum pour préparer le terrain.

À la fin du XVIᵉ siècle, la machinerie nécessaire à la production du sucre fut importée d'Espagne et les travailleurs furent amenés de Jamaïque. Les grandes chaudières arrivèrent à San Jerónimo en 1575. La présence industrielle fut déterminante pour l'économie locale, mais ce qui marqua toute la vallée fut la présence de ces travailleurs qui apportèrent avec eux les us et coutumes de leurs ancêtres qui perdurent toujours aujourd'hui.

Au XVIIIᵉ siècle, la Hacienda de San Jerónimo était presque un État dans l'État, avec ses propres lois, sa propre milice formée par ses colons, sa propre monnaie, et les étrangers ne pouvaient pas pénétrer dans sa juridiction sans l'autorisation de l'administrateur qui gérait le territoire comme s'il était une terre étrangère à l'intérieur de la province de La Verapaz.

Depuis ce temps, l'*ingenio* a connu plusieurs propriétaires. La grande roue qu'on peut voir aujourd'hui date de 1838 et a été fabriquée en Angleterre. La visite rappelle les *ingenios* anciens qu'on peut visiter dans plusieurs îles des Caraïbes. Le musée sera une fenêtre sur l'époque de l'esclavage, des *encomienderos* et des conditions archaïques des infrastructures du Guatemala colonial. Aujourd'hui, la tradition veut qu'on produise une fois par année l'*aguardiente* (l'alcool) que les habitants consomment lors des fêtes.

Salamá

À 147 km de la capitale, Salamá, *cabecera* du département de Baja Verapaz, est située dans le fond ouest de la vallée d'Urrán. Un poète l'a appelée la «Sultane des roses dans la vallée de la paix». En langue k'iche', Salamá signifie «eaux tranquilles».

La position géographique de la vallée est unique : au sud, la Sierra de Chuacús, au nord-est, les monts Chilascó, Miranda, Niño Perdido, Quisis, et San Vicente; au nord de la ville, le mont El Carnero et, au sud immédiat, le mont de La Cruz. Pour apprécier le panorama, il faut s'arrêter au début de la route près de La Cumbre de Santa Elena, où El Mirador a été aménagé.

Même si l'on ne connaît pas la date exacte de sa fondation, nous savons que le premier archevêque des Verapaces, Pedro de Angulo, fondateur du Convento de Guatemala, meurt à Salamá le Mercredi saint en 1562. Salamá devint la capitale de Verapaz (avant la division) en

1833 et capitale de Baja Verapaz à sa création, en 1877.

Sa base économique est l'agriculture et l'élevage de bovins, du cheval, du porc et d'autres animaux. L'artisanat comprend céramique, chapeaux de paille, instruments musicaux, meubles en bois et orfèvrerie. Son marché, qui rassemble plusieurs agriculteurs de la région, se tient le lundi.

La fête religieuse du 3 mai, qui se déroule sur le mont de La Cruz, au sud de la ville, est très prisée. On y exécute la danse du *Venado* (cerf). La fête de San Mateo Apóstol est célébrée entre le 17 et le 21 septembre. On peut voir les danses de *Enmascarados* ou *Convite* et *Mazates*. Les *marimbisticos* (joueurs de marimba) de Salamá sont fameux.

Lors de la **Semana Santa ★**, ici, comme à Antigua, la célébration se caractérise par de gigantesques tapis de fleurs et de sciure de bois ainsi que par la représentation de La passion.

Salamá, comme San Cristóbal Verapaz, se considère la *Segunda Antigua* (la deuxième Antigua) pour le faste avec lequel les habitants de Salamá se rappellent la mort du Christ.

Ses attraits naturels sont les rivières Samalá, Chilascó, San Isidro et Las Flautas. Ces deux dernières se réunissent pour former les **chutes de Zacual-**

pa, hautes de 220 m, qui, en plus de leur beauté, produisent de l'électricité.

Son **église paroissiale** de l'époque coloniale possède des retables que plusieurs considèrent comme uniques en Amérique, un maître-autel et des statues du XVIIᵉ siècle.

Les environs de Salamá

Sur le mont El Portezuelo ou Los Piños, à 2 km au sud-est de Salamá, on trouve un site fortifié construit presque au centre du bassin du Río Salamá. **Los Pinos** est de toute évidence un site défensif et semble avoir joué le rôle d'avant-poste de la ville des Achi' de Cahyup ou de Pueblo Viejo, plus à l'ouest. Los Pinos se trouve sur la frontière politique et linguistique du territoire des Achi' à l'ouest et des sites poqomam et poqomchi' (Pachalum, Zacualpa et San José Apantes) à l'est.

À mi-chemin entre Salamá et Rabinal, le village de **San Miguel Chiucaj ★** se blottit dans la vallée de Chicaj. Reconnu pour ses textiles, ce village ancien possède une église qui date de l'époque coloniale. Du 25 au 29 septembre, on célèbre la fête éponyme où l'on exécute les danses folkloriques de *Los Moros* et d'*El Costeño*.

Rabinal

Rabinal, située dans la vallée d'Urrán (anciennement appelée Zamneb), fut la première mission fondée par Bartolomé de Las Casas en 1537. Son **église**, qui date du XVIe siècle, a été rénovée en 1996. Les artisans de Rabinal sont reconnus pour les belles poteries typiques de la région, les très beaux *huipiles* et les nappes brodées, magnifiques et très bon marché. On y fabrique aussi des sifflets, des chandeliers, des encensoirs cérémoniels et des figurines représentant des danseurs, des bergers, des musiciens. Rabinal produit les meilleures oranges au pays.

Mais ce qui lui confère une place particulière, c'est sa céramique préhispanique et surtout les **gourdes de calebasse** peintes selon la technique *Nij*. Certains archéologues pensent que l'utilisation artistique de la calebasse est précolombienne. Le processus de manufacture consiste à faire sécher au soleil les fruits de forme sphérique de l'arbre à *morro* et les *jicaras*, dont la forme est allongée. Après avoir poli la surface, on y applique un enduit noir appelé *Nij* ou Nije, qu'on extrait d'un insecte (*nije*), et l'on polit la surface de nouveau.

Puis, avec un instrument coupant, on pratique des incisions qui font réapparaître le blanc du fruit pour former le dessin. Une variante de cette technique consiste à tracer le dessin, qu'on recouvre de cire, puis on applique l'enduit sur le tout; on enlève alors la cire et le dessin apparaît en blanc. Cette dernière technique s'appelle «négative»; elle est également connue au El Salvador.

Il existe une autre variante qui consiste en l'application de couleurs à base d'huile (vermillon, jaune et noir), mais ces peintures ont l'inconvénient de se décolorer. Une technique d'emploi plus ancienne fait usage d'une peinture brune très polie, sur laquelle on effectuait des incisions d'une extraordinaire finesse représentant des plantes, des animaux et des personnes. Il est possible qu'elle soit originaire de Cahabón, dans le département de l'Alta Verapaz.

Les formes les plus courantes de ces fruits sont les *huacales* (gobelets), qui servent pour tous les liquides, et les *jicaras* (tasses) proprement dites, réservées à certaines boissons particulières, surtout le chocolat. Cette dernière coutume est d'origine précolombienne, mais elle fut adoptée par les Espagnols durant la période coloniale; on ajouta alors aux récipients des ornements d'argent pour les porter et les décorer. On les utilise aussi pour fabriquer des tirelires et des grelots.

On célèbre la fête de saint Paul Apôtre entre le 17 et le 25 janvier. En plus des événements religieux et sportifs, on peut assister à une vingtaines de danses comme celles des *Venados*, *Negritos* et *Diablos*. Rabinal est le seul endroit où l'on peut voir le **Rabinal Achí ★★**, un drame précolombien.

Rabinal est riche en *cofradías* (confréries); on en compte 22. La Cofradia de la Santa Cruz del Barro est propriétaire d'un gisement d'argile qu'on utilise pour la fabrication de céramique et qui consacre l'institution de la Confrérie comme joueur économique déterminant dans la vie des petites communautés encore aujourd'hui.

Les environs de Rabinal

Le site archéologique de **Cahyup**, situé sur une colline près de Rabinal, mérite une visite, car, de là, la vue sur la vallée d'Urrán est extraordinaire. À 2 km au nord de Rabinal, l'ancienne forterresse achi' occupe le sommet (260 m) d'un mont qui domine la vallée. Huit groupes de structures dont cinq petites plazas sont toujours visibles.

Une structure ronde, au nord-ouest, est construite sur un sommet à l'écart. Les anciennes maçonneries sont très bien conservées, et les temples et les

La découverte du Rabinal Achi'

Le *Rabinal Achi'* est un drame oratoire en quatre actes qui relate la capture, le procès et la mise à mort d'un guerrier k'iche' par la cour royale de Rabinal à l'époque des conflits politiques et territoriaux qui opposaient les différents *Senorios* (Royaumes) du Guatemala, avant l'arrivée des Espagnols. Il exprime implicitement les anciennes conceptions du pouvoir, ses attributs ainsi que les caractéristiques du souverain et du Roi-Soleil.

Le *Rabinal Achi'* constitue l'unique ballet-drame d'origine préhispanique qui soit encore l'objet de représentations, revêtant la forme d'une danse rituelle exécutée lors de la fête de saint Paul, le saint patron de Rabinal.

C'est à l'abbé français Charles Étienne Brasseur de Bourbourg que revient la découverte du *Rabinal Achi'*. Le texte de quelque 3 000 vers, recueilli et traduit par l'abbé, a été publié à Paris en 1862. Les circonstances de sa découverte nous sont racontées par Brasseur lui-même dans une lettre en date du 7 août 1855, alors qu'il était curé de la paroisse de Rabinal.

«Comme il n'y a pas de médecin dans Rabinal, j'ai donné à un Amérindien, il y a six semaines, un remède contre une vilaine maladie. Par gratitude, l'Amérindien est venu me voir et m'a expliqué qu'il était descendant d'une famille de la noblesse et que son père lui avait ordonné d'apprendre par cœur une baille, une danse dramatique. Comme il savait que j'avais demandé aux autres Amérindiens de la paroisse le texte de la danse, il m'a proposé de l'écrire à partir de sa dictée.

J'ai accepté malgré la difficulté, car il parlait le dialecte k'iche' de Rabinal. Après 12 jours de labeur, le plus difficile travail de ma vie, plus laborieux que les dictées de l'école de mon enfance, j'ai réussi à transcrire toute la baille; j'ai corrigé l'orthographe à l'aide de mes dictionnaires et de mes grammaires, et maintenant je peux me vanter de posséder le seul drame amérindien de l'Amérique qui existe au monde.»

Brasseur conclut : «La scène de ce drame se passe ici, à Rabinal; les personnages sont les premiers héros des nations k'iche' et rabinal, et l'époque où se situe le drame est, je suppose, le XIIe siècle.»

Il existe une autre copie du *Rabinal Achi'*, datée de 1913 et signée par Miguel Pérez. Elle reproduit le texte maya. Une traduction plus récente, par Alain Breton, a été publiée à Nanterre en 1994.

Cobán et les Verapaces

palais résidentiels démontrent une homogénéité de style qui témoigne d'une seule occupation. L'absence de jeu de balle suggère que Cahyup fut construit par les Poqomam et non par les Achi'. Ces derniers l'ont occupé après avoir chassé les Poqomam vers 1350 ap. J.-C. En 1517, immédiatement avant l'arrivée des Espagnols, les Kaqchikel ont expulsé les Achi' et ont pris possession de Cahyup.

Les ruines de **Tzak Pokoma** sont également connues sous le nom k'iche' de **Chuitinamit** et sont situées à 8 km au nord-est de Rabinal. Le site, dont les 44 édifices longent une étroite crête de 1,4 km de long, est composé dehuit groupes architecturaux. Même si le nom du site signifie «édifices des Poqomam», on croit que le site même a été conquis par les Achi' de Rabinal vers 1350 ap. J.-C., puis resta en leur possession jusqu'à l'abandon (voir plus bas).

À 20 km au sud de Rabinal sur la route 5 vers la capitale, surgit **Santa Cruz El Chol**, fondée au XVIIe siècle. Son attrait principal est un tunnel voûté de 50 m de long et de 15 m de large qui a été utilisé comme cimetière préhispanique pour les enfants.

L'église catholique abrite des images antiques et des autels taillés dans le bois de style churrigueresque du XVIIIe siècle. On célèbre la fête de la Virgen de la Concepción entre le 6 et le 8 décembre. En plus d'assister aux événements religieux et sportifs, on peut voir les danses des *Venados*, la *Conquista*, *Animales* et *El Costeño*.

Si vous retournez vers la Ciudad de Guatemala par la route 5, vous verrez le village de **Granados**, situé à 36 km au sud de Rabinal. La prédominance des Ladinos est une rareté dans les Verapaces. La fête de la Santa Cruz est célébrée entre le 2 et le 5 mai.

Cubulco

Cubulco est un village ancien mentionné dans les chroniques coloniales; il est situé dans la Sierra de Chuacús à 15 km de Rabinal. Le *municipio* de Cubulco est le seul endroit où le Cubulco Achi', un dialecte k'iche', est parlé. Sa population est à 68% k'iche' et achi', et sa base économique est l'agriculture : (légumes, riz, sucre, fèves et maïs).

Ses *huipiles* cérémoniels, parmi les plus beaux de la région, sont de coton naturel, à dessins géométriques brodés. La prédominance du rouge donne un beau contraste avec la couleur crue du coton. Cubulco est un des rares villages où se pratique la danse rituelle de San Miguel ou du Palo Volador. La fête de Santiago Apóstol est célébrée entre le 20 et le 25 juillet, et, à cette occasion, on exécute plusieurs danses folkloriques.

À 1 km au nord de Cubulco se trouve le petit site archéologique de **Belej Tzac**, et à 2 km au nord-est de Belej Tzac, celui de **Moxpán**, lesquels étaient fort probablement des fortins d'avant-poste de Cahyup qui contrôlaient le sud-ouest de la vallée de Rabinal immédiatement avant l'arrivée des Espagnols.

Vers Cobán

Purulhá

La municipalité de Purulhá est située à 160 km de la capitale sur la route CA14, qui mène à Cobán. Le *municipio* doit sa réputation au Biotópo Mario Dary Rivera, le «sanctuaire» du quetzal, oiseau emblématique du pays. Cette réserve ornithologique est située entre la Sierra de Chuacús et la Sierra de Las Minas. Cependant, il existe une réserve naturelle privée près de Chamil (voir plus bas) où, dit-on, il est plus facile de voir le quetzal.

À 4 km au nord de Purulhá (au km 169 sur la route) vous trouverez la belle grotte de Chixoy. Cet endroit est toujours utilisé pour la célébration de fête tel que le prescrit le *Tzolkin* ou calendrier maya; entre autres, un des jours sacrés, le *Huit Batz*, y est célébré. Le droit d'entrée est de 5Q.

Biotopo del Quetzal (Mario Dary Rivera)

Le Biotopo Mario Dary Rivera (*à 4 heures de la route de la Ciudad de Guatemala, à 50 km de Cobán et à 4 km au sud de Purulhá*), spécialement aménagé par l'université de San Carlos pour la protection du quetzal, est s'avère un des attraits naturels importants de la région. Dans cette réserve de plus de 3 000 ha de végétation tropicale humide, trois circuits ont été balisés : *los Musgos* (les mousses), long de 3 600 m, *la Cascada* de 450 m et *los Hélechos* (les fougères) de 2 100 m. Le terme *biotópo* fait référence aux attributs biologiques, écologiques et topographiques particuliers qui confèrent au site sa physionomie unique.

Malgré la présence de 80 espèces d'oiseaux répertoriées, le quetzal est probablement celui qui sait mieux se cacher. C'est un oiseau très sauvage et difficile à observer. Les mois les plus favorables, à son observation vont de février à mai et de septembre à novembre, très tôt le matin. Portez de bonnes chaussures et un imperméable pour vous protéger du *chipi-chipi*, le crachin permanent de l'Alta Verapaz. Attention aux moustiques à partir de 16h.

Tactic

Située à 32 km de Cobán, Tactic fut fondée le 2 juillet 1545. Sa base économique est diversifiée et comprend l'agriculture, l'industrie laitière, les mines d'or, d'argent, de plomb et de zinc ainsi que l'industrie de la chaussure de cuir.

Son **église coloniale** renferme plusieurs peintures d'influence byzantine. Les résidants mayas de la municipalité appellent l'église située sur le mont Chi-Ixhim «l'église du dieu du Maïs», et les pèlerins demandent l'intervention de Santo Cristo Milagroso, *Chi-Ixim*. Tactic est célèbre pour la beauté de ses *huipiles* et la qualité de son orfèvrerie d'argent. On y célèbre la fête du saint patron durant la troisième semaine d'août, et son marché se tient le jeudi et le dimanche.

Pozo Viro

Sur la route entre Tactic et Santa Cruz Verapaz, au km 185, vous trouverez le *Pozo Vivo* (le puits vivant), un petit étang dont les eaux se brouillent à l'approche des passants. Ce lieu est la scène d'une légende du XVIᵉ siècle qu'on attribue au peuple Poqomchi' et plus particulièrement à ceux du royaume Pampoc de la vallée de Tampó. C'est l'histoire de la princesse Sacumal-Poh (Rayon de

Quetzal

Lune), qui tomba amoureuse d'un chevalier espagnol dénommé De Herrerías. Le Grand Conseil des sages condamna à l'autel de la mort l'étranger qui troubla la paix du royaume. La princesse, qui avait trahi son peuple, le suivit au centre de la Terre. Le lendemain, à l'endroit où la princesse avait disparu, on trouva un étang aux eaux calmes qui s'agite lorsqu'une personne vient troubler la paix du lieu. Selon la légende, nuits de pleine lune, on peut voir passer, sur les eaux qui relient le *Pozo Vivo* à la rivière Cahabón, la silhouette de deux amants entrelacés qui disparaissent dans la brume de la rivière.

Santa Cruz Verapaz

À 15 km à l'ouest de Tactic, Santa Cruz Verapaz est une communauté agricole. L'**église**, construite par les dominicains, date du XVIᵉ siècle; son autel est en argent et la statue de San Joaquín est particulière. Parmi les attraits de la ville, on retrouve son Parque Central et le belvédère El Chuce. Il y a un lac où l'on peut pêcher et se baigner. Le marché se tient le jeudi et le dimanche.

Vers l'ouest : San Cristóbal Verapaz

Santa Cruz Verapaz est aussi le carrefour de la route vers l'ouest, traversant le sud de la Cordillera de los Chuchumatanes en passant par San Cristóbal Verapaz, Uspantán et Sacapulas, où l'on rejoint Huehuetenango ou Chichicastenango. Cette route vers le Quiché passe par la région du petit village de **Chimel** (près de San Miguel Uspantán), le hameau où est née Rigoberta Menchu, une Maya qui a obtenu le prix Nobel de la paix en 1992.

Village où les habitants parlent le poqomchi', San Cristóbal Verapaz est un des plus importants producteurs de masques du département. Vous y trouverez le lac Cacoj, une réserve ornithologique pour les oies blanches. On célèbre la fête de Santiago Apóstol entre le 21 et le 26 juillet; en plus d'assister aux événe-

ments religieux et sportifs, on peut voir les danses de *Los Moros, Diablos, Venados, Samakety* et *Coxol.*

Vers l'est

Un peu avant Tactic, à San Julian, un embranchement avec la route 7E passe par Tamahú, Tucurú et Panzós, et descend la vallée du Río Polochic jusqu'à El Estor, où vous pourrez rejoindre la rive sud du lac Izabal par bateau.

Vous pouvez vous rendre à El Estor en autocar depuis Cobán; la route de terre est très belle. La faille tectonique de Polochic, qui sépare la plaque nord-américaine de celle des Caraïbes, passe dans la vallée de laquelle elle prend le nom.

Tamahú

Situé à 12 km de Tactic, le village de Tamahú produit de beaux *huipiles*. La majorité de ses habitants parlent le poqomchi', et sa principale culture est le café, d'une très grande qualité.

Tucurú

Situé à 28 km de Tactic, San Miguel Tucurú doit son nom au hibou qui, selon la croyance des habitants du *municipio*, intervient dans leur vie quotidienne. Les attraits naturels sont le Río Polochic, les plages de Pajché, les chutes d'Esmeralda et, surtout, le site de Chelemjá, la réserve naturelle privée pour la protection du quetzal, où l'on peut d'ailleurs passer la nuit. Le village est un important producteur de masques.

Senahú

À 15 km au nord de la route, dans la Sierra de Santa Cruz, le village de Senahú est entouré de grandes fincas de café. Ses beautés naturelles incluent le Río de la Finca Trece Aguas, les chutes de Seretzi et le belvédère du Cementario General. Il faut noter la présence d'une stèle précolombienne sur la Plaza Central moderne du village; les ruines des sites de **Chijolom** et **La Providencia** sont situées sur le territoire du *municipo* de Senahú. Les environs, reconnus pour leur beauté, sont fréquentés par les habitants de Cobán surtout le dimanche.

Telemán et Chacujal

Un peu après le carrefour Senahú, la route passe par Telemán et bifurque vers le sud pour rejoindre l'ancienne ville de Chacujal, visitée par Cortés lors de son voyage vers le Honduras et maintenant devenue le site archéologique de **Las Tinajas**. Celui-ci fait partie des sites étudiés dans le cadre du Proyecto Arqueológico Izabal, qui étudie la présence préhispanique dans la région. Un autre site, le **Pueblo Viejo**, se situe sur la rivière du même nom.

Panzós

La municipalité de Panzós, sur la route 7E, sera à tout jamais inscrite dans la mémoire des Mayas du département de l'Alta Verapaz. Le 29 mai 1978 marqua le début du plus violent épisode de l'histoire de la Conquête depuis l'arrivée des Espagnols. Ce jour-là, une unité de l'armée du Guatemala ouvrit le feu sur un groupe d'Amérindiens qui protestait contre le refus du gouvernement de leur accorder les titres de leurs terres.

Plus de 100 personnes, hommes, femmes et enfants, seront tués sur-le-champ. Plusieurs analystes croient que cet événement fut le coup d'envoi du règne de la terreur qui domina dans les Hautes Terres du Guatemala pendant toute la décennie. On évalue que plus de 150 000 personnes ont été tuées, en plus des 40 000 qui ont tout simplement disparu. Presque tous étaient mayas. À la fin des années quatre-vingt, 35 000 réfugiés mayas vivaient dans les camps au Mexique, et des milliers avaient fui aux États-Unis, au Canada et en Europe.

Cahabón

À quelques kilomètres à l'ouest de Panzós, la route vers le nord mène au village de Cahabón. Le *municipio* de Cahabón, dont la population indigène est la plus populeuse de tout le département, est renommé pour les plages du Río Cahabón, les chutes de Pelizimlpec, sur le Río Acatelá, et les grottes de Chuchuba. La route entre Lanquín et Cahabón est plus facile à parcourir que celle qui passe par la vallée du Polochic. Le *municipio* s'étend jusqu'au village de **Santa María Cahabón**, situé sur la route d'El Estor.

El Estor

El Estor doit son nom au magasin général tenu par des Anglais qui s'appelait *The Store* (le magasin). Seul dépositaire de produits européens de la région, le magasin servait les habitants de la vallée du Río Polochic lors de la colonisation. El Estor est la principale agglomération de la rive nord du Lago de Izabal et devient le point de rencontre des voyageurs de passage qui désirent traverser les vallées à l'ouest.

Cobán

Cobán, *cabecera* du département de l'Alta Verapaz, située à 205 km de la capitale du Guatemala, fut fondée le 4 août 1543. Le roi Carlos V (Charles Quint) lui octroya le titre de Ciudad Imperial. La population du *municipio* dépasse les 50 000 habitants, dont plus de la moitié parle le Q'eqchi. Cobán est situé à 1 300 m d'altitude et son climat semi-tropical est propice à la culture du café. On l'exporte par les ports de Puerto Barrios et de Livingston ou par le Lago Izabal. Le *municipio* de Cobán, qui fait 2 132 km², est le plus étendu du département.

La ville offre tous les services d'une ville moderne, regroupés près de la Plaza Central. Le quartier commercial s'étend autour et derrière la **cathédrale** ★, construite

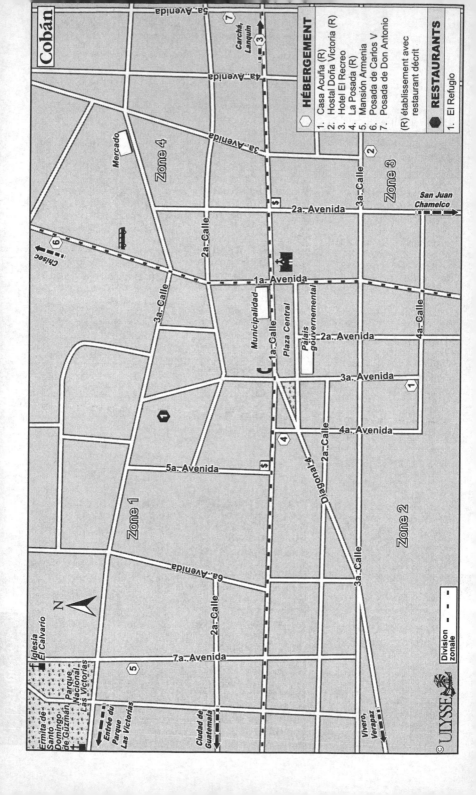

Cobán

HÉBERGEMENT

1. Casa Acuña (R)
2. Hostal Doña Victoria (R)
3. Hotel El Recreo
4. La Posada (R)
5. Mansión Armenia
6. Posada de Carlos V
7. Posada de Don Antonio

(R) établissement avec restaurant décrit

RESTAURANTS

1. El Refúgio

© ULYSSE

- - - Division zonale

Zone 1
Zone 2
Zone 3
Zone 4

Mercado

Municipalidad
Plaza Central
Palais gouvernemental

Ermita de Santo Domingo de Guzmán
Iglesia El Calvario
Parque Nacional Las Victorias
Entrée du Parque Las Victorias

5a.-Avenida
6a.-Avenida
7a.-Avenida
3a.-Calle
2a.-Calle
1a.-Calle
2a.-Avenida
3a.-Avenida
4a.-Avenida
4a.-Calle
Diagonal 4
2a.-Avenida
1a.-Avenida
2a.-Calle
3a.-Calle
4a.-Avenida

Chisec
Carchá, Lanquín
San Juan Chamelco
Vivero, Verapaz
Ciudad de Guatemala

en 1543-1544 par Bartolomé de Las Casas, et aussi siège de l'archevêché du Verapaz. La cathédrale abrite de très beaux retables, et l'on peut admirer, dans une vitrine à la droite de l'autel principal, des chandeliers d'argent ainsi que des cierges et des missels qui proviennent d'Espagne et qui datent de la fondation de l'église.

L'**Iglesia El Calvario** ★ est, quant à elle, construite sur un mont d'où la vue sur la ville est magnifique. Il faut monter 131 marches pour y accéder; l'extrémité nord de la 7a. Avenida donne sur l'escalier. Vous pouvez entrer dans le **Parque Nacional Las Victorias** ★★ par l'arrière de l'église ou par l'entrée principale sur la 3a. Calle, près de l'**Ermita de Santo Domingo de Guzmán**. Le parc est un bon point d'observation de la ville et vous pouvez y camper.

Du 31 juillet au 6 août, on célèbre la Santo Domingo de Guzmán. En plus d'événements religieux et sportifs, le **Festival Folclórico Nacional** ★★★ de Cobán célèbre les traditions des différentes ethnies de la région. On y pratique les rituels des différentes confréries et, le 1er août, on exécute les danses folkloriques comme *El Venado*, et *El Diablo y El Chompipe*.

C'est aussi le temps du fameux *El Paa Banc*, soit le rite de transmission des charges d'administration des confréries, accompagné de cérémonies religieuses où les les représentants du peuple jurent de maintenir la foi et les coutumes ancestrales. C'est une des plus importantes activités pour les Kekchí de la région. Le défilé de la princesse Tezulutlán et de la Rabín Ajau, la reine du costume traditionnel, est unique à Cobán.

À 2 km du centre-ville en empruntant la Carretera Antigua de Entrada, vous vous retrouverez au **Vivero Verapaz** ★★ (vivier ou pépinière du Verapaz), une plantation d'orchidées qui abrite plusieurs milliers d'espèces. On se vante de la présence de 60 000 spécimens de 750 différentes espèces, dont 200 sont des miniatures. Vous y verrez, entre autres, la fleur nationale du Guatemala, la *Monja blanca* (la religieuse blanche), et des miniatures si petites qu'on utilise une loupe pour les regarder.

La **Finca Marguerita** *(2$US; visites en anglais et en espagnol; lun-ven 8h à 12h30 et 13h30 à 17h; ☎952-1286 ou 952-1454)* est une plantation de café située à quelques kilomètres de la ville. La durée de la visite est de 45 min.

Les environs de Cobán

À 8 km au sud de Cobán, **San Juan Chamelco** ★ est une communauté agricole qui possède une vieille église et un couvent qui datent de l'époque coloniale. Le village est connu pour ses pièces textiles tressées mais aussi pour sa grotte, qui fait partie d'une rivière souterraine (phénomène très fréquent dans la région), et pour la qualité de ses musiciens qui jouent de la *charimía* (flûte), du *tún* (tambour), de la harpe, du violon et de la flûte. À 3 km au sud du village se trouve le site archéologique de **Sakajut** et, 2 km plus loin, surgit celui de **Chichén**, encore plus impressionnant que Sakajut. San Juan Chamelco est aussi le lieu de repos de Don Juan Matalbaatz, le premier gouverneur maya nommé par le roi d'Espagne. Il y est en effet enterré.

Le **Proyecto Ecológico Quetzal** (PEQ) ★★ et le comité de tourisme de **Chicacnab** proposent des excursions hors du commun : la visite du Bosque Nuboso (forêt dans les nuages) de la Sierra Caquipec. Cette forêt est l'habitat du quetzal, l'oiseau emblème du Guatemala, si difficile à voir. Ici, tous les visiteurs jurent en avoir vu plusieurs. Cette forêt est aussi l'habitat de nombreux autres animaux.

Le PEQ et les familles Q'eqchi du village de Chicacnab invitent les touristes non seulement à visiter la forêt mais à demeurer avec une des familles et à vivre une expérience unique dans un lieu isolé, que très peu de personnes ont eu la chance de voir.

La forêt du Bosque Nuboso agit comme une éponge et permet un écoulement des pluies abondantes sur les pentes abruptes des montagnes à petit débit qui protège les sols de l'érosion. Vous pourrez visiter les cavernes, les plantations et les ateliers où travaillent les gens.

Le projet PEQ dispose d'une adresse à Cobán (*2a. Calle 14-36, Z.1,* ☎/≈ *952-1047; Bidaspeq@guate.net*), mais il faut noter qu'elle doit changer en l'an 2 000.

Pour s'y rendre, il faut prendre un autocar Monja Blanca/Escobar (*4a. Avenida 3-77, Z.4*) jusqu'à San Juan Chamelco. Derrière l'église, on doit ensuite prendre un autre autocar vers Chamil (5 heures 15 min, 3Q), où un guide vous rencontrera au marché pour vous accompagner à pied jusqu'à Chicacnab. Une aventure à ne pas manquer.

À 6 km à l'est de Cobán sur la route 5, vous trouverez la petite ville de **San Pedro Carchá**, fondée en 1550. C'est un centre renommé pour sa poterie, ses tissus, ses **masques de bois sculpté** et son orfèvrerie en argent, tous proposés à meilleur prix

qu'à Cobán. San Pedro Carchá est une ville intéressante, qui a conservé son atmosphère de l'époque coloniale. Les autocars qui partent de Cobán sont fréquents (trajet de 15 min), mais il y a possibilité d'hébergement à San Pedro Carchá même.

Vers le Petén

Deux routes mènent à Sayaxché à partir de Cobán. Une première, franc nord, traverse la Sierra de Chamá et se faufile sur 66 km jusqu'au village de Chisec (5 heures); elle rejoint la route 5 à San Antonio Las Cuevas. Cette route est difficile et presque impraticable durant la saison des pluies. C'est la grande aventure; toute cette région (franc nord de Cobán et le sud du département de Petén) s'offre aux aventuriers.

Chisec

Chisec fut la scène d'un des derniers massacres de la guerre civile du Guatemala. Au mois d'octobre 1995, un groupe de familles qui célébraient leur retour de l'exil du Mexique se sont fait massacrer par une patrouille militaire : on compte des enfants et des femmes parmi les 11 morts et la vingtaine de blessés. Le ministre de la Défense nationale, un général, démissionna de son poste.

Les habitants du très grand *municipio* de Chisec sont en majorité des Q'eqchis. On y cultive le café, le riz et le maïs. Les attraits naturels sont le lac du **Parque Nacional de Lachuá** ★★, le Río Salinas et le Río Chixoy avec leurs plages, ainsi que des grottes, souvent utilisées comme cimetières par les Mayas. Les **grottes de Candelaria** ★★, au sud du village, furent explorées par une équipe de spéléologues franco-guatémaltèque; un documentaire produit en 1973 raconte l'exploration de plusieurs sites des 200 grottes qui s'étalent sur plus de 20 km.

Mordu de la culture des anciens Mayas, vous êtes ici sur la frontière où se rencontrent la culture maya des Hautes Terres et celle des Basses Terres. Plusieurs sites archéologiques ont été identifiés; certains ont été fouillés, entre autres Chamá, Chinajá et Salinas de los Nueve Cerros, la seule saline de la région. Les sites ne sont pas tous accessibles par véhicule.

Chisec célèbre la fête de San Pedro et San Pablo Apóstol entre le 25 et le 30 juin; on peut voir les danses des *Venados, Moros*, la *Conquista, La Recua* et *Catarina*.

La deuxième route vers le Petén, la route 5, relie Cobán et Sebol (voir plus bas). Ce village est au carrefour des routes vers l'est, en direction de Modesto Méndez, et vers le nord, en direction du Petén, passant par Raxrujá, San Antonio Las Cuevas et Cruce del Pato, et aboutissant finalement à Saxaché.

Vers Modesto Méndez

Lanquín

Entre Cobán et Sebol sur la route 5, un peu avant le village de Pajal, tournez à droite vers Lanquín, reconnue pour ses attraits naturels. Cette région d'eaux vives, avec leurs roches calcaires sculptées naturellement, renferme des grottes admirables, connues des Mayas, qui y apportaient des offrandes aux dieux. La plus célèbre est située à Lanquín, à 65 km de Cobán. Pour visiter les grottes, adressez-vous à la police municipale du village de Lanquín (2 km); on vous fournira un guide et l'on mettra le courant électrique pour éclairer la première section de la grotte. Apportez une lampe de poche; on vous recommande aussi le port de bonnes bottes car l'intérieur des grottes est humide. La grotte est parcourue par une rivière souterraine, et il y fait très frais par rapport à la température extérieure. L'expédition est difficile mais vaut la peine.

Le **pont naturel de Semuc Champey ★★**, à 10 km de Lanquín, façonné par les eaux du Río Cahabón, est couvert de petits étangs qui, selon la saison, forment de petites cascades retombant dans la gorge entre les montagnes. Le pont mesure 300 m de long, et l'eau des bassins varie du vert émeraude au turquoise. Vous pouvez camper à Semuc Champey, mais les circuits organisés depuis Cobán constituent la façon la plus simple de visiter les grottes de Lanquín et le pont de Samuc Champey. Il y a aussi des excursions à partir d'Antigua Guatemala et de la Ciudad de Guatemala.

Cahabón (voir p 345) se trouve à 24 km de Lanquín par un chemin plus recommandable que celui qui traverse la vallée du Polochic au sud.

Sebol

Sebol est située à 100 km au nord-est de Cobán et à 50 km de Lanquín. C'est le carrefour des routes vers l'est, en direction de Modesto Méndez ou du Petén, passant par Raxrujá (15 km), San Antonio de las Cuevas (22 km) et Cruce del Pato, et aboutissant à Sayaxché et Flores. Il faut disposer d'un véhicule à quatre roues motrices ou d'une camionnette, car le trajet Cobán-Sayaxché prend un minimum de 12 heures à parcourir. Les nombreux postes militaires le long de la route vous indiqueront les différentes étapes.

Fray Bartolomé de Las Casas

Le village de Fray Bartolomé de Las Casas est situé à 5 km à l'est de Sebol. Le *municipio*, créé le 21 avril 1980, où habitent plus de 55 000 habitants, est le plus récent ajout administratif du département. Il fut nommé en l'honneur du père dominicain, célèbre défenseur des Amérindiens lors de la conquête.

Avec son voisin à l'est, le *municipio* de Chahal, il est le plus isolé du département. La fête du village, qui est célébrée entre le 30 avril et le 4 mai, est l'occasion d'un défilé et d'un rodéo sans motif religieux.

Chahal

Située près de la route 5 (entre Sebol et Modesto Méndez), à la frontière du département d'Izabal, Chahal (Chajal) compte parmi sa population un bon nombre d'habitants qui viennent du village de Cucul et qui ont été déplacés durant la période coloniale. La forêt vierge environnante comporte des bois fins et du *chicozapote*. Les plages de Sepur et de Las Conchas, ainsi que les caves et les chutes de **Semepeh-Semepech**, sont les attraits naturels des lieux. Les artisans produisent des *sopladores* (soufflets), des nappes et des chapeaux de jonc ainsi que de la céramique. La fête de San Agustín est célébrée entre le 23 et le 28 août.

Activités de plein air

Spéléologie

L'Alta Verapaz est de toute évidence la région du plein air du Guatemala, et les spéléologues amateurs se font de plus en plus nombreux. La découverte de nouveaux réseaux de grottes et de cavernes presque chaque année stimule l'offre d'excursions que proposent les différentes agences de tourisme et encourage cette croissance.

Malheureusement, en termes de pourcentage, très peu de grottes sont aménagées pour recevoir les visiteurs de passage. La distance et le manque d'infrastructure telle qu'électricité, échelles, garde-fous et balustrades limitent le développement touristique de ces attraits.

Même si l'accès de plusieurs réseaux de grottes exige un permis gouvernemental, il est possible d'en visiter avec l'aide d'un guide expérimenté. Voici la description des grottes les plus accessibles.

Située près de Purulhá, la **caverne de Chixoy** est un sanctuaire maya, facile d'accès et bien aménagé

pour le tourisme de passage.

Le réseau de **grottes de Lanquín**, situé à deux heures de voiture de Cobán, est une formation rocheuse particulière. Il donne naissance au Río Lanquín avec une telle impétuosité que sa visite laisse plus d'un visiteur pantois devant la force dramatique de la nature. La forêt luxuriante et les formations géologiques monumentales des environs attirent un nombre croissant de visiteurs.

L'immense réseau de **Candelaria** comprend plus de 200 grottes individuelles dont certaines n'ont pas encore été visitées et s'étend de part et d'autre dans quatre rames longues de quelque 15 km. La visite exige la présence de guides expérimentés qu'on peut trouver sur place. Considéré comme le plus grand réseau de grottes de l'Amérique centrale, Candelaria est situé dans une immense région isolée, le *municipio* de Chisec dans le nord-ouest de l'Alta Verapaz. L'infrastructure touristique y est limitée; il faut donc réserver son hébergement avant de s'y rendre ou s'équiper en conséquence.

À 15 km au sud de Cobán, près de San Juan Chamelco, les grottes du **Rey Marcos** composent un monde souterrain de sculptures naturelles en pierre qui fut découvert grâce à l'histoire et à la légende du roi Marcos des Q'eqchis qui habitent la région depuis plus de

2 000 ans. La proximité des habitants rend cet endroit facile d'accès et propice aux visiteurs de passage.

Canot, kayak et rafting

La principale rivière (classes III et IV) où la descente de rapides en rafting se pratique est le **Río Cahabón**. C'est dans la dernière partie de la rivière, soit au nord de Cahaboncito avant le déversement dans le Lago de Izabal, que ce sport se pratique. Des expéditions de un à cinq jours sont proposées par de nombreuses agences de la capitale, d'Antigua Guatemala et de Cobán. Le Río Cahabón, une des plus longues rivières du Guatemala, s'avère toujours aussi sauvage et la diversité des attraits tout le long de cette région lui confère un prestige inégalé.

Le rafting et le kayak se pratiquent aussi sur la rivière **Lanquín**, tandis que le canot est utilisé pour la descente des rivières **Chixoy**, **Candelaria** et **Lachuá** dans le nord-ouest de l'Alta Verapaz.

Parcs

Le Guatemala se targue de posséder quelque 50 aires protégées que les organismes sans but lucratif ont identifiées sur le territoire national. Huit de ces *biotópos*, parcs ou réserves, se trouvent sur le territoire des Verapaces : la Reserva Ecológica Sierra Chinajá, le Parque Nacional Las Victorias, la Laguna Chic-Choc Refugio de Vida Silvestre, le Parque Nacional San José La Colonia, le Monumento Natural Semuc-Champey, le Biotópo del Quetzal, le Parque Nacional Laguna Lachuá et la Réserve de la Biosphère de la Sierra de las Minas. Quelques aires ne sont pas ouvertes au public.

L'immense **Reserva de la Biosfera de la Sierra de las Minas** s'étend sur une partie de cinq départements de l'est du pays et tire son importance de la présence sur son territoire de quelque 885 espèces de mammifères, d'oiseaux et de reptiles qui représentent 70% de la population totale de ces groupes enregistrés au Guatemala et au Belize. La réserve est accessible, entre autres, par le village de Chilasco, près de La Cumbre de Santa Elena, où une route mène à un sentier qui rejoint le lieu d'hébergement Luisana Cabin. Un autre sentier relie ce dernier à Las Nubes Cabin, qui se situe à six heures de marche. Un autre accès par le village d'Albores, sur la route CA9 (Carretera al Atlántico), mène à Las Nubes par un sentier (2 heures de marche).

Situé au nord-ouest de l'Alta Verapaz, le **Parque Nacional Laguna Lachua**

(☎360-5776 à la Ciudad de Guatemala; *lachu@guate.net*) comprend 10 000 ha de forêt abritant 122 espèces d'arbres, certains de grande valeur comme le sapotillier, et de nombreux mammifères (130 espèces), oiseaux (298 espèces) et reptiles.

Depuis le mois d'avril 1999, l'Instituto Nacional de Bosque et la Fundación Solar, qui administrent le Parque Nacional Laguna Cachua, proposent des services d'hébergement et de restauration. Le site est aménagé pour recevoir des autocaravanes, et des guides pour les excursions en canot sont disponibles sur place. L'accès au parc se fait depuis Cobán, en passant par Chisec, vers Playa Grande et Ixcán. La piste d'atterrissage de Playa Grande est située à 10 km de l'entrée du parc.

Hébergement

Exception faite de la ville de Cobán, le choix de lieux d'hébergement dans les Verapaces est plutôt limité. Le développement du tourisme des cinq dernières années a permis la construction de nouveaux hôtels le long de la route principale et dans certaines localités où les touristes étrangers sont plus nombreux. Malgré l'absence d'établissements luxueux, vous trouverez dans presque toutes les agglo-

mérations des gîtes économiques pour voyageurs pas trop difficiles.

San Jerónimo

Il n'y a pas d'hôtel à San Jerónimo et le maire du *municipio* croit que le développement du tourisme doit bénéficier aux résidants et non aux chaînes d'hôtels. C'est donc l'occasion pour les touristes de loger dans une maison du village. Si vous voulez passer la nuit dans une famille du village, adressez-vous à la mairie, située tout près de l'église; elle possède une liste des familles qui accueillent les touristes dans leur maison.

Salamá

À défaut d'être spectaculaires, les hôtels de Salamá sont tous situés au centre-ville. Si la gamme est limitée, vous êtes beaucoup plus certain de trouver une chambre ici que dans les autres *municipios* de Baja Verapaz.

Hospedaje Juárez
$-$$
bc/bp, ℜ
10a. Avenida 15-55, Z. 1 derrière l'église

Pensión Verapaz
$-$$
bc/bp, S
3a. Calle 8-26
La Pensión Verapaz et l'Hospedaje Juárez sont des gîtes économiques qui proposent des chambres propres qui sauront satisfaire les petits budgets.

Real Legendario
$$
bp, tv, S
à 2 rues du Parque Central
☎940-0187
Très populaire auprès des
Guatémaltèques de pas-
sage, l'hôtel Real Legen-
dario a ouvert ses portes
en 1998 et compte neuf
chambres modernes au
mobilier modeste mais
décorées sans artifice.

San Ignacio
$$
bp, tv, S, ℜ
4a. Calle 'A' 7-09 Z.1, près du Telgua
☎940-0186
L'hôtel San Ignacio pro-
pose huit chambres très
propres, de construction
récente et un peu béton,
mais la famille est on ne
peut plus accueillante.

Tezulutlán
$$
bp, tv, S
Ruta 4, 4-99, Z. 1.
Barrio El Centro
☎940-0141
Le vénérable hôtel Tezu-
lutlán, situé près de la
Plaza Central derrière le
poste d'essence, possède
un restaurant *(lun-sam 8h
à 21h)*. Construite en
1890, la maison familiale
du juge de première ins-
tance Chavaria a servi de
jardin d'enfants et de bu-
reau de poste avant d'être
transformée en hôtel en
1944. L'hôtel comprend
15 chambres disposées
autour d'une belle cour
où vivent un magnifique
perroquet et quelques
animaux en cage. Cet
établissement qui a vécu
des heures glorieuses est
dirigé par une hôtesse
des plus serviables.

Rabinal

Hospedaje Caballeros
$
bc
1a. Calle 4-02
l'Hospedaje Caballeros est
un petit hôtel accueillant.

Pensión Motagua
$
près de la Plaza Central
La Pensión Motagua est
l'unique hôtel avec bar à
Rabinal et peut devenir
bruyant. Il n'est pas re-
commandé aux femmes
voyageant seules.

Posada San Pablo
$$$
bp, S
3a. Avenida 1-50, Z.1
☎940-0211
Rabinal n'est pas reconnu
pour ses hôtels de luxe.
Ici le gîte est frugal et
économique. L'hôtel
Posada San Pablo est
propre et constitue certainement le meilleur héber-
gement en ville malgré le
manque sporadique d'eau
chaude. Les chambres,
propres et sécuritaires,
sont décorées sans fioritures.

**Biotopo del Quetzal
(Mario Dary Rivera)**

Le camping n'est plus
autorisé au Biotópo. Il y a
quelques hôtels et restaurants près du site.

Posada Montaña del Quetzal
$$$
bp, ℜ, ≈, S
Le centre de villégiature
écologique Posada Mon-
taña del Quetzal est situé
à 5 km au sud du Biotó-
po Mario Dary Rivera (au

km 156). Il s'agit d'un
ensemble de bungalows
comprenant une ou deux
chambres à trois lits et un
salon avec foyer.

Ranchito del Quetzal
$$$
bc/bp
km 157
Situé au kilomètre 157, le
propose neuf chambres
pour deux personnes
avec ou sans salle de
bain. Le restaurant sert le
petit déjeuner et des re-
pas de cuisine végéta-
rienne.

Tactic

Villa Linda
$$
bp, S
Barrio San Jacinto
☎953-9216
Idéale pour les touristes
qui voyagent avec sac à
dos, la Villa Linda, située
près de la Plaza Central,
compte 14 chambres
confortables.

Pour les voyageurs pas
trop difficiles, l'**Hotel Sulmy**
et la **Pensión Central** des
chambres propres pour
20Q par personne; les
deux établissements ser-
vent des repas économi-
ques.

Senahú

Senahú El Recreo
$$
bp, tv
L'hôtel Senahú El Recreo
fait partie de la chaîne de
la Corporación Hotelera
Verapacense. L'hôtel,
établi dans un édifice
rénové du centre du
village, renferme six

grandes chambres propres et bien équipées, tandis que l'annexe en compte cinq avec ou sans salle de bain privée.

El Estor

Grâce à l'essor que provoque le développement régional des dernières années, cette petite ville connaît une deuxième vie et le nombre de lieux d'hébergement y est surprenant.

Hotel Los Almendros
$$
bp
☎948-7182
L'Hotel Los Almendros est un peu en retrait du lac mais plaisant et sécuritaire.

Hotel Vista al Lago
$$
bp, ℜ
6a. Avenida 1-13
The Store, l'édifice original qui a donné le nom à la ville, a été transformé en lieu d'hébergement. L'hôtel Vista al Lago est établi dans une construction en bois de style colonial situé près du quai. Les chambres sont propres, et celles du premier étage offrent une vue superbe sur le lac.

San Cristóbal Verapaz

El Portón Real
$
bc, S
4a. Avenida 1-44, Z.1
L'hôtel El Portón Real est situé trois rues à l'est de la Plaza Central. Le mobilier est en bambou.

Hospedaje Oly
$
0 Calle, 3 rues à l'est et un coin de rue d'El Portón Real
L'Hospedaje Oly n'est ni un hôtel ni une auberge, mais une famille qui accepte de loger des touristes. L'*abuela* (grand-mère) est d'une gentillesse reconnue.

El Campamento Chichoj
120Q par pers. pour une chambre à 4 et les 3 repas
À 2 km de San Cristóbal, l'ACJ (YMCA du Guatemala) possède un camp de vacances ouvert au public : El Campamento Chichoj, situé sur le bord de la Lagune de Chichoj, au km 206 Finca Venecia. Une gamme de services, entre autres une piscine, et un programme d'initiation à la vie en forêt sont offerts aux participants dans une ambiance très sécuritaire.

Cobán et les environs

Cobán n'est pas une grande ville. Néanmoins, la capitale des Verapaces est dotée d'une gamme de lieux d'hébergement qui va du très luxueux au plus simple. Une vingtaine d'hôtels proposent plus de 200 chambres de tout acabit et possèdent une salle à manger. Mis à part le festival du Paabanc au début du mois d'août, l'arrêt des voyageurs à Cobán se limite à quelques jours pour se remettre en forme afin de continuer leur voyage. Si vous voyagez en groupe (cinq personnes et plus), plusieurs hôtels vous

proposeront un tarif corporatif.

Le camping est permis dans le **Parque Nacional Las Victorias**, où sont aménagées des sorties d'eau et des toilettes, mais il est dépourvu de douches.

Posada La Ermita
$-$$
bc/bp, tv
à quelque 10 km sur la route de Chisec
La Posada La Ermita fait partie du groupe Hotelera Verapacense et propose des chambres confortables dans une grande maison moderne située sur une montagne : un observatoire naturel où l'on se réveille dans les nuages.

Casa Acuña
$$
bc, ℜ
Calle 3-11, Z.2
☎951-0482 ou 951-0484
⌨ 952-1547
uisa@infovia.com.gt
Située au bas de la colline à deux rues de la Plaza Central, la Casa Acuña est fort probablement l'hôtel le plus couru en ville et ses sept chambres sont quasiment toujours occupées. Dans ce lieu de rencontre des jeunes et des moins jeunes voyageurs, il est recommandé de réserver sa place. Le restaurant est reconnu comme le meilleur en ville (voir plus bas).

Mansión Armenia
$$
bp, S
7a. Avenida 2-18 et Avenida del Calvario Z.1
☎951-4284

L'hôtel Mansión Armenia est situé près du grand parc municipal Las Victorias. Le grand hôtel propose 20 chambres qui, à défaut d'être spectaculaires, sont propres et bien équipées.

Posada de Don Antonio
$$
bp, S, ℜ
5a. Avenida 1-51, Z.4
☎*951-4287*
⇿*951-1792*
Situé au centre de la ville, l'hôtel Posada de Don Antonio dégage une ambiance coloniale qui saura plaire aux voyageurs au budget moyen.

Posada de Carlos V
$$$
bp, tv, S
1a. Avenida 3-44, Z.1
☎*951-3502*
La Posada de Carlos est établi dans une construction de style chalet de montagne à proximité du marché et de la gare d'autocars, un peu à l'écart du centre-ville. L'hôtel possède 14 chambres modernes et est une bonne adresse pour les voyageurs possédant leur propre moyen de transport.

Hostal Doña Victoria
$$$
bp, S, ℜ
3a. Avenida 2-38, Z.3, Barrio Santo Domingo
☎*951-4213 ou 952-1133*
aventour@infovia.com.gt
Situé au coeur de la ville, l'Hostal Doña Victoria loge dans une villa qui date du début de la colonie. Les huit chambres sont distribuées autour d'une cour intérieure remplie de plantes. Déco-

rées avec goût, les grandes chambres sont meublées de belles pièces venant des Hautes Terres de l'Ouest. Le restaurant et le bar de l'établissement sont des endroits intimes et accueillants.

El Recreo
$$$
bp, tv
10a. Avenida 5-01, Z.3
Membre du groupe Hotelera Verapacense, l'hôtel El Recreo propose de grandes chambres sur deux étages dans un édifice moderne un peu à l'écart du centre-ville.

Hotel del Parque
$$$
bp, tv, ⅀, ℜ, S
km 196.5, Carretera CA14
☎*951-4539*
à 15 min du centre-ville en voiture ou autobus urbain
Situé sur la route CA14, qui mène à Cobán, l'Hotel del Parque constitue l'un des établissements les plus modernes de la région. Beaucoup plus qu'un lieu d'hébergement, il propose 52 chambres distribuées dans des bungalows à l'intérieur d'un immense jardin de fleurs et de plantes tropicales. Les suites comptent une salle de séjour avec un foyer et un mobilier des plus modernes. Les propriétaires de l'hôtel sont très fiers de leur petit jardin zoologique et de la présence des nombreux oiseaux qui visitent le jardin.

La Posada
$$$
bp, S, ℜ
1a. Calle 4-12, Z.2
☎*952-1495*
☎*951-0588*
⇿*951-0646*
La palme du meilleur hôtel du centre-ville de Cobán va certainement à La Posada, qui loge dans une grande maison coloniale construite il y a 200 ans. Les chambres sont décorées avec goût et l'on retrouve tout ce qu'un voyageur peut souhaiter : propreté, confort et tranquillité. Il ne faut pas oublier de mentionner qu'elles possèdent un foyer, un atout pour les voyageurs qui pourraient être incommodé par le froid et l'humidité.

Posada Don Francisco
$$$
bp, tv, ℜ, S
☎*951-3366*
⇿*952-1487*
Située à 2 km de Cobán sur la route de San Pedro Carchá, la Posada Don Francisco est très certainement l'établissement le plus luxueux de Cobán. Il compte 20 chambres et deux grandes suites qui n'ont rien à envier aux suites des autres hôtels de même catégorie. Elles sont aménagées avec goût et offrent une vue exubérante sur le Río Cahabón. Le restaurant, situé à l'étage, et le grand hall de la réception sont accueillants et décorés avec élégance. La réception est professionnelle et digne des plus grandes chaînes.

San Pedro Carchá

La Reforma
$
bc/bp
4a. Calle 8-45 A, Z.1
Il vaut mieux loger à
Cobán qu'à San Pedro
Carchá, mais si vous de-
vez y passer la nuit, il
existe quelques hôtels
rudimentaires, entre
autre, la Pensión Central
et l'hôtel La Reforma, un
ancien édifice un peu
délabré.

Pensión Central
$
bc, S
1a. Avenida 4-17 Z.1

San Juan Chamelco

**Hotel Turístico Don
Jerónimo's**
Aldea Chajaneb
☎951-4040
sbrizuel@c.net.gt
Situé à 15 km de Cobán,
à proximité des Cuevas
Rey Marcos et du Balnea-
rio Ceulinda, l'Hotel
Turístico Don Jerónimo's,
offre un site que vous
n'oublierez pas. On y
propose des chambres
avec pension (cuisine
végétarienne) pour 25$US
par personne par jour.
C'est l'endroit idéal pour
visiter les grottes souter-
raines, faire du *tubing* et
du *trekking*, et la vue sur
les montagnes des envi-
rons est fantastique. Le
propriétaire de cette
retraite, Don Jerónimo,
est un étatsunien excen-
trique qui connaît bien la
région. Pour s'y rendre, il
faut prendre un autocar
jusqu'à San Juan Chamel-
co; à partir du marché de

Chamelco, on doit
prendre un autre autocar
ou un pick-up pour aller
à Chajaneb, un petit vil-
lage. Renseignez-vous
alors sur l'hôtel de Don
Jerónimo. Une autre solu-
tion est de prendre un
taxi à partir de la cathédrale (40Q).

Lanquín

**El Recreo
Lanquín-Champey**
$$-$$$
bp/bc, ℜ
Lanquín Alta Verapaz
Propriété de la Corpora-
ción Hotelera Verapa-
cense, l'hôtel El Recreo
Lanquín-Champey est le
seul hôtel de luxe de la
région au nord de Cobán.
Il propose de grandes
chambres et de petits
dortoirs dans un édifice
de style chalet de mon-
tagne. L'hôtel offre un
service de guide pour la
visite des sites naturels de
la région.

Sebol

Il n'y a pas d'héber-ge-
ment à Sebol, mais le
gardien du centre de
contrôle vous laissera
dormir sur le plancher.
Pour se loger convena-
blement, il faut se rendre
à **Fray Bartolomé de Las
Casas**, où se trouvent
quelques petits hôtels qui
offrent les mêmes servi-
ces.

Hospedaje Ralíos,
($, bc) est réputé pour
être le meilleur hôtel de
la municipalité. Si vous
ne pouvez trouver un lit
à l'Hospedaje Ralíos,

l'autre solution est d'aller
au **Damelito**,
($, Plaza Centrale)
propre et accueillant, ou
encore à l'**Evelyne**, sur la
rue principale.

Restaurants

Comme partout ailleurs
au Guatemala, les repas
les moins dispendieux
sont servis dans le mar-
ché du village ou de la
ville. Vous trouverez des
comedores près des Pla-
zas Centrales, tandis que
la plupart des lieux
d'hébergement possèdent
leur propre restaurant. Le
choix de cuisines dans les
Verapaces est plutôt limité, sauf à Cobán.

Salamá

Las Tejas
$
Situé près du poste
d'essence Shell, le restaurant Las Tejas propose un
excellent *caldo de chun-
to*, une délicieuse casserole à la dinde.

Comedor Apolo XI
$$
4a. Calle A 7-09, Z.1, près du Telgua
Restaurant de l'hôtel San
Ignacio, le Comedor
Apolo XI est très prisé
des habitants de Salamá.
Famille est accueillante et
le service attentionné.

El Ganadero
$$
près de la Plaza Central
Nous recommandons El
Ganadero pour les steaks.

Jours de marché dans les Verapaces

Dimanche
Chisec, Lanquín, Purulhá, San Cristóbal Verapaz, San Juan Chamelco, Santa Cruz Verapaz, Tactic, Tamahú, Cubulco, Rabinal, Salamá, San Jerónimo.

Lundi
Senahú, Tamahú.

Mardi
Chisec, Lanquín, Purulhá, Très Cruces, San Cristóbal Verapaz, Rabinal, San Jerónimo, Cubulco, Santa Cruz El Chol, Très Cruces.

Jeudi
Tactic, Tamahú, Tucurú, San Cristóbal Verapaz, San Juan Chamelco.

Samedi
Senahú.

Rabinal

Le restaurant **El Cevichazo**, situé au cœur de Rabinal, est recommandé pour ses délicieuses crevettes, tandis que **Los Gauchos** propose une cuisine simple; un repas avec bière vous coûtera 30Q.

El Estor

Situé près du quai, **Hugo's** est le restaurant le plus connu du village. C'est le lieu de rencontre des voyageurs de passage et une bonne source d'informations sur les activités de la région. La nourriture s'avère savoureuse et peu chère.

Le restaurant **Rancho Mari** propose du poisson et de la bière, et le **Maribella** est recommandé pour ses spaghettis (la bouffe y est bonne et les prix sont raisonnables).

Tactic

Café la Granja
$-$$
km 187 de la route CA14
Le Café la Granja, un grand restaurant bien géré et très populaire auprès des gens, propose une cuisine typique de ce coin de pays. On y sert des mets guatémaltèques aux accents allemands, ponctués de saveurs de l'Espagne. Les repas du dimanche sont agrémentés par des musiciens.

Cobán

Casa Acuña
$$
4a. Calle 3-11, Z.2
La salle à manger de la Casa Acuña est fort probablement le restaurant le plus couru en ville. Le midi, on peut profiter du beau temps pour manger à l'extérieur ou encore rester à l'intérieur dans un

décor moderne. Les pâtes sont aussi bien à l'honneur que les pizzas, mais la carte affiche des spécialités guatémaltèques.

El Refugio
$$
angle 2a. Calle et 2a. Avenida, Z.4
☎952-1338
Le restaurant El Refugio propose des viandes *churrasco* avec sauce et des mets mexicains, entre autres des *enchiladas* et des *tacos*.

La Posada
$-$$
1a. Calle 4-12, Z. 2
Le restaurant La Posada loge dans l'hôtel du même nom. On y sert de la cuisine régionale et guatémaltèque, ainsi que des petits déjeuners conventionnels de gaufres et d'omelettes et des déjeuners d'inspiration mexicaine.

Las Bougambilias
$$
km 196.5, Carretera CA14
à 15 min du centre-ville en voiture ou en autobus
Situé sur la route de Cobán, le restaurant de l'Hotel del Parque, Las Bougambilias, propose une cuisine italienne traditionnelle.

Située à 2 km de Cobán sur la route de San Pedro Carchá, la salle à manger de la Posada Don Francisco, le restaurant **Doña María** (*$-$$*), est aménagée avec goût et offre une vue exubérante sur le Río Cahabón. La spécialité de la maison, la cuisine mexicaine, est à la hauteur et le service, attentionné.

Restaurant El Mesón
$$
3a. Avenida 2-38, Z.3
Le restaurant de l'Hostal Doña Victoria se nomme El Mesón. Intime et accueillant, avec une élégance subtile, ne sont que quelques-unes des façons de décrire ce restaurant El Meson.

Sorties

Cobán

Bars et discothèques

Les boîtes de nuit sont les plus réputées de Cobán :

Oasis
6a. Avenida, près de 1a. Calle

Le Bon
angle 2a. Calle et 3a. Avenida

Cinémas

Les deux seuls cinémas de Cobán :

CineTuria
à côté du Palais du gouvernement

Cine Norte
1a. Calle

Fêtes patronales et festivals

Les Verapaces sont réputées pour leur fiestas et leurs danses masquées. Rabinal est considérée comme le berceau du folklore national, tandis que Cobán est l'hôte de la fête nationale qui a lieu annuellement au mois d'août et qui rassemble toutes les nations mayas du Guatemala.

Janvier

Rabinal commence l'année avec quelque 20 danses qu'on exécute entre le 19 et le 25 en l'honneur de San Pablo. Le jour le plus important est le 21 janvier.

Tamahú célèbre sa fête patronale du 22 et au 25, et son jour important est le 25 janvier.

Mai

Fray Bartolomé de Las Casas commence à célébrer le 30 avril et la fête se termine le 4 mai.

Santa Cruz Verapaz célèbre du 1er au 4 mai la fête de la Santa Cruz; le 3 est le jour important.

Tucurú, en l'honneur de l'archange saint Michel, fête du 4 au 9 mai avec comme jour principal le 8 mai, tandis que **Granados** célèbre du 2 au 5 mai

avec le 3 mai comme jour principal.

Juin

Purulhá et Senahú célèbrent du 9 au 13 juin avec comme jour principal le 13 juin.

San Juan Chamelco fête entre le 21 et le 24 en l'honneur de saint Jean-Baptiste, le 24 étant le jour principal.

San Pedro Carchá célèbre du 24 au 29 et Chisec et El Estor du 25 au 30 avec le 29 comme jour principal.

Juillet

Cubulco célèbre du 20 au 25, le 25 étant le jour principal, et **San Cristóbal Verapaz,** du 21 au 26 juillet.

Août

La grande fête de **Cobán,** le festival El Paabanc, se déroule du 31 juillet au 6 août, le 4 étant la journée principale.

Tactic fête du 11 au 16 août, le 15 étant le jour principal.

Lanquín et Chajal fêtent du 22 au 28 août, ce dernier jour étant le principal, tandis que **Panzós** fête du 22 au 30 août, le 30 étant le jour important.

Septembre

La fiesta de **Cahabón** a lieu du 4 au 8 septembre, le

jour principal étant le 6 septembre. **Salamá** célèbre du 17 au 21, le 17 étant le jour principal, tandis que **San Miguel Chicaj** fête du 25 au 29.

À **San Jerónimo** la fête commence le 27 septembre pour se finir le 1er octobre avec le 30 comme journée principale.

Décembre

Santa Cruz El Chol célèbre du 6 au 8 décembre, ce dernier jour étant la journée principale.

Petén

I l n'y a pas à dire, le Petén est une région surréaliste. Les villages du Petén sont d'ailleurs à l'image de Macondo, ce village imaginaire au centre du roman *Cent ans de solitude* de l'écrivain colombien Gabriel García Márquez.

Sous une végétation dense et un climat humide, des va-nu-pieds partagent les rues boueuses de minuscules villages avec une poignée de familles un tant soi peu plus riches.

La région du Petén occupe près du tiers du territoire total du Guatemala. Ces Basses Terres sont le refuge d'épaisses jungles encore vierges et de nombreux lacs et rivières. C'est aussi

l'endroit au pays où l'on retrouve le plus grand nombre de ruines mayas, entre autres celles de Tikal, d'Uaxactún et de Ceibal.

Les ruines de Tikal se dressent dans une flore abondante en pleine jungle. Cette jungle omniprésente, indubitable souveraine des lieux, joue d'ailleurs un rôle tout

aussi important que les ruines elles-mêmes. Le Parque Nacional de Tikal, une forêt tropicale humide d'une superficie de plus de 17 km², constitue l'une des plus incroyables réserves naturelles au monde, accueillant plus de 260 espèces d'oiseaux et de nombreux animaux tels que le singe crieur, le

Sites archéologiques du Petén

Le Petén étant si riche en sites archéologiques, il nous a été impossible de les décrire tous dans ce guide. Voici cependant une liste des principaux sites de cette région. Tous les sites ci-dessous sont protégés par un parc et vous pourrez facilement les repérer sur la carte des sites archéologiques.

Aguateca
Altar de Sacrificios
Cuevas de Naj
Tunich
Cuevas de San
Miguel
Dos Pilas
El Ceibal
El Chal
El Mirador
El Perú
Itzan
Ixkún
Ixlú
Machiquilá
Motul de San José
Naranjo
Piedras Negras
Río Azul
Sakul
Tayasal
Tikal
Izakán
Ucanal Uno
Xutilhá
Yaxhá

renard, le puma et le tapir.

Tikal offre dès lors une initiation à part entière au monde maya, tant par ses prouesses architecturales et artistiques que par l'environnement naturel dont elle faisait humblement partie, au même titre que les autres espèces animales et végétales.

Pendant plusieurs années, le Petén fut littéralement coupé du reste du monde, les routes pour s'y rendre se trouvant en très mauvais état et les habitants du reste du pays ne s'intéressant guère à cette vaste jungle.

Encore aujourd'hui, le voyage par voie terrestre jusqu'à la plus grande agglomération urbaine formé par Santa Elena et Flores constitue une aventure en soi. Heureusement, le transport aérien a ouvert toutes grandes les portes du Petén aux voyageurs. Mais cet isolement a toutefois permis de conserver intact un des plus riches et spectaculaires écosystèmes de la planète.

Le Petén est un véritable territoire - frontière, à l'image de ce que le Far West fut au XIXe siècle pour les Étasuniens. Les immigrants guatémaltèques de toutes les régions du pays y vont à la recherche d'un meilleur sort. Depuis la signature du traité de paix et avec la promesse de terres gratuites pour cultiver, des réfugiés guatémaltèques, qui avaient fui la guerre civile, arrivent en masse du Mexique.

Malheureusement, le Petén, c'est aussi une plateforme pour le trafic de la drogue. Au milieu des denses forêts quasi impénétrables, on dénombre plus de 140 pistes d'atterrissage clandestines. Les avions chargés de cocaïne et de marijuana en provenance de la Colombie ou d'ailleurs viennent se ravitailler en essence avant de poursuivre leur route jusqu'aux États-Unis ou le nord du Mexique. Comme quoi cette région du pays possède toutes les caractéristiques d'un territoire sans foi ni loi.

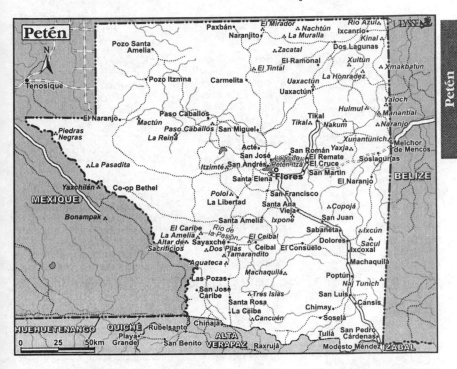

Petén

El Mirador · Nachtún · Rio Azul ·
Paxbán · Naranjito · La Muralla · Ixcanrio ·
Pozo Santa · Zacatal · Dos Lagunas · Kinal ·
Amelia · El Ramonal · Xultún ·
El Tintal · Uaxactún · Xmakbatún ·
Pozo Itzmna · Carmelita · Uaxactún · La Honradez ·
Tenosique · Hulmul · Yaloch ·
Paso Caballos · Tikal · Nakum · Manantial ·
El Naranjo · Mactún · Tikal · Naranjo ·
Piedras · Paso Caballos · San Miguel · Xunantùnich · Melchor
Negras · La Reina · Acté · de Mencós
San José · San Román · Yaxja · Soslagunas
La Pasadita · Itzimté · San Andrés · Lago de · El Remate
Yaxchilán · Co-op Bethel · Santa Elena · Flores · San Martin · El Naranjo · BELIZE
MEXIQUE · Polol · San Francisco
Bonampak · La Libertad · Santa Ana · Copojá
Vieja · San Juan
Santa Amelia · Ixpone
El Caribe · Rio de · Sabaneta · Ixcún
La Amelia · la Pasión · Dolores · Sacul
Altar de · Sayaxché · El Ceibal · Ceibal · El Consuelo · Ixcoxal
Sacrificios · Dos Pilas · Tamaranditó · Machaquilá
Aguateca · Machaquilá · Poptún
Las Pozas · Naj Tunich
San José · Tres Islas · San Luis · Cansis
Caribe · Santa Rosa
La Ceiba · Cancuén · Chimay · Sosela
HUEHUETENANGO · QUICHÉ · Rubelsanto · Chinajá · San Pedro · Tuilá · Cárdenas
Playa · ALTA · Modesto Méndez · IZABAL
0   25   50km   Grande   San Benito   VERAPAZ   Raxrujá

Pour s'y retrouver sans mal

En avion

Grâce à la popularité grandissante de Tikal, l'aéroport de Santa Elena est de plus en plus fréquenté. De nombreux vols quotidiens en provenance de Belize City, de la Ciudad de Guatemala et même de Cancún et de Mérida, au Mexique, sont proposés.

Vers la Ciudad de Guatemala, **Tikal Jets** (voir «Renseignements généraux») et **Aerovias de Guatemala**
proposent sensiblement les mêmes tarifs et plusieurs vols par jour en direction de la capitale. Puisque les horaires et les tarifs varient grandement selon les saisons, il est préférable de vous renseigner auprès de votre agence de voyages. L'avion constitue de loin la meilleure façon de se rendre dans le Petén, puisque le transport routier est très long et éreintant. Les prix varient entre 80$US et 120$US pour l'aller-retour.
Vers **Belize City**, **Tropic Air** (☎02-4567,☎02-6233 USA et Canada ☎800-22-3435; tropicair@btl.net) et **Aerovias de Guatemala** proposent des vols quotidiens.

En voiture

San Juan Travel
6a Av. 1-57
Zona 1
☎926-0041
San Juan Travel fait la location de voitures de tourisme et de véhicules tout-terrains.

En minibus

Les minibus constituent sans contredit la façon la plus commode, la plus rapide et la plus sécuritaire de voyager dans la région. Les services offerts par San Juan Travel (voir ci-dessus) sont les plus complets. Ils comprennent des départs quotidiens vers Tikal, El Ceibal, Uaxactún et Palenque (au Mexique), et vers Belize City et Chetumal (au Belize).

En autocar

La gare d'autocars se trouve en plein centre du marché de Santa Elena, un endroit somme toute chaotique, les inscriptions sur les pare-brise annonçant la destination du véhicule, que vous devez trouver par vous-même.

Trois compagnies d'autocars, soit **Tikal Express**, **Maxima** et **Fuente del Norte**, se trouvent à la même adresse, adjacente à la gare d'autocars sur la Calle Principal.

Pour tous leurs départs, il est préférable, dans la mesure du possible, de réserver une journée à l'avance pour obtenir de bons sièges. Sinon vous risquez de ne pas trouver de siège pour vous asseoir.

De Santa Elena à Poptún (3 heures)
Express, départ à 20h

De Santa Elena à Río Dulce (7 heures)
Express, départ à 20h

Ciudad de Guatemala (11 heures) en passant par Poptún et Río Dulce
Express, départ à 20h

De Santa Elena à Chiquimula / frontière avec le Honduras (9 heures)
Départ à 5h30

Les compagnies suivantes n'ont pas de bureaux, et vous devrez vous rendre au marché pour acheter vos tickets.

Empresa Rocio

De Santa Elena à El Naranjo (5 heures)
Départs à 5h, 7h et 9h

Transportes Pinita

De Santa Elena à Betel (4 heures)
Départs à 13h et 17h

De Santa Elena à Tikal et Uaxactún (2 heures 30 min)
Départ à 13h

De Santa Elena au Belize

(3 heures)
Départs à 5h et 8h

Transportes Rosita

De Santa Elena au Belize

(2 heures 30 min)
Départs à 11h, 14h et 18h

En taxi

Il y a relativement peu de taxis à Flores même. Il est donc préférable de demander à la réception de votre hôtel ou restaurant d'en appeler un pour vous. La plupart des déplacements en ville coûtent environ 10Q. Pour aller à l'aéroport, attendez-vous à payer entre 15Q et 20Q.

En bateau

De nombreuses petites embarcations effectuent la navette entre Santa Elena, Flores et les petits villages sur les rives du lac Petén-Itzá.

À pied

Vous pouvez traverser à pied le terre-plein entre Santa Elena et Flores. S'il pleut, munissez-vous de bonnes bottes, car le sol devient très boueux! L'île de Flores peut facilement être découverte à pied.

Renseignements pratiques

Flores

Renseignements touristiques

CINCAP
mar-sam 9h à 13h et 14h à 20h, dim 14h à 18h
à l'est du poste de police sur le Parque Central vous trouverez toute l'information touristique sur les sentiers écologiques de la région aux bureaux du CINCAP, le Centro de Información de la Naturaleza, Cultura y Artesanía del Petén (le centre d'information sur la nature, la culture et l'artisanat du Petén).

Internet

Tikal Net
12Q/message
0,75Q/minute
Calle Centroamérica
☎*926-0655*
tikalnet@ guate.net
Pour avoir accès au réseau Internet, rendez-vous aux bureaux de Tikal Net.

École d'espagnol

Eco-Escuela de Espanol
à Flores
☎*928-8106*
≈*926-1370*
☎*202-973-2264* (USA)
L'Eco-Escuela de Español propose d'excellents cours privés d'espagnol dans le petit village de San Andrés, aux abords du lac Petén-Itza. Le tarif comprend cinq heures de cours par jour. Il faut débourser un peu plus par semaine pour résider chez l'habitant (incluant les trois repas).

Poste

Bureau de poste
lun-ven
9h à 12h et 14h à 16h
Vous trouverez le bureau de poste au centre de la ville sur le Pasaje Progreso, à l'est du parc.

Téléphone

Telgua
tlj 7h à 22h
☎*926-1299*
Il y a un service de téléphone à Flores, soit Telgua, situé sur la route de Santa Helena.

Hôpital

Situé à Santa Helena, le **Centro Médico Maya** donne des soins médicaux de base. De plus, le personnel parle l'anglais.

Tikal

Renseignements touristiques

Centro de Visitantes
tlj 8h30 à 17h
Le Centro de Visitantes dispose d'un bureau d'information touristique.

Change

En plus des quetzals, les dollars américains et béliziens sont acceptés partout à Tikal. Pour convertir des devises, rendez-vous à l'un ou l'autre des kiosques de change du Centro de Visitantes, ou dans un des trois hôtels de Tikal. Vous pouvez aussi facilement changer vos devises au poste-frontière de Melchor de Menchos.

Prévoyez emporter suffisamment d'argent comptant. La carte Visa est acceptée partout, mais, curieusement, elle est la seule à l'être! La carte

MasterCard est en effet inutilisable à Tikal, fût-ce pour régler votre note d'hôtel. Si vous avez besoin d'une avance de fonds sur votre carte, rendez-vous dans les petites boutiques du Centro de Visitantes; une commission d'au moins 10% est toutefois demandée.

Téléphone

Sachez qu'il n'y a qu'un seul téléphone à Tikal et qu'il se trouve dans le Centro de Visitantes. Par ailleurs, ce téléphone ne fonctionne pas toujours! Les hôtels doivent, quant à eux, recourir aux communications radio. N'espérez donc pas pouvoir téléphoner à votre famille depuis Tikal!

Attraits touristiques

Les denses forêts du Petén ont forgé une culture qui a davantage en commun avec celles du Belize et du sud du Yucatán qu'avec le reste du Guatemala. D'un point de vue culturel et géographique, il s'agit sans nul doute d'une région distincte du reste du pays.

Dès les débuts de la colonisation espagnole, les indigènes eurent le «privilège» d'être traités avec moins de brutalité que leurs frères et sœurs des Hautes Terres guatémaltèques. Le racisme virulent et

Petén

Le *chicle* et l'histoire de la gomme à mâcher

L'histoire du Petén est liée de très près à celle de la gomme à mâcher puisque, pour la fabriquer, il faut d'abord cueillir le *chicle,* qui provient d'un arbre qui pousse abondamment dans ce coin du monde.

En 1848, John Curtis, un Étasunien du Maine, conçoit la gomme à mâcher à partir de la résine d'épinette, une essence forestière de la Nouvelle-Angleterre qui, malheureusement, subira les contrecoups de la coupe de bois. Dès 1870, les fabricants de gomme se tournent vers les forêts tropicales du Guatemala, du Mexique et du Belize pour y extraire la résine du *chico zapote (Manikara achras).*

Entre 1910 et 1920, soit pendant l'époque dorée du *chicle,* la gomme à mâcher se présentait comme un produit de luxe, et les cueilleurs de chicle bénéficiaient de bonnes conditions de travail, ce qui attira un grand nombre de paysans provenant des Hautes Terres du Guatemala vers les forêts du Petén.

Le travail des *chicleros* consiste à grimper dans des arbres pour y pratiquer des incisions dans l'écorce. La sève de l'arbre s'écoule dès lors, et il ne reste plus qu'à cueillir la résine qui servira de base à la fabrication de la gomme à mâcher. Les *chicleros* sont généralement des hommes solitaires qui vivent de longs mois dans des campements de fortune au milieu des forêts tropicales. À l'époque dorée du *chicle,* les *chicleros* revenaient en ville pour dépenser leur petit magot. Naquit alors un proverbe concernant ces hommes : *El chiclero no pide vuelto* (le chiclero ne demande pas son change).

Entre 1890 et 1970, jusqu'à l'arrivée de nouveaux marchés producteurs de résine, le *chicle,* appelé aussi *oro blanco,* qui signifie en espagnol «or blanc», constitua la principale activité économique du Petén. La cueillette à grande échelle de cette résine commença avec la Première Guerre mondiale, alors que l'entreprise américaine Wrigley mit en œuvre une énorme campagne publicitaire pour faire connaître sa gomme à mâcher «qui soulage la tension nerveuse et aide à la digestion», dont le slogan est : «Vous n'avez pas d'eau à boire, elle apaisera la soif.» Depuis ce temps, nous ne pouvons que constater l'extraordinaire popularité de la gomme à mâcher à travers le monde.

Aujourd'hui, la cueillette du *chicle* au Petén s'effectue principalement dans la région de la Reserva de la Biosfera Maya.

La cueillette du *chicle* est une activité forestière respectueuse de l'environnement, puisque les *chicleros* n'ont pas à couper l'arbre pour en extraire la résine. Dans cette région si cruellement touchée par la coupe à blanc, la cueillette du *chicle* se présente comme une alternative certaine au drame de la déforestation du Petén.

Pour extraire la résine, les *chicleros* ne peuvent faire des incisions dans les arbres qu'une fois tous les sept ans pour les préserver et s'assurer qu'ils produiront cette résine si chère à des millions de consommateurs de gomme à mâcher.

fascisant envers les communautés indigènes du reste du Guatemala est ici quasi inexistant. L'histoire de ce territoire a été marquée par une discrimination «douce» envers les autochtones, si on la compare au reste du pays.

C'est que le Petén ne possédait pas de ressources naturelles importantes intéressant le monde extérieur. Les Espagnols, et par la suite les Ladinos, n'avaient pas intérêt à utiliser la main-d'œuvre indigène, comme ce fut le cas dans le reste du Guatemala. De plus, la concentration de population était si faible dans cette région que les colonisateurs ne pouvaient prétendre subsister des tributs versés par les autochtones.

Par la suite, l'économie du Péten fut dominée par l'industrie du *chicle* (voir encadré p. 364). Après l'accession à l'indépendance en 1821, l'élite *ladina* de Flores ne put développer de grandes plantations commerciales à l'image de celles des Hautes Terres. Cela fit en sorte que les élites ne tiraient pas avantage de la main-d'œuvre comme ce fut le cas ailleurs au pays. Même l'arrivée des plantations de café, qui allait complètement transformer le reste du pays, n'a pas eu de véritable impact au Petén.

La guerre des Castes (1847-1855), dans le Yucatán, priva le Petén de sa principale route commerciale avec cet État du Mexique. Le Petén s'appauvrit graduellement, n'exportant plus ses produits qu'au Belize, tout aussi pauvre. Selon l'anthropologue Norman B. Scwartz, dans son incontournable livre intitulé *Forest Society, a Social History of Petén, Guatemala*, c'est la pauvreté même de cette région qui explique, entre autres, qu'il n'y eut pas de différences majeures entre les cultivateurs *ladinos* et mayas, puisqu'ils partageaient sensiblement les mêmes conditions de vie.

Les années soixante-dix marquent à la fois la chute de la production du *chicle* et l'arrivée massive de nouveaux colons, sous l'influence de politiques nationales visant la colonisation de ce territoire. L'agriculture, l'élevage, la coupe de bois et l'exploration pétrolière sont depuis les principales activités commerciales de la région.

La politique de colonisation du pays a plus que décuplé la population du Petén des années soixante à nos jours. Paradoxalement, aujourd'hui, le Petén est sans doute la région du pays où la civilisation maya a été la plus oubliée. Vous n'y retrouverez ainsi que très rarement des femmes portant des *huipiles* et des hommes portant les pantalons traditionnels.

D'un point du vue géographique, le Petén, avec ses 36 000 km² de superficie, occupe près du tiers de la superficie totale du Guatemala, soit deux fois

l'étendue de l'État du New Jersey ou plus que l'ensemble des Pays-Bas.

Jusque dans les années soixante-dix, près de 70% du Petén était recouvert de forêts tropicales, mais aujourd'hui la déforestation a durement touché cette région. Toutefois le profane en visite au Petén n'y verra que du feu, puisque la Reserva de la Biosfera Maya, là où les voyageurs aboutissent généralement, a permis de conserver quasi intact une portion importante de forêts tropicales.

Les plus hautes élévations du Petén, de 700 m à 1 000 m au-dessus du niveau de la mer, se trouvent dans l'extrémité sud-est. Autrement, les Basses Terres du Petén sont relativement planes et, comme leur nom l'indique, elles s'avèrent peu élevées. Outre les forêts tropicales, la région de Poptún compte des collines et des forêts de pins.

Le Río Usumacinta, «le père des fleuves d'Amérique centrale», fait office de frontière entre le Mexique et le Petén. Le village de Sayaxché (voir p 377) repose sur les berges du Río de la Pasión, qui s'écoule vers l'ouest pour se jeter dans le Río Usumacinta. Finalement, le Río Mopán, une branche de la Belize River, traverse le village-frontière de Melchor de Mencos avant de baigner les terres de l'ancien Honduras britannique.

Petén

Les villages du lac Petén-Itzá

Quelques petits villages méconnus aux abords du lac Petén-Itzá méritent qu'on s'y arrête, à tout le moins dans le cadre d'une excursion d'une journée en bateau. Tous les bateaux partent des différents quais de Flores et de Santa Elena.

Le village de San Andrés, qui s'étend au pied d'une montagne, est reconnu pour ses superbes levers de soleil. On y trouve beaucoup de voyageurs, la plupart venus étudier l'espagnol dans le cadre du programme offert par l'EcoEscuela.

San José se trouve à moins de 2 km de San Andrés. Ce petit village demeure un des seuls de la région où l'on parle fréquemment la langue itza. Vous pourrez loger chez l'habitant.

El Remate est le plus connu des villages autour du lac, parce qu'il est traversé par la route qui mène aux ruines de Tikal. On y trouve quelques petits restaurants et des auberges.

Les Mayas Mountains, qui s'élèvent principalement dans le sud du Belize, pointent le bout de leurs cimes jusque dans le sud-est du Petén, touchant par le fait même le système montagneux antillais.

Flores

Si l'on se fie aux *Peteneros*, les habitants du Petén, il n'y a qu'une seule et unique ville dans tout le Petén : Flores. Cette agglomération urbaine se trouve sur l'île du même nom, au centre géographique du Petén. **Santa Elena**, sa ville sœur, s'étend sur les abords du lac en face de Flores. Un terre-plein d'à peine 500 m de longueur joint l'île de Flores et Santa Elena.

L'esprit des insulaires de l'**Isla de Flores**, qui signifie en espagnol «l'île des fleurs», semble suinter des murs humides de la vieille ville coloniale. Que ce soit sous une pluie tropicale ou sous un soleil de plomb, les pierres des champs qui s'étalent sur les rues semblent glisser sous nos pieds.

Avec ses nombreux restaurants et hôtels charmants, ses rues tortueuses et le grand lac Petén Itzá qui l'entoure, Flores a tout pour plaire au voyageur qui ressent le besoin de flâner un tant soit peu après un long voyage éreintant.

Pour de nombreux voyageurs, un séjour au Gua-

temala signifie des réveils à quatre ou cinq heures du matin et de longs voyages en autocar. Gardez-vous donc une journée libre pour déambuler dans les rues étroites de Flores, pour prendre un café ou un apéro et profiter du temps qui passe pour écrire à vos amis.

L'histoire de Flores en est une de résistance et de conquête. Ainsi, cette île, qui portait jadis le nom de Tayasal, fut la terre d'élection des Itza', la dernière peuplade indigène connue d'Amérique centrale à être tombée sous le joug de l'envahisseur espagnol. Les Mayas résistèrent jusqu'en 1697 et, au moment de leur victoire, les Espagnols installèrent leurs quartiers généraux dans l'actuel

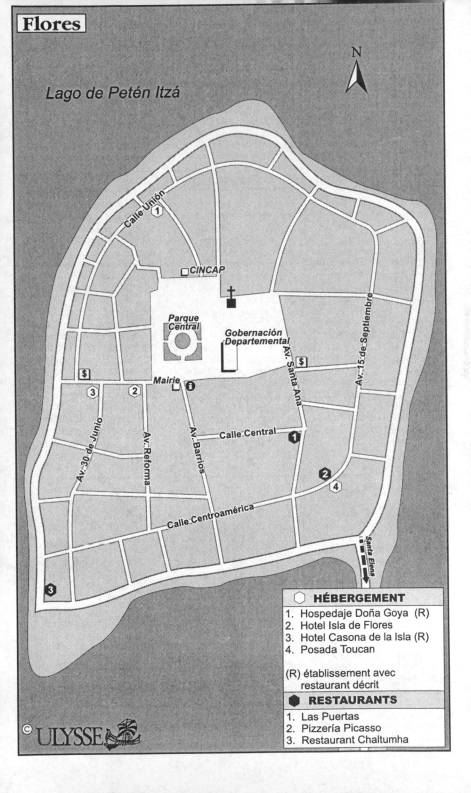

ville de Santa Elena. Deux ans plus tard, ils se déplacèrent sur l'île qui lui fait face, laquelle avait l'avantage de servir de défense naturelle et de permettre d'éviter les marécages, ces derniers se formant régulièrement sur l'emplacement de Santa Elena.

L'île de Tayasal fut alors renommée «Nuestra Senõra de los Remedios y San Pablo de los Itzaex». Afin de se protèger contre d'éventuelles attaques, les Espagnols commencèrent dès lors la construction du **Castillo de Arismendi ★**. Ce château fut nommé ainsi par le conquistador de Tayasal, Martín de Ursua y Arismendi. Ce fut le deuxième fort construit par les Espagnols dans le Petén; le premier, à Poptún, avait déjà été abandonné. Le Castillo de Arismendi fut utilisé comme prison de 1800 à 1980. Il abrite aujourd'hui les bureaux du CINCAP (voir plus loin).

En 1831, l'île changea de nom pour celui de «Flores». Le choix de ce nom n'a rien à voir avec les fleurs qu'on y trouve! Il fut choisi en mémoire d'un ancien vice-chef de la Ciudad de Guatemala, Civilo Flores, un autochtone né dans l'île.

Avant même que les Espagnols n'arrivent, Flores était considérée comme le centre politique et culturel du Petén. Vous trouverez de nombreuses stèles mayas dans le Parque Central de Flores. À l'ombre d'un haut palmier, des bancs de parc sont agréablement disposés pour le repos et pour apprécier les stèles. En contournant le poste de police, vous pouvez emprunter un petit sentier qui surplombe le lac.

À l'est du poste de police, sur le Parque Central, se dresse le Castillo de Arismendi, où logent les bureaux du **CINCAP** *(mar-sam 9h à 13h et 14h à 20h, dim 14h à 18h)*, le Centro de Información de la Naturaleza, Cultura y Artesanía del Petén (le centre d'information sur la nature, la culture et l'artisanat du Petén). On y présente une exposition permanente sur la conservation des forêts du Petén, et l'on y offre des renseignements touristiques sur les sentiers écologiques qui sillonnent la région. En plus d'une boutique d'artisanat local, vous y trouverez une collection de photos et de textes, en espagnol seulement, sur l'histoire de Flores.

Santa Elena

Santa Elena, la ville sœur de Flores, se présente comme le rond-point commercial du Petén. Vous y trouverez donc les principales banques du pays, la gare d'autocars et quelques hôtels en bordure du lac.

À part son attrait administratif, Santa Elena n'a pas grand-chose à offrir aux voyageurs.

Tikal

Tikal s'impose sans nul doute comme un des endroits les plus fascinants de la planète. Du haut d'une pyramide, on se laisse bercer par le vol des toucans, par les cris envoûtants des singes hurleurs et par les bruissements indéfinissables de la jungle, qui agit comme une véritable enceinte acoustique.

Bien que ce centre cérémoniel ait été abandonné il y a plus d'un millénaire, Tikal demeure un temple on ne peut plus vivant. Ici, devant le spectacle s'offrant à la vue, dans le silence de l'ascension vers les hauteurs et dans le vertige du sommet atteint, on ne peut s'empêcher d'entrer en communion avec les Mayas, voire avec l'humanité tout entière. À Tikal, le fait maya est en effet transcendé; il nous porte au-delà des cultures et des frontières.

Tikal occupe une plateforme naturelle d'une certaine élévation, idéale pour éviter les marécages qui se forment pendant la saison des pluies dans les Basses Terres du Petén.

Les premières traces d'une présence humaine sur le site remontent approximativement à 800 av. J.-C., et les dernières constructions datent des environs de l'an 900 de notre ère. Au cours de ces quelque 1 500 ans d'occupation maya, Tikal

est devenue l'un des plus importants centres urbains et cérémoniels d'Amérique. C'est aussi le site où l'on retrouve les plus imposantes constructions du monde maya, dont le gigantisme est inégalé.

C'est à partir de l'an 200 av. J.-C. que commence la construction des temples sur les lieux. Si Tikal ne fut pas un des premiers centres cérémoniels du monde maya, elle fut par contre le premier siège de sa puissance politique. L'économie de Tikal reposait probablement sur la culture du maïs, des fèves et des courges. Et, dans le cadre des échanges commerciaux entre les différentes cités mayas, elle exportait sans doute des produits exotiques tels que des peaux de jaguar et des plumes de toucans, de perroquets et d'oiseaux-mouches vers les Hautes Terres.

Les ruines

L'entrée du chemin menant aux ruines de Tikal (8$US; 5h à 20h) est facilement reconnaissable à sa barrière, aménagée sous un grand arbre à la jonction avec le sentier qui mène à l'hôtel Jungle Lodge.

Sur ce chemin filant vers l'ouest, vous apercevrez sur votre droite un grand *ceiba*, l'arbre national du Guatemala. Le *ceiba* était

Perroquet

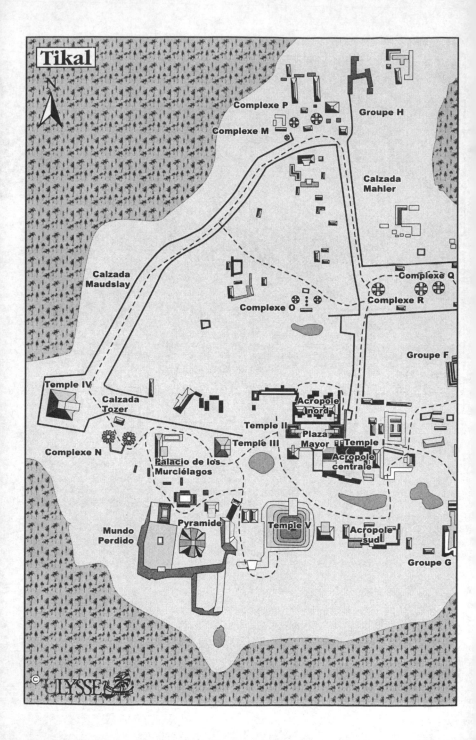

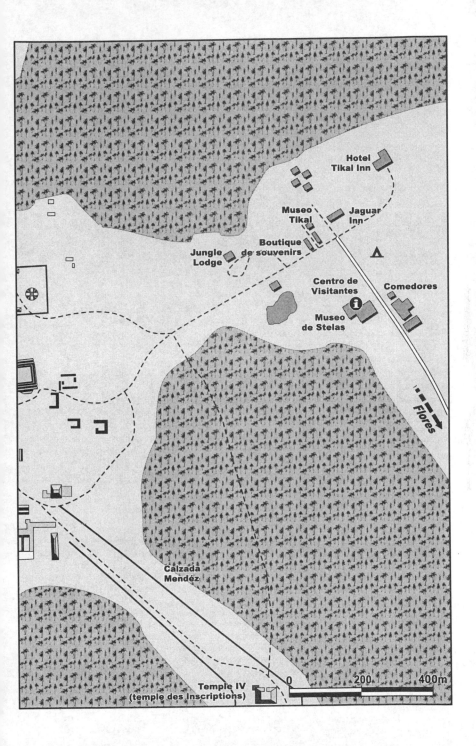

Hotel
Tikal Inn

Museo
Tikal

Jaguar
Inn

Boutique
de souvenirs

Jungle
Lodge

Centro de
Visitantes

Comedores

Museo
de Stelas

Flores

Calzada
Mendéz

Temple IV
(temple des Inscriptions)

0   200   400m

Tic-tac Tikal!

Certains temples se laissent mieux apprécier à certaines heures de la journée. Voici quelques références qui vous permettront d'être au rendez-vous des plus belles scènes de Tikal.

Au lever du soleil
À 5h du matin, alors que la nuit couvre toujours la jungle, on peut voir les torches fendre la noirceur jusqu'au temple IV. Assurez-vous d'être accompagné ou, à tout le moins, de bien connaître le chemin avant de vous aventurer dans le parc en pleine nuit, puisqu'on n'y voit presque rien! Cette randonnée constitue l'un des moments magiques de la visite de Tikal, et vous n'aurez aucun mal à vous laisser envoûter par ses mystères. Gravissez ensuite avec soin le temple IV, puis attendez patiemment l'un des plus extraordinaires levers de soleil de votre vie!

Au petit matin
Vers 8h du matin, muni de jumelles, vous pourrez apercevoir la fresque de masques sur la façade du temple II, aussi appelé le «temple des Masques», sur la Plaza Mayor.

En fin d'après-midi
La fresque qui agrémente la crête du temple I, également sur la Plaza Mayor, ne peut être appréciée qu'en fin d'aprèsmidi. Vous pourrez alors y voir l'immense image d'un souverain entouré de ce qui semble représenter des serpents.

Au coucher du soleil
Le sommet de la pyramide du Mundo Perdido est privilégié entre tous, lorsque vient le temps d'assister au coucher du soleil sur la jungle et les ruines de Tikal. On peut aussi y admirer de nombreux toucans et quelques singes se balançant de branche en branche au pied du temple.

un arbre sacré pour les Mayas : sa partie inférieure, là où commencent les racines, représentait la nuit; son tronc figurait la vie de l'homme ainsi que le jour; et ses branches, enfin, se voulaient à l'image du ciel. Sur ce spécimen particulier, vous remarquerez les plantes parasites qui enveloppent les branches.

À quelques mètres au-delà du *ceiba* se trouve le point de contrôle de l'accès au site.

Puisque la plupart des visiteurs obtiennent leur ticket au poste routier, ils n'ont ici qu'à le présenter au garde. Si, par contre, vous êtes sur le site pour plus d'une journée, vous devrez de nouveau payer à chaque jour.

Passé le point de contrôle, vous vous retrouverez à l'entrée de l'indescriptible dédale de sentiers qui sillonnent le parc. Au premier rond-point, au sud, un long chemin permet d'accéder au temple VI, soit le temple des Inscriptions. Le sentier du centre (sud-ouest) mène à la Calzada Méndez et au temple VI, puis à la Plaza Mayor.

Le sentier qui se dessine enfin sur votre droite conduit aux complexes Q et R, ainsi qu'à la Plaza Mayor.Le chemin le plus court jusqu'à la «Grande Place» est celui du centre, qui passe par le complexe F. Cependant, si vous n'avez qu'une journée pour explorer les ruines, le sentier qui s'ouvre sur votre droite constitue sans doute votre meilleur choix. En empruntant cet itinéraire, vous vous retrouverez au **complexe Q** (771 ap. J.-C.), une pyramide très bien conservée; composée de cinq terrasses, elle bénéficie d'une parfaite orientation est-ouest.

D'entrée de jeu, il convient de noter que la plupart des complexes sont formés de deux pyramides jumelles situées l'une en face de l'autre. Or, dans le cas de ce complexe particulier, une seule des deux pyramides a été dégagée, et la seconde, plus à l'ouest, gît toujours sous la végétation. Devant la pyramide découverte, vous remarquerez neuf stèles lisses à la verticale; au pied de chacune se trouve un autel, soit une pierre ovale sur laquelle étaient sacrifiés des animaux et des hommes. Ces autels, tout comme les stèles enduites de chaux sur lesquelles les prêtres décrivaient en peinture le déroulement des cérémonies traditionnelles, étaient surtout utilisés pour célébrer la fin du Katún (période de 20 ans) et le début d'un nouveau cycle temporel.

Au sud du complexe Q s'élève une structure à neuf entrées qui servait à abriter du soleil les membres de l'élite au cours des cérémonies. Au nord, une enceinte renferme

une stèle gravée qui représente un dieu ou un gouvernant. Remarquez l'arche maya qui marque l'entrée de cette enceinte.

À l'intérieur de la structure se dressent la **stèle 22** et l'**autel 10**. La stèle 22 comporte un bas-relief représentant le seigneur de la forêt ou du maïs. Sa main dépose ce qui semble être des grains de maïs, et il porte un sceptre, symbole de pouvoir. Les hiéroglyphes qui apparaissent sur la stèle n'ont pas été déchiffrés. Au pied de la stèle 22, l'autel 10 arbore une sculpture en bas-relief représentant un sacrifice, tant sur sa surface plane que sur ses côtés.

Dirigez-vous vers l'ouest entre les deux pyramides. À quelques mètres sur votre gauche surgit la première pyramide du **complexe R**. Ce complexe n'a pas été touché par les archéologues et nous permet de voir ce à quoi ressemblait l'ensemble de Tikal au moment de sa découverte en 1878 : les stèles gisent au sol, recouvertes par les racines des arbres, et la pyramide

(790 ap. J.-C.) n'a fait l'objet d'aucune restauration.

Gravissez la petite pente jusqu'à la **Calzada Mahler**, un chemin qui débouche entre la Plaza Mayor et les groupes P et H. Cette route existait déjà du temps des Mayas, alors que sa largeur était de 40 m, et elle servait aussi bien à des fins commerciales que cérémonielles. Empruntez la Calzada Mahler sur votre gauche jusqu'à la Plaza Mayor, distante d'environ 500 m.

La **Plaza Mayor**, soit la «Grande Place», est le cœur même de Tikal. Vous pouvez y accéder tant par le sud (Calzada Maler) que par le nord-est (Calzada Méndez).

Le **temple I**, aussi appelé «Grand Jaguar», marque la limite orientale de la Plaza Mayor et s'avère tout à fait spectaculaire du haut de ses 45 m. À l'ouest, le temple II, aussi appelé «temple des Masques», lui fait face. La «Grande lace centrale repose sur quatre couches de mortier superposées au fil des ans, la dernière datant vraisemblablement des environs de l'an 700 de notre ère.

Véritable symbole de Tikal et, par extension, du Guatemala tout entier, le temple I (Grand Jaguar) fait 45 m de hauteur et date de l'an 700 de notre ère (période classique). Tikal était gouvernée par Ha Cacau au moment de sa construction, et un archéologue étasunien, Oubrey S. Trik, trouva son tombeau à la hauteur de la première terrasse du temple, quoique près de 6 m sous la surface de la place. Une réplique de ce magnifique vestige (tombeau 116) peut être vue au Museo Tikal (voir p 376).

Le temple se compose de neuf plateformes, au sommet desquelles un ensemble d'arches et de voûtes mayas relie trois salles. Sur la crête, on peut contempler (en fin d'après-midi seulement, parce que la lumière, à cette heure du jour, crée des ombres sur les bas-reliefs) l'image d'un souverain entouré de ce qui semble représenter des serpents.

Les archéologues ont trouvé de superbes linteaux gravés en bois, entre autres celui qui représente Ha Cacau assis sur son trône avec, à ses pieds, la figure du jaguar rampant, le protecteur du gouvernant. Ces pièces se trouvent toutes hors du Guatemala, à Londres, New York et Bâle.

Le temple II, qui s'élève à une hauteur de 38 m, est à plusieurs égards une version réduite du temple I, qui lui fait face. Construit à la même époque (700 ap. J.-C.) et par le même dirigeant, il

compte trois terrasses auxquelles s'en ajoute une plus petite pour supporter la crête. Tout comme dans le temple I, on y

Masque mural - Uaxactún

trouve trois salles, dont une qui montre une peinture murale évoquantt

une cérémonie au cours de laquelle on décoche une flèche en direction d'un sacrifié. On le dénomme «temple des Masques» du fait que sa façade est décorée de masques que des jumelles permettent de déceler sur la crête vers 8h du matin, lorsque la lumière est bonne.

L'**acropole nord** regroupe trois structures principales et semble surtout avoir servi de cimetière, puisqu'on y trouve de nombreux mausolées, sans doute érigés pour la classe dirigeante. C'est dans cette section qu'on peut admirer le plus grand nombre de masques sculptés en hauts-reliefs, entre autres le masque de Chac, dieu de la pluie, celui de Kinitch Acau, le Dieu-Soleil,

et finalement une sculpture zoomorphe.

Après avoir gravi le premier niveau, descendez d'un étage, sous le toit de chaume, pour y découvrir le **masque de Chac**. On le reconnaît à son grand nez et à ses grandes oreilles. À ses pieds s'effectuaient des sacrifices humains par décapitation; le sang du décapité était aspergé sur le masque, après quoi son corps était brûlé sur place. D'ici, ne manquez pas le petit tunnel, à l'est, qui mène à un autre masque de Chac. Puis, un peu plus haut, se trouve le **masque du Dieu-Soleil**, reconnaissable au serpent qui lui sort des oreilles. Quant aux hauts-reliefs zoomorphes, vous les trouverez sur la prochaine terrasse.

Acropole centrale

Située du côté sud de la Plaza Mayor, l'acropole centrale, longue de plus de 210 m, est ainsi dénommée parce qu'elle se trouve entre le temple V et le temple I. À son sommet s'étendent six petites cours entourées de bâtiments de un ou deux étages.

Derrière le temple II (à l'ouest) vous attend une **aire de repos**, avec toilettes publiques et comptoir à rafraîchissements. Suivez le chemin vers la gauche (ouest) jusqu'au temple III puis au temple IV.

La fresque visible au sommet du **temple III** (temple du Prêtre-Jaguar), construit en 810 et haut de près de 55 m, en constitue le point saillant. Au pied de ce temple repose la **stèle 24**, dont les inscriptions marquent l'année de la construction du temple. Bien qu'elle soit mauvais état de conservation, vous pourrez identifier sur l'**autel 6**, devant la stèle, la figure d'une divinité reposant sur un plateau tripode.

Il faut monter avec prudence jusqu'au sommet du temple, puisque l'accès en est plutôt difficile. Cependant, les téméraires seront récompensés! Une des deux salles faîtières possède un linteau sur lequel figure une scène représentant un prêtre vêtu d'une peau de jaguar, d'où le nom de «temple du Prêtre-Jaguar».

En route vers le temple-IV, le chemin contourne le temple III, puis croise le **Palacio de las Ventanas** (Palais des fenêtres) ou **Palacio de los Murciélagos** (Palais des chauves-souris). Non fouillé, ce temple compte deux étages. Les différentes salles communiquent entre elles, et l'on y trouve de nombreuses inscriptions d'époque.

À mi-chemin entre le «Palais des chauves-souris» et le temple IV, se dresse le **complexe N**, aux pyramides jumelles. Datées de l'an 711, ces deux pyramides identiques, de forme rec-

tangulaire, disposent chacune de deux escaliers latéraux, et leur sommet ne révèle aucune structure. Elles sont séparées par une place sur laquelle on trouve de nombreuses stèles, parmi lesquelles la **stèle 16** se démarque par la qualité de ses inscriptions, fort bien conservées. L'**autel 5**, à sa base, est aussi superbe.

Construit en 741, le **temple IV (temple du Serpent bicéphale)** mesure 65 m de hauteur et compte parmi les plus hautes structures du monde maya; de fait, il n'est surpassé que par celle du Caracol, au Belize. On estime à près de 90 000 m^3 la quantité de matériaux de construction utilisée pour la réalisation de cette grande pyramide.

Pour accéder au temple, il faut utiliser des échelles en bois situées du côté nord de la pyramide (celles de la face sud ayant été condamnées). Autrefois, on pouvait monter sur la crête même du grand temple, mais l'accès en est aujourd'hui interdit de manière à prévenir sa détérioration. Vous pourrez, par contre, faire le tour du temple sur la dernière terrasse de la partie supérieure, et ainsi admirer la crête tout près. Ce temple offre les plus belles prises de vue sur l'ensemble des ruines de Tikal au lever du soleil.

Construit par le dirigeant Ha Cacau, le seigneur du cacao, le temple IV porte aussi le nom de «temple

du Serpent bicéphale». On y a en effet trouvé un linteau à l'image d'un trône reposant sur un serpent à deux têtes. Les figures sur bois découvertes dans les salles du temple IV se trouvent aujourd'hui à Bâle, Londres et New York.

Le **temple IV** dispose aussi de trois salles similaires à celles des temples I, II et III. Les archéologues croient que la dernière salle servait à garder les instruments cérémoniels du prêtre, notamment des objets sacrés tels qu'encensoirs et lames d'obsidienne.

Revenez sur vos pas et empruntez le chemin qui conduit aux ruines de Mundo Perdido.

Pour les plus beaux couchers de soleil, gravissez sans faute la grande pyramide du **Mundo Perdido** (Monde perdu), qui offre un point de vue superbe sur Tikal et la jungle qui l'entoure. D'une hauteur de 30 m, cette pyramide date de l'an 600 de notre ère (période préclassique tardive). Elle aurait, à cette époque, été l'une des plus grandes du monde maya. Son architecture rappelle celle de Teotihuacán, au Mexique.

Le **temple V**, d'une hauteur de 57 m, fut construit vers l'an 700 de notre ère et n'a qu'une seule petite salle à son sommet.

Le **temple VI (temple des Inscriptions)**, qui se trouve à l'extrémité de la Calzada Méndez, fut construit

Temple I de Tikal

en l'an 766 de notre ère par le dirigeant Yaxkin Caan Chac. Le point saillant de cette pyramide tient au plus long glyphe de Tikal, inscrit dans la crête de 12 m de hauteur. On trouve deux salles au sommet, tandis qu'à la base se dressent la **stèle 21** et l'**autel 9**, plutôt endommagés, quoiqu'on puisse encore en apprécier les glyphes. Sur la partie supérieure de l'autel représente la figure d'un prisonnier couché sur le dos.

Les musées

Tikal abrite deux musées qui renferment des pièces archéologiques trouvées ~ les lieux et qui expli-
l'histoire des
découverte des
al ainsi que
effectués par

les archéologues au fil des années. Tous deux méritent d'être visités, même si vous ne disposez que d'une seule journée.

À l'intérieur du Centro de Visitantes se trouve le **Museo de Stelas** (*lun-ven 9h à 17h, sam-dim 9h à 16h*). Ce musée présente différentes stèles trouvées sur le site, de même que des textes et des photos montrant l'évolution de Tikal depuis sa découverte jusqu'aux plus récentes fouilles archéologiques. Les textes explicatifs qui accompagnent l'exposition de photographies historiques ne sont malheureusement qu'en espagnol, quoique de nombreuses photos illustrent de façon éloquente le piètre état des temples à leur découverte et le résultat des travaux de

restauration.

Le **Museo Tikal** ou **Museo Siluanus G. Morley** (*3$US; lun-ven 9h à 17h, sam-dim 9h à 16h*) présente une collection de céramiques découvertes à Tikal. On y trouve aussi des pièces en jade et des os sculptés découverts dans les tombes du site. Les textes explicatifs sont en espagnol et en anglais. Ce petit musée se trouve dans une maison traditionnelle de style colonial avec cour intérieure.

Le point saillant de ce musée est la réplique de la **Tumba 116**, qui fut trouvée derrière la première terrasse du temple I, ou Templo Jaguar Gigante, par l'archéologue et architecte étasunien Aubrey S. Trik en 1962. On y découvrit les restes du dirigeant Ha Cacau, le seigneur du cacao. Ha Cacau mesurait 1,80 m, gouverna Tikal pendant plus d'un demi-siècle (de 682 à 734 de notre ère) et mourut entre le 3ᵉ et 4ᵉ Catún.

Le tombeau, dont la réplique au musée respecte exactement les dimensions originales, mesure 1,2 m de profondeur, 2,4 m de largeur et 4 m de hauteur. Les objets trouvés à l'intérieur comprennent des colliers de jade, des bracelets, des coquillages et des céramiques.

Uaxactún

À environ 40 km au nord de Tikal, Uaxactún se présente comme un site archéologique maya de grandeur moyenne datant de l'époque classique. Les férus d'archéologie ne voudront pas manquer la visite de ces ruines d'une singulière importance dans l'histoire du savoir archéologique portant sur les Mayas. Les fouilles commencèrent dès 1926 sous l'égide de la Carnegie Institution of Washington. Uaxactún demeura, jusqu'aux fouilles de Tikal au début des années cinquante, le plus important site archéologique de la région. Les archéologues étasuniens choisirent ce site parce qu'on y trouva à l'époque la plus ancienne stèle maya de la région.

Certains voyageurs risquent d'être déçus par les ruines d'Uaxactún, qui n'ont rien de la grandeur

de celles de Tikal. La visite est cependant une aventure en soi, puisque la route pour les atteindre franchit la jungle sur environ 24 km.

Vous voudrez cependant effectuer le trajet par l'entremise d'une agence de voyages, puisque le transport public est plutôt restreint et vous oblige à passer deux nuits sur les lieux (le seul autobus effectuant le trajet quitte Tikal vers 16h et repart le lendemain à 5h). Renseignez-vous dans les hôtels de Tikal et de Flores pour connaître les différentes excursions d'une journée proposées pour la découverte d'Uaxactún.

Sayaxché

Le village de Sayaxché, sur les berges du Río de la Pasión, se présente comme une base intéressante pour la découverte des sites archéologiques de la région. Tranquille et peu fréquenté, Sayaxché n'a rien à offrir en soi, si ce n'est ses allures de village-frontière. Au-delà de Sayaxché, on ne trouve plus que l'impénétrable jungle et ses quelques cultivateurs.

El Ceibal

En remontant le Río de la Pasión, vous découvrirez les ruines d'El Ceibal, les ruines les plus accessibles pour le voyageur puisque vous pouvez y accéder par bateau. La plupart des hôtels et agences de Tikal et de Flores proposent des excursions d'une

journée aux ruines d'El Ceibal. À votre arrivée sur les rives du Río de la Pasión, au pied des ruines, un sentier de terre plus ou moins entretenu grimpe jusqu'au sommet. Prenez soin d'avoir de bonnes bottes de marche, puisque le sentier, en pleine jungle tropicale, est souvent boueux et la montée peut s'avérer ardue pour ceux qui n'ont pas l'habitude de marcher en montagne.

Outre le voyage en bateau, des plus intéressants, les ruines s'avèrent somme toute agréables à visiter. On y trouve de nombreux vestiges, entre autres quelques plateformes basses, mais surtout de superbes stèles mayas. El Ceibal, qui connut son essor entre 830 et 930 ap. J.-C., est d'ailleurs reconnue pour ses stèles qui comptent parmi les plus riches de la civilisation maya.

Poptún

Au sud-est du Petén, les voyageurs ont pris l'habitude de faire un arrêt dans la petite bourgade de Poptún pour découvrir les nombreux sentiers proposés par la **Finca Ixobel** (voir p 381).

Activités de plein air

Randonnée pédestre

La majorité des guides de Tikal proposent une excursion dans la jungle d'une durée de deux heures. Rendez-vous au poste d'entrée des ruines, là où les guides ont pris l'habitude d'attendre les visiteurs.

Las Puertas Café-Bar (voir p 381) de Flores propose une excellente excursion d'une journée complète à la découverte des environs du lac Petén-Itzá. L'excursion en bateau vous mène jusqu'à El Encantadero, une plage sur le lac où vous pourrez prendre du soleil et des bains de boue ou simplement vous allonger dans un hamac. Ensuite, vous vous renderez à l'embouchure du Río Ixpóp. Le coût est d'environ 30$US par personne.

À Poptún, les amateurs de plein air seront comblés par les forfaits proposés par la **Finca Ixobel** (voir p 381). En effet, la propriétaire Carol Divine suggère toute une gamme d'activités en pleine jungle : vous pourrez faire de ...itation, dormir dans ... «faire le singe» ...macs ou vous ...ur une

chambre à air (*tubing*) dans la rivière Machiquila.

Muni de bougies et de lampes de poche, vous ferez l'exploration d'une caverne (apportez de bons souliers et une lampe de poche; l'escalade et la nage sont au rendez-vous). Puis la dernière étape de ce forfait défiera votre sang-froid, alors que quelques mètres seulement vous séparent des eaux noires dans lesquelles vous tomberez sûrement, tout en retenant votre souffle ou en criant votre désespoir!

Hébergement

Flores

Posada Tucán
$
⊗
Calle 15 de Septiembre n° 2
Propre et économique, la Posada Tucán offre un jouissif point de vue sur le lac. Vous oublierez la petitesse des chambres en vous prélassant dans une sympathique chambre commune.

Hospedaje Donã Goya
$-$$
bp
Calle de la Unión
Certaines chambres de l'Hospedaje Donã Goya disposent de salles de bain privées et de balcons. C'est de loin le meilleur hôtel pour petit budget de tout Flores et de Santa Elena. Beaucoup

d'informations et de cartes sont affichées afin de diriger les voyageurs dans la ville. En outre, essayez son petit restaurant très sympathique (voir p 381).

Cazazul Guesthouse & Hotel
$$$
≡, ⊗, tv, bp, ☾
Calle de la Unión
☎926-1138
⇎926-0593
Le Cazazul Guesthouse & Hotel est le secret des gens d'affaires et des membres des organisations non gouvernementales. Moderne et confortable, il propose de grandes chambres qui donnent sur le lac Petén-Itzá. Bien qu'il ne possède ni piscine ni restaurant, vous pourrez profiter de la superbe piscine de l'hôtel Casona de la Isla, puisque ces deux établissements appartiennent au même propriétaire. Les chambres, les plus grandes et les plus confortables de l'île, disposent de fauteuils, de bureaux et de grands lits. Une terrasse commune, au dernier étage, offre un point de vue unique sur le lac.

Casona de la Isla
$$$
bp, ≡, ⊗, tv, ≈
☎926-0593
☎926-0523
Situé en bordure du lac dans la partie nord de l'île, l'hôtel Casona de la Isla se présente comme un des meilleurs et plus charmants établissements hôteliers de l'Isla de Flores. On y trouve d'excellentes chambres climatisées (impossible cependant d'ouvrir les fenêtres) avec vue sur le

Petén

lac. Bien que relativement petites, les chambres sont propres, modernes et très confortables.

La piscine, décorée d'une fontaine créant une petite cascade en gradins rocheux, et le bassin à remous extérieur sont tous deux situés sur le bord du lac et constituent le fait saillant incontestable de ce lieu d'hébergement. On y vient véritablement pour s'y reposer et pour profiter des vacances! Autour de la piscine s'étend une terrasse avec un bar où est proposé un service de restauration au menu très varié (voir p 382).

Le personnel, courtois et sympathique, répondra à toutes vos demandes. De plus, on y organise des excursions vers Tikal.

Hotel Isla de Flores
$$$
bp, ≡, tv, ⊗
☎926-0614
L'Hotel Isla de Flores s'offre moins de charme que ses plus proches concurrents. Situé en plein centre-ville, il dispose néanmoins de grandes chambres dont quelques-unes offrent une vue imprenable sur le lac. Le très courtois personnel vous servira une boisson bien fraîche que vous pourrez déguster dans l'agréable salle commune.

Santa Elena

Hotel Alonzo
$
bp/bc
Pour un séjour mémorable, rendez-vous à l'Hotel Alonzo, situé tout près du service téléphonique Telgua (voir p 363). Vous bénéficierez de l'eau chaude dans les salles de bain du rez-de-chaussée, et les ventilateurs de plafond allégeront la chaleur parfois accablante qui sévit dans ce beau pays. Notez que vous pouvez y changer vos chèques de voyage.

Hotel San Juan
$-$$
bc/bp, ⊗, tv, ≡
À l'hôtel San Juan, vous logerez dans des chambres très propres, certaines avec accès à une salle de bain privée. Vous devrez toutefois partager la salle de bain si vous optez pour l'hébergement moins dispendieux, où les chambres, correctes, sont plus petites. Il est aussi possible d'y loger en occupation triple.

El Remate

Mirador del Duende
$
☎926-0269
⇄926-0397
Si le camping vous intéresse, rendez-vous au Mirador del Duende, situé de l'autre côté de la route Flores-Tikal. Vous pouvez soit planter votre tente, soit accrocher votre hamac et dormir à la belle étoile. Cet établisse-

ment propose aussi un hébergement en bungalow.

La Mansión del Pájaro Serpiente
$$$
bp, ≈, ℜ
☎926-0065
Du luxe, du luxe, du luxe! Détrompez-vous : vous ne trouverez pas d'hôtels quatre-étoiles à El Remate, mais les 10 chambres coquettes que compte La Mansión del Pájaro Serpiente satisferont votre besoin de confort à la guatémaltèque. L'établissement est entouré de beaux jardins et d'une piscine où il fait bon se rafraîchir. De plus, son bar-restaurant, très abordable, rendra votre séjour à la Mansión des plus mémorables.

Tikal

D'une manière générale, les hôtels de Tikal ont fâcheusement tendance à perdre les réservations. Il est donc fortement recommandé de confirmer votre réservation le jour même ou la veille de votre arrivée.

Jaguar Inn
$-$$$
bc/bp, ⊗, ≡, ℜ
☎502-926-0002
Le Jaguar Inn est populaire auprès des randonneurs et propose plusieurs types d'hébergement. Les chambres les plus chères disposent d'une salle de bain privée ainsi que de la climatisation, et se comparent à celles du Jungle Lodge (voir p 380).

L'hôtel propose aussi des *cabañas* avec salle de bain partagée. Vous pouvez en outre camper sur la propriété et dormir dans un hamac avec moustiquaire. Le Jaguar Inn s'imprègne d'une ambiance quasi familiale. La salle commune et le restaurant (voir p 382) de bois s'intègrent bien au parc. Atmosphère détendue.

Tikal Inn
$$$
bp, ⊗, ≈
☎≈**502-926-0065**
Le Tikal Inn se présente sans doute comme le meilleur établissement de Tikal. Plus petit que le Jungle Lodge, il s'avère plus agréable et plus tranquille. Il propose de très belles *cabañas* traditionnelles coiffées d'un toit de palmes qui disposent de grandes pièces et chambres tout en bois. Très propre et bien entretenu, il possède une belle piscine. Le restaurant (voir p 382) sert une table d'hôte, mais la qualité des repas est correcte, sans plus.

Jungle Lodge
$$$
bc/bp, ⊗, ≈, ℜ
☎**04-768775**
≈**04-760294**
Plus grand hôtel de Tikal, le Jungle Lodge loue de très bonnes chambres confortables et climatisées. Les plus économiques n'ont pas de salle de bain privée. Salle de séjour agréable et terrasse sympathique. Belle piscine avec bar. L'hôtel est souvent complet, et le service se révèle plutôt expéditif dans certains

cas. Assurez-vous que votre réservation est bel et bien confirmée avant votre arrivée. Coupures d'électricité fréquentes la nuit. Grand restaurant (voir p 383).

Uaxactún

EcoCampamento
$ par personne
☎**926-0077** à Flores
Vous pouvez camper dans le petit village d'Uaxactún, adjacent aux ruines, et profiter des hamacs (avec moustiquaire) de l'EcoCampamento. Les tentes, fournies par l'établissement, et les hamacs reposent sous un toit de palmes qui permet de rester au sec s'il pleut.

Hotel y Campamento El Chiclero
$$$
bc
Pour des chambres en bonne et due forme, rendez-vous à l'Hotel y Campamento El Chiclero, qui se trouve directement devant l'arrêt d'autocar du village. Les chambres, propres, n'ont pas de salle de bain privée. Les propriétaires, des plus sympathiques, proposent des excursions dans la région.

Sayaxché

Hospedaje Guayacán
$
bp, ⊗
☎≈**928-6111**
Pour un confort sans reproche, allez rêver à l'Hospedaje Guayacán, véritable point de repère

de la ville. De la terrasse, où les vents caresseront chaque soir le bas de votre nuque, vous aurez droit à une superbe vue sur la rivière. Il est délectable de pouvoir se coucher dans des lits très fermes, alors que le ventilateur éloigne la chaleur que vous avez subi toute la journée durant sous un soleil de feu. Les chambres, très propres, sont toutes munies d'une salle de bain privée.

Hospedaje Margot
$
bc, ⊗
Situées à trois rues de l'Hospedaje Guayacán (voir ci-dessus), les petites et coquettes chambres de l'Hospedaje Margot feront l'affaire des voyageurs qui n'en ont que pour une nuit à Sayaxché. Vous devez partager la salle de bain, mais vous profiterez de la terrasse arrière.

Hospedaje Mayapán
$
⊗
Les chambres de l'Hospedaje Mayapán n'offrent pas grand-chose aux voyageurs, si ce n'est leur prix dérisoire.

El Ceibal

À quelques kilomètres de Sayaxché, vous pourrez camper gratuitement à El Ceibal et profiter de l'éveil tropical que procurent la faune ailée et les mammifères (parfois rugissants...). Vous pourrez en outre visiter les ruines d'El Ceibal, qui, quoique moins grandioses que celles de Tikal, sont moins achalandées.

Poptún

Finca Ixobel
$

Pour combler votre besoin de sommeil profond, rendez-vous à la Finca Ixobel, située en face de la station-service. Les chambres, rudimentaires, satisferont les plus téméraires.

Par ailleurs, le personnel peut vous renseigner sur les multiples visites de la ville et de ses environs; n'hésitez surtout pas à leur confier vos moindres soucis : ils se feront un plaisir de vous aider! En outre, l'établissement est tenu par les mêmes propriétaires que le Restaurante La Fonda Ixobel (voir p 383).

Posada de los Castellanos
$
bp, ⊗

Située en face du marché de la ville, la Posada de los Castellanos, sans révolutionner l'hébergement typique de ce pays, propose toutefois des chambres confortables et simples. Malheureusement vous n'y trouverez pas d'eau chaude. Le personnel, courtois et très souriant, compense néanmoins cette nécessité des Occidentaux.

Restaurants

Flores

Hospedaje Donã Goya
$

Le restaurant de l'Hospedaje Donã Goya possède une salle commune où l'on sert des petits déjeuners continentaux pour au moins 14Q, entre autres du muesli avec des fruits. Ce restaurant, dont la propreté est une des marques de commerce, propose aussi des sandwichs, des salades et des hamburgers.

Chaltunha
$-$$

Le restaurant Chaltunha, situé sur le bord du lac au sud-ouest de l'île, dispose d'une petite terrasse offrant une vue mémorable sur la petite île de Santa Bárbara. Chaltunha est un mot maya qui signifie «pierres blanches sous l'eau».

Populaire auprès des habitants de la région, le restaurant Chaltunha sert le poisson *Peterina splendens* (appelé communément *pescado blanco* par la population), qui, une fois frit, cuit à la vapeur avec sauce rouge, ou encore grillé à l'ail, est un régal. Vous avez aussi le choix de déguster des *chiles rellenos* (des piments farcis) ainsi qu'une bonne sélection de pâtes, de sandwichs et de hamburgers.

Pizzería Picasso
$-$$

La Pizzería Picasso loge dans une ancienne maison coloniale au centre de Flores. Essayez la pizza végétarienne ou la «toute garnie», toutes deux servies en portions généreuses.

La Luna
$-$$
12h à 23h
Calle 30 de Julio

Sans nul doute une des meilleures tables de Flores, le restaurant-bar La Luna est aussi l'un des restaurants qui offrent la plus agréable ambiance pour passer la soirée. Vous y trouverez une variété de plats végétariens, entre autres les succulentes *calabazitas rellenas*, ces petites citrouilles gratinées garnies de légumes : un régal! Aussi, vous êtes à la bonne adresse pour dévorer un steak au poivre, sur lequel s'étend une onctueuse sauce blanche.

Le menu, à la carte, est le même pour le déjeuner que pour le dîner. Tous les aliments, fruits et légumes, sont lavés avec de l'eau purifiée, et la viande provient de la capitale. Finalement, essayez le bœuf cordon-bleu, servi avec du fromage et du jambon. On y parle l'anglais, l'allemand, l'espagnol et un peu de français.

Las Puertas Café-Bar
$$
Calle Central
angle Santa Ana
☎*926-1061*

L'incontournable et sympathique Las Puertas Ca-

fé-Bar propose un menu varié et des concerts dans une ambiance relâchée et chaleureuse. Mordez à belles dents dans leurs *panones*, la spécialité de la maison. Ces sandwichs chauds, cuits au four et apprêtés de façon originale, fondent tout simplement dans la bouche, tous concoctés avec des tomates, des oignons, des avocats et de la mayonnaise; on peut y ajouter soit du poulet, du fromage fondu, des œufs ou du jambon.
Le restaurant propose également une grande variété de salades et de pâtes. Son choix de vins chiliens est surprenant.

Vous pourrez emprunter l'un des nombreux jeux de société que fournit l'établissement, à savoir des jeux d'échecs, des cartes ou des dominos. Le soir, on y présente des spectacles de musique guatémaltèque et de jazz. Les très serviables et chaleureux propriétaires organisent de plus des excursions dans la région.

Casona de la Isla
$$-$$$
☎926-0593
☎26-0523
Le restaurant de l'hôtel Casona de la Isla est ouvert de 6h à 22h et son menu est des plus variés. De plus, les voyageurs de Tikal peuvent profiter des paniers-repas préparés spécialement pour eux.

Santa Elena

El Rodeo
$
tlj 11h à 21h
angle 2a. Calle et 5a. Avenida
Malheureusement les *comedores* sont la règle d'or à Santa Elena. Vous pourrez y manger des œufs et des fèves, ainsi que du poulet et du bœuf. La salubrité n'est pas toujours de mise dans ces établissements... Nous vous suggérons plutôt d'aller au restaurant El Rodeo, qui propose les plats typiques de la région.

El Remate

Mirador del Duende
$
☎926-0269
⇰926-0397
Le restaurant du Mirador del Duende (voir p 379) propose une saine cuisine végétarienne à base de fruits et de légumes frais. Cette bonne cuisine ne s'avère pas très dispendieuse.

Tikal

La qualité de la restauration locale laisse malheureusement à désirer, et les repas sont relativement chers. En face du centre d'information, vous trouverez toutefois quelques *comedores* un peu moins chers que les restaurants d'hôtel.

Comedor la Jungla Tikal
$-$$
Le Comedor la Jungla Tikal propose un menu

du jour unique avec viande, toujours à base de riz et de fèves, le tout accompagné de bonnes tortillas.

Comedor Tikal
$-$$
Le Comedor Tikal offre un menu à la carte assez varié. Plats typiques à base de riz et de fèves. Vous pouvez demander des sandwichs à emporter. Correct, mais sans plus.

Jaguar Inn
$$
6h à 21h
Le restaurant du Jaguar Inn affiche un menu varié et économique. En fait, il se révèle être le restaurant le plus invitant de Tikal. On y trouve surtout une ambiance agréable et détendue, à l'intérieur d'une maison typique au toit de palmes. Dîner aux chandelles.

Essayez les spaghettis sauce bolonaise ou à la crème, pas si mal compte tenu de la qualité générale de la nourriture à Tikal (goûtez au fromage râpé avant d'en saupoudrer votre assiette, car il a un goût particulier). On offre toujours du très bon pain frais avec du beurre. Au petit déjeuner, menu complet et beurre d'arachide!

Tikal Inn
$$$
L'hôtel Tikal Inn dispose d'un agréable restaurant qui propose une table d'hôte au dîner. Choix de trois plats. La qualité des repas est convenable, mais sans plus. Les petits déjeuners s'avèrent plus

intéressants par leur variété et sont particulièrement appréciés de la clientèle de cet établissement hôtelier (voir p 380). Bon service aux tables.

Jungle Lodge
$$$

Le restaurant du Jungle Lodge (voir p 380) offre une table d'hôte le soir et un menu à la carte le midi. Au dîner, un choix de quatre plats principaux, soit le poisson, le poulet, le porc et le bœuf. En général, le porc est le plat le plus apprécié dans ce restaurant, dont la cuisine fait les frais d'une clientèle trop nombreuse, ce qui se traduit généralement par des mets plutôt fades.

Malgré l'ambiance feutrée des lieux, n'ayez donc aucune attente culinaire! Vous pouvez demander qu'on vous prépare un panier-repas (sandwich, jus, etc.) pour le lendemain, si vous comptez pique-niquer pendant votre visite des ruines. La qualité du service aux tables n'est pas constante.

Sayaxché

Yaxhin
$

tlj 7h à 20h
tout près de l'Hospedaje Mayapán
Le restaurant Yaxhin affiche un menu typiquement guatémaltèque. Vous pourrez vous régaler de plats végétariens composés de moult légumes ou d'assiettes de bœuf ou de poulet. On y sert aussi un bon petit déjeuner.

La route vers le Belize

La route entre Melchor de Menchos, le village frontalier du Belize, et Tikal est en bon état, bien qu'elle ne soit pas revêtue. Par mesure de sécurité, il vaut mieux ne pas emprunter cette route à la tombée de la nuit, de nombreux cas d'assauts sur des voitures de touristes ayant été recensés entre 1994 et 1996. Cela dit, le gouvernement du Guatemala a depuis fortement accru la présence policière sur cette route et mené avec succès une opération de «nettoyage». La route est donc beaucoup plus sûre qu'elle ne l'était par le passé.

Notez que ce restaurant est équipé d'un système de ventilation rafraîchissant et de moustiquaires.- Les hôtes se feront un plaisir d'entreposer vos bagages le temps de votre repas, et ce, gratuitement. Si vous avez besoin d'indications, n'hésitez pas à leur demander conseil puisqu'ils seront fiers de vous montrer leur carte du Petén, très à jour.

Poptún

Restaurante La Fonda Ixobel
$

tlj 7h30 à 23h
Les propriétaires du Restaurante La Fonda Ixobel, fiers de leur hôtel Finca Ixobel (voir p 381), proposent les meilleures *chimichangas* de la région (un plat typique fait à base de viande, de fèves, de fromage et d'oignons, letout enrobé dans une tortilla géant!). Essayez le pain aux bananes, un somptueux délice pour le palais et les papilles gustatives. Vous pourrez aussi y déguster du muesli avec des fruits. Notez que tous leurs plats sont faits maison.

Dindon ocellé

LEXIQUE

Quelques indications sur la prononciation de l'espagnol en Amérique latine.

CONSONNES

c Tout comme en français, le *c* est doux devant *i* et *e*, et se prononce alors comme un **s** : *cerro* (serro). Devant les autres voyelles, il est dur : *carro* (karro). Le **c** est également dur devant les consonnes, sauf devant le **h** (voir plus bas).

g De même que pour le **c**, devant **i** et **e** le **g** est doux, c'est-à-dire qu'il est comme un souffle d'air qui vient du fond de la gorge : *gente* (hhente).

Devant les autres voyelles, il est dur : *golf* (se prononce comme en français). Le **g** est également dur devant les consonnes.

ch Se prononce **tch**, comme dans «Tchad» : *leche* (letche). Tout comme pour le **ll**, c'est comme s'il s'agissait d'une autre lettre, listée à part dans les dictionnaires et dans l'annuaire du téléphone.

h Ne se prononce pas : *hora* (ora).

j Se prononce comme le **r** de «crabe», un **r** du fond de la gorge, sans excès : *jugo* (rrugo).

ll Se prononce comme **y** dans «yen» : *llamar* (yamar). Dans certaines régions, par exemple le centre de la Colombie, **ll** se prononce comme **j** de «jujube» (*Medellín* se prononce Medejin). Tout comme pour le **ch**, c'est comme s'il s'agissait d'une autre lettre, listée à part dans les dictionnaires et dans l'annuaire du téléphone.

ñ Se prononce comme le **gn** de «beigne» : *señora* (segnora).

r Plus roulé et moins guttural qu'en français, comme en italien.

s Toujours **s** comme dans «singe» : *casa* (cassa).

v Se prononce comme un **b** : *vino* (bino).

z Comme un **z** : *paz* (pass).

VOYELLES

e Toujours comme un **é** : *helado* (élado) sauf lorsqu'il précède deux consonnes, alors il se prononce comme un **è** : *encontrar* (èncontrar)

u Toujours comme **ou** : *cuenta* (couenta)

y Comme un **i** : *y* (i)

Toutes les autres lettres se prononcent comme en français.

ACCENT TONIQUE

En espagnol, chaque mot comporte une syllabe plus accentuée. Cet accent tonique est très important en espagnol et s'avère souvent nécessaire pour sa compréhension par vos interlocuteurs. Si, dans un mot, une voyelle porte un accent aigu (le seul utilisé en espagnol), c'est cette syllabe qui doit être accentuée. S'il n'y a pas d'accent sur le mot, il faut suivre la simple règle suivante :

On doit accentuer l'avant-dernière syllabe de tout mot qui se termine par une voyelle : *amigo*.

On doit accentuer la dernière syllabe de tout mot qui se termine par une consonne sauf **s** (pluriel des noms et adjectifs) ou **n** (pluriel des verbes) : *usted* (mais *amigos, hablan*).

PRÉSENTATIONS

au revoir	*adiós, hasta luego*	je suis québécois(e)	*Soy quebequense*
bon après-midi ou bonsoir	*buenas tardes*	je suis suisse	*Soy suizo*
bonjour (forme familière)	*hola*	je suis un(e) touriste	*Soy turista*
bonjour (le matin)	*buenos días*	je vais bien	*estoy bien*
bonne nuit	*buenas noches*	marié(e)	*casado/a*
célibataire (m/f)	*soltero/a*	merci	*gracias*
comment allez-vous?	*¿cómo esta usted?*	mère	*madre*
copain/copine	*amigo/a*	mon nom de famille est...	*mi apellido es...*
de rien	*de nada*	mon prénom est...	*mi nombre es...*
divorcé(e)	*divorciado /a*	non	*no*
enfant (garçon/fille)	*niño/a*	oui	*sí*
époux, épouse	*esposo/a*	parlez-vous français?	*¿habla usted francés?*
excusez-moi	*perdone/a*	père	*padre*
frère, sœur	*hermano/a*	plus lentement s'il vous plaît	*más despacio, por favor*
je suis belge	*Soy belga*	quel est votre nom?	*¿cómo se llama usted?*
je suis canadien(ne)	*Soy canadiense*	s'il vous plaît	*por favor*
je suis désolé, je ne parle pas espagnol	*Lo siento, no hablo español*	veuf(ve)	*viudo/a*
je suis français(e)	*Soy francés/a*		

DIRECTION

à côté de	*al lado de*	il n'y a pas...	*no hay...*
à droite	*a la derecha*	là-bas	*allí*
à gauche	*a la izquierda*	loin de	*lejos de*
dans, dedans	*dentro*	où se trouve ... ?	*¿dónde está ... ?*
derrière	*detrás*	pour se rendre à...?	*¿para ir a...?*
devant	*delante*	près de	*cerca de*
en dehors	*fuera*	tout droit	*todo recto*
entre	*entre*	y a-t-il un bureau de tourisme ici?	*¿hay aquí una oficina de turismo?*
ici	*aquí*		

L'ARGENT

argent	*dinero/plata*	je n'ai pas d'argent	*no tengo dinero*
carte de crédit	*tarjeta de crédito*	l'addition, s'il vous plaît	*la cuenta, por favor*
change	*cambio*	reçu	*recibo*
chèque de voyage	*cheque de viaje*		

LES ACHATS

acheter	**comprar**
appareil photo	**cámara**
argent	**plata**
artisanat typique	**artesanía típica**
bijoux	**joyeros**
cadeaux	**regalos**
combien cela coûte-t-il?	**¿cuánto es?**
cosmétiques et parfums	**cosméticos y perfumes**
disques, cassettes	**discos, casetas**
en/de coton	**de algodón**
en/de cuir	**de cuero/piel**
en/de laine	**de lana**
en/de toile	**de tela**
fermé	**cerrado/a**
film, pellicule photographique	**rollo/film**
j'ai besoin de ...	**necesito ...**
je voudrais	**quisiera...**
je voulais	**quería...**
journaux	**periódicos/diarios**
la blouse	**la blusa**
la chemise	**la camisa**
la jupe	**la falda/la pollera**
la veste	**la chaqueta**
le chapeau	**el sombrero**
le client, la cliente	**el/la cliente**
le jean	**los tejanos/los vaqueros/los jeans**
le marché	**mercado**
le pantalon	**los pantalones**
le t-shirt	**la camiseta**
le vendeur, la vendeuse	**dependiente**
le vendeur, la vendeuse	**vendedor/a**
les chaussures	**los zapatos**
les lunettes	**las gafas**
les sandales	**las sandalias**
montre-bracelet	**el reloj(es)**
or	**oro**
ouvert	**abierto/a**
pierres précieuses	**piedras preciosas**
piles	**pilas**
produits solaires	**productos solares**
revues	**revistas**
un grand magasin	**almacén**
un magasin	**una tienda**
un sac à main	**una bolsa de mano**
vendre	**vender**

DIVERS

beau	**hermoso**
beaucoup	**mucho**
bon	**bueno**
bon marché	**barato**
chaud	**caliente**
cher	**caro**
clair	**claro**
court	**corto**
court (pour une personne petite)	**bajo**
étroit	**estrecho**
foncé	**oscuro**
froid	**frío**
gros	**gordo**
j'ai faim	**tengo hambre**
j'ai soif	**tengo sed**
je suis malade	**estoy enfermo/a**
joli	**bonito**
laid	**feo**
large	**ancho**
lentement	**despacio**
mauvais	**malo**
mince, maigre	**delgado**
moins	**menos**
ne pas toucher	**no tocar**
nouveau	**nuevo**
où?	**¿dónde?**
grand	**grande**
petit	**pequeño**
peu	**poco**
plus	**más**
qu'est-ce que c'est?	**¿qué es esto?**
quand	**¿cuando?**
quelque chose	**algo**
rapidement	**rápidamente**
requin	**tiburón**
rien	**nada**
vieux	**viejo**

LA TEMPÉRATURE

il fait chaud	*hace calor*	pluie	*lluvia*
il fait froid	*hace frío*	soleil	*sol*
nuages	*nubes*		

LE TEMPS

année	*año*	mardi	*martes*
après-midi, soir	*tarde*	mercredi	*miércoles*
aujourd'hui	*hoy*	jeudi	*jueves*
demain	*mañana*	vendredi	*viernes*
heure	*hora*	samedi	*sábado*
hier	*ayer*	janvier	*enero*
jamais	*jamás, nunca*	février	*febrero*
jour	*día*	mars	*marzo*
maintenant	*ahora*	avril	*abril*
minute	*minuto*	mai	*mayo*
mois	*mes*	juin	*junio*
nuit	*noche*	juillet	*julio*
pendant le matin	*por la mañana*	août	*agosto*
quelle heure est-il?	*¿qué hora es?*	septembre	*septiembre*
semaine	*semana*	octobre	*octubre*
dimanche	*domingo*	novembre	*noviembre*
lundi	*lunes*	décembre	*diciembre*

LES COMMUNICATIONS

appel à frais virés (PCV)	*llamada por cobrar*	le bureau de poste	*la oficina de correos*
attendre la tonalité	*esperar la señal*	les timbres	*estampillas/sellos*
composer le préfixe	*marcar el prefijo*	tarif	*tarifa*
courrier par avion	*correo aéreo*	télécopie (fax)	*telecopia*
enveloppe	*sobre*	télégramme	*telegrama*
interurbain	*larga distancia*	un annuaire de téléphone	*un botín de teléfonos*
la poste et l'office des télégrammes	*correos y telégrafos*		

LES ACTIVITÉS

musée ou galerie	*museo*	plongée sous-marine	*buceo*
nager	*nadar*	se promener	*pasear*
plage	*playa*		

LES TRANSPORTS

à l'heure prévue	*a la hora*	l'autobus	*el bus*
aéroport	*aeropuerto*	l'avion	*el avión*
aller simple	*ida*	la bicyclette	*la bicicleta*
aller-retour	*ida y vuelta*	la voiture	*el coche, el carro*
annulé	*annular*	le bateau	*el barco*
arrivée	*llegada*	le train	*el tren*
avenue	*avenida*	nord	*norte*
bagages	*equipajes*	ouest	*oeste*

coin	esquina	passage de chemin de fer	crucero ferrocarril
départ	salida	rapide	rápido
est	este	retour	regreso
gare, station	estación	rue	calle
horaire	horario	sud	sur
l'arrêt d'autobus	una parada de autobús	sûr, sans danger	seguro/a
l'arrêt s'il vous plaît	la parada, por favor	taxi collectif	taxi colectivo

LA VOITURE

à louer	alquilar	feu de circulation	semáforo
arrêt	alto	interdit de passer, route fermée	no hay paso
arrêtez	pare	limite de vitesse	velocidad permitida
attention, prenez garde	cuidado	piétons	peatones
autoroute	autopista	ralentissez	reduzca velocidad
défense de doubler	no adelantar	station-service	servicentro
défense de stationner	probibido aparcar o estacionar	stationnement	parqueo, estacionamiento
essence	petróleo, gasolina		

L'HÉBERGEMENT

air conditionné	aire acondicionado	haute saison	temporada alta
ascenseur	ascensor	hébergement	alojamiento
avec salle de bain privée	con baño privado	lit	cama
basse saison	temporada baja	petit déjeuner	desayuno
chalet (de plage), bungalow	cabaña	piscine	piscina
chambre	habitación	rez-de-chaussée	planta baja
double, pour deux personnes	doble	simple, pour une personne	sencillo
eau chaude	agua caliente	toilettes, cabinets	baños
étage	piso	ventilateur	ventilador
gérant, patron	gerente, jefe		

LES NOMBRES

0	cero	23		veintitrés	
1	uno ou una	24		veinticuatro	
2	dos	25		veinticinco	
3	tres	26		veintiséis	
4	cuatro	27		veintisiete	
5	cinco	28		veintiocho	
6	seis	29		veintinueve	
7	siete	30		treinta	
8	ocho	31		treinta y uno	
9	nueve	32		treinta y dos	
10	diez	40		cuarenta	
11	once	50		cincuenta	
12	doce	60		sesenta	
13	trece	70		setenta	
14	catorce	80		ochenta	
15	quince	90		noventa	
16	dieciséis	10		cien/ciento	
17	diecisiete	200		doscientos, doscientas	
18	dieciocho	500		quinientos, quinientas	
19	diecinueve	1 000		mil	
20	veinte	10 000		diez mil	
21	veintiuno	1 000 000		un millón	
22	veintidos				

Index

«Y'en a qui ont le cœur si vaste

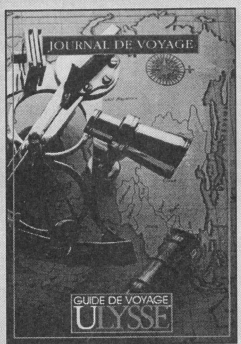

8,95 $
(petit format)
11,95 $
(grand format)

qu'ils sont toujours en voyage.»

Jacques Brel
Les cœurs tendres.

Bon de commande Ulysse

Guides de voyage

☐	Abitibi-Témiscamingue et Grand Nord	22,95 $	135 FF
☐	Acapulco	14,95 $	89 FF
☐	Arizona et Grand Canyon	24,95 $	145 FF
☐	Bahamas	24,95 $	145 FF
☐	Belize	16,95 $	99 FF
☐	Boston	17,95 $	99 FF
☐	Calgary	16,95 $	99 FF
☐	Californie	29,95 $	129 FF
☐	Canada	29,95 $	129 FF
☐	Cancún et la Riviera Maya	19,95 $	99 FF
☐	Cape Cod – Nantucket	16,95 $	99 FF
☐	Carthagène (Colombie)	12,95 $	70 FF
☐	Charlevoix Saguenay Lac-Saint-Jean	22,95 $	135 FF
☐	Chicago	19,95 $	117 FF
☐	Chili	27,95 $	129 FF
☐	Colombie	29,95 $	145 FF
☐	Costa Rica	27,95 $	145 FF
☐	Côte-Nord – Duplessis – Manicouagan	22,95 $	135 FF
☐	Cuba	24,95 $	129 FF
☐	Cuisine régionale au Québec	16,95 $	99 FF
☐	Disney World	19,95 $	135 FF
☐	El Salvador	22,95 $	145 FF
☐	Équateur – Îles Galápagos	24,95 $	145 FF
☐	Floride	29,95 $	129 FF
☐	Gaspésie – Bas-Saint-Laurent - Îles-de-la-Madeleine	22,95 $	135 FF
☐	Gîtes du Passant au Québec	13,95 $	89 FF
☐	Guadeloupe	24,95 $	98 FF
☐	Guatemala	24,95 $	129 FF
☐	Honduras	24,95 $	145 FF
☐	Hôtels et bonnes tables au Québec	17,95 $	89 FF
☐	Jamaïque	24,95 $	129 FF
☐	La Nouvelle-Orléans	17,95 $	99 FF
☐	Lisbonne	18,95 $	79 FF
☐	Louisiane	29,95 $	139 FF
☐	Los Cabos et La Paz	14,95 $	89 FF
☐	Martinique	24,95 $	98 FF
☐	Miami	18,95 $	99 FF
☐	Montréal	19,95 $	117 FF
☐	New York	19,95 $	99 FF

Guides de voyage

☐ Nicaragua	24,95 $	129 FF
☐ Nouvelle-Angleterre	29,95 $	145 FF
☐ Ontario	27,95 $	129 FF
☐ Ottawa	16,95 $	99 FF
☐ Ouest canadien	29,95 $	129 FF
☐ Panamá	24,95 $	139 FF
☐ Pérou	27,95 $	129 FF
☐ Plages du Maine	12,95 $	70 FF
☐ Portugal	24,95 $	120 FF
☐ Provence – Côte-d'Azur	29,95 $	119 FF
☐ Provinces Atlantiques du Canada	24,95 $	135 FF
☐ Puerto Plata–Sosua	14,95 $	69 FF
☐ Puerto Rico	24,95 $	139 FF
☐ Puerto Vallarta	14,95 $	99 FF
☐ Le Québec	29,95 $	129 FF
☐ République dominicaine	24,95 $	129 FF
☐ Saint-Martin – Saint-Barthélemy	16,95 $	89 FF
☐ San Francisco	17,95 $	99 FF
☐ Seattle	17,95 $	99 FF
☐ Toronto	18,95 $	99 FF
☐ Vancouver	17,95 $	85 FF
☐ Venezuela	29,95 $	145 FF
☐ Ville de Québec	17,95 $	99 FF
☐ Washington, D.C.	18,95 $	117 FF

Espaces verts

☐ Cyclotourisme en France	22,95 $	79 FF
☐ Motoneige au Québec	22,95 $	99 FF
☐ Le Québec cyclable	19,95 $	117 FF
☐ Randonnée pédestre Montréal et environs	19,95 $	117 FF
☐ Randonnée pédestre Nord-est des États-Unis	19,95 $	117 FF
☐ Ski de fond au Québec	22,95 $	110 FF
☐ Randonnée pédestre au Québec	22,95 $	117 FF

Guides de conversation

☐ L'Anglais pour mieux voyager en Amérique	9,95 $	43 FF
☐ L'Espagnol pour mieux voyager en Amérique latine	9,95 $	43 FF
☐ Le Québécois pour mieux voyager	9,95 $	43 FF
☐ French for better travel	9,95 $	43 FF

Journaux de voyage Ulysse

☐	Journal de voyage Ulysse (spirale)bleu – vert – rouge ou jaune	11,95 $	49 FF
☐	Journal de voyage Ulysse (format de poche) bleu – vert – rouge – jaune ou «sextant»	9,95 $	44 FF

Budget ● zone

☐	●zone Amérique centrale	14,95 $	69 FF
☐	●zone le Québec	14,95 $	69 FF
☐	Stagiaires Sans Frontières	14,95 $	89 FF

Titre	Qté	Prix	Total

Nom :	Total partiel	
	Port	4.00$/16FF
Adresse :	Total partiel	
	Au Canada TPS 7%	
	Total	

Tél :   Fax :

Courriel :

Paiement : ☐ Chèque ☐ Visa ☐ MasterCard

N° de carte_____ Expiration_____

Signature_____

Guides de voyages Ulysse
4176, rue Saint-Denis, Montréal (Québec) H2W 2M5
☎ (514) 843-9447,
fax (514) 843-9448
info@ulysse.ca

En Europe:
Les Guides de voyage Ulysse, SARL
BP 159
75523 Paris Cedex 11
info@ulysse.ca